EL CORÁN

El Corán, un libro que trae buenas nuevas a la humanidad junto con advertencias divinas, enfatiza la importancia del descubrimiento de la verdad por parte del ser humano en ambos planos, el espiritual y el intelectual.

Cada libro tiene su objetivo, y el del Corán es anunciar al hombre el plan creacional de Dios. Es decir, para decirle al ser humano por qué Dios creó este mundo; cuál es el propósito de establecer al hombre en la Tierra; qué se le requiere al hombre durante su periodo de vida terrenal y a qué se va a enfrentar después de la muerte. El propósito del Corán es hacer que el ser humano sea consciente de su realidad y guiarlo en un viaje completo a través de la vida terrenal y hacia la otra vida.

Los temas principales del Corán son iluminación, cercanía a Dios, paz y espiritualidad.

El Corán usa varios términos: *tawassum*, *tadabbur* y *tafakkur*, que indican el aprendizaje a través de la reflexión, el pensamiento y la contemplación de los signos divinos dispersos a través del mundo. La presente traducción del Corán se hizo contemplando estos mismos temas.

D0047464

EL CORÁN

Traducido por
Julio Cortés

GOODWORD

Goodword Books quisiera expresar su agradecimiento a
Dr. Sayyid Syeed, Presidente de ISNA,
por concedernos permiso para publicar esta traducción del Corán.

Published by Goodword Books, 2017
Reprinted 2018

Al-Risala Forum International
2665 Byberry Road, Bensalem, PA 19020, USA
Cell: 617-960-7156
email: kkaleemuddin@gmail.com

Goodword Books
A-21, Sector 4, Noida-201301, India
Tel. +9111-46010170, +9111-49534795
Mob. +91-8588822672
email: info@goodwordbooks.com
www.goodwordbooks.com
www.cpsglobal.org

Printed in India by HT Media Ltd., Noida

CONTENIDOS

EL CORÁN

6

8

INTRODUCCIÓN

El Corán es el libro de Dios. Ha sido plenamente preservado para los tiempos venideros. A pesar de haber sido revelado en árabe ha sido puesto al alcance de los que no hablan árabe, gracias a las traducciones.

A pesar de no ser el original, las traducciones tienen el propósito de divulgar la palabra de Dios más allá de los arabo-parlantes a un horizonte más amplio, que es la humanidad entera.

El Corán está en apariencia en idioma árabe; pero en realidad está en el lenguaje de la naturaleza, que es el lenguaje en que Dios se dirigió a todos los seres humanos al tiempo de la creación. Esta invocación divina a la humanidad está siempre presente en la conciencia de todos los seres humanos y por eso es que el Corán es universalmente entendible, a algunos en un plano consciente y a otros en un plano subconsciente. Esta realidad ha sido descrita en el Corán como "claras revelaciones en los corazones de quienes han sido agraciados con el conocimiento" y la aleya termina diciendo: "nadie niega nuestras revelaciones sino los inicuos" (29:49).

Esto significa que la realidad divina, explicada por el Corán en un plano consciente, es preexistente en el hombre a un nivel de subconsciencia. El mensaje del Corán no es, entonces, algo ajeno al hombre. Es de hecho la expresión verbal de la misma realidad divina que está en armonía con la naturaleza propia del hombre y a la que le es familiar. El Corán explica esto diciendo que aquellos nacidos en los últimos tiempos nacieron todos al tiempo de la creación de Adán y en ese tiempo, Dios se dirigió a todas esas almas humanas.

Este evento es pues mencionado en el Corán:

"Y cuando tu Señor sacó de las espaldas de los hijos de Adán a su descendencia e hizo que todas sus almas atestiguaran: «¿Acaso no soy yo vuestro Señor?». Dijeron: «¡Sí, lo atestiguamos!». Esto es para que el Día de la Resurrección no digáis: «Nadie nos había advertido de esto [que Dios era nuestro Señor]" (7: 172).

En la siguiente aleya, el Corán vuelve a mencionar el diálogo entre el ser humano y Dios:

"Propusimos el depósito a los cielos, a la tierra y a las montañas, pero se negaron a hacerse cargo de él, tuvieron miedo. El hombre, en cambio, se hizo cargo. Es, ciertamente, muy inicuo, muy ignorante" (33:72).

El Corán es, en esencia, algo conocido por el ser humano, en vez de ser algo totalmente desconocido. En realidad el Corán es el despliegue de la mente humana.

Cuando alguien cuya naturaleza está viva, a salvo de un condicionamiento previo, lee el Corán, las células cerebrales donde se encuentra el primer discurso de Dios preservado se reactivarán. Si tenemos esto en mente no será difícil entender que la traducción del Corán es un medio válido para comprenderlo.

Si la primera vez que Dios nos habló es el primer pacto, el Corán es el segundo pacto. Cada uno testifica la veracidad del otro. Si uno tiene poco o nulo conocimiento del idioma árabe y puede leer las escrituras solo traducidas no debe asumir que fracasará en el entendimiento del Corán, pues el concepto coránico del ser humano como receptor natural de la palabra de Dios se hizo realidad en tiempos modernos. La genética y los descubrimientos de la antropología confirman este punto de vista.

El Plan Creacional de Dios

Cada libro tiene su objetivo y el del Corán es anunciar al hombre el plan creacional de Dios. Es decir, para decirle al ser humano por qué Dios creó este mundo; cuál es el propósito de establecer al hombre en la Tierra; qué se le requiere al hombre durante su periodo de vida terrenal y a qué se va a enfrentar después de la muerte. El hombre nació como una criatura eterna. Cuando Dios hubo creado al hombre así, dividió su vida en dos periodos: el periodo previo a la muerte, que es un tiempo de prueba, y el periodo posterior a la muerte, que es el momento de recibir la recompensa o el castigo merecido por las acciones durante la vida. Estos toman la forma de un paraíso eterno o un infierno eterno. El propósito del Corán es hacer que el ser humano sea consciente de su realidad y guiarlo en un viaje completo a través de la vida terrenal y hacia la otra vida.

Sería correcto decir que el ser humano es un buscador desde que nace. Estas preguntas retumban en la cabeza de todos: ¿Quién soy yo? ¿Cuál es el propósito de mi vida? ¿Cuál es la realidad de la vida y la muerte? ¿Cuál es el secreto del éxito o el fracaso del ser humano? Etc. Según el Corán, la respuesta a estas preguntas es que el mundo presente es un campo de prueba y todo lo que el ser humano ha vivido en esta vida es parte de la prueba. La otra vida es donde el resultado de la prueba es considerado por el Todopoderoso y lo que sea que el ser humano reciba en la vida después de la muerte, a modo de recompensa o castigo, será correspondiente con sus actos en esta vida. El secreto para el éxito del ser humano está en comprender el plan creacional de Dios y dirigir su vida acorde a él.

Un Libro de Advertencias Divinas

El Corán es un libro de advertencias divinas. Una combinación de lecciones y admoniciones; sería más apropiado llamarlo un libro de sabiduría. El Corán no sigue los trazos del clásico libro didáctico.

De hecho cuando el lector normal toma el Corán, este le parece una colección de afirmaciones fragmentarias. Aparentemente esta sensación no es irreal. Pero esto no es un defecto sino consecuencia del plan coránico de mantener su forma original para comunicar el mensaje de la verdad a un lector que en sus aventuras por las escrituras lee una sola página, una sola aleya o una sola línea de vez en cuando.

Un aspecto vital del Corán es que es un recuerdo de las bendiciones dadas por el Benefactor supremo. Las más importantes son las excepcionales cualidades que Dios dio al hombre cuando lo creó. Otra gran bendición es que lo estableció en la Tierra, un planeta que tiene todas las facilidades para su beneficio. El propósito del Corán es que mientras disfruta de todas estas bendiciones de la naturaleza el ser humano mantendrá a su benefactor en mente y debe reconocer la magnificencia de su Creador. De hacerlo así el ser humano ganará su entrada en el paraíso eterno; ignorar a su Creador, por otro lado, llevará al ser humano directo al infierno. El Corán es de hecho un recordatorio de esta realidad.

El Espíritu Interno y La Conciencia acerca de Dios

Una característica importante del Corán es que solo recurre a principios básicos y con frecuencia recurre a reiterarlos para enfatizarlos. Por el contrario, los detalles o los asuntos meramente formales constituyen una parte minoritaria del Libro. Este aspecto del Corán es tan evidente que es difícil no notarlo.

La verdad es que la esencia interna es de capital importancia en la creación de la personalidad islámica. Una vez que la esencia interior se desarrolla, la forma correcta surgirá naturalmente. Pero el formalismo por cuenta propia no podrá nunca producir la esencia interna. Por esto es que el objetivo del Corán es iniciar y fomentar una revolución intelectual dentro del ser humano. La expresión usada por el Corán para esta revolución intelectual es ma'rifa [conciencia de la verdad (5:83)].

El Corán enfatiza la importancia del descubrimiento humano de la verdad al nivel de la conciencia; la verdadera fe en Dios es lo que uno obtiene a tal grado. Donde no hay conciencia, no hay fe.

La Palabra de Dios

Cuando se lee el Corán, se encuentra seguido que afirma ser la palabra de Dios. Aparentemente es un hecho obvio. Pero cuando se ve en el contexto es una afirmación extraordinaria. Hay muchos libros en el mundo que se consideran sagrados, pero a excepción del Corán, no hallamos ningún libro sagrado que se proyecte como la palabra de Dios.

Este tipo de afirmación, que aparece únicamente en el Corán, da un punto de partida al lector. De allí él lo estudia como un libro excepcional en vez de un libro común escrito por seres humanos. En el Corán encontramos afirmaciones que significan más o menos "¡Humano! ¡Este es tu Señor que se dirige a ti! Escucha su palabra y obedécelo". Incluso este tipo de invocación divina no la encontramos en otros textos. Deja una fuerte impresión en el ser humano pues siente que su Señor le habla directamente.

Este sentimiento obliga al hombre a tomar en serio las afirmaciones del Corán en vez de tomarlas como palabras comunes en un libro común.

La forma de compilación del Corán es también unica. Los libros escritos por los humanos están ordenados en un orden gradual según el tema; pero el Corán no tiene este orden de modo que la persona común siente que no tiene un orden. Cuando se analiza, sin embargo, emerge siendo un libro coherente y sistemático con un estilo majestuoso.

Cuando leemos el Corán sentimos que su autor está en un elevado pedestal desde donde observa a la humanidad y se dirige a toda ella y esto es su objetivo principal. El discurso enfatiza en distintos grupos de seres humanos a la vez que los abarca a todos.

Un aspecto especial del Corán es que en cualquier momento su lector puede consultar a su autor, ponerle preguntas y recibir respuestas, pues el autor del Corán es Dios mismo. Él es un Dios vivo. Como creador del ser humano, Él escucha y responde a la llamada del hombre.

Una Pacífica Lucha Ideológica

Los que conocen el Corán solo a través de los medios de comunicación masiva, generalmente se llevan la impresión de que el Corán es un libro de yihad; y el yihad para ellos es el intento de lograr los objetivos propios por medios violentos. Pero esta idea es fruto de un malentendido.

Cualquiera que lea el Corán por su propia cuenta apreciará fácilmente que su mensaje no tiene nada que ver con violencia; el Corán es, de principio a fin, un libro que promulga la paz y de ningún modo enseña la violencia.

Es cierto que el yihad es una de las enseñanzas del Corán pero el yihad entendido en su significado correcto es el nombre de la "lucha pacífica" más que una acción violenta. El concepto coránico del yihad se expresa en la siguiente aleya: "y lucha contra ellos esforzadamente [exhortándoles con el Corán] para que se encaminen". (25:52)

Obviamente, el Corán no es un arma, pero sí es un libro que

te introduce a la ideología divina del esfuerzo pacífico. El método de tal esfuerzo es, según el Corán, "amonéstales y exhórtalos con palabras que los conmuevan." (4:63)

Así pues, el acercamiento deseado, según el Corán es el que mueve el corazón humano y su mente. Esto significa que, al dirigirse a la mente de las personas, las satisface, las convence de la veracidad del Corán y en pocas palabras, provoca una reacción mental en ellos.

Esta es la misión del Corán y solo puede lograrse con argumentos racionales. Este objetivo no puede lograrse con medios violentos o acciones militares.

Es cierto que en el Corán hay afirmaciones parecidas a la siguiente: "… Matadles donde deis con ellos…" (2:191). Estas aleyas son usadas por algunos para dar la impresión de que el islam es una religión de guerra y violencia. Pero esto es totalmente falso. Estas aleyas se refieren única y específicamente a los que atacan unilateralmente a los musulmanes. Este tipo de aleyas no transmite el mandato general del islam.

La verdad es que el Corán no fue revelado en una sola vez en la forma completa que tiene hoy; fue revelado en distintos tiempos, según las circunstancias, a lo largo de un periodo de 23 años. Si este periodo se divide en años de guerra y paz, el periodo de paz suma 20 años mientras que el de guerra suma tres años. Las revelaciones entregadas durante estos 20 años de paz fueron las enseñanzas pacíficas del islam así como se las conoce en los preceptos respecto a la conciencia de Dios, adoración, moral, justicia, etc.

La división de los mandamientos en diferentes categorías y temas se encuentra en todos los libros sagrados. Por ejemplo, el Gita, libro sagrado de los hindús, contiene sabiduría y valores morales, pero entre estos se encuentra la exhortación de Krishna a Arjuna animándolo a luchar (Bhagavad Gita, 3:30). Esto no significa que los seguidores del Gita deben iniciar guerras todo el tiempo. Mahatma Gandhi, después de todo, obtuvo su filosofía de no violencia del mismo Gita. La exhortación a la guerra en el Gita se aplica a circunstancias excepcionales donde las circunstancias no dejan otra opción. Pero para el día a día general da los mismos mandamientos pacíficos de los que se benefició Mahatma Gandhi.

En este mismo sentido, Jesucristo dijo: "no piensen que vine a traer paz a la Tierra, no vine a traer paz sino la espada" (Mateo 10:34). No sería correcto concluir que la religión predicada por Cristo era una de guerra y violencia pues tales afirmaciones se refieren solo a casos particulares; en términos generales y en la vida diaria, Cristo enseñó valores de paz tales como la formación de un buen carácter, el amarse los unos a los otros, ayudar a pobres y necesitados, etc.

Esto mismo se aplica al Corán. Cuando el Profeta Muhammad emigró de la Meca a Medina las tribus idólatras fueron hostiles contra él, pero el Profeta evitó sus ataques ejerciendo la paciencia y una estrategia de no confrontar. Sin embargo a veces no quedaba otra salida que defenderse y por ende presentar batalla en la guerra. En este tipo de circunstancias es que se revelaron estas aleyas relacionadas con la guerra. Estos mandatos específicos a ciertas circunstancias no eran de aplicación general. Por eso el estado permanente del Profeta fue descrito como "una misericordia para la humanidad" (21:107).

El islam es una religión de paz en el pleno sentido de la palabra. El Corán describe su vía como "sendas de paz" (5:16) y describe la conciliación como la mejor estrategia (4:128) y afirma que Dios aborrece cualquier disturbio que atente contra la paz (2:205).

Podemos afirmar que, sin exagerar, el islam y la violencia son contradictorios.

Un Libro Revelado

El Corán es un libro de Dios revelado al Profeta Muhammad. No vino a él en forma de un libro completo pero sí en partes reveladas a través de un periodo de 23 años. La primera parte se reveló el año 610 EC cuando el Profeta Muhammad estaba en la Meca. Posteriormente diferentes partes se fueron revelando regularmente y la última revelación fue el año 632 EC cuando el Profeta estaba en Medina.

Hay 114 capítulos en el Corán, unos largos y otros cortos. Los versículos son alrededor de 6600. Por necesidades de recitación el Corán se ha dividido también en 30 partes. El Corán fue puesto en orden finalmente bajo la guía del Ángel Gabriel a través de quien Dios reveló el Corán.

Cuando el Corán se reveló en el primer cuarto del siglo séptimo EC ya existía un tipo de papel. Este papel, conocido como papiro, era hecho a mano a partir de las fibras de ciertos juncos. Cuando se revelaba alguna parte del Corán esta se escribía en papiros, en árabe qirtás (6:7), pero también usaron diferentes materiales: cuero, cortezas de árboles, huesos, etc., y durante el proceso la gente aprendía los versículos de memoria pues el Corán es la única literatura islámica recitada en los rezos rituales y citada con propósitos de Da'wa (difusión del islam). De este modo, se dio que el Corán fue simultáneamente aprendido de memoria y registrado por escrito. Este método de preservación del texto continuó durante toda la vida del Profeta Muhammad; así se logró preservar el texto del Corán durante la vida misma del Profeta.

El tercer califa Uzmán bin 'Affán hizo copiar varios volúmenes y los mandó a distintas ciudades donde se los mantuvo en las mezquitas principales. La gente no solo recitaba el Corán desde estas copias si no que hicieron varias copias de las mismas.

El registro escrito del Corán a mano continuó hasta que se inventó la imprenta y se empezó a producir papel en gran escala gracias a la Revolución Industrial. Entonces el Corán empezó a ser impreso y los métodos de impresión del Corán evolucionaron junto con la evolución del arte de la imprenta. Hoy las copias impresas del Corán se han hecho tan comunes que se pueden encontrar en cada casa, mezquita, biblioteca o librería. Hoy cualquiera puede encontrar una bella copia del Corán donde sea que esté en el mundo.

Cómo Leer El Corán

El Corán dice: "O un poco más, y recita el Corán lenta y claramente (reflexionando en su significado)". Cuando se lee así se inicia un proceso de interacción entre el Corán y su lector. Para él, el Corán es un discurso o apelo de Dios y su corazón empieza a responder a este apelo en cada verso. En el Corán, cuando hay cualquier mención de la majestad de Dios, toda la existencia del lector es afectada por la consciencia y descubrimiento de su grandeza.

Cuando las gracias de Dios son enumeradas en el Corán el corazón del lector rebosa con gratitud; cuando la retribución de Dios es descrita en el Corán el lector se estremece al leerla; cuando se pronuncia un mandato en el Corán, se intensifica en el lector el sentimiento de que debe convertirse en el siervo obediente de su Señor al cumplir tal mandato.

Wahiduddin Khan, New Delhi, enero del 2009
skhan@goodwordbooks.com

TABLA CRONOLÓGICA DEL CORÁN

570	EC Nacimiento del Profeta Muhammad (el padre del Profeta murió pocos meses antes de su nacimiento).
576	EC Muerte de la madre del Profeta, Amina, cuando el Profeta tiene seis años.
578	EC Muerte del abuelo del Profeta, Abdul Muttalib.
595	EC Matrimonio del Profeta con Jadiya.
610	EC El Profeta recibe la primera revelación del Corán en el monte An-Nur cerca de la Meca.
613	EC Primera prédica pública.
615	EC Migración de algunos de los sahaba (compañeros) del Profeta a Etiopía para escapar de la persecución a manos de los habitantes de la Meca.
616-619	Los Quraish boicotean al Profeta y a su clan.
619	Muerte de Jadiya, esposa del Profeta, y de Abu Tálib su tío.
619	El Profeta visita Taif buscando apoyo, pero la gente de allí le recibe con un trato humillante.
620	El viaje nocturno del Profeta a Jerusalén y a los siete cielos.
622	La migración del Profeta (Hiyra) de la Meca a Medina, lo que marca el inicio del calendario islámico.
624	Batalla de Badr, los paganos de la Meca son derrotados por los musulmanes.
625	Batalla de Uhud, los musulmanes son derrotados por los paganos de la Meca.

628	Tregua de Al Hudaibía, una tregua de 10 años es pactada con los paganos de la Meca permitiendo la prédica pacífica del islam. Como resultado de ello mucha gente se islamizó.
630	La tregua es rota por los paganos de la Meca. La Meca se rinde; el Profeta perdona a toda la población y todos los mequíes entran al islam.
631	El año de las embajadas, el islam es aceptado por las tribus árabes. El Profeta establece tratados de paz con las tribus judías y cristianas.
632	Peregrinaje de despedida del Profeta a la Meca.
632	8 de Junio. Muerte del Profeta en Medina.
633	El Corán es reunido en un solo volumen por el califa Abu Bakr.
645	El califa Uzmán hace varias copias del Corán y las distribuye por las provincias del califato islámico.
1153	Primera traducción latina del Corán.
1543	Primera edición impresa con un prefacio de Martín Lutero.
1649	Alexander Ross traduce el Corán del francés al inglés.
1734	George Sale traduce el Corán al inglés.
1930	Muhammad Marmaduke Pickthall traduce el Corán al inglés.
1934	Abdullah Yusuf Ali traduce el Corán al inglés.
1980	Muhammad Asad traduce el Corán al inglés.

EL CORÁN

In the Name of God, Most Gracious, Most Merciful

Quran: Revealed for All Humanity. Has Truth about Abraham, Moses, Jesus & All (peace & blessings be on All)

Centers in Metro Detroit & Columbus to visit:

1. American Muslim Diversity Association, (AMDA), 38810 Ryan Rd, Sterling Heights, MI-48310
2. Muslim Center (MC), 1605 West Davison, Detroit, MI-48238
3. Muslim Community of Western Suburbs (MCWS), 40440 Palmer Rd, Canton, MI-48188
4. Muslim Community Association (MCA) of Ann Arbor, 2301 Plymouth Rd, Ann Arbor, MI-48105
5. Masjid Abu Bakr, 591 Industrial Mile Rd, Columbus, OH-43228
6. Noor Islamic Cultural Center, 5001 Wilcox Rd, Dublin, OH-43016

Please contact any of the following for assistance or more information:-

1. Afzal Hussain   (312) 217-6526   ehussain@live.com
2. Ahmed Alani   (571) 327-9559   idawa01@gmail.com
3. Amanda Jaczkowski   (586) 484-6759   amandajacz@yahoo.com
4. Furkhan Syed   (313) 282-6950   askislam8@gmail.com
5. Mir S. Ali   (734) 306-2030   luvlambroast@gmail.com
6. Mohamed Abouelnein   (940) 465-9013   mohamed@unt.edu
7. Mohammed Gulam   (734) 756-5393   mohammed.gulam@gmail.com
8. Omera Ali   (313) 694-8817   omeraali@gmail.com
9. Rabia Arif   arifrabia@hotmail.com
10. Ameer A. Kader   (614) 696-2354   gamuslim@gmail.com
11. Shams Syed   (706) 616-3414   shamsyed@yahoo.com
12. Syed M. Hoda   (734) 560-7338   s.noda@hotmail.com

Quran: Revealed to Prophet Mohammed (peace be on him) **by God; Creator of Heavens, Earth & Humanity**

Authentic resources on Islam and Muslims:-

http://www.globalquran.com (Quran Translation in 30+ World Languages)

https://www.quran.com & http://www.tafheem.net/tafheem.html
(Alternate sites – with Quran Translation in world & Indian Languages)

https://www.sunnah.com (Ahadith)

http://mohammad.islamway.com (On Prophet Mohammad (PBUH) in 10 Languages)

http://www.islamtomorrow.com/

https://www.whyislam.org

http://www.irf.net/ & www.askamuslim.com

Read the Quran and get the Truth; talk to a Muslim friend, neighbor or co-worker - many websites propagate false and wrong information. To locate a Mosque / Islamic Center near you, do a Web search or visit www.islamicfinder.org. Contact anyone at the back to assist.

GOD Clarifies – Satan Obscures

EXORDIO

[1]¡En el nombre de Dios, el Compasivo, el Misericordioso!

[2] Alabado sea Dios, Señor del universo, [3] el Compasivo, el Misericordioso, [4] Dueño del Día del Juicio, [5] A Ti solo adoramos y a Ti solo imploramos ayuda. [6] Dirígenos por la vía recta, [7] la vía de los que Tú has agraciado, no de los que son motivo de ira, ni de los extraviados.

LA VACA

¡En el nombre de Dios, el Compasivo, el Misericordioso!

[1] *Alif. Lam. Mim.*

[2] Este es el Libro, exento de dudas, como dirección para los temerosos de Dios, [3] que creen en lo oculto, realizan la oración prescrita y dan limosna de lo que les hemos proveído. [4] creen en lo que se te ha revelado a ti [¡Oh, Muhammad!] y antes de ti, y están convencidos de la otra vida. [5] Esos son los que siguen la guía de su Señor y esos los que prosperarán.

[6] Da lo mismo que adviertas o no a los incrédulos: no creerán. [7] Dios ha sellado sus corazones y oídos; una venda cubre sus ojos y tendrán un castigo terrible.

[8] Hay entre los hombres quienes dicen: «Creemos en Dios y en el Último Día», pero no creen. [9] Tratan de engañar a Dios y a los que creen; pero, sin darse cuenta, solo se engañan a sí mismos. [10] Sus

corazones están enfermos y Dios les ha agravado su enfermedad. Tendrán un castigo doloroso por haber mentido. [11] Cuando se les dice: «¡No corrompáis en la tierra!», dicen: «Pero ¡si somos reformadores!». [12] ¿No son ellos, en realidad, los corruptores? Pero no se dan cuenta. [13] Cuando se les dice: «¡Creed como creen los demás!», dicen: «¿Es que vamos a creer como creen los tontos?». ¿Acaso no son ellos los tontos? Pero no lo saben. [14] Cuando encuentran a quienes creen, dicen: «¡Creemos!». Pero, cuando están a solas con sus demonios, dicen: «Estamos con vosotros, era solo una broma». [15] Dios les devolverá la broma y les dejará que persistan en su rebeldía, errando ciegos. [16] Esos son los que han trocado la Dirección por el extravío. Por eso, su negocio no ha resultado lucrativo y no están guiados.

[17] Son como uno que alumbra un fuego. En cuanto este ilumina lo que le rodea, Dios se les lleva la luz y les deja en tinieblas: no ven. [18] Son sordos, mudos, ciegos, no podrán volver [de su extravío]. [19] O como si viniera del cielo una nube borrascosa, cargada de tinieblas, truenos y relámpagos. Se ponen los dedos en los oídos al caer los rayos, por temor a la muerte. Pero Dios cerca a los incrédulos. [20] El relámpago les arrebata casi la vista. Cuando les ilumina, caminan a su luz; pero, cuando les oscurece, se detienen. Si Dios hubiera querido, les habría quitado el oído y la vista. Dios es omnipotente.

[21] ¡Oh, humanos! Adorad a vuestro Señor, Quien os ha creado, a vosotros y a quienes os precedieron. Quizás, así, tengáis temor de Él. [22] Os ha hecho de la tierra lecho y del cielo un techo, e hizo bajar agua del cielo, mediante la cual ha sacado frutos para sustentaros. No atribuyáis iguales a Dios a sabiendas. [23] Si dudáis de lo que hemos revelado a Nuestro siervo [Muhammad], traed una sura [capítulo] semejante y, si es verdad lo que decís, llamad a vuestros testigos en lugar de llamar a Dios. [24] Pero, si no lo hacéis, y nunca podréis hacerlo, guardaos del fuego cuyo combustible lo

constituyen hombres y piedras, y que ha sido preparado para los incrédulos. [25] Anuncia la buena nueva a quienes creen y obran bien: tendrán jardines por donde corren los ríos. Siempre que se les dé como sustento algún fruto de ellos, dirán: «Esto es igual que lo que se nos ha dado antes». Pero solo serán similares en apariencia. Tendrán esposas purificadas y estarán allí eternamente.

[26] Dios no se avergüenza de proponer la parábola que sea, aunque se trate de un mosquito. Los que creen saben que es la Verdad, que viene de su Señor. En cuanto a los que no creen, dicen: «¿Qué es lo que se propone Dios con esta parábola?». Así extravía Él a muchos y así también guía a muchos. Pero no extravía así sino a los perversos. [27] Quienes violan la alianza con Dios después de haberla concluido, cortan los lazos que Dios ha ordenado mantener y corrompen en la tierra, esos son los que pierden. [28] ¿Cómo podéis no creer en Dios, siendo así que os dio la vida cuando aún no existíais, que os hará morir y os volverá a la vida, después de lo cual seréis devueltos a Él? [29] Él es Quien creó para vosotros cuanto hay en la Tierra. luego dirigió su voluntad a la creación del cielo e hizo de este siete cielos [superpuestos]; y Él es conocedor de todas las cosas.

[30] Y cuando tu Señor dijo a los ángeles: «Voy a poner a un representante Mío en la Tierra». Dijeron: «¿Vas a poner en ella a quien corrompa en ella y derrame sangre, siendo así que nosotros celebramos Tu alabanza y proclamamos Tu santidad?». Dijo: «Yo sé lo que vosotros no sabéis».

[31] Y enseñó a Adán los nombres de todos los seres y presentó estos a los ángeles diciendo: «Informadme de los nombres de estos, si es verdad lo que decís». [32] Dijeron: «¡Gloria a Ti! No sabemos más que lo que Tú nos has enseñado. Tú eres, ciertamente, el Omnisciente, el Sabio». [33] Dijo: «¡Adán! ¡Infórmales de sus nombres!». Cuando les informó de sus nombres, dijo: «¿No os he

dicho que conozco lo oculto de los cielos y de la tierra y que sé lo que mostráis y lo que ocultáis?».

[34] Y cuando dijimos a los ángeles: «¡Postraos ante Adán!». Se postraron, excepto Iblis [quien hasta entonces se encontraba adorando a Dios con los ángeles por su grado de piedad]. Se negó y fue altivo, convirtiéndose en incrédulo. [35] Dijimos: «¡Adán! ¡Habita con tu esposa en el Jardín y comed de él cuanto queráis, pero no os acerquéis a este árbol! Si no, seréis de los inicuos». [36] Pero el Demonio les hizo caer [en la desobediencia], perdiéndolos, y les sacó del estado en que estaban. Y dijimos: «¡Descended! Seréis enemigos unos de otros. La Tierra será por algún tiempo vuestra morada y lugar de disfrute». [37] Adán recibió palabras de su Señor y Este se volvió a él. Él es el Indulgente, el Misericordioso. [38] Dijimos: «¡Descended todos de él! Cuando sea que os llegue de Mí una guía, quienes sigan Mi guía no tendrán que temer y no estarán tristes. [39] Pero quienes no crean y desmientan Nuestros signos, esos morarán en el Fuego eternamente».

[40] ¡Hijos de Israel! Recordad la gracia que os dispensé y sed fieles a la alianza que conmigo concluisteis. Entonces, Yo seré fiel a la que con vosotros concluí. ¡Temedme, pues, a Mí y solo a Mí! [41] ¡Creed en lo que he revelado en confirmación de lo que habéis recibido! ¡No seáis los primeros en no creer en ello, ni malvendáis Mis preceptos! ¡Temedme, pues, a Mí, y solo a Mí! [42] ¡No disfracéis la Verdad de falsedad, ni ocultéis la Verdad conociéndola! [43] ¡Haced la oración prescrita, dad el azaque [contribución destinada a mejorar la condición de ciertos sectores de la sociedad que deben dar aquellos cuyos bienes alcanzan un monto determinado] e inclinaos con los que se inclinan! [44] ¿Mandáis a los hombres que sean piadosos y os olvidáis de vosotros mismos siendo así que leéis el Libro? ¿Es que no tenéis entendimiento? [45] ¡Buscad ayuda en la paciencia y

en la oración! Sí, es algo difícil, pero no para los humildes, [46] que cuentan con encontrar a su Señor y volver a Él.

[47] ¡Hijos de Israel! Recordad la gracia que os dispensé y que os distinguí entre todos los pueblos [de su época]. [48] Temed un día en que ningún alma pueda beneficiarse con otra, ni se acepte intercesión, compensación ni auxilio alguno. [49] Y cuando os salvamos de las huestes del Faraón, que os sometían a duro castigo, degollando a vuestros hijos varones y dejando con vida a vuestras mujeres. Con esto os probó vuestro Señor duramente. [50] Y cuando os separamos las aguas del mar y os salvamos, ahogando a las huestes del Faraón en vuestra presencia. [51] Y cuando nos dimos cita con Moisés durante cuarenta días. Luego, cuando se fue, tomasteis el ternero, obrando impíamente. [52] Luego, después de eso, os perdonamos. Quizás, así, fuerais agradecidos. [53] Y cuando dimos a Moisés el Libro y el Criterio. Quizás, así, fuerais bien dirigidos. [54] Y cuando Moisés dijo a su pueblo: ¡Pueblo! Habéis sido injustos con vosotros mismos al tomar el ternero [como objeto de adoración]. ¡Volveos a vuestro Creador y mataos unos a otros [ejecutando a quienes adoraron el becerro]! Esto es mejor para vosotros a los ojos de vuestro Creador. Así os perdonará. Él es el Indulgente, el Misericordioso». [55] Y cuando dijisteis: «¡Moisés! No creeremos en ti hasta que veamos a Dios claramente». Entonces os azotó un rayo, y pudisteis contemplar lo que os aconteció. [56] Luego, os resucitamos después de muertos. Quizás, así, fuerais agradecidos. [57] Hicimos que se os nublara y que descendieran sobre vosotros el maná y las codornices: «¡Comed de las cosas buenas con las que os hemos proveído!». No fueron injustos con Nosotros, sino que lo fueron consigo mismos.

[58] Y cuando dijimos: «¡Entrad en esta ciudad, y comed cuanto queráis de lo que en ella haya! Entrad por la puerta postrándoos y decid "¡Perdón!"». Os perdonaremos vuestros pecados y daremos

más a quienes hagan el bien. ⁵⁹ Pero los inicuos cambiaron por otras las palabras que se les habían dicho e hicimos bajar contra los inicuos un castigo del cielo por haber obrado perversamente. ⁶⁰ Y cuando Moisés pidió agua para su pueblo. Dijimos: «¡Golpea la roca con tu vara!». Y brotaron de ella doce manantiales. Todos sabían de cuál debían beber. «¡Comed y bebed del sustento de Dios y no obréis mal en la tierra corrompiendo!». ⁶¹ Y cuando dijisteis: «¡Moisés! No podremos soportar una sola clase de alimento. ¡Pide a tu Señor de parte nuestra que nos saque algo de lo que la tierra produce: verduras, pepinos, ajos, lentejas y cebollas!». Dijo: «¿Vais a cambiar lo que es mejor por algo peor? ¡Bajad a Egipto y hallaréis lo que pedís!». La humillación y la miseria se abatieron sobre ellos e incurrieron en la ira de Dios. Porque no habían prestado fe a los signos de Dios y habían dado muerte a los profetas sin justificación. Porque habían desobedecido y violado la ley.

⁶² Cierto que quienes creyeron, los judíos, los cristianos, los sabeos, quienes creen en Dios y en el Último Día y obran bien, esos tienen su recompensa junto a su Señor. No tienen que temer y no estarán tristes.

⁶³ Y cuando concertamos un pacto con vosotros y levantamos la montaña por encima de vosotros: «¡Aferraos a lo que os hemos dado y recordad su contenido! Quizás, así, seáis temerosos de Dios». ⁶⁴ Luego, después de eso, os volvisteis atrás y, si no llega a ser por el favor de Dios en vosotros y por Su misericordia, habríais sido de los que pierden. ⁶⁵ Sabéis, ciertamente, quiénes de vosotros violaron el sábado. Les dijimos: «¡Convertíos en monos repugnantes!». ⁶⁶ E hicimos de ello un castigo ejemplar para los contemporáneos y sus descendientes, una exhortación para los temerosos de Dios.

⁶⁷ Y cuando Moisés dijo a su pueblo: «Dios os ordena que sacrifiquéis una vaca». Dijeron: «¿Nos tomas a burla?». Dijo: «¡Dios me libre de ser de los ignorantes!», ⁶⁸ Dijeron: «Pide a tu Señor de

nuestra parte que nos aclare cómo ha de ser ella». Dijo: «Dice que no debe ser una vaca vieja ni joven, sino de edad mediana. Haced, pues, como se os manda». ⁶⁹ Dijeron: «Pide a tu Señor de nuestra parte que nos aclare de qué color ha de ser». Dijo: «Dice que es una vaca amarillenta de un amarillo intenso, que haga las delicias de los que la miran». ⁷⁰ Dijeron: «Pide a tu Señor de nuestra parte que nos aclare cómo es, pues todas las vacas nos parecen iguales. Así, si Dios quiere, seremos, ciertamente, bien dirigidos». ⁷¹ Dijo: «Dice que es una vaca que no ha sido empleada en el laboreo de la tierra ni en el riego del cultivo, sana, sin manchas». Dijeron: «Ahora has dicho la verdad». Y la sacrificaron, aunque poco faltó para que no lo hicieran. ⁷² Y cuando matasteis a un hombre y os lo recriminasteis, pero Dios reveló lo que ocultabais. ⁷³ Entonces dijimos: «¡Golpeadlo con un pedazo de ella!». Así Dios volverá los muertos a la vida y os hará ver Sus signos. Quizás, así, comprendáis.

⁷⁴ Luego, después de eso, se endurecieron vuestros corazones y se pusieron como la piedra o aún más duros. Hay piedras de las que brotan arroyos, otras que se quiebran y surge el agua por ellas, otras que se vienen abajo por miedo a Dios. Dios está atento a lo que hacéis.

⁷⁵ ¿Cómo vais a anhelar que os crean si algunos de los que escuchaban la Palabra de Dios la alteraron a sabiendas, después de haberla comprendido? ⁷⁶ Y, cuando encuentran a quienes creen, dicen: «¡Creemos!». Pero, cuando están a solas, dicen: «¿Acaso vais a contarles lo que Dios os ha revelado para que puedan argumentar con ello contra vosotros ante vuestro Señor?». ¿Es que no razonáis? ⁷⁷ ¿No saben que Dios conoce lo que ocultan y lo que manifiestan?

⁷⁸ Hay entre ellos ignorantes que no conocen el Libro, sino fantasías y no hacen sino conjeturar. ⁷⁹ ¡Ay de aquellos que escriben el Libro con sus manos y luego dicen: «Esto viene de Dios», para, luego, malvenderlo! ¡Ay de ellos por lo que sus manos han escrito!

¡Ay de ellos por lo que han cometido! [80] Dicen: «El fuego no nos tocará más que por días contados». Di: «¿Os ha prometido algo Dios? Pues Dios no faltará a Su promesa. ¿O es que decís contra Dios lo que no sabéis?». [81] ¡Pues sí! Quienes hayan obrado mal y estén cercados por su pecado, esos morarán en el Fuego eternamente. [82] Pero quienes hayan creído y obrado bien, esos morarán en el Jardín eternamente.

[83] Y cuando concertamos un pacto con los hijos de Israel les dijimos]: «¡No adoréis sino a Dios! ¡Sed buenos con vuestros padres y parientes, con los huérfanos y pobres, hablad bien a todos, haced la oración prescrita, dad el Zakat [azaque]!». Luego, volvisteis la espalda exceptuando unos pocos, y os alejasteis.

[84] Y cuando concertamos un pacto con vosotros: «¡No derraméis vuestra sangre ni os expulséis de casa unos a otros!». Lo aceptasteis, sois testigos. [85] Pero sois vosotros los que os matasteis y expulsasteis a algunos de los vuestros de sus casas, haciendo causa común contra ellos con pecado y violación de la ley. Pero si alguno de ellos caía cautivo pagabais su rescate. El haberlos expulsado era ya ilícito. Entonces, ¿es que creéis en parte del Libro y dejáis de creer en otra parte? ¿Qué merecen quienes de vosotros tal hacen sino la ignominia en esta vida y ser enviados al castigo más duro el día de la Resurrección? Dios está atento a lo que hacéis. [86] Esos son los que han comprado la vida de este mundo a cambio de la otra. No se les mitigará el castigo ni encontrarán quien les auxilie.

[87] Dimos a Moisés el Libro y mandamos Mensajeros después de él. Dimos a Jesús, hijo de María, las pruebas claras y le fortalecimos con el Espíritu Puro [el ángel Gabriel]. ¿Es que teníais que mostraros altivos siempre que venía a vosotros un Mensajero con algo que no deseabais? A unos les desmentisteis, a otros les disteis muerte. [88] Dicen: «Nuestros corazones están endurecidos». ¡No! Dios les ha maldecido por su incredulidad. ¡Poco es lo que creen!

⁸⁹ Y cuando les vino de Dios una Escritura que confirmaba lo que ya tenían - a pesar que imploraban el auxilio contra los incrédulos-, cuando vino a ellos [el Mensajero] que ya conocían, no le prestaron fe. ¡Que la maldición de Dios caiga sobre los incrédulos! ⁹⁰ ¡Qué mal negocio han hecho, no creyendo en lo que Dios ha revelado, rebelados porque Dios favoreció a quien Él quiso de Sus siervos, e incurriendo en Su ira una y otra vez! Los incrédulos tendrán un castigo humillante.

⁹¹ Y cuando se les dice: «¡Creed en lo que Dios ha revelado!», dicen: «Creemos en lo que se nos ha revelado». Pero no creen en lo que vino después, que es la Verdad en confirmación de lo que ya tenían. Di: «¿Por qué, pues, si erais creyentes, matasteis antes a los Profetas de Dios?». ⁹² Por cierto que se os presentó Moisés con pruebas evidentes, pero, en su ausencia, adorasteis al ternero, obrando impíamente. ⁹³ Y cuando concertamos un pacto con vosotros y levantamos la montaña por encima de vosotros [dijimos]: «¡Aferraos a lo que os hemos dado y escuchad!». Dijeron: «Oímos y desobedecemos». Y, como castigo a su incredulidad, quedó empapado su corazón del amor al ternero. Diles [¡Oh, Muhammad!]: «¡Qué pésimo es lo que vuestra fe os ordena, si en verdad fueran creyentes». ⁹⁴ Di: «Si creéis que la Morada Postrera junto a Dios, es exclusiva para ustedes, entonces ¡desead la muerte si sois veraces!». ⁹⁵ Pero nunca la desearán por lo que sus manos han cometido. Dios conoce bien a los inicuos. ⁹⁶ Verás que [los judíos] son los más ávidos de vivir, más aún que los idólatras. Hay entre ellos quien desearía vivir mil años, pero eso no le librará del castigo. Dios ve bien lo que hacen.

⁹⁷ Dile [¡Oh, Muhammad!] a quien sea enemigo del ángel Gabriel que él es quien autorizado por Dios, lo reveló a tu corazón, en confirmación de los mensajes anteriores, como dirección y buena nueva para los creyentes. ⁹⁸ Quien sea enemigo de Dios, de Sus

ángeles, de Sus Mensajeros, del ángel Gabriel y del ángel Miguel, pues ciertamente Dios es enemigo de los incrédulos ». [99] Te hemos revelado [¡Oh, Muhammad!], en verdad, signos claros y solo los perversos pueden negarlos. [100] ¿Es que siempre que conciertan una alianza van algunos de ellos a quebrarla? Pero su mayoría no cree. [101] Y, cuando se les presentó [a los judíos] el Mensajero de Dios corroborando lo que ya se les había revelado, algunos de aquellos a quienes se había dado el Libro se echan el Libro de Dios a la espalda, como si no supieran nada.

[102] Han seguido lo que los demonios contaban durante el reinado de Salomón. Sabed que Salomón no cayó en la incredulidad, sino que fueron los demonios quienes enseñaban a los hombres la brujería y la magia que transmitieron los ángeles Hârût y Mârût en Babel. Y estos no enseñaban a nadie sin antes advertirle que se trataba de una tentación y que quien la aprendiera caería en la incredulidad. Aprendieron de ellos cómo separar al hombre de su esposa, aunque no podían perjudicar a nadie sin el permiso de Dios. Aprendieron lo que les perjudicaba y no les beneficiaba, sabiendo bien que quien accedía a la magia no iba a tener parte en la otra vida. ¡Qué mal hicieron en vender sus almas! Si supieran... [103] Si hubieran creído y temido a Dios, la recompensa de Este habría sido mejor. Si supieran…

[104] ¡Creyentes! ¡No digáis: «¡Rai'na!», [que en árabe significa: atiéndenos, y en hebreo era un insulto que los judíos utilizaban para burlarse del Profeta] sino «¡Undhurna!» [espéranos] y escuchad! los incrédulos tendrán un castigo doloroso. [105] Los que no creen, tanto gente del Libro como idólatras, no desearían que vuestro Señor os enviara bien alguno. Pero Dios distingue con Su misericordia a quien Él quiere. Dios es el Dueño del favor inmenso. [106] No abrogamos una aleya [verso] o provocamos su olvido, sin traer otra mejor o semejante. ¿No sabes que Dios es Omnipotente? [107] ¿No sabes que

el dominio de los cielos y de la tierra es de Dios y que no tenéis, fuera de Dios, amigo ni auxiliar? [108] ¿Acaso queréis cuestionar a vuestro Mensajero como también lo hicieron con Moisés? Quien cambie la fe por la incredulidad se habrá extraviado del camino recto.

[109] Muchos de la gente del Libro quisieran que renegaseis de vuestra fe y volvieseis a ser incrédulos, por envidia hacia vosotros, después de habérseles manifestado la Verdad. Vosotros, empero, perdonad y olvidad hasta que venga Dios con su orden. Dios tiene poder sobre todas las cosas. [110] Haced la oración prescrita y dad el azaque [zakat]. El bien que hagáis será para vuestro beneficio, y volveréis a encontrarlo junto a Dios. Dios ve bien lo que hacéis. [111] Y dicen: «Nadie entrará en el Jardín sino los judíos o los cristianos». Esos son sus anhelos. Di: «¡Aportad vuestra prueba, si es verdad lo que decís!». [112] ¡Pues no es así! Quien se someta a Dios y haga el bien, tendrá su recompensa junto a su Señor. No tiene que temer y no estará triste.

[113] Los judíos dicen: «Los cristianos carecen de base», y los cristianos dicen: «Los judíos carecen de base», siendo así que leen el Libro. Lo mismo dicen quienes no saben. Dios decidirá entre ellos el día de la Resurrección sobre aquello en que discrepaban. [114] ¿Hay alguien que sea más inicuo que quien impide que se mencione Su nombre en las mezquitas de Dios y se empeña en arruinarlas? Hombres así no deben entrar en ellas sino con temor. Serán humillados en esta vida y en la otra vida recibirán un castigo terrible. [115] De Dios son el Oriente y el Occidente. Adondequiera que os volváis, allí está la faz de Dios [Quien os observa]. Dios es Inmenso, Omnisciente. [116] Dicen: «Dios ha tenido un hijo». ¡Glorificado sea por encima de eso! Suyo es lo que está en los cielos y en la tierra. Todo está sometido a Él. [117] Es el Creador de los cielos y de la Tierra. Y cuando decide algo, dice tan solo: «¡Sé!» y es.

¹¹⁸ Los que no saben dicen: «¿Por qué Dios no nos habla o nos viene un signo?». Lo mismo decían sus antecesores. Sus corazones son iguales. En verdad, hemos aclarado los signos a quienes creen con certeza. ¹¹⁹ Te hemos enviado [oh, Muhammad] con la Verdad como nuncio de buenas nuevas y advertidor, y no tendrás que responder por los condenados al Fuego Infernal. ¹²⁰ Ni los judíos ni los cristianos estarán satisfechos de ti mientras no sigas su religión. Di: «La guía de Dios es la verdadera guía». Ciertamente, si siguieras sus deseos luego de haberte llegado el conocimiento, no tendrías protector ni auxiliador frente a Dios. ¹²¹ Aquellos a quienes hemos dado el Libro y lo leen como debe ser leído. Creen en él. Y quienes, en cambio, lo nieguen serán los que pierden.

¹²² ¡Hijos de Israel! Recordad la gracia que os dispensé y que os distinguí entre vuestros contemporáneos. ¹²³ Temed un día en que nadie pueda satisfacer nada por otro, no se acepte ninguna compensación ni aproveche ninguna intercesión, ni sea posible auxilio alguno. ¹²⁴ Y cuando su Señor probó a Abraham con ciertas órdenes. Al cumplirlas, dijo: «Haré de ti guía para los hombres». Dijo: «¿Y de mi descendencia?». Dijo: "Mi alianza no incluye a los inicuos".

¹²⁵ Y cuando hicimos de la Casa [la Ka'bah] lugar de reunión y de refugio para los hombres. Y: «¡Haced del lugar de Abraham un oratorio!». Y concertamos una alianza con Abraham e Ismael: que purificaran Mi Casa para los que dieran las vueltas, para los que acudieran a hacer un retiro, a inclinarse y a postrarse. ¹²⁶ Y cuando Abraham dijo: «¡Oh, Señor mío! Haz de esta [la Meca] una ciudad segura y provee de frutos a su población, a aquellos que crean en Dios y en el Último Día». Dijo: «A quienes no crean, es dejaré que gocen por breve tiempo. Luego, les arrastraré al castigo del Fuego. ¡Qué mal fin...!».

¹²⁷ Y cuando Abraham e Ismael levantaban los cimientos de

la Casa, dijeron: «¡Señor, acéptanoslo! ¡Tú eres Quien todo lo oye, Quien todo lo sabe! [128] ¡Y haz, Señor, que nos sometamos a Ti, haz de nuestra descendencia una comunidad sometida a Ti, enséñanos nuestros ritos de adoración y vuélvete a nosotros! ¡Tú eres, ciertamente, el Indulgente, el Misericordioso! [129] ¡Oh, Señor mío! ¡Suscita entre ellos a un Mensajero de su estirpe que les recite Tus aleyas y les enseñe el Libro y la Sabiduría, y les purifique! Tú eres, ciertamente, el Poderoso, el Sabio».

[130] ¿Quién sino el necio de espíritu puede sentir aversión a la religión de Abraham? Le elegimos en esta vida y en la otra vida es, ciertamente, de los justos. [131] Cuando su Señor le dijo: «¡Sométete!». Dijo: «Me someto al Señor del universo». [132] Abraham ordenó hacer lo mismo a sus hijos varones, y también Jacob: «¡Hijos míos! Dios os ha escogido esta religión. Así, pues, no muráis sino sometidos a Él». [133] ¿Fuisteis, acaso, testigos de lo que dijo Jacob a sus hijos varones cuando iba a morir?, «¿Qué adoraréis cuando yo ya no esté?». Dijeron: «Adoraremos a tu Dios, el Dios de tus padres Abraham, Ismael e Isaac, como a un Dios Uno. Nos sometemos a Él». [134] Esa es una comunidad ya desaparecida y ha recibido lo que merecía, como vosotros recibiréis lo que merezcáis. No tendréis que responder de lo que ellos hacían.

[135] Dicen: «Si sois judíos o cristianos, estáis en la vía recta». Di: «¡No! Seguimos la religión de Abraham, que fue hanif [monoteísta puro] y no se contaba entre quienes atribuían copartícipes a Dios». [136] Decid: «Creemos en Dios y en lo que se nos ha revelado, en lo que se reveló a Abraham, Ismael, Isaac, Jacob y las tribus, en lo que Moisés, Jesús y los Profetas recibieron de su Señor. No hacemos distinción entre ninguno de ellos y nos sometemos a Él». [137] Así, pues, si creen en lo mismo que vosotros creéis, estarán en la vía recta. Pero si se desvían, estarán entonces en gran discrepancia. Dios te bastará contra ellos. Él es Quien todo lo oye. Quien todo lo

sabe. [138] ¡Tinte de Dios! [El tinte de Dios es la fitra o marca original de Dios. Es el din de Dios, el islam] Y ¿Quién puede teñir mejor que Dios? Es a Él a quien adoramos. [139] Di: «¿Vais a discutir con nosotros sobre Dios, siendo así que Él es nuestro Señor y Señor vuestro? Nosotros respondemos de nuestras obras y vosotros de las vuestras. Y Le adoramos sinceramente. [140] ¿O diréis que Abraham, Ismael, Isaac, Jacob y las tribus fueron judíos o cristianos?». Di: «¿Quién sabe más? ¿Vosotros o Dios? ¿Hay alguien que sea más inicuo que quien oculta un testimonio que ha recibido de Dios? Dios está atento a lo que hacéis». [141] Esa es una comunidad que ya pereció, ha recibido lo que merecía como vosotros recibiréis lo que merezcáis. No tendréis que responder de lo que ellos hicieron.

[142] Los necios de entre los hombres dirán: «¿Qué es lo que les ha inducido a abandonar la Qiblah [orientación en la oración] hacia la que se orientaban [Jerusalén]?». Di: «De Dios son el Oriente y el Occidente. Guía a quien Él quiere a una vía recta». [143] Hemos hecho así de vosotros una comunidad moderada y justa, para que seáis testigos ante la humanidad [de la llegada de los Profetas anteriores] y para que el Mensajero sea testigo de vosotros. No pusimos la alquibla hacia la que antes te orientabas sino para distinguir a quien seguía al Mensajero de quien le daba la espalda. Esto fue algo difícil, salvo para aquellos a quienes Dios guió. Dios no va a dejar que se pierda vuestra fe. Ciertamente Dios es Compasivo y Misericordioso con los hombres.

[144] Vemos cómo vuelves tu rostro al cielo. Haremos, pues, que te orientes hacia una dirección que te satisfaga. Orienta tu rostro hacia la Mezquita Sagrada [la Meca]. Dondequiera que estéis, orientaos hacia ella. Aquellos que han recibido el Libro saben bien que es la Verdad que viene de su Señor. Dios está atento a lo que hacen. [145] Aun si aportas toda clase de signos a quienes han recibido el Libro, no seguirán tu Qiblah, ni tú debes seguir la de ellos, ni

seguirán los unos la Qiblah de los otros; y si siguieras sus deseos luego de lo que se te ha revelado, entonces, serías de los inicuos. [146] Aquellos a quienes hemos dado el Libro, lo conocen como conocen a sus propios hijos varones. Pero algunos de ellos ocultan la Verdad a sabiendas. [147] La Verdad viene de tu Señor. ¡No seas, pues, de los que dudan!

[148] Todos tienen una dirección a la cual orientarse. ¡Rivalizad en buenas obras! Dondequiera que os encontréis, Dios os juntará. Dios es Omnipotente. [149] Y hacia donde salieses, vuelve tu rostro hacia la Mezquita Sagrada. Esta es la Verdad que viene de tu Señor. Dios está atento a lo que hacéis. [150] Y hacia donde salieses, vuelve tu rostro hacia la Mezquita Sagrada. Estéis donde estéis, volved vuestros rostros hacia ella, de modo que nadie pueda alegar nada contra vosotros, excepto los que hayan obrado impíamente; y no les tengáis miedo a ellos, sino a Mí. Así completaré Mi gracia en vosotros y podáis ser bien guiados. [151] Igual que os hemos mandado un Mensajero de entre vosotros para que os recite Nuestros preceptos, para que os purifique, para que os enseñe el Libro y la Sabiduría, para que os enseñe lo que no sabíais. [152] ¡Acordaos de Mí, que Yo Me acordaré de vosotros! ¡Dadme las gracias y no Me seáis desagradecidos!

[153] ¡Vosotros, los que creéis, buscad ayuda en la paciencia y en la oración! Dios está con los pacientes. [154] ¡Y no digáis de quienes han caído por Dios que han muerto! No, sino que viven. Pero no os dais cuenta... [155] Vamos a probaros con algo de miedo, de hambre, de pérdida de vuestra hacienda, de vidas y frutos. Pero anuncia buenas nuevas a los que tienen paciencia. [156] Aquellos que cuando les ocurre una desgracia, dicen: «Somos de Dios y a Él volveremos». [157] Ellos reciben las bendiciones y la misericordia de su Señor. Ellos son los que siguen la guía.

[158] Safa y Marwa figuran entre los ritos prescritos por Dios.

Por eso, quien hace la peregrinación mayor [Hayy] a la Casa [la Meca] o la menor ['Umrah], no hace mal en realizar el recorrido ritual entre ambas. Y si uno hace el bien espontáneamente, Dios es Retribuyente, Omnisciente. [159] Quienes ocultan las pruebas claras y la guía que hemos revelado, después de habérselo Nosotros aclarado a los hombres en el Libro, incurren en la maldición de Dios y de toda la creación. [160] Pero aquellos que se arrepientan y se enmienden y aclaren [lo que ocultaron y tergiversaron], a esos Me volveré. Yo soy el Indulgente, el Misericordioso. [161] Los que no crean y mueran siendo incrédulos, incurrirán en la maldición de Dios, de los ángeles y de todos los hombres. [162] Eternos en ella, no se les mitigará el castigo, ni les dará prorroga alguna.

[163] Vuestro Dios es un Dios Uno. No hay más divinidad que Él, el Compasivo, el Misericordioso. [164] En la creación de los cielos y de la Tierra, en la sucesión de la noche y el día, en las naves que surcan el mar con lo que aprovecha a los hombres, en el agua que Dios hace bajar del cielo, vivificando con ella la tierra después de muerta, diseminando por ella toda clase de criaturas, en la variación de los vientos, en las nubes, sujetas entre el cielo y la tierra, hay, ciertamente, signos para gente que razona.

[165] Hay hombres que, fuera de Dios, toman a otros que asocian a Él y les aman como se ama a Dios. Pero los creyentes aman a Dios con un amor más fuerte [de lo que estos aman a sus divinidades]. Ya sabrán los inicuos cuando vean el castigo, que todo el poder es de Dios y que Dios castiga severamente. [166] Cuando [en el Día del Juicio] se desentiendan los líderes de la incredulidad de sus seguidores, vean el castigo y se rompan los lazos que les unían... [167] Los seguidores dirán: «Si pudiéramos volver, nos desentenderíamos de ellos, como ellos se han desentendido de nosotros». Así Dios les mostrará sus obras para que sientan remordimiento. ¡Nunca saldrán del Fuego!

[168] ¡Hombres! ¡Comed de los alimentos lícitos y buenos que hay en la tierra y no sigáis los pasos de Satanás! Es para vosotros un enemigo declarado. [169] Os ordena lo malo y lo deshonesto y que digáis contra Dios lo que no sabéis. [170] Y cuando se les dice: «¡Seguid lo que Dios ha revelado!», dicen: «¡No! Seguiremos las tradiciones de nuestros padres». ¿Acaso imitan a sus padres a pesar que estos no razonaban ni seguían la guía? [171] Los incrédulos son como cuando uno llama al ganado, este solo percibe gritos y voces. Son sordos, mudos, ciegos y no razonan.

[172] ¡Creyentes! ¡Comed de las cosas buenas de que os hemos proveído y dad gracias a Dios, si es que adoráis solo a Él! [173] Se os ha prohibido la carne mortecina, la sangre, la carne de cerdo y la de todo animal sobre el que se haya invocado un nombre diferente del de Dios. Pero si alguien se ve compelido por la necesidad -no por deseo ni por afán de contravenir, no será un pecado para él. Dios es indulgente, misericordioso. [174] Quienes ocultan algo del Libro que Dios ha revelado y cambian Sus preceptos a vil precio, solo fuego ingerirán en sus entrañas y Dios no les dirigirá la palabra el día de la Resurrección ni les purificará de sus pecados. Tendrán un castigo doloroso. [175] Esos son los que han trocado la guía por el extravío, el perdón por el castigo. ¡Cómo pueden permanecer imperturbables ante el Fuego! [176] Esto es así porque Dios ha revelado el Libro con la Verdad. Y quienes discrepan sobre el Libro están en marcada oposición.

[177] La piedad no consiste en orientarse hacia el oriente o el occidente, sino que consiste en creer en Dios, en el Día del Juicio, en los ángeles, en el Libro y en los Profetas, en dar caridad, por mucho amor que se le tenga, a los parientes, huérfanos, necesitados, viajeros, mendigos y esclavos, en hacer la oración prescrita y dar el Zakat [azaque], en cumplir con los compromisos contraídos, en ser

pacientes en el infortunio, en la aflicción y en tiempo de peligro. ¡Esos son los hombres sinceros, esos los temerosos de Dios!

[178] ¡Creyentes! Se os ha prescrito la ley del talión en casos de homicidio: libre por libre, esclavo por esclavo, mujer por mujer. Pero, si a alguien le rebaja su hermano la pena, que pague la indemnización correspondiente en el plazo establecido. Esto es un alivio por parte de vuestro Señor, una misericordia. Quien, después de esto, viole la ley, tendrá un castigo doloroso. [179] La ley del talión es una medida para preservar vuestras vidas, ¡hombres de intelecto! Quizás, así, temáis a Dios. [180] Se os ha prescrito que, cuando uno de vosotros vea que va a morir dejando bienes, haga testamento en favor de sus padres y parientes en forma justa. Esto constituye un deber para los temerosos de Dios. [181] Y quien lo cambie [el testamento] luego de haberlo oído, pecará solo el que lo cambie. Dios todo lo oye, todo lo sabe. [182] Pero, si alguien teme una injusticia o ilegalidad por parte del testador y consigue un arreglo entre las partes, no peca. Dios es indulgente, misericordioso.

[183] ¡Creyentes!; Se os ha prescrito el ayuno, al igual que se prescribió a los que os precedieron. Quizás, así, temáis a Dios. [184] Ayunad días contados [el mes de Ramadán]. Y quien de vosotros esté enfermo o de viaje [y no ayune], deberá reponer posteriormente un número igual de días. Y los que, pudiendo [pero con mucha dificultad por la vejez], no ayunen podrán redimirse dando de comer a un pobre [por cada día no ayunado]. Y, si uno hace el bien espontáneamente, tanto mejor para él. Pero os conviene más ayunar. Si supierais... [185] En el mes de Ramadán fue revelado el Corán como guía para los hombres y como prueba clara de la guía y del Criterio. Y quien de vosotros esté presente ese mes, que ayune en él. Y quien esté enfermo o de viaje [y no ayune], deberá reponer un número igual de días. Dios quiere hacéroslo fácil y no difícil. ¡Completad

el número señalado de días y ensalzad a Dios por haberos guiado! Quizás, así seáis agradecidos.

[186] Cuando Mis siervos te pregunten por Mí... [¡Oh, Muhammad!, diles], ciertamente estoy cerca y respondo a la súplica de quien invoca cuando Me invoca. ¡Que Me escuchen y crean en Mí! Que así serán bien guiados. [187] Durante el mes del ayuno os es lícito por la noche uniros con vuestras mujeres: son vestidura para vosotros y vosotros lo sois para ellas. Dios sabe que os engañabais a vosotros mismos. Se ha vuelto a vosotros y os ha perdonado. Ahora, pues, yaced con ellas y buscad lo que Dios os ha prescrito; y comed y bebed hasta que se distinga el hilo blanco [la luz del alba] del hilo negro [la oscuridad de la noche]. Luego, observad el ayuno hasta la caída de la noche, y no tengáis relaciones con ellas mientras estéis de retiro en la mezquita. Estas son las leyes de Dios, no oséis transgredirlas. Así explica Dios Sus aleyas a los hombres. Quizás, así, se guarden. [188] No os devoréis la hacienda injustamente unos a otros. No sobornéis con ella a los jueces para devorar una parte de la hacienda ajena injusta y deliberadamente.

[189] Te preguntan acerca de las fases de la Luna. Di: «Son signos que sirven a los hombres para fijar sus fechas y la de la peregrinación». La piedad no estriba en que entréis en casa por detrás, sino en que temáis a Dios. ¡Entrad en casa por la puerta y temed a Dios! Quizás, así prosperéis. [190] Combatid por la causa de Dios a quienes combatan contra vosotros, pero no os excedáis. Dios no ama a los que se exceden. [191] Matadles donde deis con ellos, y expulsadles de donde os hayan expulsado. la sedición es más grave que el homicidio.No combatáis contra ellos junto a la Mezquita Sagrada, a no ser que os ataquen allí. Así que, si combaten contra vosotros, matadles: esa es la retribución de los incrédulos. [192] Pero, si cesan, Dios es indulgente, misericordioso. [193] Combatid contra

ellos hasta que dejen de induciros a apostatar y se rinda culto solo a Dios. Si cesan, no haya más hostilidades que contra los agresores.

[194] El mes sagrado por el mes sagrado. Las cosas sagradas caen bajo la ley del talión. Si alguien os agrediera, agredidle en la medida que os agredió. Temed a Dios y sabed que Él está con los que Le temen. [195] Gastad por la causa de Dios y no os entreguéis a la perdición. Haced el bien. Dios ama a quienes hacen el bien.

[196] Llevad a cabo la peregrinación mayor y la menor por la causa de Dios. Pero en caso de que algo os impidiese completarla, sacrificad el animal que podáis como ofrenda [camello, vaca, cordero o cabra]. No os afeitéis la cabeza hasta que llegue su momento [el Día del Sacrificio]. Si uno de vosotros está enfermo o tiene una dolencia en la cabeza, puede redimirse ayunando, dando limosna u ofreciendo un sacrificio. Cuando estéis en seguridad, quien aproveche para hacer la peregrinación menor, mientras llega el tiempo de la mayor, que sacrifique el animal según sus posibilidades. Pero, si no encuentra qué ofrecer, deberá ayunar tres días durante la peregrinación mayor y siete a su regreso, esto es, diez completos. Esto es para quienes no viven en las proximidades de la Mezquita Sagrada. ¡Temed a Dios! ¡Sabed que Dios es severo en castigar! [197] La peregrinación se realiza en unos meses específicos. Quien decida hacerla en esos meses se abstendrá de las relaciones maritales, los actos de desobediencia y de discutir. Dios conoce el bien que hacéis. ¡Aprovisionaos! La mejor provisión es el temor de Dios. ¡Temedme, pues, hombres de intelecto!

[198] No hacéis mal, si buscáis favor de vuestro Señor [comerciando durante la peregrinación]. Cuando regreséis de 'Arafât, y os encontréis en Muzdalifah, recordad a Dios. Recordadle en agradecimiento por haberos guiado cuando os encontrabais extraviados. Cuando regreséis de 'Arafât, y os encontréis en Muzdalifah, recordad a Dios. Recordadle en agradecimiento por

haberos guiado cuando os encontrabais extraviados. ^{199} Luego desplazaos por donde lo hace la gente e implorad el perdón de Dios. Ciertamente Dios es Absolvedor, Misericordioso. ^{200} Cuando hayáis cumplido vuestros ritos, ¡recordad a Dios como recordáis a vuestros padres o con más fervor aún! Hay entre los hombres quienes dicen: «¡Señor! ¡Danos lo bueno en esta vida!». Esos no tendrán parte en la otra vida. ^{201} Otros dicen: «¡Señor! ¡Danos bien en esta vida y en la otra y presérvanos del castigo del Fuego!». ^{202} Esos tendrán parte según sus méritos. Dios es rápido en ajustar cuentas... ^{203} ¡Recordad a Dios en días determinados [es decir, los tres días posteriores al Día del Sacrificio, llamados Aiiam At Tashriq]! Quien los reduzca a dos días no hace mal; como tampoco quien se demore [hasta el tercero], siempre que tenga temor a Dios. ¡Temed a Dios! ¡Sabed que seréis congregados hacia Él!

^{204} Hay entre los hombres algunos cuya manera de hablar sobre esta vida te complacen, que toman a Dios por testigo de lo que sus corazones encierran, y son solo empedernidos argumentadores. ^{205} Pero, cuando se alejan [de ti ¡Oh, Muhammad!] transitan por la Tierra corrompiéndola, destruyendo las siembras y matando los ganados. Dios no ama la corrupción. ^{206} Y cuando se le dice [a uno de ellos]: «¡Teme a Dios!», se apodera de él un orgullo criminal. Tendrá el Infierno como retribución. ¡Qué mal lecho! ^{207} Hay entre los hombres quien se sacrifica por deseo de agradar a Dios. Dios es Compasivo con Sus siervos.

^{208} ¡Creyentes! ¡Entrad todos en la Paz [o sumisión a Dios, es decir a la religión del islam] y no sigáis los pasos del Demonio! Ciertamente, es para vosotros un enemigo declarado. ^{209} Pero si, después de haber recibido las pruebas claras, cometéis un desliz, sabed que Dios es Poderoso, Sabio. ^{210} ¿Es que están esperando que Dios y los ángeles vengan a ellos bajo las sombras de las nubes y el asunto quede zanjado? Todos los asuntos retornan a

Dios. [211] Pregunta a los Hijos de Israel cuántos signos claros les dimos. Si uno, después de recibir la gracia de Dios, la cambia [por la incredulidad]... [sepa que] ciertamente Dios es severo en castigar. [212] La vida de este mundo ha sido engalanada a los ojos de los incrédulos, que se burlan de los que creen. Pero los temerosos de Dios estarán por encima de ellos el día de la Resurrección. Y Dios provee sin medida a quien Él quiere.

[213] La Humanidad constituía una sola comunidad. Dios envió Profetas portadores de buenas nuevas, que advertían, y reveló por su medio el Libro con la Verdad para que decida entre los hombres sobre aquello en que discrepaban. Solo aquellos a quienes se les había dado discreparon sobre ella, a pesar de las pruebas claras recibidas, y eso por rivalidad mutua. Dios quiso dirigir a los creyentes hacia la Verdad, sobre la que los otros discrepaban. Dios dirige a quien Él quiere a una vía recta. [214] ¿O creéis que vais a entrar en el Jardín antes de pasar por lo mismo que pasaron quienes os precedieron? Sufrieron el infortunio y la tribulación y una conmoción tal que el Mensajero y los que con él creían dijeron: «¿Cuándo vendrá el auxilio por rivalidad entre ellos de Dios?». Y por cierto que el auxilio de Dios está cerca.

[215] Te preguntan qué deben gastar. Di «Los bienes que gastéis, que sean para los padres, los parientes más cercanos, los huérfanos, los necesitados y el viajero». Dios conoce perfectamente el bien que hacéis. [216] Se os ha prescrito que combatáis, aunque os disguste. Puede que os disguste algo y sea un bien para vosotros y améis algo y sea un mal para vosotros. Dios sabe, mientras que vosotros no sabéis.

[217] Te preguntan si está permitido combatir en los meses sagrados [Muharram, Rayab, Dhul Qa'dah y Dhul Hiyyah] Di: «Combatir en esos meses es pecado grave. Pero apartar a los hombres del sendero de Dios, la incredulidad y expulsar a la gente de la Mezquita

Sagrada es aún más grave para Dios». Y [sabed] que la sedición es peor que matar [en un mes sagrado]. Si pudieran, no cesarían de combatir contra vosotros hasta conseguir apartaros de vuestra fe. Pero quien de vosotros reniegue de su religión y muera en la incredulidad, sus obras habrán sido en vano, en esta vida y en la otra. Esos morarán en el Fuego eternamente. [218] Quienes creyeron, emigraron y se esforzaron por la causa de Dios, pueden esperar la misericordia de Dios. Dios es Indulgente, Misericordioso.

[219] Te preguntan acerca del vino [ed. toda substancia embriagante] y del maysir [los juegos de azar, apuestas], Di: «Ambos encierran pecado grave y a pesar de que también hay en ellos algún provecho para los hombres, pero su pecado es mayor que su utilidad». Te preguntan qué deben gastar. Di: «Lo que podáis [después de haber cubierto vuestras necesidades]». Así os explica Dios los preceptos. Quizás, así, meditéis. [220] Sobre esta vida y la otra. Te preguntan acerca de los huérfanos [que tienen bajo su responsalidlidad]. Di: «Está bien mejorar su condición; y no hay inconveniente en mezclar sus bienes con los vuestros puesto que sois hermanos». Dios sabe quien es corrupto y quien benefactor. Y si Dios hubiera querido os habría afligido. Dios es Poderoso, Sabio.

[221] No os caséis con mujeres idólatras hasta que crean. Una esclava creyente es mejor que una idólatra, aunque esta os guste más. y no caséis a los idólatras con vuestras mujeres a menos que acepten la fe. Un esclavo creyente es mejor que un idólatra, aunque este os guste más. Esos os llaman al Fuego, en tanto que Dios os llama al Jardín y al perdón si quiere, y explica Sus preceptos a los hombres. Quizás, así, recapaciten. [222] Te preguntan acerca de la menstruación. Di: «Es una impureza; absteneos, pues, de mantener relaciones maritales con vuestras mujeres durante el menstruo, y no mantengáis relaciones con ellas hasta que dejen de menstruar, y cuando se hayan purificado hacedlo como Dios os ha permitido

[por la vía natural]». Dios ama a quienes se arrepienten. Y ama a quienes se purifican. ²²³ Vuestras mujeres son campo de labranza. ¡Id, pues, a vuestro campo como queráis, haced obras de bien para que os beneficiéis! ¡Temed a Dios y sabed que os encontraréis con Él! ¡Y anuncia la buena nueva a los creyentes!

²²⁴ No hagáis de Dios un pretexto que os impida hacer el bien, porque lo hayáis jurado por Él, temedle y reconciliad a los hombres. Dios todo lo oye, todo lo sabe. ²²⁵ Dios no tendrá en cuenta la vanidad de vuestros juramentos, pero sí tendrá en cuenta la intención de vuestros corazones. Dios es Indulgente, Benigno. ²²⁶ Quienes juren no acercarse [mantener relaciones sexuales] a sus mujeres tienen de plazo cuatro meses. Si se retractan,... [sepan que] Dios es Indulgente, Misericordioso. ²²⁷ Si se deciden por el divorcio,... Dios todo lo oye, todo lo sabe. ²²⁸ Las divorciadas deberán esperar tres menstruaciones [para volverse a casar]. No les es lícito ocultar lo que Dios ha creado en sus entrañas [si están embarazadas] si es que creen en Dios y en el Último Día. Durante esta espera, sus esposos tienen pleno derecho a tomarlas de nuevo si desean la reconciliación. Lo derechos de ellas sobre sus esposos son iguales a los derechos de estos sobre ellas [Ellas tienen tanto el derecho al buen trato como la obligación de tratar bien a sus maridos], según lo reconocido. Y los hombres tienen un grado superior [de responsabilidad] al de ellas. Dios es Poderoso, Sabio.

²²⁹ Si la voluntad de divorcio se expresare dos veces, se tendrá aún la posibilidad de reconciliarse debiendo tratar a la mujer benévolamente, o en caso contrario dejarla marchar de buena manera. No se os permite tomar nada de lo que les hayáis dado [la dote], a menos que las dos partes teman no cumplir los límites de Dios. Y, si teméis no cumplir los límites de Dios, no hay inconveniente en que ella obtenga su libertad indemnizando al marido. Estas son las leyes de Dios, no las quebrantéis. Quienes quebrantan las leyes de Dios,

esos son los inicuos. [230] Si la divorcia [por tercera vez], esta ya no le será permitida sino después de haber estado casada con otro y este último la divorciare también. Entonces, no incurrirán en falta si volvieran a unirse en matrimonio, si creen que observarán las leyes de Dios. Estas son las leyes de Dios las cuales aclara a gente que sabe. [231] Cuando divorciéis a vuestras mujeres y estas alcancen su término [con el plazo de espera], reconciliaos con ellas en buenos términos o dejadlas de buena forma. ¡No las retengáis a la fuerza, en violación de las leyes de Dios! Quien esto hace es injusto consigo mismo. ¡No toméis a burla las leyes de Dios, antes bien recordad la gracia de Dios para con vosotros y lo que os ha revelado del Libro y de la Sabiduría [el Corán], exhortándoos con ello! ¡Temed a Dios y sabed que Dios es Omnisciente!

[232] Cuando divorciéis a vuestras mujeres y estas alcancen su término, no les impidáis que se reconcilien con sus maridos, si hubiere avenencia. A esto se exhorta a quien de vosotros crea en Dios y en el Último Día. Esto es más correcto para vosotros y más puro. Dios sabe, mientras que vosotros no sabéis. [233] Las madres amamantarán a sus hijos durante dos años completos si desea que la lactancia sea completa. El padre debe sustentarlas y vestirlas de acuerdo a sus recursos, a nadie se le exige fuera de sus posibilidades. Que ni la madre ni el padre utilicen a su hijo para perjudicarse mutuamente. [En caso de que el padre falleciera] los familiares directos deben cumplir con esta obligación. Y no hay inconveniente en que el padre y la madre quieran, de mutuo acuerdo y luego de consultarse, destetar al niño. Y, si queréis emplear a una nodriza para vuestros hijos, no hacéis mal, a condición que le paguéis de acuerdo a lo convenido. ¡Temed a Dios y sabed que Dios ve bien lo que hacéis!

[234] Las viudas que dejéis deben esperar cuatro meses y diez días [para volver a casarse]; pasado ese tiempo, no seréis ya responsables

de lo que ellas dispongan de sí mismas según lo que es reconocido. Dios está bien informado de lo que hacéis. [235] No hacéis mal en proponer a tales mujeres casaros con ellas o en ocultarles vuestra intención de hacerlo. Dios sabe que pensaréis en ellas. Pero ¡no les prometáis nada en secreto! sino que insinuádselo con respeto. ¡Y no concretéis la boda hasta que se cumpla el período prescrito de espera! ¡Sabed que Dios conoce lo que hay en vuestras mentes, de modo que cuidado con Él! Pero sabed que Dios es Indulgente, Benigno. [236] No incurrís en falta si divorciáis a vuestras esposas antes de consumar el matrimonio o convenir la dote, pero gratificadlas con algún bien de acuerdo a lo que es reconocido, el acomodado según sus posibilidades y el pobre según las suyas. Esto constituye un deber para quienes hacen el bien. [237] Y, si las divorciáis antes de consumar el matrimonio y habiendo ya convenido la dote, pagadles la mitad de lo asignado, a menos que ellas o el hombre mismo renuncien a ello. La renuncia es más conforme al temor de Dios. No os olvidéis de mostraros generosos unos con otros. Dios ve bien lo que hacéis.

[238] ¡Observad la oración prescrita -sobre todo la oración intermedia [Salât Al 'Asr]- y estad con devoción ante Dios! [239] Si teméis algún peligro, orad de pie o montados. Y, cuando estéis en seguridad, ¡recordad a Dios que os enseñó lo que no sabíais! [240] Dejad explícitamente en un testamento, antes de que os sorprenda la muerte, la manutención de vuestras esposas por un año para que no necesiten salir de sus hogares; pero si salieren, no se os reprochará lo que ellas hagan honradamente respecto a su persona. Dios es Poderoso, Sabio. [241] Quienes divorcien a sus esposas deben darles un presente de acuerdo a sus posibilidades. Esto constituye un deber para los temerosos de Dios. [242] Así explica Dios Sus aleyas. Quizás, así, razonéis.

[243] ¿No has visto a quienes, por millares [a causa de una

epidemia], dejaron sus hogares por miedo a la muerte? Dios les había dicho: «¡Morid igual!». Luego, les resucitó. Ciertamente Dios dispensa Su favor a los hombres, pero la mayoría de los hombres no agradecen. ²⁴⁴ ¡Combatid por la causa de Dios y sabed que Dios todo lo oye, todo lo sabe! ²⁴⁵ Quien contribuya con sus bienes por la causa de Dios. Él se lo devolverá multiplicado. Dios restringe y prodiga [el sustento]. Seréis devueltos a Él.

²⁴⁶ ¿No has visto a los nobles de los Hijos de Israel, después de Moisés? Cuando dijeron a un Profeta suyo: «¡Suscítanos a un rey para que combatamos por la causa de Dios!». Dijo: «Puede que no combatáis una vez que se os prescriba el combate». Dijeron: «¿Cómo no vamos a combatir por la causa de Dios si se nos ha expulsado de nuestros hogares y separado de nuestros hijos?». Pero, cuando se les prescribió el combate, volvieron la espalda, salvo unos pocos. Dios conoce bien a los inicuos. ²⁴⁷ Su Profeta les dijo: «Dios os ha enviado a Saúl como rey». Dijeron: «¿Cómo es que será nuestro rey, si nosotros tenemos más derecho que él a la soberanía, y además no se le ha concedido abundancia de hacienda?». Dijo: «Dios lo ha elegido sobre vosotros y lo ha dotado de conocimiento y fortaleza». Dios da Su dominio a quien Él quiere. Dios es Inmenso, Omnisciente. ²⁴⁸ Su Profeta les dijo: «El signo de su soberanía será que los Ángeles os traerán el arca [el arca de la alianza], en la que encontrarán sosiego proveniente de vuestro Señor y reliquias que dejaron las familias de Moisés y de Aarón [y al presenciar este milagro aceptaron a Saúl]. Ciertamente tenéis en ello un signo, si es que sois creyentes».

²⁴⁹ Pero cuando Saúl hubo partido con sus soldados, les dijo: «Dios os probará con un río. Quien beba de él no será de los míos, pero quien no beba más que un sorbo en el cuenco de su mano o se abstenga, será de los míos». Pero bebieron de él, salvo unos pocos. Y, cuando él y los que creían lo hubieron cruzado,

algunos dijeron: «Hoy no podremos hacer nada contra Goliat y sus soldados». En cambio, los que tenían certeza de que comparecerían ante Dios dijeron: «¡Cuántas veces una tropa reducida ha vencido a grandes ejércitos con permiso de Dios! Dios está con los que tienen paciencia». ²⁵⁰ Y, cuando salieron contra Goliat y sus soldados, dijeron: «¡Señor! ¡Infunde en nosotros paciencia, afirma nuestros pasos, auxílianos contra los que niegan la verdad!». ²⁵¹ Y les derrotaron con permiso de Dios. David mató a Goliat y Dios le dio [a David] el reino y la sabiduría [la profecía], y le enseñó lo que Él quiso. Si no fuera porque Dios hace que unos hombres impidan el mal a otros, la Tierra estaría llena de corrupción. Pero Dios dispensa Su favor a la humanidad.

²⁵² Estos son los signos de Dios, que te revelamos conforme a la verdad. Ciertamente, tú [¡Oh, Muhammad!] eres uno de los Mensajeros. ²⁵³ Y de los Mensajeros. Hemos favorecido a unos sobre otros. Entre ellos hay a quien Dios ha hablado, y a otros les ha elevado en grados. Y dimos a Jesús, hijo de María, las pruebas evidentes, y le fortalecimos con el Espíritu Puro [el Ángel Gabriel]. Si Dios hubiera querido, los que les siguieron no habrían combatido unos contra otros, después de haber recibido las pruebas evidentes; pero discreparon y hubo entre ellos quienes creyeron y otros no. Si Dios hubiera querido, no habrían combatido unos contra otros. Pero Dios hace lo que quiere.

²⁵⁴ ¡Creyentes! Dad en caridad de lo que os hemos proveído antes de que venga un día en que no sirvan ni rescate, ni amistad ni intercesión [si perdéis la fe]. Los incrédulos, esos son los inicuos. ²⁵⁵ ¡Dios! No hay más dios que Él, el Viviente, el Sustentador [se basta a Sí mismo y se ocupa de toda la creación]. Ni la somnolencia ni el sueño se apoderan de Él. Suyo es lo que está en los cielos y en la Tierra. ¿Quién podrá interceder ante Él si no es con Su permiso? Conoce el pasado y el futuro, y nadie abarca de Su conocimiento

salvo lo que Él quiere. El escabel de Su Trono se extiende sobre los cielos y sobre la tierra y la custodia [y mantenimiento] de ambos no Le agobia. Él es el Altísimo, el Grandioso. [256] No está permitido forzar a nadie a creer pues la guía se distingue claramente del desvío. Quien se aparte de los taguts [demonios, adivino, ídolo… Implica todo aquello que se adora fuera de Dios] y cree en Dios, ese se habrá aferrado al asidero más firme [el islam], que nunca se romperá. Dios todo lo oye, todo lo sabe. [257] Dios es el Protector de los que creen, les saca de las tinieblas a la luz. En cambio, los que no creen tienen como protector a los taguts, que les sacan de la luz a las tinieblas. Esos morarán en el Fuego eternamente.

[258] ¿Acaso no has reparado [¡Oh, Muhammad!] en quien discutió con Abraham sobre su Señor valiéndose del poder que Dios le había concedido? Cuando Abraham dijo: «Mi Señor es Quien da la vida y da la muerte». Dijo: «Yo doy la vida y doy a muerte». Abraham dijo: «Dios trae el sol por oriente; tráelo tú por Occidente». Entonces, el incrédulo quedó desconcertado. Dios no guía a los inicuos.

[259] O en aquel ['Uzeir] que pasó por una ciudad en ruinas, y dijo: «¿Cómo va Dios a devolver la vida a esta después de muerta?». Dios le hizo morir y quedar así durante cien años y luego le resucitó. Le preguntó [Dios]: «¿Cuánto tiempo has permanecido así?». Dijo: «He permanecido un día o parte de un día». Dijo: «No, has permanecido así cien años. ¡Observa tu comida y tu bebida! No se han echado a perder. ¡Mira a tu asno! [en su lugar yacen sus huesos] Todo para hacer de ti un signo para los hombres. ¡Mira los huesos [de tu asno], cómo los componemos y los cubrimos de carne [y lo resucitamos]!». Cuando lo vio con claridad, dijo: «Ahora sé que Dios tiene poder sobre todas las cosas». [260] Y cuando Abraham dijo: «¡Señor mío, muéstrame cómo devuelves la vida a los muertos!». Dijo [Dios]: «¿Es que no crees?». Dijo: «Claro que sí, pero es para tranquilidad de mi corazón». Dijo [Dios]: «Entonces, toma cuatro

aves y córtalos en pedazos. Luego, pon en cada montaña un pedazo de ellas y llámalas. Acudirán a ti rápidamente [con vida]. Y Sabe que Dios es Poderoso, Sabio».

²⁶¹ Quienes contribuyen con sus bienes por la causa de Dios son semejantes a un grano que produce siete espigas, cada una de las cuales contiene cien granos. Y Dios multiplica [la recompensa] de quien Él quiere, y Él es Vasto, Omnisciente. ²⁶² Quienes contribuyan con sus bienes por la causa de Dios sin hacer alarde de ello ni cometer agravio tendrán su recompensa junto a su Señor. No tienen que temer y no estarán tristes. ²⁶³ Una palabra amable, un perdón valen más que una caridad seguida de agravio. Dios Se basta a Sí mismo, es Indulgente. ²⁶⁴ ¡Creyentes! No hagáis vanas vuestras caridades alardeando de ellas o agraviando, como quien contribuye con sus bienes para ser visto de los hombres, sin creer en Dios ni en el Último Día. Ese tal es semejante a una roca cubierta de tierra, a la cual le cae un aguacero y la deja desnuda. No recibirán ninguna recompensa por sus actos; y Dios no guía a los incrédulos.

²⁶⁵ Quienes contribuyen con sus bienes anhelando complacer a Dios y por su propio fortalecimiento [de sus almas], son semejantes a un jardín plantado en una colina. Si cae sobre él una lluvia copiosa, da fruto doble; y si no le cae una lluvia copiosa un rocío le es suficiente. Dios ve bien lo que hacéis. ²⁶⁶ ¿Desearía alguno de vosotros poseer un jardín de palmeras datileras y vides por cuyo bajo fluyeran arroyos, con toda clase de frutos, envejecer mientras sus hijos son aún débiles [hijos aún pequeños] y que un torbellino de fuego cayera sobre el jardín y éste se incendiara? Así os explica Dios Sus signos. Quizás, así reflexionéis.

²⁶⁷ ¡Creyentes! ¡Dad en caridad de las cosas buenas que habéis adquirido y de lo que, para vosotros, os hemos hecho brotar de la tierra! Y no elijáis lo deteriorado para dar caridad, como tampoco vosotros lo tomaríais a menos que tuvierais los ojos cerrados. Sabed

que Dios Se basta a Sí mismo, es digno de alabanza. [268] Satanás os atemoriza con la pobreza y os ordena la inmoralidad [avaricia y cualquier acto inmoral], pero Dios os promete Su perdón y Su generosidad. Dios es Vasto, Omnisciente. [269] Concede la sabiduría a quien Él quiere. Y quien recibe la sabiduría recibe mucho bien. Pero no se dejan amonestar sino los dotados de intelecto.

[270] Sea cual sea la caridad que deis o la promesa que hagáis, Dios lo sabe. Y los inicuos no tendrán quien les auxilie. [271] Hacer caridad públicamente es una obra de bien, pero si lo hacéis en privado y se la dais a los pobres, es mejor para vosotros y borrará en parte vuestras malas obras. Dios está bien informado de lo que hacéis. [272] No es tu obligación [¡Oh, Muhammad!] que sigan la guía, sino que Dios dirige a quien Él quiere. Lo que hagáis de bien redundará en vuestro propio beneficio. Y no lo hagáis si no es por deseo de agradar a Dios. Lo que hagáis de bien [por la causa de Dios], os será devuelto y no seréis tratados injustamente. [273] [Dad caridad a] los pobres que padecieron estrechez por la causa de Dios y que no tienen los medios para desplazarse. Quien ignora su situación los cree ricos porque se abstienen; les reconocerás por su aspecto, no piden a la gente inoportunamente. Y lo que hacéis de bien, Dios lo conoce perfectamente. [274] Quienes hagan caridad con sus bienes de noche o de día, en secreto o en público, tendrán su recompensa junto a su Señor. No tienen que temer y no estarán tristes.

[275] Los que lucren con la usura se levantarán [de sus tumbas el Día del Juicio] como se levanta a aquel a quien Satanás ha poseído dejándolo trastornado, y eso por decir que el comercio es igual que la usura, siendo así que Dios ha autorizado el comercio y prohibido la usura. A quien le haya llegado de su Señor la prohibición [de la usura] y renuncie conservará lo que haya ganado, su caso estará en manos de Dios. Pero los reincidentes, esos serán los moradores del Fuego y en él permanecerán para siempre. [276] Dios hace inútil

la usura, pero hace fructificar la caridad. Dios no ama al incrédulo pecador. ²⁷⁷ Los que creen y obran rectamente, hacen la oración prescrita y pagan el Zakât [azaque], tendrán su recompensa junto a su Señor. No tienen que temer y no estarán tristes.

²⁷⁸ ¡Creyentes! ¡Temed a Dios! ¡Y renunciad a lo que os adeuden a causa de la usura, si es que en verdad sois creyentes! ²⁷⁹ Si no lo hacéis así [dejar la ususra], sabed que Dios y Su Mensajero os declaran la guerra; pero si os arrepentís, conservaréis vuestro capital, no siendo injustos ni siendo tratados injustamente. ²⁸⁰ Si está en apuro [alguien que os debe algo], concededle un respiro hasta que se alivie su situación. Y aún sería mejor para vosotros que como acto de caridad le condonarais la deuda. Si supierais... ²⁸¹ Temed el día en que seréis devueltos a Dios. Entonces, cada uno recibirá lo que se haya ganado. Y no serán tratados injustamente.

²⁸² ¡Creyentes! Si contraéis una deuda por un plazo determinado, ponedlo por escrito. Que la persona a la que recurráis tome fiel nota en vuestra presencia, así como Dios le ha agraciado con la escritura, que no se niegue a hacerlo. Que registre con temor a Dios y sin omitir nada lo que el deudor reconoce que adeuda. Y si el deudor fuera deficiente, débil o incapaz de dictar, que dicte en su lugar su apoderado con equidad. Llamad, para que sirvan de testigos, a dos de vuestros hombres; si no los hay, elegid a un hombre y a dos mujeres de entre quienes os plazcan como testigos, de tal modo que si una yerra, la otra subsane su error. Que los testigos no se rehúsen si son citados. Y no dejéis de escribir toda deuda, pequeña o grande, detallando su vencimiento. Esto es más justo ante Dios, es más correcto para el testimonio y da menos lugar a dudas. A menos que se trate de las operaciones comerciales entre vosotros, en ese caso, no hay inconveniente en que no lo pongáis por escrito. Pero ¡tomad testigos cuando os vendáis algo! ¡Y que no se coaccione al escribano ni al testigo! Si lo hacéis, cometeréis una iniquidad. ¡Temed a Dios!

Dios os agraciará con el conocimiento. Dios es Omnisciente. [283] Y si estáis de viaje y no encontráis escribano, quedaos entonces con una garantía. Si uno confía un depósito a otro, debe el depositario restituir el depósito en el temor de Dios, su Señor. Y no ocultéis los testimonios. Quien los oculte…tiene un corazón pecador. Dios sabe bien lo que hacéis.

[284] De Dios es lo que está en los cielos y en la Tierra; tanto si manifestáis lo que tenéis en vosotros mismos como si lo ocultáis, Dios os pedirá cuentas de ello. Perdona a quien Él quiere y castiga a quien Él quiere. Dios tiene poder sobre todas las cosas. [285] El Mensajero cree en cuanto le ha sido revelado por su Señor, y lo mismo los creyentes. Todos ellos creen en Dios, en Sus ángeles, en Sus Libros y en Sus Mensajeros. No hacemos diferencia entre ninguno de Sus Mensajeros. Y dicen: «Oímos y obedecemos. Perdónanos Señor nuestro, pues ciertamente a Ti volveremos». [286] Dios no exige a nadie por encima de sus posibilidades. Lo que uno haya hecho redundará en su propio bien o en su propio mal. ¡Señor nuestro! ¡No nos castigues si nos olvidamos o nos equivocamos! ¡Señor nuestro! ¡No nos impongas una carga como la que impusiste a quienes nos precedieron! ¡Señor nuestro! ¡No nos impongas más allá de nuestras fuerzas! ¡Y absuélvenos, perdónanos y apiádate de nosotros! ¡Tú eres nuestro Protector! ¡Auxílianos contra la gente incrédula!

LA FAMILIA DE 'IMRAN

¡En el nombre de Dios, el Compasivo, el Misericordioso!

¹ *Alif. Lam. Mim.*

² ¡Dios! No hay más dios que Él, el Viviente, el Sustentador.
³ Él te ha revelado [¡Oh! Muhammad] el Libro con la Verdad, en confirmación de los mensajes anteriores. Él ha revelado la Torá y el Inyil… [El Inyil es el libro que fue revelado a Jesús, no tuvo expresión escrita, sino que descendió a su corazón y se expresó en sus dichos y hechos. No se corresponde exactamente con lo que se conoce como los Evangelios y por eso se ha mantenido la voz "Inyil"]. ⁴ …anteriormente, como guía para la gente. Y ha revelado el Criterio [el Corán] por el cual se discierne lo verdadero de lo falso. Quienes no crean en los signos de Dios tendrán un castigo severo. Dios es Poderoso, Señor de la retribución justa. ⁵ No hay nada en la tierra ni en el cielo que se esconda de Dios. ⁶ Él es Quien os forma en las matrices como quiere. No hay más dios que Él, el Poderoso, el Sabio.

⁷ Él es Quien te ha revelado el Libro [¡Oh! Muhammad]. En él hay versículos categóricos de significado evidente, que son la base del Libro, y otros que aceptan interpretaciones. Los de corazón extraviado siguen solo las interpretables, con el fin de sembrar la discordia y con pretensión de interpretarlo. Pero nadie sino Dios conoce la interpretación [verdadera] de ello. Los arraigados en el conocimiento dicen: «Creemos en ello, todo procede de nuestro Señor». Pero no se dejan amonestar sino los dotados de intelecto.
⁸ ¡Oh, Señor mío! ¡No hagas que nuestros corazones se desvíen, después de habernos Tú guiado! ¡Concédenos Tu misericordia! Tú

eres el Munífico. [9] ¡Oh, Señor mío! Tú eres quien va a reunir a los hombres para un día ineludible. Dios no falta jamás a Su promesa.

[10] A quienes no crean, ni su hacienda ni sus hijos les servirán de nada frente a Dios. Esos servirán de combustible para el Fuego. [11] Como ocurrió con la gente de Faraón y con los que les precedieron: Desmintieron Nuestros signos y Dios les castigó por sus pecados. Dios castiga severamente. [12] Di a quienes no creen: «Seréis vencidos y congregados en el Infierno». ¡Qué pésima morada! [13] Tuvisteis un signo en las dos tropas que se encontraron [en la Batalla de Badr]: uno que combatía por la causa de Dios y la otra, incrédula, que, a simple vista, creyó que aquella [el grupo de los creyentes] le doblaba en número. Dios fortalece con Su auxilio a quien Él quiere. Ciertamente esto encierra una enseñanza para los que pueden ver.

[14] A los hombres se les ha embellecido el amor por todo lo deseable: las mujeres, los hijos, la acumulación de caudales de oro y plata, los caballos de raza, los rebaños y los campos de cultivo... Eso es breve disfrute de la vida de este mundo. Pero Dios tiene junto a Sí un bello lugar de retorno. [15] Di: «¿Puedo informaros de algo mejor que eso?». Quienes tengan temor de Dios encontrarán junto a su Señor jardines por donde corren los ríos y en los que estarán eternamente, esposas puras y donde obtendrán la complacencia de Dios. Dios ve bien a Sus siervos, [16] que dicen: «¡Oh, Señor! ¡Nosotros creemos! ¡Perdónanos, pues, nuestros pecados y líbranos del castigo del Fuego!», [17] [los creyentes son] pacientes, veraces, piadosos, que practican la caridad y piden perdón en el tiempo anterior al alba.

[18] Dios atestigua, y con Él los ángeles y los dotados de conocimiento, que no hay más dios que Él, y que Él vela por la justicia. No hay más dios que Él, el Poderoso, el Sabio. [19] Ciertamente, para Dios la verdadera religión es el islam [sometimiento a Dios]. Aquellos a quienes se dio el Libro no discreparon sino después de

haberles llegado el Conocimiento, por envidias entre ellos. Quien no cree en los signos de Dios,... Dios es rápido en ajustar cuentas. [20] Si disputan contigo, di: «Yo me someto a Dios y lo mismo hacen quienes me siguen». Y di a quienes recibieron el Libro y a los analfabetos [árabes paganos]: «¿No os someteréis a Dios [aceptar el islam]?», Si se someten a Él, habrán sido bien guiados; pero si vuelven la espalda, tú solo tienes la obligación de transmitirles el mensaje. Dios ve bien a Sus siervos. [21] Anuncia un castigo doloroso a quienes rechazan los preceptos de Dios, matan a los Profetas sin derecho alguno y matan a las personas que ordenan la equidad... [Anúnciales un castigo doloroso] [22] Esos son aquellos cuyas obras serán vanas en esta vida y en la otra; y no tendrán quien les auxilie.

[23] ¿No has visto a quienes han recibido una parte del Libro? Se les invita a que acepten el Libro de Dios para juzgar sus asuntos, pero algunos vuelven la espalda y se desentienden. [24] Eso es porque dicen: «El fuego no nos tocará más que por días contados». Las falsas creencias que ellos mismos inventaron les han engañado en su religión. [25] ¿Qué pasará cuando les reunamos para un día indubitable y cada uno reciba lo que se merece? No serán tratados injustamente. [26] Di: «¡Oh, Dios, Rey de la soberanía! Tú das el dominio a quien quieres y se lo quitas a quien quieres, exaltas a quien quieres y humillas a quien quieres. En Tus manos está el bien. Tú tienes poder sobre todas las cosas. [27] Tú haces que la noche entre en el día y que el día entre en la noche. Tú haces surgir lo vivo de lo muerto y lo muerto de lo vivo. Tú provees sin medida a quien quieres».

[28] Que no tomen los creyentes como aliados a los incrédulos en lugar de a los creyentes -quien obre así no tendrá nada que ver con Dios-, a menos que sea para guardaros de ellos. Dios os exhorta a que Le temáis, porque ante Él compareceréis. [29] Di: «Tanto si escondéis cuanto hay en vuestros corazones como si lo manifestáis,

Dios lo sabe». Y conoce lo que está en los cielos y en la tierra. Dios tiene poder sobre todas las cosas. ³⁰ El día que cada alma se encuentre frente al bien y el mal que ha hecho, deseará tener bien lejos ese momento. Dios os exhorta a que Le temáis. Dios es Compasivo con Sus siervos. ³¹ Di: «Si amáis a Dios ¡seguidme! Dios os amará y os perdonará vuestros pecados. Dios es Indulgente, Misericordioso». ³² Di: «¡Obedeced a Dios y al Mensajero!». Pero si vuelven la espalda… Ciertamente Dios no ama a los incrédulos.

³³ Dios ha escogido a Adán, a Noé, a la familia de Abraham y a la de 'Imran por encima de todos los seres. ³⁴ Familias descendientes unas de otras. Dios todo lo oye, todo lo sabe. ³⁵ Cuando la mujer de 'Imran dijo: «¡Señor mío! Te ofrezco en voto, a Tu exclusivo servicio lo que hay en mi vientre. ¡Acéptamelo! Tú eres Quien todo lo oye, Quien todo lo sabe». ³⁶ Y cuando dio a luz [a una hija], dijo: «¡Señor mío! Lo que he dado a luz es una mujer -bien sabía Dios lo que había concebido- [Agregó la esposa de 'Imrân] y una mujer no es lo mismo que un varón [para que se consagre a Tu servicio] Le he puesto por nombre María, y Te imploro que la protejas a ella y a su descendencia del maldito Satanás». ³⁷ Su Señor la aceptó con buena acogida, hizo que se criara bien y la confió a Zacarías. Toda vez que Zacarías entraba en el Templo para verla, encontraba sustento junto a ella. Decía: «¡María!, ¿de dónde te ha venido esto?». Decía ella: «De Dios. Dios provee sin medida a quien Él quiere». ³⁸ Entonces, Zacarías invocó a su Señor diciendo: «¡Señor mío! ¡Concédeme una descendencia buena! Tú escuchas los ruegos». ³⁹ Los ángeles le llamaron cuando, de pie, oraba en el Templo: «Dios te anuncia la buena nueva de Juan, quien corroborará la Palabra de Dios, será noble, casto, y un Profeta virtuoso». ⁴⁰ «¡Señor mío!» dijo, «¿cómo puedo tener un muchacho si soy ya viejo y mi mujer estéril?». Dijo: «Así será. Dios hace lo que Él quiere». ⁴¹ Dijo: «¡Señor mío ! Dame una señal [de que me has concedido un hijo]». Dijo: «Tu

señal será que no podrás hablar a la gente durante tres días sino por señas. Recuerda mucho a tu Señor y glorifícale, al anochecer y al alba». ⁴² Y cuando los ángeles dijeron: «¡María! Dios te ha escogido y purificado. Te ha elegido entre todas las mujeres del universo. ⁴³ ¡María! ¡Conságrate en devoción a tu Señor, póstrate e inclínate con los que se inclinan [ante Él]!». ⁴⁴ Esto forma parte de las historias del No-visto [que no conocías], que Nosotros te revelamos. Tú [¡Oh, Muhammad!] no estuviste presente cuando echaron suertes con sus cañas para ver quién de ellos iba a encargarse de María, ni estabas allí cuando disputaban acerca de ello.

⁴⁵ Cuando los ángeles dijeron: «¡María! Dios te anuncia la buena nueva de Su palabra [¡Sé!], su nombre será el Mesías, Jesús hijo de María. Será distinguido en esta vida y en la otra, y se contará entre los más próximos a Dios. ⁴⁶ Hablará a la gente en la cuna y de adulto, y será de los justos». ⁴⁷ Dijo ella: «¡Señor mío! ¿Cómo podré tener un hijo, si no me ha tocado ningún hombre?». Le respondió: «¡Así será! Dios crea lo que Él quiere. Cuando decide algo, dice tan solo: "¡Sé!" y es. ⁴⁸ Él le enseñará la escritura, le concederá la sabiduría, le enseñará la Torá y el Inyil». ⁴⁹ Y será un Mensajero para los Hijos de Israel, a quienes dirá: «Os he traído un signo que viene de vuestro Señor. Haré para vosotros con barro la forma de un pájaro. Entonces, soplaré en él, y con el permiso de Dios, se convertirá en pájaro [con vida]. Con el permiso de Dios, curaré al ciego de nacimiento y al leproso y resucitaré a los muertos. Os informaré de lo que coméis y de lo que almacenáis en vuestras casas. Ciertamente, tenéis en ello un signo, si es que sois creyentes. ⁵⁰ He venido para confirmaros lo que os había llegado anteriormente en la Torá y para declararos lícitas algunas de las cosas que se os habían prohibido. Y os he traído un signo que viene de vuestro Señor. ¡Temed, pues, a Dios y obedecedme! ⁵¹ Dios es mi Señor y Señor vuestro. ¡Adoradle, pues! Este es el sendero recto».

[52] Pero, cuando Jesús percibió la incredulidad de su pueblo, dijo: «¿Quiénes me ayudarán en la vía que lleva a Dios?». Sus discípulos dijeron: «Nosotros te ayudaremos. ¡Creemos en Dios! ¡Sé testigo [¡Oh, Jesús!] que a Él nos sometemos! [53] ¡Señor nuestro! Creemos en lo que has revelado y seguimos a Tu Mensajero. Cuéntanos, pues, entre los que dan testimonio de fe ». [54] Y maquinaron [los incrédulos contra Jesús], pero Dios también maquinó. Y Dios es el que mejor maquina. [55] Cuando Dios dijo: «¡Jesús! Voy a llevarte a Mí, voy a elevarte hacia Mí, voy a librarte de los que no creen, y consideraré a los que te han seguido por encima de los incrédulos hasta el día de la Resurrección. Luego, volveréis a Mí y juzgaré entre vosotros sobre aquello en que discrepabais. [56] A los incrédulos les castigaré severamente en esta vida y en la otra. Y no tendrán quienes les auxilien. [57] En cuanto a quienes crean y obren bien, Dios les recompensará debidamente. Dios no ama a los inicuos». [58] Esto te lo contamos como parte de los signos y de la sabia amonestación [del Corán].

[59] Por cierto que para Dios, Jesús es semejante a Adán, a quien creó de barro y luego le dijo: «¡Sé!» y fue. [60] [Esta es] La verdad [sobre Jesús que] proviene de tu Señor. ¡No seas, pues, de los que dudan! [61] Y a quienes te discutan acerca de esta verdad [de que Jesús es un siervo de Dios y no una divinidad] después de haberte llegado el conocimiento, diles: «¡Venid! Vamos a llamar a nuestros hijos y a vuestros hijos, a nuestras mujeres y a las vuestras, y presentémonos todos nosotros. Luego roguemos seriamente que la maldición de Dios caiga sobre quienes mientan». [62] Esta es la auténtica verdad. No hay otra divinidad excepto Dios. Dios es el Poderoso, el Sabio. [63] Si vuelven la espalda... Dios conoce bien a los desviados.

[64] Di: «¡Gente del Libro! Convengamos en una palabra común a nosotros y vosotros: No adoraremos sino a Dios, no Le asociaremos nada y no tomaremos a nadie de entre nosotros como divinidad

fuera de Dios». Y si vuelven la espalda, decid: «¡Sed testigos de nuestro sometimiento a Dios!». [65] ¡Gente del Libro! ¿Por qué disputáis sobre Abraham, siendo así que la Torah y el Inyil no fueron revelados sino después de él? ¿Es que no razonáis? [66] [Mirad cómo sois] Disputabais de lo que conocíais. ¿Y vais a disputar de lo que no conocéis? Dios sabe, mientras que vosotros no sabéis. [67] Abraham no fue judío ni cristiano, sino que fue hanif [monoteísta puro], sometido a Dios, y no fue jamás de los idólatras. [68] Los más allegados a Abraham son los que le han seguido, así como este Profeta [Muhammad] y los que creen. Dios es el Protector de los creyentes. [69] Un grupo de la gente del Libro desearía extraviaros; pero solo se extravían a sí mismos y no se dan cuenta. [70] ¡Gente del Libro! ¿Por qué no creéis en los signos de Dios, siendo que sois testigos de ellos? [71] ¡Gente del Libro! ¿Por qué disfrazáis la Verdad de falsedad y ocultáis la Verdad conociéndola?

[72] Otro grupo de la gente del Libro dice: «¡Creed al comenzar el día en lo que se les ha revelado a los creyentes [el Corán] pero negadlo al terminar el día! Quizás así, los creyentes duden y renuncien a su fe. [73] Y [agregan:] no creáis sino a quienes siguen vuestra religión». Diles [¡Oh, Muhammad!]: «La verdadera guía es la de Dios. No creáis que se agraciará a nadie de la misma manera que fuisteis agraciados, ni tampoco que podrán argumentar contra vosotros ante vuestro Señor». Di: «El favor está en la mano de Dios, que lo dispensa a quien Él quiere». Dios es Vasto, Omnisciente. [74] Agracia con Su misericordia a quien Él quiere. Dios es el Dueño del favor inmenso. [75] Entre la gente del Libro hay quienes, si les confías una gran cantidad de dinero te lo devuelven, y quienes si les confías un solo dinar solo te lo devuelven después de pedírselo con insistencia. Y esto es así porque dicen: «No tenemos por qué ser escrupulosos con quienes no han recibido ninguna revelación». Ellos inventan mentiras acerca de Dios a sabiendas. [76] ¡Muy al

contrario! Si uno cumple su promesa y teme a Dios,... Dios ama a quienes Le temen.

[77] Quienes malvenden la alianza con Dios y sus juramentos no tendrán parte en la otra vida. Dios no les dirigirá la palabra ni les mirará el día de la Resurrección, no les purificará y tendrán un castigo doloroso. [78] Entre ellos hay quienes tergiversan el Libro con sus lenguas para que creáis que es parte de él, cuando en realidad, no pertenece al Libro. Y dicen que viene de Dios, siendo así que no viene de Dios. Mienten contra Dios a sabiendas. [79] No cabe en un ser humano a quien Dios le ha dado el Libro, la sabiduría y la profecía, vaya diciendo a la gente: «¡Sed siervos míos y no de Dios!». Sino más bien: «¡Sed guías eruditos, puesto que enseñáis el Libro y lo estudiáis!». [80] Dios no os ordena que toméis como divinidades a los ángeles y a los Profetas. ¿Es que iba a ordenaros que fuerais incrédulos, después de haberos sometido a Él?

[81] Y [recordad] cuando Dios concertó un pacto con los Profetas, diciéndoles: «Os concedo el Libro y la sabiduría, y cuando se os presente un Mensajero que confirme lo que se os haya revelado, creed en él y auxiliadle». Dijo: «¿Estáis de acuerdo y aceptáis mi alianza en estos términos?». Dijeron: «Estamos de acuerdo». Dijo: «Entonces, ¡sed testigos! Yo también con vosotros, soy testigo». [82] Quienes, después de esto, vuelvan la espalda serán los descarriados. [83] ¿Desearían una religión diferente a la de Dios, cuando los que están en los cielos y en la Tierra se someten a Él voluntariamente o por la fuerza? Y ante Él comparecerán. [84] Di «Creemos en Dios y en lo que se nos ha revelado, en lo que se ha revelado a Abraham, Ismael, Isaac, Jacob y a las tribus, en lo que Moisés, Jesús y los Profetas han recibido de su Señor. No hacemos distinción entre ninguno de ellos y nos sometemos a Él». [85] Si alguien desea una religión diferente al islam [el sometimiento a Dios] no se le aceptará, y en la otra vida será de los que pierdan. [86] ¿Cómo va Dios

a guiar a quienes han dejado de creer después de haber creído, de haber sido testigo de la veracidad del Mensajero y de haber recibido las pruebas claras? Dios no dirige a los inicuos. [87] Esos tales tendrán como retribución la maldición de Dios, de los ángeles y de toda la humanidad. [88] Eternos en ella, no se les mitigará el castigo, ni les será dado esperar. [89] Serán exceptuados quienes, después de eso, se arrepientan y se enmienden. Dios es Indulgente, Misericordioso. [90] A quienes renegaron de la fe luego de haber creído y se obstinen en su incredulidad, no se les aceptará el arrepentimiento. Esos son los extraviados. [91] A los que no creyeron y los tomó la muerte siendo aún incrédulos, aunque ofrecieran como precio de rescate todo el oro que cabe en la Tierra, no se les aceptará. Esos tendrán un castigo doloroso y no encontrarán quienes les auxilien.

[92] No alcanzaréis la piedad verdaderamente hasta que no deis [en caridad] de lo que amáis. Y Dios conoce bien cualquier cosa que diereis. [93] Antes de que fuera revelada la Torá, todo alimento era lícito para el pueblo de Israel, salvo lo que ellos mismos habían vedado. Di: «Si es verdad lo que decís, ¡traed la Torá y leedla!». [94] Quienes, después de eso, inventen mentiras acerca de Dios, esos serán los inicuos. [95] Di: «Dios dice la verdad. Seguid, pues, la religión de Abraham, que fue hanif [monoteísta puro] y no se contó entre quienes atribuían copartícipes a Dios». [96] Ciertamente la primera Casa erigida para los hombres es la de Bakkah [la Ka'bah], es un lugar bendito y guía para todos. [97] Hay en ella signos claros; esta la estación de Abraham, quien entre en ella estará a salvo. Dios ha prescrito a los hombres la peregrinación a la Casa si se encuentran en condiciones de hacerlo [físicas y económicas]. Y quien no crea... sepa que Dios prescinde de todas las criaturas. [98] Di: «¡Gente del Libro! ¿Por qué no creéis en los signos de Dios? Dios es testigo de lo que hacéis». [99] Di: «¡Gente del Libro! ¿Por qué intentáis apartar a los creyentes del camino de Dios, desviándolos, deseando que sea

tortuoso, siendo así que sois testigos [de la verdad]? Dios no está desatento de lo que hacéis».

100 ¡Creyentes! Si obedecéis a algunos de la Gente del Libro, lograrán haceros volver a la incredulidad, luego de haber creído. 101 ¿Cómo podéis dejar de creer cuando se os recitan los preceptos de Dios, y Su Mensajero se encuentra entre vosotros? Quien se aferre a Dios será guiado a una vía recta. 102 ¡Creyentes! Temed a Dios con el temor que Le es debido y no muráis sino sometidos a Él. 103 Aferraos todos a la cuerda de Dios, y no os dividáis. Recordad la gracia que Dios os dispensó cuando, habiendo sido enemigos, ha unido vuestros corazones y, por Su gracia, os habéis convertido en hermanos; estabais al borde de un abismo de fuego y os libró de caer en él. Así os explica Dios Sus signos. Quizás, así, sigáis la guía.

104 ¡Que haya entre vosotros quienes llamen al bien, ordenando lo que está bien y prohibiendo lo que está mal! Quienes obren así serán los que prosperen. 105 ¡No seáis como quienes, después de haber recibido las pruebas claras, se dividieron y discreparon! Esos tales tendrán un castigo terrible. 106 El Día [Día del Juicio] en que unos rostros estén radiantes y otros ensombrecidos. A aquellos cuyos rostros estén ensombrecidos [se les dirá]: «¿Habéis dejado de creer luego de haber creído? Pues ¡Sufrid el castigo por vuestra incredulidad!». 107 En cuanto a aquellos cuyos rostros estén radiantes, gozarán eternamente de la misericordia de Dios. 108 Estas son las normas de Dios, que te recitamos conforme a la verdad. Dios no quiere la injusticia para las criaturas. 109 A Dios pertenece todo cuanto hay en los cielos y la Tierra. Y a Dios retornan todos los asuntos.

110 Sois la mejor comunidad que jamás se haya suscitado en bien de los hombres: ordenáis lo que está bien, prohibís lo que está mal y creéis en Dios. Si la Gente del Libro creyera, sería mejor para ellos. Hay entre ellos creyentes, pero la mayoría se han salido del camino.

¹¹¹ Os dañarán, pero poco. Y si os combaten, volverán la espalda ante vuestra presencia. Y luego no serán socorridos. ¹¹² Dondequiera que se encuentren serán humillados, a menos que estén amparados según lo establecido por Dios o por un pacto con los hombres. Han incurrido en la ira de Dios y se les impuso la miseria. Ello por no haber creído en los signos de Dios y por haber matado a los Profetas injustamente, por haber desobedecido y violado la ley.

¹¹³ No todos son iguales. Entre Gente del Libro hay quienes son rectos: durante la noche recitan los preceptos de Dios y se postran, ¹¹⁴ creen en Dios y en el Día del Juicio, ordenan lo que está bien, prohíben lo que está mal y compiten en buenas obras. Esos son de los justos. ¹¹⁵ El bien que hagáis no será desmerecido. Dios conoce bien a los que Le temen. ¹¹⁶ Por cierto que a los incrédulos ni su hacienda ni sus hijos les servirán de nada frente a Dios. Esos morarán en el Fuego eternamente. ¹¹⁷ Lo que gastan en esta vida es semejante a un viento glacial que bate la cosecha de gente que ha sido inicua y la destruye. No es Dios quien ha sido injusto con ellos, sino que ellos lo han sido consigo mismos.

¹¹⁸ ¡Creyentes! No toméis por amigos confidentes a quienes no fueran de los vuestros, porque no cejarán en el empeño de corromperos; pues solo desean vuestra perdición. El odio asoma por sus bocas, pero lo que ocultan sus pechos es peor. Os hemos aclarado los signos [evidenciado su enemistad]. Si razonarais... ¹¹⁹ Vosotros, porque creéis en todos los Libros, bien que les amáis, pero ellos no os aman. Ellos, cuando os encuentran, dicen: «¡Creemos!» pero, cuando están a solas, se muerden las puntas de los dedos del odio contra vosotros. Di: «¡Morid con vuestro odio!». Dios sabe bien lo que encierran los pechos. ¹²⁰ Si os sucede un bien, les duele; si os sobreviene un mal, se alegran. Pero, si tenéis paciencia y teméis a Dios, sus artimañas no os harán ningún daño. Dios abarca todo lo que hacen.

¹²¹ Y [recuerda ¡Oh, Muhammad!] cuando por la mañana temprano saliste de tu hogar para asignar a los creyentes sus puestos de combate. Dios todo lo oye, todo lo sabe. ¹²² Cuando dos de vuestras tropas temieron flaquear, a pesar de ser Dios su Protector. ¡Que los creyentes confíen en Dios! ¹²³ Dios, ciertamente, os auxilió en Badr cuando estabais en inferioridad de condiciones. ¡Temed a Dios! Quizás, así, seáis agradecidos. ¹²⁴ Cuando decías a los creyentes: «¿No os basta que vuestro Señor os haya socorrido haciendo descender tres mil ángeles? ¹²⁵ ¡Pues sí! Si tenéis paciencia y teméis a Dios, cuando os ataquen sorpresivamente, vuestro Señor os reforzará con cinco mil ángeles provistos de distintivos». ¹²⁶ Dios no lo hizo sino como buena nueva para vosotros y para que, con ello, se tranquilizaran vuestros corazones -la victoria no viene sino de Dios, el Poderoso, el Sabio-, ¹²⁷ Y también para aniquilar a algunos que no creían o derrotarlos y que regresaran, así, decepcionados. ¹²⁸ No es asunto tuyo si Él se vuelve a ellos o les castiga. Han obrado impíamente. ¹²⁹ A Dios pertenece cuanto hay en los cielos y en la Tierra. Perdona a quien Él quiere y castiga a quien Él quiere. Dios es Indulgente, Misericordioso.

¹³⁰ ¡Creyentes! ¡No lucréis con la usura con el fin de multiplicar! ¡Y temed a Dios para que tengáis éxito! ¹³¹ ¡Y guardaos del Fuego que ha sido preparado para los incrédulos! ¹³² Y obedeced a Dios y al Mensajero para que se os tenga misericordia. ¹³³ Y apresuraos a obtener el perdón de vuestro Señor y un Jardín tan vasto como los cielos y la Tierra, que ha sido preparado para los temerosos de Dios, ¹³⁴ que dan limosna tanto en la prosperidad como en la adversidad, controlan su ira, perdonan a los hombres – sepan que Dios ama a quienes hacen el bien-, ¹³⁵ aquellos que cuando cometen una indecencia o son injustos consigo mismos, recuerdan a Dios y piden perdón por sus pecados -¿y quién puede perdonar los pecados sino Dios?- y no reinciden a sabiendas. ¹³⁶ Su retribución será el

perdón de su Señor y jardines por donde fluyen los ríos, en los que estarán eternamente. ¡Qué grata es la recompensa de los que obran bien! [137] Antes de vosotros han ocurrido casos similares [Dios escarmentó a quienes se negaron a creer]. ¡Id por la tierra y mirad cómo terminaron los desmentidores! [138] Esta es una explicación para la gente, guía y exhortación para los temerosos de Dios.

[139] ¡No os desaniméis ni estéis tristes, porque si sois creyentes, seréis vosotros quienes ganen! [140] Si sufrís una herida, sabed que ellos también han sufrido una herida semejante. Así es como alternamos los días [el triunfo y la derrota] entre los hombres para que Dios reconozca quiénes son los que creen y tome de entre vosotros para morir dando testimonio -Dios no ama a los inicuos-, [141] para que purifique Dios a los creyentes y extermine a los incrédulos. [142] O ¿creéis que vais a entrar en el Jardín sin que Dios distinga quiénes de vosotros son los verdaderos combatientes por Su causa y quiénes son perseverantes? [143] Por cierto que anhelabais la muerte antes de encontrarla. Ya la habéis visto, pues, con vuestros propios ojos [se refiere a un grupo de musulmanes que en la batalla de Uhud, al ver como morían sus compañeros y tras difundirse por los hipócritas la falsa noticia que el Profeta también había caído, se quedaron paralizados].

[144] Muhammad no es sino un Mensajero, antes del cual han pasado otros Mensajeros. Si, pues, muriera o le mataran, ¿ibais a volveros atrás? Quien se vuelva atrás, en nada perjudicará a Dios. Y Dios retribuirá a los agradecidos. [145] Nadie puede morir sino con permiso de Dios y según el plazo fijado. A quien quiera la recompensa de esta vida, le daremos de ella. Y a quien quiera la recompensa de la otra vida, le daremos de ella. Y retribuiremos a los agradecidos. [146] ¡Cuántos Profetas hubo, junto a los cuales combatieron muchos de sus seguidores, y no perdieron la fe por los reveses padecidos en la causa de Dios, no flaquearon, ni cedieron!

Dios ama a los perseverantes. [147] Solo decían: «¡Oh, Señor nuestro! ¡Perdónanos nuestros pecados y los excesos que hemos cometido! ¡Afirma nuestros pasos! ¡Auxílianos contra el pueblo incrédulo!». [148] Dios les dio la recompensa de esta vida y les dará una recompensa mayor en la otra. Dios ama a quienes hacen el bien.

[149] ¡Creyentes! Si obedecéis a quienes no creen, os harán retroceder [renegar de vuestra fe], contándoos entre los perdedores. [150] Por cierto que Dios es vuestro Protector, y Él es el mejor de los socorredores. [151] Infundiremos el terror en los corazones de los que no crean, por haber asociado a Dios con aquello sobre lo que Él no ha hecho descender ninguna autoridad. Su morada será el Fuego. ¡Qué mala es la morada de los inicuos! [152] Dios ha cumplido la promesa que os hizo cuando, con Su permiso, les vencíais, [en la batalla de Uhud]. Sin embargo, después de que Dios os hizo ver la victoria, flaqueasteis, discutisteis sobre las órdenes y desobedecisteis.-De vosotros unos desearon las cosas materiales de esta vida [el botín] y otros desearon la vida del Más Allá-. Después de esto, os probó haciéndoos sufrir la derrota y os perdonó. Dios dispensa su favor a los creyentes. [153] Acordaos cuando os alejabais huyendo sin preocuparos de nadie, mientras que el Mensajero os llamaba desde la retaguardia [pero no le obedecisteis]. Luego Dios os afligió con una pena tras otra para que no estuvierais tristes por lo que se os había escapado ni por lo que os había ocurrido. Dios está bien informado de lo que hacéis.

[154] Luego, pasada la tribulación, hizo descender sobre vosotros seguridad: un sueño que envolvió a algunos de vosotros. Otros, en cambio, preocupados tan solo por su suerte, pensaban equivocadamente acerca de Dios como en los tiempos de la ignorancia, decían: «¿Tenemos nosotros algo que ver con esto?». Diles [¡Oh, Muhammad]!: «Todo está en manos de Dios». Ocultan en sus corazones lo que no te manifiestan. Dicen: «Si hubiera

dependido de nosotros, no habría muerto ninguno de los nuestros aquí». Diles: «Aunque os hubierais quedado en casa, la muerte habría sorprendido en sus lechos a aquellos de quienes estaba ya escrita. Dios ha hecho esto para probar lo que hay en vuestros pechos y purificaros. Dios sabe bien lo que encierran los pechos».
[155] Aquellos de vosotros que huyeron el día que se encontraron los dos ejércitos, fue porque Satanás les hizo tropezar a causa de lo que habían cometido. Pero Dios les ha perdonado. Dios es Indulgente, Benigno.

[156] ¡Creyentes! ¡No seáis como quienes no creen y dicen de sus hermanos que están de viaje o de incursión: «Si se hubieran quedado con nosotros, no habrían muerto ni los habrían matado»! Dios hizo que esto les pese en sus corazones. Dios da la vida y da la muerte; Dios ve bien lo que hacéis. [157] Y si os matan por la causa de Dios o morís, [sabed que] el perdón y misericordia de Dios son mejores que todo lo que vosotros atesoráis. [158] Y tanto si morís como si os dan muerte, seréis congregados ante Dios. [159] Por una misericordia venida de Dios, has sido suave con ellos. Si hubieras sido áspero y duro de corazón, se habrían alejado de ti. ¡Perdónales, pues, pide el perdón de Dios por ellos y consúltales en las decisiones! Pero cuando hayas tomado una decisión, confía en Dios. Dios ama a los que confían en Él. [160] Si Dios os socorre, no habrá nadie que pueda venceros. Pero, si os abandona ¿quién sino Él podrá auxiliaros? ¡Que los creyentes confíen en Dios!

[161] No es concebible que un Profeta pueda cometer fraude. Quien defraude cargará con ello el Día de la Resurrección. Luego, cada uno recibirá su merecido. Y no serán tratados injustamente. [162] ¿Es que quien busca agradar a Dios es como quien incurre en la ira de Dios y tiene por morada el Infierno? ¡Qué mal fin...! [163] Tendrán diferentes grados ante Dios. Dios ve bien lo que hacen. [164] Dios ha agraciado a los creyentes al enviarles un Mensajero

salido de ellos, que les recita Sus preceptos [aleyas], les purifica y les enseña el Libro y la Sabiduría. Y por cierto que antes estaban evidentemente extraviados.

165 Como cuando os sobrevino una desgracia [la derrota en Uhud, con la caída de setenta de los vuestros] a pesar de que vosotros habíais infligido el doble de aquella [a vuestros enemigos en Badr], decís aún: «¿A qué se debe esto?». Di: «Se debe a vosotros mismos». Ciertamente Dios tiene poder sobre todas las cosas. 166 Y lo que os pasó el día que se encontraron los dos ejércitos fue porque lo permitió Dios y para distinguir quiénes eran los creyentes. 167 Y distinguir también a los hipócritas a quienes se les dijo: «¡Vamos! ¡Combatid por la causa de Dios o o defendeos!». Dijeron: «Si supiéramos combatir, os seguiríamos». Aquel día estaban más cerca de la incredulidad que de la fe. Dicen con la boca lo que no tienen en el corazón. Pero Dios sabe bien lo que ocultan. 168 Son ellos quienes, mientras se quedaban sin participar, decían de sus hermanos [los creyentes que combatieron en Uhud]: «Si nos hubieran escuchado, no los habrían matado». Di: «¡Apartad, pues la muerte de vosotros, si es verdad lo que decís!».

169 Y no penséis que quienes han caído por la causa de Dios están muertos. ¡Al contrario! Están vivos y reciben su sustento junto a su Señor. 170 Contentos por la gracia que Dios les ha concedido y alegres por quienes habrán de venir después y que aún no se les han unido, porque no tienen que temer y no estarán tristes. 171 Alegres por una gracia y favor de Dios y porque Dios no deja de recompensar a los creyentes. 172 Quienes a pesar de sus heridas [recibidas tras la batalla de Uhud] respondieron a Dios y al Mensajero, a quienes, entre ellos, hicieron el bien y temieron a Dios, se les reserva una magnífica recompensa. 173 A aquellos a quienes se les dijo: «La gente se ha agrupado contra vosotros, ¡tenedles miedo!». Pero esto, por el contrario, les aumentó la fe y dijeron: «¡Dios nos basta y Él

es un protector excelente!». [174] Y regresaron con la gracia y favor de Dios, sin sufrir mal [debido a que los incrédulos al enterarse de que los musulmanes salieron a su encuentro optaron por retornar a la Meca]. Buscaron la complacencia de Dios. Y Dios es el Dueño del favor inmenso. [175] Así es es Satanás: atemoriza a quienes les siguen. Pero, si sois creyentes, no tengáis miedo de ellos, sino de Mí.

[176] Que no te entristezca ver a quienes se precipitan en la incredulidad. No podrán causar ningún daño a Dios. Dios no quiere darles parte en la otra vida y tendrán un castigo terrible. [177] Quienes truequen la fe por la incredulidad no causarán ningún daño a Dios y tendrán un castigo doloroso. [178] Que no piensen los incrédulos que si les permitimos seguir con vida esto significa un bien para ellos. [Al contrario], es para que aumente su pecado. Tendrán un castigo humillante. [179] No va Dios a dejar a los creyentes en la situación en que os halláis sin distinguir al perverso [hipócritas e inicuos] del bueno [creyentes sinceros]. Ni va Dios a revelaros el conocimiento de lo oculto. Pero Dios elige de entre Sus Mensajeros a quien Él quiere. Creed, pues, en Dios y en Sus Mensajeros. Si creéis y teméis a Dios, tendréis una magnífica recompensa.

[180] Que no crean quienes se muestran avaros del favor recibido de Dios que eso es bueno para ellos. Al contrario, es malo. El día de la Resurrección, llevarán a modo de collar el objeto de su avaricia. La herencia de los cielos y de la tierra pertenece a Dios. Dios está bien informado de lo que hacéis. [181] Dios ha oído las palabras de quienes han dicho: «Dios es pobre y nosotros somos ricos». Registraremos lo que han dicho y también lo que han matado a los Profetas injustamente. Y les diremos: «¡Gustad el castigo del fuego del Infierno! [182] Esto es lo que vuestras obras han merecido, que Dios no es injusto con Sus siervos». [183] Esos mismos han dicho: «Dios pactó con nosotros: que no creyéramos en ningún Mensajero hasta que nos trajera una ofrenda que el fuego consuma [según la

tradición si el fuego consumía la ofrenda significaba que Dios la había aceptado]». Diles [¡Oh, Muhammad!]: «Antes de mí, otros Mensajeros os trajeron las pruebas claras y lo que habéis pedido. ¿Por qué, pues, les matasteis, si es verdad lo que decís?». [184] Y si te desmienten, también fueron desmentidos otros mensajeros antes de ti, que vinieron con las pruebas claras, las Escrituras y los Libros luminosos. [185] Toda alma probará la muerte, pero no recibiréis vuestra completa recompensa hasta el Día de la Resurrección. Habrá triunfado quien sea preservado del Fuego e introducido en el Jardín. La vida de este mundo no es más que falaz disfrute.

[186] Seréis, ciertamente, probados a través de vuestros bienes y en vuestras propias personas. Y oiréis, ciertamente, muchas cosas malas de aquellos que han recibido el Libro antes de vosotros y de los idólatras; pero, si sois pacientes y teméis a Dios, eso sí que es dar muestras de resolución. [187] Cuando Dios concertó un pacto con la Gente del Libro [diciendo]: «Deberéis explicárselo claramente a los hombres, no se la ocultéis». Pero ellos le dieron la espalda y lo vendieron por un vil precio. ¡Qué mal hicieron! [188] No creas que quienes se regocijan por lo que han hecho y les gusta que se los alabe por lo que no han hecho, están a salvo del castigo, porque no lo están. Tendrán un castigo doloroso. [189] La soberanía de los cielos y de la Tierra pertenece a Dios. Dios tiene poder sobre todas las cosas.

[190] En la creación de los cielos y de la Tierra y en la sucesión de la noche y el día hay, ciertamente, signos para los dotados de intelecto. [191] Aquellos que recuerdan a Dios de pie, sentados o echados, y que meditan en la creación de los cielos y la Tierra [y dicen]: «¡Señor nuestro! No has creado todo esto en vano ¡Gloria a Ti! ¡Presérvanos del castigo del Fuego!». [192] ¡Señor nuestro! Por cierto que a quien introduzcas en el Fuego lo habrás degradado. Los inicuos no tendrán quien les auxilie. [193] ¡Señor nuestro! Hemos

oído a quien llamaba a la fe [diciendo]: «¡Creed en Vuestro Señor!» y hemos creído. ¡Señor nuestro! Perdónanos nuestros pecados, borra nuestras malas obras y recíbenos, cuando muramos, entre los justos. [194] Y concédenos ¡Señor nuestro! lo que nos has prometido por medio de Tus Mensajeros y no nos humilles en el Día de la Resurrección. Tú no faltas a Tu promesa.

[195] Su Señor escuchó su plegaria [y dijo]: «No dejaré que se pierda obra de ninguno de vosotros, lo mismo si es hombre que si es mujer. Procedéis unos de otros. Aquellos que emigraron, fueron expulsados de sus hogares, padecieron por Mi causa, combatieron y cayeron, les absolveré sus faltas y les introduciré en jardines por donde corren los ríos. Esta es la recompensa de Dios». Dios tiene junto a Sí la más hermosa recompensa. [196] ¡Que no te llame a engaño ver [cómo prosperan] los incrédulos, yendo de acá para allá por el país! [197] Porque ello es un disfrute temporario. Luego, su morada será el Infierno. ¡Qué pésima morada! [198] En cambio, quienes teman a su Señor tendrán jardines por donde corren los ríos y en los que estarán eternamente, como hospedaje que Dios les dará junto a Él. Y lo que hay junto a Dios es mejor para los justos. [199] Hay entre la Gente del Libro quienes creen en Dios y en la Revelación hecha a vosotros y a ellos. Están sometidos a Dios, y no tergiversan Sus preceptos por ningún precio. Estos obtendrán la recompensa que les corresponda ante su Señor. Dios es rápido en ajustar cuentas. [200] ¡Creyentes! Tened paciencia, sed perseverantes, manteneos firmes y temed a Dios para que tengáis éxito.

SURA 4 : AN NISÁ
....

LAS MUJERES

¡En el nombre de Dios, el Compasivo, el Misericordioso!

[1] ¡Hombres! ¡Temed a vuestro Señor, Quien os ha creado a partir de un solo ser, del que ha creado a su pareja, e hizo descender de ambos un gran número de hombres y de mujeres! ¡Temed a Dios, en Cuyo nombre os pedís unos a otros, y respetad los lazos de parentesco! Por cierto que Dios siempre os observa. [2] Dad a los huérfanos los bienes que les pertenecen [al llegar a la pubertad]; no sustituyáis lo bueno en lugar de lo malo, y no os apropiéis de sus bienes agregándolos a los vuestros; sería un gran pecado. [3] Si teméis no ser equitativos con [las dotes de] las huérfanas, entonces casaos con otras mujeres que os gusten: dos, tres o cuatro. Pero si teméis no obrar con justicia, entonces casaos con una sola o con vuestras esclavas. Esto [casarse con una sola mujer] es lo recomendable para evitar cometer alguna injusticia. [4] Dad a vuestras mujeres su dote con buena predisposición. Pero, si renuncian voluntariamente a parte de ella en vuestro favor, disponed de esta como os plazca.

[5] ¡No confiéis a los incapaces los bienes cuya administración Dios os ha confiado! Alimentadlos y vestidles con ellos; y habladles con cariño. [6] Observad a los huérfanos hasta que alcancen la pubertad [la edad del matrimonio], cuando los creáis ya capaces y maduros, entregadles sus bienes. No los consumáis pródiga y prematuramente antes de que alcancen la mayoría de edad. El rico que se abstenga, y el pobre que los utilice con mesura. Cuando les entreguéis sus bienes, hacedlo ante testigos. Dios basta para ajustar cuentas... [7] A los varones les corresponde una parte de lo que los padres y parientes más cercanos dejen; y para las mujeres una parte de lo que los padres y parientes más cercanos dejen. Fuere poco

o mucho, les corresponde una parte determinada [de la herencia]. ⁸ Si asisten al reparto parientes, huérfanos, pobres, dadles algo de ello y habladles con palabras convenientes. ⁹ Y que tengan [con los huérfanos] el mismo cuidado que tendrían si fueran a dejar tras de sí hijos menores de edad y temiesen por ellos. Que teman a Dios y digan palabras oportunas. ¹⁰ Quienes se apropien injustamente de los bienes de los huérfanos, solo fuego ingerirán en sus entrañas y arderán en el Fuego del Infierno.

¹¹ Dios os ordena lo siguiente en lo que toca a vuestros hijos: que la porción del varón equivalga a la de dos mujeres [esto es debido a que no pesa sobre la mujer la manutención de los hijos y la familia]. Si estas son dos o más mujeres, les corresponderán dos tercios de la herencia. Si es hija única, le corresponde la mitad. A cada uno de los padres [del difunto] le corresponderá un sexto de la herencia, si deja hijos; pero, si no tiene hijos y le heredan solo sus padres, un tercio es para la madre. Si tiene hermanos, un sexto es para la madre. Esto, luego Vuestros padres o vuestros hijos, no sabéis cuál de ellos os beneficia más de cerca. Esto es un precepto de Dios, y Dios es Omnisciente, Sabio. ¹² A vosotros os corresponde la mitad de lo que dejen vuestras esposas si no tuvieran hijos. Si los tuvieran, os corresponde un cuarto. Esto, luego de cumplir con sus legados y deudas. Si no tuvierais hijos, a vuestras mujeres les corresponde un cuarto de lo que dejéis. Si tuvierais, entonces un octavo de lo que dejéis. Esto, luego de cumplir con sus legados y deudas. Si [el difunto, hombre o mujer] no tiene padres ni hijos, pero sí un hermano o una hermana, entonces les corresponde a cada uno de ellos un sexto. Si son más, participarán del tercio de la herencia, luego de cumplir con sus legados y deudas sin perjudicar a nadie. Esta es disposición de Dios. Dios es Sabio, Tolerante. ¹³ Estas son las leyes de Dios. A quien obedezca a Dios y a Su Mensajero, Él lo introducirá en jardines donde corren los ríos, en los que estarán

eternamente. ¡Éste es el éxito grandioso! [14] A quien, al contrario, desobedezca a Dios y a Su Mensajero y viole Sus leyes. Él le introducirá en un Fuego, eternamente. Tendrá un castigo humillante.

[15] Para aquellas de vuestras mujeres que cometan adulterio, convocad a cuatro testigos. Si atestiguan en su contra, recluidlas en sus casas hasta que mueran o hasta que Dios les procure una salida. [Este fue el primer castigo establecido para las mujeres acusadas de cometer adulterio, pero luego fue abrogado por la aleya [6] de la sura [24]] [16] Si dos [hombre y mujer] de los vuestros la cometen, castigad a ambos severamente. Pero, si se arrepienten y enmiendan, dejadles en paz. Dios es Indulgente, Misericordioso. [17] Dios perdona solo a quienes cometen el mal por ignorancia y se arrepienten en seguida. A estos se vuelve Dios. Dios es Omnisciente, Sabio. [18] Que no esperen perdón quienes siguen obrando mal hasta que les sorprenda de la muerte y digan: «Ahora me arrepiento». Ni tampoco quienes mueren siendo incrédulos. A estos les hemos preparado un castigo doloroso.

[19] ¡Oh, creyentes! No es lícito tomar a las mujeres como objeto de herencia, ni impedirles que vuelvan a casarse para recuperar parte de lo que les habíais dado [como en la época pre-islámica que la mujer al enviudar pasaba a depender de los parientes y allegados del difunto, quienes tenían derecho a casarse con ellas y decidir sobre su futuro], a menos que sean culpables de deshonestidad manifiesta. Comportaos con ellas como es debido. Y si algo de ellas os disgusta, puede que Dios haya decretado a pesar de esto un bien para vosotros. [20] Y si queréis cambiar de esposa [divorciando a la que tenéis para casaros con otra] y le habéis dado una gran dote, no pretendáis recuperar nada de la misma!. ¿Ibais a tomarlo con infamia y pecado manifiesto? [21] Y ¿cómo ibais a tomarlo, después de haber tenido intimidad y de haber concertado ella con vosotros un pacto solemne? [22] No os caséis con las mujeres con las que han

estado casados vuestros padres, salvo que lo hubiereis hecho [antes de esta prescripción]. Esto es algo obsceno y aborrecible. ¡Un mal camino...!

23 Se os ha vedado contraer matrimonio con vuestras madres, vuestras hijas, vuestras hermanas, vuestras tías paternas o maternas, vuestras sobrinas por parte de hermano o de hermana, vuestras madres de leche, vuestras hermanas de leche, las madres de vuestras mujeres, vuestras hijastras que están bajo vuestra tutela, nacidas de mujeres vuestras con las que habéis consumado el matrimonio -si no, no hay culpa-, las esposas de vuestros propios hijos, así como casaros con dos hermanas a la vez, salvo que lo hubiereis hecho antes de esta prescripción. Dios es Indulgente, Misericordioso.
24 Y también se os ha prohibido las mujeres casadas, pero sabed que sí podéis cohabitar con vuestras esclavas [que no se encuentran casadas]. ¡Esto es una prescripción de Dios! Os están permitidas todas las otras mujeres, con tal que las busquéis con vuestros bienes, con intención de casaros y no de fornicar. Dadles la dote convenida a quienes toméis como esposas. No hay inconveniente en que decidáis algo de común acuerdo después de cumplir con lo prescrito. Dios es Omnisciente, Sabio. 25 Quien de vosotros no disponga de los medios necesarios para casarse con mujeres libres creyentes, podrá hacerlo con una esclava creyente. Dios conoce bien vuestra fe, unos procedéis de los otros [tenéis la misma creencia]. Casaos con ellas con el permiso de sus amos y dadles la dote convenida, como mujeres honestas no como fornicadoras o amantes. Si estas mujeres se casan y cometen una deshonestidad se les aplicará la mitad del castigo que a las mujeres libres. Esto va dirigido a aquellos de vosotros que tengan miedo de caer en la fornicación. Sin embargo, es mejor para vosotros que tengáis paciencia. Dios es Indulgente, Misericordioso.
26 Dios quiere aclararos y mostraros los modelos de conducta

de los que os precedieron para que os sirvan de guía, y volverse a vosotros. Dios es Omnisciente, Sabio. ²⁷ Dios quiere volverse a vosotros, mientras que los que siguen sus pasiones quieren que os extraviéis por completo. ²⁸ Dios quiere aliviaros, ya que el hombre fue creado débil.

²⁹ ¡Creyentes! No os apropiéis los bienes injustamente unos a otros. Es diferente si comerciáis de común acuerdo. No os matéis unos a otros. Dios es Misericordioso con vosotros. ³⁰ A quien obre así, violando la ley injustamente, le arrojaremos al Fuego. Es cosa fácil para Dios. ³¹ Si evitáis los pecados graves que se os han prohibido, borraremos vuestras malas obras y os introduciremos con honor. ³² No codiciéis lo que Dios ha concedido a unos de vosotros más que a otros. Los hombres tendrán parte según sus méritos y las mujeres también. Pedid a Dios de Su favor. Dios es conocedor de todas las cosas. ³³ Hemos designado para todos herederos legales de lo que dejen: los padres, los parientes más cercanos, y a aquellos con quienes hayáis concertado algún pacto. Dadles su parte. Dios es testigo de todo.

³⁴ Los hombres están a cargo de las mujeres en virtud de la preferencia [diferencias físicas] que Dios ha tenido con ellos, y deben mantenerlas con sus bienes. Las mujeres virtuosas son obedientes y cuidan [su honor y sus bienes], en ausencia de sus maridos, de lo que Dios manda que cuiden. A aquellas de quienes teméis que se rebelen, exhortadlas y dejadlas solas en el lecho [sin cohabitar], y [si persisten] por último pegadles* [ligeramente]. Si os obedecen, no os metáis más con ellas. Dios es excelso, Grande. (*) [Pegar sin motivos no es la conducta del musulmán. El Profeta dijo: los malos entre vosotros son los que pegan a sus mujeres] ³⁵ Si teméis una ruptura entre los esposos, poned un mediador de la familia de él y otro de la de ella. Si desean reconciliarse, Dios hará que lleguen a un acuerdo. Dios es Omnisciente, está bien informado.

[36] ¡Adorad a Dios y no Le asociéis nada! Sed benevolentes con vuestros padres, parientes, huérfanos, pobres, vecinos -parientes y no parientes-, el compañero, el viajero insolvente y con vuestros esclavos. Dios no ama al arrogante, al jactancioso, [37] [Tampoco ama] a los avaros, a los que incitan a otros a la avaricia, a los que ocultan el favor que Dios les ha dispensado, -hemos preparado para los incrédulos un castigo humillante-. [38] [Tampoco] a los que hacen caridad para ser vistos por hombres, pero no creen en Dios ni en Último Día. Y quien tiene por compañero a Satanás, que pésimo compañero tiene... [39] ¿Qué les habría costado haber creído en Dios y en el Último Día y haber gastado en limosnas parte de aquello de que Dios les ha proveído? Dios les conoce bien. [40] Dios no es injusto con nadie ni en el peso de un átomo. Y si se trata de una obra buena, la doblará y dará, por Su parte, una magnífica recompensa.

[41] ¿Qué pasará cuando traigamos a un testigo de cada comunidad y te traigamos a ti [¡Oh, Muhammad!] como testigo contra estos? [42] Ese día, los que fueron incrédulos y desobedecieron al Mensajero querrán que la tierra se los trague. No podrán ocultar nada a Dios. [43] ¡Creyentes! No os acerquéis ebrios a la oración [salat], hasta que no sepáis lo que decís. No vayáis impuros -a no ser que estéis de viaje- hasta que no os hayáis lavado. Y si estáis enfermos o de viaje, o si viene uno de vosotros de hacer sus necesidades, o habéis tenido relación con las mujeres y no encontráis agua, buscad tierra limpia y pasáosla por el rostro y las manos. Dios es Indulgente, Perdonador.

[44] ¿No has visto a quienes han recibido una parte del Libro? Compran el extravío y quieren que vosotros os extraviéis del Camino. [45] Dios conoce mejor que nadie a vuestros enemigos. Dios basta como Protector. Dios basta como Salvador. [46] Algunos judíos alteran el sentido de las palabras y dicen: «Oímos pero desobedecemos... ¡Escuchamos, pero no prestamos atención! ¡Raina!», con doble sentido en sus palabras y atacando la Religión.

Si dijeran: «Oímos y obedecemos. ¡Escucha! ¡Protégenos!», sería mejor para ellos y más correcto. Pero Dios les ha maldecido por su incredulidad. Son pocos los que creen.

[47] ¡Vosotros, los que habéis recibido el Libro! Creed en lo que hemos revelado, en confirmación de lo que ya poseíais, antes de que os borremos los rasgos de los rostros y los pongamos del revés u os maldigamos como maldijimos a los del sábado. ¡La orden de Dios se cumple! [48] Dios no perdona que se Le asocie nada; pero fuera de ello perdona a quien Él quiere. Quien asocia algo a Dios comete un gravísimo pecado. [49] ¿No has visto a quienes se consideran puros? No, es Dios Quien declara puro a quien Él quiere y nadie será tratado injustamente en lo más mínimo. [50] ¡Mira cómo inventan mentiras contra Dios! Ello es un pecado evidente.

[51] ¿No has visto a quienes han recibido una parte del Libro? Creen en al-Yibt y al-Tagut [designan a dos ídolos y en general todo lo que se adora en lugar de Dios. Según Umar Ibn al Jattab, al-Yibt es la magia y al-Tagut es Shaytán] y dicen de los idólatras: «Estos están mejor guiados que los creyentes». [52] A esos son a quienes Dios ha maldecido, y no encontrarás quien auxilie a quien Dios maldiga. [53] ¿Acaso poseen algo de la Soberanía? Aunque así fuere no darían [por su avaricia] a la gente lo más mínimo. [54] ¿Envidian a la gente por el favor que Dios les ha dispensado? Hemos dado a la familia de Abraham el Libro y la Sabiduría. Y les hemos dado un dominio inmenso. [55] De ellos, unos creen en ella y otros se apartan de ella. El Infierno les bastará como castigo. [56] A quienes no crean en Nuestros signos les arrojaremos al Fuego. Toda vez que se les queme la piel se la cambiaremos por otra, para que prueben el castigo. Dios es Poderoso, Sabio. [57] A quienes crean y obren bien, les introduciremos en jardines por cuyos suelos corren los ríos, en los que estarán eternamente. Allí tendrán esposas purificadas y los albergaremos bajo una hermosa sombra.

⁵⁸ Dios os ordena que restituyáis a sus dueños lo que se os haya confiado, y que cuando juzguéis entre los hombres lo hagáis con justicia. ¡Qué bueno es aquello a lo que Dios os exhorta! Dios todo lo oye, todo lo ve. ⁵⁹ ¡Creyentes! Obedeced a Dios, obedeced al Mensajero y a aquellos de vosotros que tengan autoridad. Y, si discrepáis acerca de un asunto remitidlo a Dios y al Mensajero, si es que creéis en Dios y en el Último Día. Es lo mejor y la solución más apropiada. ⁶⁰ ¿No has visto a quienes dicen creer en lo que se te ha revelado a ti y en lo que se ha revelado antes de ti? Quieren recurrir al arbitraje de los taguts [demonios, adivino, ídolo. Implica todo aquello que se adora fuera de Dios], a pesar de que se les ha ordenado no creer en ellos. Satanás quiere extraviarles profundamente. ⁶¹ Cuando se les dice: «Venid a lo que Dios ha revelado y al Mensajero», ves que los hipócritas se apartan de ti con desdén. ⁶² ¿Qué harán, entonces, cuando les aflija una desgracia por lo que ellos mismos han cometido y vengan a ti, jurando por Dios: «No queríamos sino hacer bien y ayudar»? ⁶³ Esos son aquellos de quienes Dios conoce lo que encierran sus corazones ¡Apártate de ellos, amonéstales y exhórtalos con palabras que los conmuevan!

⁶⁴ No hemos mandado a ningún Mensajero sino para, con el permiso de Dios, ser obedecido. Si, cuando fueron injustos consigo mismos, hubieran venido a ti y pedido el perdón de Dios, y si el Mensajero hubiera también pedido el perdón por ellos, habrían encontrado a Dios Indulgente, Misericordioso. ⁶⁵ Pero ¡no, por tu Señor! No creerán a menos que te acepten como juez de sus disputas; y no se resistan a aceptar tu decisión y se sometan completamente. ⁶⁶ Si les hubiéramos prescrito: «¡Mataos unos a otros!» o «¡Salid de vuestros hogares!», no lo habrían hecho, salvo unos pocos de ellos. Pero, si hubieran cumplido con lo que se les ordenó, habría sido mejor para ellos y les habría fortalecido la fe. ⁶⁷ Les habríamos dado entonces, por parte Nuestra, una magnífica recompensa ⁶⁸ y les

habríamos guiado por el sendero recto. [69] Quienes obedecen a Dios y al Mensajero, estarán con quienes Dios ha agraciado: los Profetas, los veraces, los que murieron dando testimonio y los justos. ¡Qué excelentes compañeros! [70] Así es el favor de Dios. Dios basta como Conocedor.

[71] ¡Creyentes! Tomad vuestras precauciones. Salid en grupos o todos juntos [en vuestras expediciones]. [72] Hay entre vosotros quien se queda rezagado del todo y, si os sobreviene una desgracia, dice: «Dios me ha agraciado, pues no estaba allí con ellos». [73] Pero si Dios os favorece, se lamenta y dice: «¡Ojalá hubiera estado con ellos, habría obtenido un éxito grandioso!». Actúa como si no hubiese existido ningún lazo entre vosotros y él. [74] ¡Que combatan por la causa de Dios quienes son capaces de sacrificar la vida mundanal por la otra! A quien combatiendo por la causa de Dios, sea muerto o salga victorioso, le daremos una magnífica recompensa. [75] ¿Por qué no combatís por la causa de Dios, cuando hay oprimidos -hombres, mujeres y niños que dicen: «¡Señor nuestro! Sácanos de esta ciudad, de inicuos habitantes y danos, procedente de Ti, un protector y un auxiliador». [76] Quienes creen, combaten por la causa de Dios. Los incrédulos en cambio, combaten por la del Seductor. Combatid, pues, contra los secuaces de Satanás. ¡Ciertamente las artimañas de Satanás son débiles!

[77] ¿No has visto a aquellos a quienes se les dijo: «¡No combatáis ahora! ¡Cumplid con la oración y haced caridades!»? Pero cuando se les prescribió combatir, algunos de ellos temieron a los hombres como se teme a Dios, o aún más, y dijeron: «¡Señor nuestro! ¿Por qué nos has ordenado combatir? Si lo dejaras para un poco más tarde...». Di: «El breve disfrute de esta vida es poca cosa; en cambio la otra vida es mejor para quien teme a Dios. No se os tratará injustamente en lo más mínimo». [78] Dondequiera que os encontréis, la muerte os alcanzará, aun si estáis en torres fortificadas. Si les sucede un bien,

dicen: «Esto viene de Dios». Pero, si les alcanza es un mal, dicen: «Esto viene de ti [¡Oh, Muhammad!]». Di: «Todo viene de Dios». Pero ¿qué le pasa a esta gente que apenas comprende lo que se les dice? ⁷⁹ Lo bueno que te sucede viene de Dios. Lo malo que te sucede viene de ti mismo. Te hemos enviado a la Humanidad como Mensajero. Dios basta como testigo.

⁸⁰ Quien obedece al Mensajero, obedece a Dios. Y quien le dé la espalda... No te hemos enviado a ellos para que seas su custodio. ⁸¹ Y dicen: «¡Obedecemos!». Pero, cuando salen de tu presencia, hay un grupo de ellos que trama por la noche en contra de lo que tú dices. Dios registra lo que traman de noche. ¡Apártate, pues, de ellos y confía en Dios! ¡Dios basta como Protector! ⁸² ¿No meditan en el Corán? Si no procediera de Dios, habrían encontrado en él numerosas contradicciones. ⁸³ Cuando se enteran de algo que pudiere atentar contra la seguridad y sembrar el temor lo propagan. Si lo hubieran remitido al Mensajero y a quienes tienen autoridad, los que deseaban averiguar la verdad habrían sabido si dar crédito o no. Si no llega a ser por el favor que de Dios habéis recibido y por Su misericordia, todos, salvo unos pocos, habríais seguido a Satanás.

⁸⁴ ¡Combate, pues, por la causa de Dios! No te exijas sino a ti mismo y exhorta a los creyentes. Puede que Dios contenga el hostigamiento de los incrédulos. Dios es más Poderoso y es más severo en castigar. ⁸⁵ Quien interceda por una causa buena obtendrá lo que le corresponda por ello y quien interceda por una causa injusta [mala obra] recibirá también lo que le corresponda por ello. Dios vela por todo. ⁸⁶ Si os saludan, saludad con un saludo aún mejor, o devolvedlo igual. Dios tiene todo en cuenta. ⁸⁷ ¡Dios! ¡No hay más dios que Él! Él ha de reuniros para el Día de la Resurrección sobre el cual no hay duda. Y ¿quién es más veraz que Dios cuando dice algo?

[88] ¿Por qué vais a dividiros en dos en dos grupos respecto a los hipócritas? Dios les ha desviado por lo que han hecho. ¿Es que queréis guiar a quien Dios ha extraviado? No encontrarás camino para aquel a quien Dios extravía. [89] Querrían que, como ellos, no creyerais, para ser iguales que ellos. No los toméis como amigos aliados entre ellos hasta que hayan emigrado por la causa de Dios. Pero si se vuelven [abiertamente hostiles], apresadles y matadles donde les encontréis. No los toméis por aliados ni socorredores, [90] a menos que sean aliados de gente con la que os una un pacto, o que vengan a vosotros con el ánimo oprimido por tener que combatir contra vosotros o contra su propia gente. Si Dios hubiera querido, les habría dado poder sobre vosotros y habrían combatido contra vosotros. Si se mantienen aparte, si no combaten contra vosotros y os ofrecen la paz, entonces no tendréis justificación ante Dios contra ellos. [91] Hallaréis a otros que desean estar a salvo de vosotros [aparentando ser creyentes] y a salvo de su gente [manifestando la incredulidad que hay en sus corazones]. Cada vez que su pueblo los incita a combatiros quedan desconcertados. Si no se mantienen aparte, si no os ofrecen la paz, si no deponen las armas, apoderaos de ellos y matadles donde deis con ellos. Para ello os concedemos total autoridad.

[92] Un creyente no debe matar a otro creyente, a menos que lo hiciere por error. Y quien mate a un creyente por error deberá liberar a un esclavo creyente y pagar el precio de sangre a la familia de la víctima, a menos que ella renuncie al mismo como limosna. Y si la víctima era creyente y pertenecía a gente enemiga vuestra, deberá liberar a un esclavo creyente. Pero, si pertenecía a gente con la que os une un pacto, el precio de sangre debe pagarse a la familia de la víctima, aparte de la liberación de un esclavo creyente. Y quien no disponga de medios, ayunará dos meses consecutivos, como expiación impuesta por Dios. Dios es Omnisciente, Sabio.

[93] Y quien mate a un creyente premeditadamente, tendrá el Infierno como retribución, eternamente. Incurrirá en la ira de Dios, lo maldecirá y le tendrá reservado un castigo terrible.

[94] ¡Creyentes! cuando acudáis a combatir por la causa de Dios, aseguraos de no combatir a los creyentes, y no digáis a quien manifiesta tener fe: «¡Tú no eres creyente!», buscando los bienes de esta vida. Dios ofrece abundantes ocasiones de obtener botín [lícitamente]. Vosotros también erais así antes y Dios os agració. ¡Cuidado, pues, que Dios está bien informado de lo que hacéis! [95] Los creyentes que se quedan en casa, sin estar impedidos, no son iguales que los que combaten por Dios con su hacienda y sus personas. Dios ha puesto a los que combaten con su hacienda y sus personas un grado por encima de los que se quedan en casa. A todos, sin embargo, ha prometido Dios lo mejor, pero Dios ha distinguido a los combatientes por encima de quienes se quedan en casa con una magnífica recompensa, [96] Son grados que Él concede, junto con Su perdón y misericordia. Dios es Indulgente, Misericordioso.

[97] Los ángeles dirán a aquellos a quienes llamen y que han sido injustos consigo mismos: «¿Cuál era vuestra situación?». Dirán: «Estábamos oprimidos en la Tierra». Dirán: «¿Es que la Tierra de Dios no era vasta como para que pudierais emigrar?». A ellos les corresponderá el Infierno como morada. ¡Qué mal fin...! [98] Quedan exceptuados los oprimidos -hombres, mujeres y niños imposibilitados-, que no disponen de posibilidades y no encuentran la manera de hacerlo. [99] A ellos Dios les perdonará, pues Dios es Perdonador, Indulgente. [100] Quien emigre por la causa Dios, encontrará en la Tierra muchos lugares para refugiarse y sustentarse. Aquel a quien sorprenda la muerte, después de dejar su casa para emigrar por la causa de Dios y la de Su Mensajero, tiene la recompensa asegurada por Dios. Dios es Indulgente, Misericordioso.

^{101} Cuando estéis de viaje, no hay inconveniente en que abreviéis la oración, si teméis teméis que os agredan los incrédulos. Los incrédulos son para vosotros un enemigo declarado. ^{102} Cuando estés con ellos [¡Oh, Muhammad!] y dirijas la oración, que un grupo se mantenga de pie a tu lado, arma en mano. Cuando os postréis, que se pongan detrás de vosotros; luego el otro grupo que aún no haya orado venga y ore contigo tomando sus precauciones y estando armados. Los incrédulos querrían que descuidarais vuestras armas y pertrechos para echarse de improviso sobre vosotros. No hay inconveniente en que dejéis a un lado las armas si la lluvia os molesta o estáis enfermos, pero tomad vuestras precauciones. Dios ha preparado un castigo humillante para los incrédulos. ^{103} Cuando hayáis terminado la oración recordad a Dios de pie, sentados o recostados. Y cuando haya pasado el peligro haced la oración. La oración se ha prescrito a los creyentes en tiempos determinados. ^{104} No dejéis de perseguir a esa gente. Si os cuesta, también a ellos, como a vosotros, les cuesta, pero vosotros esperáis de Dios lo que ellos no esperan. Dios es Omnisciente, Sabio.

^{105} Te hemos revelado el Libro con la Verdad para que juzgues entre los hombres con lo que Dios te inspira. ¡No defiendas a los traidores! ^{106} ¡Pide perdón a Dios! Dios es Indulgente, Misericordioso. ^{107} ¡No discutas defendiendo a los que se engañan a sí mismos! Dios no ama al que es traidor contumaz, pecador. ^{108} Se esconden de los hombres, pero no pueden esconderse de Dios. Él está presente cuando traman de noche lo que no Le complace. Dios sabe bien todo cuanto hacen.

^{109} ¡Mirad cómo sois! Discutís en favor de ellos en esta vida, pero ¿quién va a defenderles contra Dios el Día de la Resurrección? ¿Quién será entonces su protector? ^{110} Quien obra mal o es injusto consigo mismo, si luego pide perdón a Dios, encontrará a Dios Indulgente, Misericordioso. ^{111} Quien peca, peca, en realidad, en detrimento propio. Dios es Omnisciente, Sabio. ¹¹² Quien comete una falta o un pecado y acusa de ello a un inocente, cargará con su calumnia y un pecado evidente. ¹¹³ Si no llega a ser por el favor de Dios en ti y por Su misericordia…Un grupo de ellos se había propuesto extraviarte, pero solo se extravían a sí mismos y no pueden perjudicarte en nada. Dios te ha revelado el Libro [el Corán] y la Sabiduría y te ha enseñado lo que no sabías. El favor de Dios en ti es inmenso.

¹¹⁴ En muchos de las conversaciones secretas no hay ningún bien, salvo cuando uno ordena la caridad, lo reconocido como bueno o la reconciliación entre los hombres. A quien haga esto por deseo de agradar a Dios, le daremos una magnífica recompensa. ¹¹⁵ A quien se separe del Mensajero después de habérsele evidenciado claramente la guía y siga un camino diferente del de los creyentes, le abandonaremos en la medida que él abandone y le arrojaremos al Infierno. ¡Qué mal fin...!

¹¹⁶ Dios no perdona que se Le asocie con nada. Pero perdona fuera de ello a quien Él quiere. Quien atribuya copartícipes a Dios está profundamente extraviado. ¹¹⁷ En lugar de invocarle a Él, invocan a deidades femeninas. En realidad solo invocan a un demonio rebelde [Satanás]. ¹¹⁸ Dios maldijo a Satanás y este replicó: «He de tomar a un número determinado de Tus siervos, ¹¹⁹ he de extraviarles, he de darles falsas esperanzas, he de ordenarles que hiendan las orejas del ganado [marcándolas como ofrenda para falsas deidades] y que alteren la creación de Dios». Quien tome como amigo a Satanás, en lugar de tomar a Dios, estará evidentemente perdido. ¹²⁰ Les hace promesas y les da falsas esperanzas, pero Satanás no les promete sino falacia. ¹²¹ La morada de ellos será el Infierno y no hallarán medio de escapar de él. ¹²² A quienes crean y obren bien, les introduciremos en jardines por donde corren los ríos, en

los que vivirán eternamente, para siempre. ¡La promesa de Dios es verdadera! Y ¿quién es más veraz que Dios cuando dice algo?

[123] Esto no depende de lo que vosotros anheléis ni de lo que anhele Gente del Libro. Quien obre mal será castigado por ello y no encontrará, fuera de Dios, ningún protector ni salvador. [124] El creyente, sea hombre o mujer, que obre bien, entrará en el Jardín y no será tratado injustamente en lo más mínimo. [125] ¿Quién es mejor en su práctica de Adoración [religión, fe] que aquel que se somete a Dios, hace el bien y sigue la religión de Abraham, que fue monoteísta [hanif]? Dios tomó a Abraham como amigo. [126] De Dios es lo que está en los cielos y en la Tierra. Dios todo lo abarca con Su conocimiento.

[127] Te consultan a propósito de las mujeres. Di: «Dios os da a conocer Su parecer sobre ellas, y también lo que ya se os ha recitado en el Libro [el Corán] a propósito de las huérfanas a las que aún no habéis dado la parte que les corresponde y con las que deseáis casaros, y a propósito de los niños indefensos, y que tratéis con equidad a los huérfanos. Dios conoce perfectamente el bien que hacéis. [128] Si una mujer temiese que su marido no cumpliere con las obligaciones para con ella o la rechazare, no hay inconveniente si llegan a un acuerdo [para evitar el divorcio], pues es mejor la reconciliación. El alma es propensa a la codicia, pero si hacéis bien a otros y teméis a Dios,... Dios está bien informado de lo que hacéis. [129] No podréis ser justos con vuestras mujeres, aun si lo deseáis. No os inclinéis demasiado [por una de ellas] dejando a otra como en suspenso. Si ponéis paz y teméis a Dios,... Dios es Indulgente, Misericordioso. [130] Si se separan, Dios enriquecerá a cada uno con Su abundancia. Dios es Inmenso, Sabio.

[131] De Dios es lo que está en los cielos y en la Tierra. Hemos ordenado a quienes, antes de vosotros, recibieron el Libro, y a vosotros también, el temor de Dios. Si no creéis,... de Dios es lo

que está en los cielos y en la Tierra. Dios Se basta a Sí mismo es digno de alabanza. ¹³² De Dios es lo que está en los cielos y en la Tierra. Dios basta como Protector. ¹³³ ¡Hombres! Si Él quisiera, os haría desaparecer y os sustituiría por otros. Dios tiene el poder para hacerlo. ¹³⁴ Quien desee la recompensa de esta vida, sepa que Dios dispone de la recompensa de esta vida y de la otra. Dios todo lo oye, todo lo ve.

¹³⁵ ¡Creyentes! Sed íntegros en la equidad, cuando depongáis como testigos de Dios, aun en contra vuestra, o de vuestros padres o parientes más cercanos. Lo mismo si es rico que si es pobre, Dios está por encima de ellos. No sigáis la pasión faltando a la justicia. Si levantáis falso testimonio u os apartáis,... Dios está bien informado de lo que hacéis.

¹³⁶ ¡Creyentes! Creed en Dios, en Su Mensajero, en el Libro que fue revelado a Su Mensajero y en el Libro que fue revelado anteriormente. Quien no cree en Dios, en Sus ángeles, en Sus Libros, en Sus Mensajeros y en el Último Día, ese tal está profundamente extraviado. ¹³⁷ A quienes crean y luego dejen de creer, vuelvan a creer y de nuevo dejen de creer, creciendo en su incredulidad, Dios no ha de perdonarles ni guiarles por ningún camino. ¹³⁸ Anuncia a los hipócritas que tendrán un castigo doloroso. ¹³⁹ Toman a los incrédulos como aliados, en lugar de tomar a los creyentes. ¿Es que buscan junto en ellos el poder? El poder pertenece en su totalidad a Dios.

¹⁴⁰ Él os ha revelado en el Libro: «Cuando oigáis que los preceptos de Dios son rechazadas y son objeto de burla, no os sentéis con ellos mientras no cambien de tema de conversación; porque si no seréis igual a ellos». Dios reunirá a todos los hipócritas y a los incrédulos, en el Infierno. ¹⁴¹ Están a la expectativa, a ver cómo os va. Cuando tenéis éxito con la ayuda de Dios, dicen: «¿Acaso no estábamos con vosotros?». Pero si los incrédulos obtienen un

éxito parcial, dicen: «¿Acaso no os ayudamos para vencer y os defendimos contra los creyentes?». Dios decidirá entre vosotros el Día de la Resurrección. Dios no permitirá que los incrédulos prevalezcan sobre los creyentes.

[142] Los hipócritas tratan de engañar a Dios, pero es Él Quien les engaña. Cuando se disponen a hacer la oración lo hacen desganados, solo para ser vistos por los demás, apenas si se acuerdan de Dios. [143] Vacilantes, no se pronuncian por unos ni por otros. No encontrarás camino para aquel a quien Dios extravía. [144] ¡Creyentes! No toméis a los incrédulos como aliados, en lugar de tomar a los creyentes. ¿Queréis dar a Dios una prueba evidente en contra vuestra? [145] Los hipócritas estarán en lo más profundo del Fuego y no tendrán quien les auxilie, [146] salvo si se arrepienten, rectifiquen, se aferren a Dios y practiquen la fe sinceramente por Dios. Estos estarán en compañía de los creyentes y Dios dará a los creyentes una magnífica recompensa. [147] ¿Por qué iba Dios a castigaros si sois agradecidos y creéis? Dios es Retribuyente, Omnisciente.

[148] A Dios no le gusta la maledicencia [términos impropios] en público, a no ser que quien lo haga haya sido tratado injustamente. Dios todo lo oye, todo lo sabe. [149] Si divulgáis un bien o lo ocultáis, o si perdonáis un agravio... [sabed que] Dios es Perdonador, Poderoso. [150] Quienes no creen en Dios ni en Sus Mensajeros y pretenden hacer distinción entre [la fe en] Dios y Sus Mensajeros, diciendo: «¡Creemos en unos, pero en otros no!», queriendo adoptar una postura intermedia, [151] esos son los incrédulos de verdad. Y para los incrédulos tenemos preparado un castigo humillante. [152] Pero a quienes crean en Dios y en Sus Mensajeros, sin hacer distingos [de fe] entre ellos, Él les concederá su recompensa. Dios es Indulgente, Misericordioso.

[153] La Gente del Libro te pide que les bajes del cielo un Libro. Ya le habían pedido a Moisés algo más grave que eso, cuando

dijeron: «¡Muéstranos a Dios claramente!». Y fueron fulminados por un rayo debido a su iniquidad. Luego, adoraron el becerro, aun después de haber recibido las pruebas claras. Pero les perdonamos y dimos a Moisés una autoridad manifiesta. [154] Elevamos la montaña por encima de ellos para que aceptaran el pacto [de seguir la Torá] y les dijimos: «¡Ingresad por la puerta postrándoos [en señal de humildad]!». Y les dijimos: «¡No quebrantéis el sábado!». Y concertamos con ellos un pacto solemne.

[155] Por haber quebrantado su pacto, por no haber creído en los signos de Dios, por haber matado a los Profetas sin justificación y por haber dicho: «Nuestros corazones están cerrados». ¡No es así! sino que Dios les ha sellado su corazón por su incredulidad, y son pocos los que creen. [156] Por su incredulidad [al haber negado a Jesús] por haber proferido contra María una enorme calumnia, [157] y por haber dicho: «Hemos dado muerte al Mesías, Jesús hijo de María, el Mensajero de Dios», Pero no le mataron ni le crucificaron, sino que les pareció así [se les hizo confundir con otro a quien mataron en su lugar]. Los que discrepan acerca de él, dudan. No tienen conocimiento de él, no siguen más que conjeturas. Pero, ciertamente no le mataron, [158] sino que Dios lo elevó hacia Sí [en cuerpo y alma]. Dios es Poderoso, Sabio.

[159] Entre la Gente del Libro no hay nadie que no crea en Él antes de su muerte. Él día de la Resurrección servirá de testigo contra ellos. [160] Prohibimos a los judíos cosas buenas que antes les habían sido lícitas, por haber sido inicuos y por haber desviado a tantos del camino de Dios. [161] Por lucrar con la usura, a pesar de habérseles prohibido, y por haber devorado la hacienda ajena injustamente. A los incrédulos de entre ellos les hemos preparado un castigo doloroso. [162] Pero a los que, de ellos, están arraigados en la Ciencia [sabios], a los creyentes que creen en lo que fue revelado a ti y lo que fue revelado antes de ti, a los que hacen la oración prescrita, a

los que dan el zakat [azaque], a los que creen en Dios y en el Último Día, a esos les daremos una magnífica recompensa.

163 Por cierto que te hemos concedido la revelación, como lo hicimos con Noé y con los Profetas que le sucedieron. Asimismo revelamos a Abraham, Ismael, Isaac, Jacob, las tribus, Jesús, Job, Jonás, Aarón y Salomón. Y dimos a David Salmos. 164 Te hemos contado [¡Oh, Muhammad!] de algunos Mensajeros que enviamos, y de otros no. Y [sabed] que Dios habló con Moisés directamente. 165 Mensajeros portadores de buenas nuevas y que advertían, para que los hombres no pudieran alegar ningún pretexto ante Dios después de la venida de los Mensajeros. Dios es Poderoso, Sabio.

166 Pero Dios es testigo de que lo que Él te ha revelado comprende parte de Su sabiduría. Los ángeles también son testigos, aunque basta Dios como testigo. 167 Los que no creen y desvían a otros del camino de Dios están profundamente extraviados. 168 A los que no crean y obren impíamente Dios no les perdonará ni les guiará, 169 salvo por el camino del Infierno, en la que estarán eternamente. Es cosa fácil para Dios. 170 ¡Hombres! Ha venido a vosotros el Mensajero con la Verdad que viene de vuestro Señor. Creed pues, será mejor para vosotros. Y si no creéis… [Sabed que] de Dios es lo que está en los cielos y en la Tierra. Dios es Omnisciente, Sabio.

171 ¡Oh, Gente del Libro! ¡No os extralimitéis en vuestra religión! ¡No digáis de Dios sino la verdad: que el Mesías Jesús hijo de María, es solamente el Mensajero de Dios, Su palabra [¡Sé!] depositada en María, y un espíritu que procede de Él! ¡Creed, pues, en Dios y en Sus Mensajeros! ¡No digáis "tres" [que es una trinidad]! ¡Basta ya, será mejor para vosotros que desistáis! Dios es solo un Dios Uno. ¡Está muy por encima en Su Gloria de tener un hijo!... Suyo es lo que está en los cielos y en la Tierra... ¡Dios basta como Protector! 172 El Mesías no menosprecia ser un siervo de Dios, ni tampoco los ángeles allegados. Pero quien desdeñe adorarle y se

llene de soberbia… todos van a ser congregados ante Él. [173] En cuanto a quienes hayan creído y obrado bien, serán retribuidos completamente y Él les concederá aún más de Sus gracias. En cuanto a quienes hayan desdeñado adorarle y sean soberbios, les infligirá un castigo doloroso. No encontrarán, fuera de Dios, ningún protector ni salvador. [174] ¡Hombres! Os ha venido de vuestro Señor una prueba. Y os hemos hecho bajar una luz manifiesta [el Corán].

[175] A quienes hayan creído en Dios y se hayan aferrado a Él, les introducirá en Su misericordia y favor y les guiará a Sí por una vía recta. [176] Te piden tu veredicto. Diles: «Dios os da el Suyo acerca de quienes no tienen padres ni hijos. Si un hombre muere sin dejar hijos, pero sí una hermana, esta heredará la mitad de lo que dejare, y si ella muere sin dejar hijos, él heredará todo de ella. Si el difunto deja dos hermanas, estas heredarán dos tercios de lo que dejare. Si tiene hermanos, varones y mujeres, a cada varón le corresponderá lo mismo que a dos mujeres. Dios os aclara esto para que no os desviéis. Dios es Omnisciente».

SURA 5 : AL MA'IDA

LA MESA SERVIDA

¡En el nombre de Dios, el Compasivo, el Misericordioso!

[1] ¡Creyentes! ¡Cumplid con vuestras obligaciones [compromisos]! Los animales de rebaños os están permitidos, salvo lo que se os enuncian. La caza no os está permitida mientras estéis consagrados a la peregrinación [o a la 'Umrah]. Dios decide lo que Él quiere. [2] ¡Creyentes! No profanéis los ritos de Dios, ni los meses sagrados, ni la ofrenda, ni las guirnaldas [que eran usados para marcar a los animales que iban a ser sacrificados], ni a los que se dirigen a la

Casa Sagrada, buscando favor de su Señor y satisfacerle. Podéis cazar cuando dejéis de estar consagrados. Que el rencor que tenéis por aquellos que os impidieron llegar a la Mezquita Sagrada no os incite a transgredir [la ley]. Ayudaos unos a otros a practicar el bien y el temor de Dios, no el pecado y la trasgresión. ¡Y temed a Dios! Dios castiga severamente...

[3] Os está prohibido la carne del animal muerto por causa natural, la sangre, la carne de cerdo, la de todo animal que haya sido sacrificado en nombre de otro que Dios, la de animal muerto por asfixia, golpes, caída, cornada o matado por las fieras -a menos que haya sido herido por ellas y alcancéis a degollarlo [antes de que muera]-, la del que ha sido inmolado en altares [para los ídolos]. Y [se os ha prohibido también] consultar la suerte valiéndose de flechas, porque todo esto es un desvío. Hoy los que se niegan a creer han perdido las esperanzas de acabar con vuestra religión. ¡No les tengáis, pues, miedo a ellos, sino a Mí! Hoy os he perfeccionado vuestra religión, he completado Mi gracia sobre vosotros y he dispuesto que el islam sea vuestra religión. Si alguien [en caso extremo] por hambre, se vea forzado [y coma de lo vedado] pero sin intención de pecar [transgredir, sepa que] Dios es Indulgente, Misericordioso.

[4] Te preguntan qué les es lícito [comer]. Di: «Os están permitidas las cosas buenas. Podéis comer de lo que hayan atrapado para vosotros los animales de presa que habéis adiestrado para la caza, tal como Dios os ha enseñado. ¡Y mencionad el nombre de Dios sobre ello [al soltarlos para que cacen]! ¡Y temed a Dios!». Dios es rápido en ajustar cuentas. [5] Hoy se os hace lícito todo lo beneficioso. Se os permite el alimento de quienes han recibido el Libro, así como también se les permite a ellos vuestro alimento. Y [se os ha permitido casaros con] las mujeres creyentes honestas y las honestas del pueblo que, antes que vosotros, había recibido el Libro,

a condición de que les deis su dote tomándolas en matrimonio, no como fornicadores o como amantes. Vanas serán las obras de quien reniegue de su fe y en la otra vida será de los que pierdan.

⁶ ¡Creyentes! Cuando os dispongáis a hacer la oración, lavaos el rostro y los brazos hasta el codo, pasad las manos por la cabeza y [lavaos] los pies hasta el tobillo. Si estáis en estado de impureza mayor, purificaos. Y si estáis enfermos o de viaje, si viene uno de vosotros de hacer sus necesidades, o habéis tenido relaciones con vuestras mujeres y no encontráis agua, recurrid a tierra limpia y pasadla por el rostro y por las manos. Dios no quiere imponeros ninguna carga, sino purificaros y completar Su gracia en vosotros para que seáis agradecidos.

⁷ Recordad la gracia que Dios os dispensó y el pacto que concertó con vosotros cuando dijisteis: «Oímos y obedecemos». ¡Temed a Dios! Dios sabe bien lo que encierran los corazones. ⁸ ¡Creyentes! ¡Sed firmes con [los preceptos de] Dios, dad testimonio con equidad! Que el rencor que podáis sentir por unos no os conduzca a obrar injustamente. ¡Sed justos! Esto es lo más próximo al temor de Dios. ¡Y temed a Dios! Dios está bien informado de lo que hacéis. ⁹ Dios ha prometido a quienes crean y obren bien que obtendrán el perdón y una magnífica recompensa. ¹⁰ Y [en cambio] quienes no crean y desmientan Nuestros signos morarán en el fuego del Infierno. ¹¹ ¡Creyentes! Recordad la gracia que Dios os dispensó cuando una gente pretendió alargar sus manos contra vosotros y Él se lo impidió. ¡Temed a Dios! Y que los creyentes confíen en Dios.

¹² Dios concertó el pacto con los Hijos de Israel. Suscitamos de entre ellos a doce jefes. Y Dios dijo: «Yo estoy con vosotros. Si hacéis la oración, pagáis el azaque, creéis en Mis Mensajeros y les auxiliáis, si hacéis un hermoso préstamo a Dios [es decir, hacer caridad por la causa de Dios], he de borrar vuestras malas obras e introduciros en jardines por los que corren los ríos. Quien de

vosotros, después de eso, no crea se habrá extraviado del camino recto». [13] Por haber violado su pacto les hemos maldecido y hemos endurecido sus corazones. Ellos tergiversan las palabras [de la Torá] y olvidan parte de lo que se les recordó. Siempre descubrirás en ellos alguna traición, salvo en unos pocos, pero perdónalos y no se lo tomes en cuenta. Dios ama a quienes hacen el bien. *[El juicio legal derivado de la última parte de la aleya quedó abrogado por la "aleya de la espada" y por el pacto de capitulación y protección que implica el pago del tributo llamado "Yizia"].

[14] Concertamos el pacto con quienes decían: «Somos cristianos», pero olvidaron parte de lo que se les recordó [en el Inyil] y, por eso, provocamos entre ellos enemistad y odio hasta el Día de la Resurrección. Pero ya les informará Dios lo que hicieron.

[15] ¡Oh, Gente del Libro! Nuestro Mensajero ha venido a vosotros, aclarándoos mucho de lo que del Libro habíais ocultado y obviar otros. Os ha venido de Dios una Luz y un Libro claro [el Corán], [16] por medio del cual Dios dirige a quienes buscan Su complacencia hacia los caminos de la salvación y les saca, con Su permiso, de las tinieblas a la luz, y les dirige a una vía recta. [17] No creen, en realidad, quienes dicen: «Dios es el Mesías, hijo de María». Di: «¿Quién podría impedir que Dios, si así lo quisiese, hiciera desaparecer al Mesías hijo de María, a su madre y a cuantos hay en la Tierra de una sola vez?» De Dios es la soberanía de los cielos y la Tierra, y de todo lo que existe entre ellos. Crea lo que Él quiere. Dios tiene poder sobre todas las cosas.

[18] Los judíos y los cristianos dicen: «Somos los hijos de Dios y Sus amados». Di: «¿Por qué, entonces, os castiga por vuestros pecados? No sois sino como el resto de la humanidad que Él ha creado. Perdona a quien Él quiere y castiga a quien Él quiere». De Dios es el reino de los cielos y la Tierra, y de lo que existe entre ellos. A Él se ha de volver. [19] ¡Oh, Gente del Libro! Nuestro Mensajero

ha venido a vosotros para instruiros, tras un periodo de tiempo sin Mensajeros, no sea que dijerais: «No ha venido a nosotros ningún nuncio de buenas nuevas, ni amonestador». Así pues, ahora sí que ha venido a vosotros un nuncio de buenas nuevas y un amonestador. Dios tiene poder sobre todas las cosas.

²⁰ Y cuando Moisés dijo a su pueblo: «¡Oh, pueblo mío! Recordad la gracia que Dios os dispensó cuando suscitó de entre vosotros a Profetas e hizo de vosotros reyes, dándoos lo que no se había dado a ninguno en el mundo. ²¹ ¡Oh, pueblo mío! ¡Entrad en la Tierra Santa que Dios os destinó y no volváis sobre vuestros paso [y no Me desobedezcáis]; porque entonces estaríais perdidos!». ²² Dijeron: «¡Moisés! Hay en ella un pueblo de hombres fuertes y no entraremos mientras no salgan de ella. Si salen de ella, entonces, sí que entraremos». ²³ Dos de sus hombres, temerosos de Dios, a quienes Dios había agraciado, dijeron: «Atacadles sorpresivamente por la puerta porque una vez que hayáis ingresado por ella, la victoria será vuestra. Si sois creyentes, ¡confiad en Dios!». ²⁴ Dijeron: «¡Moisés! No entraremos nunca en ella mientras ellos estén dentro. ¡Ve tú, pues, con tu Señor y combatidles, que nosotros nos quedaremos aquí!».

²⁵ Dijo: «¡Señor mío! Solo tengo control de mis actos y autoridad sobre mi hermano, apártanos pues, de los extraviados». ²⁶ Dijo [Dios a Moisés]: «Les estará prohibida [la entrada en la Tierra Santa] durante cuarenta años, tiempo en el que vagarán por la Tierra. ¡No te preocupes por este pueblo perverso!». ²⁷ ¡Y cuéntales la historia auténtica de los dos hijos de Adán, cuando ofrecieron una oblación y se le aceptó a uno, pero al otro no! Dijo [este último por envidia a su hermano]: «¡He de matarte!». Respondió [su hermano]: «Dios solo acepta de los que Le temen. ²⁸ Y si tú pones la mano en mí para matarme, yo no voy a ponerla en ti para matarte, porque temo a Dios, Señor del Universo. ²⁹ Quiero que cargues con tu pecado

contra mí y otros pecados, y seas así de los moradores del Fuego. Esa es la retribución de los inicuos».

[30] Entonces, su alma le instigó a que matase a su hermano y le mató, pasando a ser de los que pierden. [31] Dios envió un cuervo, que escarbó la tierra para mostrarle cómo esconder el cadáver de su hermano. Dijo: «¡Ay de mí! ¿Es que no soy capaz de imitar a este cuervo y esconder el cadáver de mi hermano?». Y pasó a ser de los arrepentidos.

[32] Por esta razón, decretamos para los Hijos de Israel que quien matara a una persona sin que esta hubiera matado a nadie ni corrompido en la Tierra, fuera como si hubiera matado a toda la humanidad. Y que quien salvara una vida, fuera como si hubiera salvado las vidas de toda la humanidad. Nuestros Mensajeros vinieron a ellos con las pruebas claras, pero, a pesar de ellas, muchos cometieron excesos en la Tierra. [33] El castigo de quienes hacen la guerra a Dios y a Su Mensajero y siembran en la Tierra la corrupción, será la muerte o la crucifixión o se les ampute una mano y el pie opuesto o se les destierre. Sufrirán ignominia en esta vida y terrible castigo en la otra. [34] Quedan exceptuados quienes se arrepientan antes de caer en vuestras manos. Sabed, en efecto, que Dios es Indulgente, Misericordioso.

[35] ¡Creyentes! ¡Temed a Dios y buscad el medio de acercaros a Él! Combatid por Su causa que así tendréis éxito. [36] Si poseyeran los incrédulos todo cuanto hay en la Tierra y otro tanto, y lo ofrecieran como rescate para librarse del castigo del Día de la Resurrección, no se les aceptaría. Tendrán un castigo doloroso. [37] Querrán salir del Fuego, pero no podrán. Tendrán un castigo permanente. [38] Al ladrón y a la ladrona, cortadles la mano como castigo por lo que han cometido. Esto es un escarmiento que ha dictaminado Dios. Dios es Poderoso, Sabio. [39] Si uno se arrepiente, después de haber obrado impíamente y se enmienda, Dios se volverá a él. Dios es

Indulgente, Misericordioso. ⁴⁰ ¿No sabes que es de Dios el dominio de los cielos y de la Tierra? Castiga a quien Él quiere y perdona a quien Él quiere. Dios tiene poder sobre todas las cosas.

⁴¹ ¡Mensajero! Que no te entristezcan quienes se precipitan en la incredulidad, entre aquellos hay quienes dicen con la boca: «Creemos», pero no creen sus corazones; entre los judíos hay quienes prestan oídos a la mentira, y te escuchan para informar a otros que no se han presentado ante ti. Tergiversan las palabras [del Libro] y dicen: «Si se os juzga como os gusta aceptadlo, pero si no rechazadlo». Si Dios quiere que alguien se pierda, tú no puedes hacer nada por él contra Dios. Esos son aquellos cuyos corazones Dios no ha querido purificar. Sufrirán ignominia en esta vida y terrible castigo en la otra.

⁴² Prestan oídos a la mentira y comen vorazmente de lo ilícito. Si vienen a ti, decide entre ellos o no intervengas [si no quieres]. Si no intervienes, no podrán hacerte ningún daño. Y si juzgas entre ellos, hazlo con equidad. Dios ama a los que observan la equidad. ⁴³ Pero ¿y cómo van a delegar el juicio en ti, si teniendo la Torá en la que se encuentra el juicio de Dios no lo aplican? Esos no son creyentes.

⁴⁴ Hemos revelado la Torá, que contiene guía y luz. Los Profetas que se sometieron a Dios emitían los juicios a los judíos según ella, como hacían los rabinos y juristas, según lo que del Libro de Dios se les había confiado y de lo cual eran testigos. ¡No tengáis, pues, miedo a los hombres, sino a Mí! ¡Y no malvendáis Mis signos! Quienes no decidan según lo que Dios ha revelado, esos son los incrédulos. ⁴⁵ Les hemos prescrito en ella [la Torá, la ley de Talión]: «Vida por vida, ojo por ojo, nariz por nariz, oreja por oreja, diente por diente y la ley del talión por las heridas». Y si uno renuncia a ello, le servirá de expiación. Quienes no decidan según lo que Dios ha revelado, esos son los inicuos. ⁴⁶ Hicimos que les sucediera Jesús, hijo de María, en confirmación de lo que ya había

de la Torá. Le dimos el Inyil [Evangelio], en el que hay guía y luz, como corroboración de lo que ya había en la Torá. Y como guía y exhortación para los temerosos de Dios. [47] Que la gente del Inyil [Evangelio] juzgue según lo que Dios ha revelado en él. Quienes no juzgan según lo que Dios ha revelado, esos son los descarriados.

[48] Te hemos revelado el Libro [el Corán] con la Verdad, en confirmación y como custodia de lo que ya había en los Libros revelados. Juzga, pues, entre ellos según lo que Dios ha revelado y no sigas sus pasiones apartándote de la Verdad que has recibido. A cada uno os hemos dado una norma y una vía. Dios, si hubiera querido, habría hecho de vosotros una sola comunidad, pero quería probaros en lo que os designó. ¡Rivalizad en buenas obras! Todos volveréis a Dios. Ya os informará Él de aquello en que discrepabais.

[49] Juzga entre ellos conforme a lo que Dios ha revelado y no sigas sus pasiones. ¡Sé precavido con ellos, no sea que te seduzcan desviándote en algo de lo que Dios te ha revelado! Y, si se apartan, sabe que Dios desea afligirles por algunos de sus pecados. y que mucho de los hombres están descarriados. [50] ¿Acaso pretenden un juicio pagano? ¿Y quién mejor juez que Dios para gente que está convencida de su fe?

[51] ¡Creyentes! ¡No toméis como aliados a los judíos y a los cristianos! Ellos son aliados unos de otros. Quien de vosotros se alíe con ellos será uno de ellos. Dios no guía a los inicuos. [52] Ves cómo los que tienen una enfermedad en el corazón van corriendo a ellos, diciendo: «Tenemos que la suerte nos sea adversa». Pero puede que Dios os traiga la victoria o algún otro decreto Suyo, y entonces tengan que arrepentirse de lo que habían pensado en secreto. [53] Los creyentes dirán «¿Son estos los que juraban solemnemente por Dios que estaban con vosotros? Sus obras serán vanas y saldrán perdiendo».

[54] ¡Creyentes! Si uno de vosotros reniega [apostata] de su fe...

Dios les sustituirá por otros a quienes Él amará y ellos Le amarán, [que serán] humildes con los creyentes, altivos con los incrédulos, y combatirán por la causa de Dios y que no temerán la censura de nadie. Este es el favor de Dios. Lo dispensa a quien Él quiere. Dios es Vasto, Omnisciente. ⁵⁵ Solo es vuestro aliado Dios, Su Mensajero y los creyentes que hacen la oración prescrita, dan el Zakat [azaque] y se inclinan [en la oración]. ⁵⁶ Quien tome como amigo aliado a Dios, a Su Mensajero y a los creyentes... [sepan que] Los partidarios de Dios serán los que venzan.

⁵⁷ ¡Creyentes! No toméis como amigos aliados a quienes, habiendo recibido el Libro antes que vosotros ni a los incrédulos, toman vuestra religión a burla y a juego. ¡Y temed a Dios, si es que sois creyentes! ⁵⁸ Cuando llamáis a la oración, la toman a burla y a juego, eso es porque son gente que no razona. ⁵⁹ Di: «¡Oh, Gente del Libro! ¿Acaso nos reprocháis que creamos en Dios y en la Revelación hecha a nosotros y a los que nos precedieron, cuando la mayoría de vosotros estáis desviados?». ⁶⁰ Di: «¿No queréis acaso que os informe quienes tendrán peor retribución que estos ante Dios? Son los que Dios ha maldecido, los que han incurrido en Su ira, los que Él ha convertido en monos y cerdos, y quienes adoraron a los demonios. Esos son los que se encuentran en una situación peor y los más extraviados del camino recto».

⁶¹ Cuando vienen a Ti, dicen: «¡Creemos!». Pero entran sin creer y sin creer salen. Dios sabe bien lo que ocultan. ⁶² Ves a muchos de ellos precipitarse al pecado y a la transgresión y comer de lo ilícito. ¡Qué mal está lo que hacen! ⁶³ ¿Por qué los rabinos y juristas no les prohíben mentir y comer de lo ilícito? ¡Qué mal está lo que hacen!

⁶⁴ Los judíos dicen: «La mano de Dios está cerrada». ¡Que sus propias manos estén cerradas y sean malditos por lo que dicen! Por el contrario, Sus manos están abiertas y Él distribuye Sus dones como quiere. Pero la Revelación que tú has recibido de tu Señor

acrecentará en muchos de ellos su rebeldía e incredulidad. Hemos sembrado entre ellos la enemistad y el odio hasta el Día de la Resurrección. Siempre que enciendan el fuego de la guerra, Dios lo apagará. Se afanan por corromper en la Tierra y Dios no ama a los corruptores.

[65] Si Gente del Libro creyera y temiera a Dios, les borraríamos sus malas obras y les introduciríamos en los Jardines del Deleite. [66] Si observaran la Torá, el Inyil [Evangelio] y lo que les ha sido revelado por su Señor [el Corán], disfrutarían de los bienes del cielo y de la tierra. Hay entre ellos una comunidad quienes son moderados, pero ¡qué mal hacen muchos otros de ellos!

[67] ¡Mensajero! ¡Transmite lo que te ha sido revelado por tu Señor, si no lo haces, no habrás comunicado Su Mensaje! Dios te protegerá de los hombres. Dios no guía a los incrédulos.

[68] Di: «¡Oh, Gente del Libro! No tendréis fundamento alguno mientras no observéis la Torá, el Inyil [Evangelio] y la Revelación que habéis recibido de vuestro Señor». Pero la Revelación [el Corán] que tú has recibido de tu Señor acrecentará en muchos de ellos su rebeldía e incredulidad. ¡No te aflijas, pues, por los incrédulos!

[69] Por cierto que quienes de entre los creyentes, los judíos, los sabeos y los cristianos crean en Dios y en el Último Día y obren bien- no tienen que temer y no estarán tristes.

[70] Concertamos un pacto con los Hijos de Israel y les enviamos Mensajeros. Siempre que un Mensajero venía a ellos con algo que no era de su gusto, le desmentían o le daban muerte. [71] Creían que no iban a ser probados y se enceguecieron y ensordecieron [no queriendo prestar oídos a la Verdad]. Después Dios se volvió a ellos, pero muchos de ellos volvieron a portarse como ciegos y sordos. Dios ve bien lo que hacen.

[72] No creen, en realidad, quienes dicen: «Dios es el Mesías hijo de María», siendo así que el mismo Mesías ha dicho: «¡Hijos de

Israel, adorad a Dios, mi Señor y Señor vuestro!». A quien atribuya copartícipes a Dios, Él le vedará el Jardín y su morada será el Fuego. Los inicuos no tendrán quien les auxilie. [73] Son incrédulos quienes dicen: «Dios es el tercero de tres [parte de una trinidad] ». No hay ningún otro dios que Dios Uno. Si no paran de decir eso, un castigo doloroso alcanzará a quienes [por decir eso] hayan caído en la incredulidad. [74] ¿No se volverán a Dios pidiéndole perdón? Dios es Indulgente, Misericordioso. [75] El Mesías hijo de María, no es sino un Mensajero, igual que los otros Mensajeros que le precedieron, y su madre fue una fiel y veraz creyente. Ambos comían alimentos [como el resto de la humanidad]. ¡Mira cómo les explicamos los signos! ¡Y mira cómo [a pesar de esto] se desvían! [76] Di: «¿Vais a adorar, en lugar de adorar a Dios, lo que no puede perjudicaros ni beneficiaros?». Dios es Quien todo lo oye, Quien todo lo sabe.

[77] Di: «¡Oh, Gente del Libro! No os excedáis en vuestra religión tergiversando la Verdad y no sigáis las pasiones de una gente que ya antes se extravió, extravió a muchos y se desvió del camino recto».

[78] Los Hijos de Israel que no creyeron fueron maldecidos por boca de David y de Jesús hijo de María, por haber desobedecido y transgredido. [79] No se prohibían mutuamente las acciones reprobables que cometían. ¡Qué malo es lo que hacían! [80] Ves a muchos de ellos tomar por aliados a los que no creen. ¡Qué malo es a lo que les indujeron sus almas! La ira de Dios cayó sobre ellos y tendrán un castigo eterno. [81] Si hubieran creído en Dios, en el Profeta y en lo que le fue revelado, no les habrían tomado por aliados, pero muchos de ellos están desviados.

[82] Encontrarás que los peores enemigos de los creyentes son los judíos y los idólatras, y que los más allegados de los creyentes son los que dicen: «Somos cristianos». Esto es porque entre ellos hay sacerdotes y monjes, y por que no son soberbios. [83] Y cuando oyen lo que se ha revelado al Mensajero, ves que sus ojos se inundan

de lágrimas porque reconocen la Verdad [tienen conciencia de la Verdad]. Dicen: «¡Señor nuestro! ¡Creemos! Cuéntanos pues, entre quienes son testigos [de la Verdad] [84] ¿Cómo no vamos a creer en Dios y en la Verdad venida a nosotros si anhelamos que nuestro Señor nos introduzca [al Paraíso] con los justos?». [85] Dios les recompensará por lo que han dicho con jardines por los que corren los ríos, y en los que estarán eternamente. Esa es la retribución de quienes hacen el bien. [86] Pero quienes no crean y desmientan Nuestros signos morarán en el fuego del Infierno.

[87] ¡Creyentes! ¡No prohibáis las cosas buenas que Dios os ha permitido! Y no violéis la ley, que Dios no ama a los transgresores. [88] ¡Comed de lo lícito y bueno de que Dios os ha proveído! ¡Y temed a Dios, en Quien vosotros creéis! [89] Dios no os tendrá en cuenta la vanidad de vuestros juramentos, pero sí el que hayáis jurado deliberadamente. Estos deberán expiarse alimentando a diez pobres como soléis alimentar a vuestra familia, o vistiéndoles, o liberando a un esclavo. Quien no pueda, que ayune tres días. Cuando juréis, esa será la expiación por vuestros juramentos [si no los cumplís]. ¡Sed fieles a lo que juráis! Así os explica Dios Sus leyes. Quizás, así, seáis agradecidos.

[90] ¡Creyentes! Los embriagantes, los juegos de azar [apuesta], los altares de sacrificio y las flechas adivinatorias no son sino abominación y obra de Satanás. Absteneos de ello y así tendréis éxito. [91] Satanás solo pretende crear enemistad y odio entre vosotros valiéndose de los embriagantes y los juegos de azar, e impediros que recordéis a Dios y hagáis la oración. ¿Acaso no vais a absteneros? [92] ¡Obedeced a Dios, obedeced al Mensajero y precaveos [de desobedecerles]! Pero, si volvéis la espalda, sabed que a Nuestro Mensajero le incumbe solo transmitir [el Mensaje] con claridad. [93] Quienes creen y obran bien, no incurren en falta por lo que hayan probado antes [de lo ilícito] siempre que teman a Dios, crean y

obran bien, luego teman a Dios y crean, luego teman a Dios y hagan el bien. Dios ama a quienes hacen el bien.

⁹⁴ ¡Creyentes! Dios ha de probaros con alguna caza obtenida con vuestras manos o con vuestras lanzas [prohibiendola mientras estéis consagrados a la peregrinación], para distinguir quién Le teme a pesar de no verle. Quien transgreda después de esto, tendrá un castigo doloroso. ⁹⁵ ¡Creyentes! No cacéis mientras estéis consagrados a la peregrinación. Quien de vosotros lo haga deliberadamente, deberá compensarlo sacrificando una res de su rebaño, equivalente a la caza que mató -a juicio de dos personas justas de entre vosotros- y será ofrendada en la Ka'bah, o bien expiará dando de comer a los pobres o ayunando algo equivalente, para que así experimente las malas consecuencias de su acto. Dios perdona lo que se haya cometido en el pasado, pero quien reincida, sepa que Dios se vengará de él. Dios es Poderoso, y se venga [castigando a los inicuos por sus pecados].

⁹⁶ Os es lícita la pesca y alimentaros de ella para disfrute vuestro y de los viajeros, pero os está prohibida la caza mientras estéis consagrados a la peregrinación. Y temed a Dios hacia Quien seréis congregados. ⁹⁷ Dios ha hecho de la Ka'bah, una Casa Sagrada, un lugar de adoración para los hombres, y ha instituido los meses sagrados, las ofrendas y las guirnaldas para que sepáis que Dios conoce lo que está en los cielos y en la Tierra, y que Dios tiene el conocimiento de todas las cosas. ⁹⁸ Sabed que Dios es severo en castigar, pero también que Dios es Indulgente, Misericordioso. ⁹⁹ El Mensajero solo tiene la obligación de transmitir el Mensaje. Dios sabe lo que manifestáis y lo que ocultáis. ¹⁰⁰ Di: «Lo malo y lo bueno jamás podrán equipararse, aunque te guste la abundancia de lo malo. ¡Temed, pues, a Dios, hombres de intelecto! que así tendréis éxito».

¹⁰¹ ¡Creyentes! No preguntéis por cosas que si se os dieran a conocer os atribularían. Pero si preguntáis sobre ellos cuando hayan

sido revelados en el Corán, se os darán a conocer y Dios os perdonará por ello. Dios es Indulgente, Benigno. [102] Gente que os precedió hizo esas mismas preguntas y luego [que se les revelara] se negaron a aceptarlas. [103] Dios no ha instituido ni Bahirah [nombre dado a la camella que se consagraba a los ídolos por lo que no debía ser ordeñada] ni Saibah [nombre dado a la camella que se consagraba a los ídolos por lo que se la dejaba pastar libremente] ni Wasilah [nombre dado a la oveja o cabra que en su séptimo parto paría un macho y una hembra por lo que se la consagraba a los ídolos y no se la sacrificaba] ni Hami [nombre dado al camello semental que luego de servir diez veces se consagraba a los ídolos por lo que no se lo podía utilizar para montura]. Son los incrédulos quienes han inventado mentiras sobre Dios. La mayoría no razonan. [104] Y cuando se les dice: «Venid a la Revelación de Dios y al Mensajero», dicen: «Nos basta aquello en lo que encontramos a nuestros padres». ¡Cómo! ¿Y si sus padres no sabían nada y carecían de guía? [105] ¡Creyentes! ¡Preocupaos por guardaros a vosotros mismos! Quien se extravía no podrá perjudicaros, si estáis encaminados. Todos volveréis a Dios. Ya os informará Él de lo que hacíais.

[106] ¡Creyentes! Cuando, a punto de morir, hagáis testamento, llamad como testigos a dos personas justas de los vuestros o bien a dos de fuera si estáis de viaje y os sobreviene la muerte. Retenedlas después de la oración, si dudáis de ellas, que juren por Dios: «¡No venderemos nuestro testimonio a ningún precio, aunque se trate de un pariente, ni ocultaremos el testimonio de Dios! Si no, seríamos de los pecadores». [107] Si se descubre que son acreedores de alguna maldad, otros dos, los más próximos, les sustituirán, elegidos entre los perjudicados por el perjurio y jurarán por Dios: «Nuestro testimonio es más auténtico que el de los otros dos. Y no hemos transgredido. Si no, seríamos de los inicuos». [108] Así, será más fácil conseguir que presten testimonio como es debido, o que teman ver

rechazados sus juramentos después de prestados. ¡Temed a Dios y escuchad! Dios no guía a la gente descarriada.

¹⁰⁹ El día que Dios congregue a los Mensajeros y diga: «¿Cómo os han respondido?», dirán: «No tenemos conocimiento; Tú eres Quien conoce a fondo las cosas ocultas». ¹¹⁰ Cuando dijo Dios: «¡Jesús, hijo de María!; Recuerda Mi gracia, que os dispensé a ti y a tu madre cuando te fortalecí mediante el Espíritu Puro [el ángel Gabriel] y hablaste a la gente en la cuna y de adulto, y cuando te enseñé la escritura, la sabiduría, la Torá y el Inyil [Evangelio]. Y cuando hiciste con arcilla la forma de un pájaro con Mi permiso, luego soplaste en él y se convirtió en pájaro con Mi permiso. Y curaste al ciego de nacimiento y al leproso con Mi permiso. Y cuando resucitaste a los muertos con Mi permiso. Y te protegí de los Hijos de Israel cuando viniste a ellos con las pruebas claras y los que de ellos no creían dijeron: "Esto no es sino magia evidente".

¹¹¹ Y cuando inspiré a los apóstoles [de Jesús]: '¡Creed en Mí y en Mi Mensajero!' Dijeron: "¡Creemos! ¡Sé testigo de nuestra sumisión!"». ¹¹² Cuando dijeron los apóstoles: «¡Jesús, hijo de María! ¿Puede tu Señor hacer que nos baje del cielo una mesa servida?». Dijo: «¡Temed a Dios, si sois creyentes!». ¹¹³ Dijeron: «Queremos comer de ella. Así, nuestros corazones se tranquilizarán, sabremos que nos has dicho la verdad y podremos ser testigos de ella». ¹¹⁴ Dijo Jesús, hijo de María: «¡Dios, Señor nuestro! Haz que nos baje del cielo una mesa servida, que sea para nosotros una conmemoración, tanto para los primeros como para los últimos [de nuestra nación], y un signo venido de Ti. ¡Provéenos del sustento necesario, Tú, que eres el mejor de los sustentadores!». ¹¹⁵ Dijo Dios: «Os la haré descender; pero, si uno de vosotros, después de esto no cree, le castigaré como no he castigado a nadie en el mundo».

¹¹⁶ Y cuando dijo Dios: «¡Jesús, hijo de María! ¿Eres tú quien

ha dicho a los hombres: "¡Tomadnos a mí y a mi madre como divinidades en vez de Dios!"?». Dijo: «¡Glorificado seas! No me corresponde decir algo sobre lo que no tengo derecho. Si lo hubiera dicho, Tú lo habrías sabido. Tú sabes lo que hay en mí, pero yo no sé lo que hay en Ti. Tú eres Quien conoce lo oculto. [117] No les he dicho más que lo que Tú me has ordenado: "¡Adorad a Dios, mi Señor y Señor vuestro!". Fui testigo de ellos mientras estuve entre ellos, pero, después de llamarme a Ti, fuiste Tú Quien les vigiló. Tú eres Testigo de todas las cosas. [118] Si les castigas, son Tus siervos, Si les perdonas, Tú eres el Poderoso, el Sabio».

[119] Dios dirá [el Día del Juicio]: «Este es el día en que los sinceros son beneficiados por su sinceridad. Tendrán jardines por donde corren los ríos, en los que estarán eternamente, para siempre». Dios está satisfecho de ellos y ellos lo están de Él. ¡Ese es el gran triunfo! [120] De Dios es la soberanía de los cielos y de la Tierra y de lo que en ellos está. Él tiene poder sobre todas las cosas.

SURA 6 : AL AN'AM

LOS REBAÑOS

¡En el nombre de Dios, el Compasivo, el Misericordioso!

[1] ¡Alabado sea Dios, que creó los cielos y la Tierra y originó las tinieblas y la luz! Aun así, los incrédulos asocian copartícipes a su Señor. [2] Él es Quien os creó de barro y decretó a cada uno un plazo. Ha sido fijado [también] un plazo junto a Él [para la Resurrección]. Y aún dudáis... [3] Él es Dios en los cielos y en la Tierra. Sabe lo que ocultáis y lo que manifestáis. Sabe lo que hacéis. [4] Siempre que viene a ellos uno de los signos de su Señor, se apartan de él. [5] Han desmentido la Verdad [el Corán] cuando ha venido a ellos, pero

recibirán noticias de aquello de lo que se burlaban. ⁶ ¿Es que no ven a cuántas generaciones anteriores hemos hecho perecer? Les concedimos más poder en la Tierra que a vosotros. Les enviamos del cielo una lluvia abundante. Hicimos que fluyeran arroyos a sus pies. Pero a pesar de todo, les destruimos por sus pecados y suscitamos otras generaciones después de ellos.

⁷ Si hubiéramos hecho bajar sobre ti un Libro escrito en pergamino y lo hubieran palpado con sus manos, aun así, los que no creen habrían dicho: «Esto no es sino una magia evidente». ⁸ Dicen: «¿Por qué no se ha hecho descender a un ángel con él [el Mensajero]?». Si hubiéramos hecho descender a un ángel, ya se habría decidido el asunto y no se les daría ningún plazo de espera. ⁹ Si hubiéramos enviado [en lugar de un hombre] a un ángel, le habríamos dado apariencia humana y, con ello, les habríamos hecho confundirse. ¹⁰ Se burlaron de otros Mensajeros que te precedieron, pero los que se burlaban se vieron cercados por aquello de que se burlaban [ed. el castigo les azotó por ello]. ¹¹ Diles [¡Oh, Muhammad!]: «¡Id por la tierra y mirad cómo terminaron los desmentidores!».

¹² Di: «¿A quién pertenece lo que está en los cielos y en la Tierra?». Di: «¡A Dios!», Él mismo Se ha prescrito la misericordia. Él os reunirá, ciertamente, para el Día indubitable de la Resurrección. Quienes se hayan perdido, no creerán. ¹³ A Él pertenece lo que habita en la noche y en el día. Él es Quien todo lo oye, todo lo sabe. ¹⁴ Di: «¿Acaso tomaré como protector a otro en lugar de Dios, Creador de los cielos y de la Tierra, y Quien alimenta sin ser alimentado?». Di: «He recibido la orden de ser el primero en someterse a Dios y no ser de los asociadores». ¹⁵ Di: «Temo, si desobedezco a mi Señor, el castigo de un día terrible». ¹⁶ Quien sea eximido [del castigo] ese día será porque Dios se apiadó de él; y ese será el triunfo verdadero.

¹⁷ Si Dios te aflige con una desgracia, nadie más que Él podrá retirarla. Si te favorece con un bien... Él tiene poder sobre todas las

cosas. [18] Él es Quien domina a Sus siervos. Él es el Sabio, el Bien Informado. [19] Di: «¿Cuál es el testimonio de más peso?». Di: «Dios es Testigo entre vosotros y yo. Este Corán me ha sido revelado para que, por él, os advierta a vosotros y a aquellos a quienes alcance. ¿Acaso daríais testimonio de que existen otras divinidades junto con Dios?». Di: «No, yo no lo haré». Di: «Él es solo un Dios Uno y soy inocente de lo que vosotros Le asociáis».

[20] Aquellos a quienes hemos dado el Libro, lo conocen como conocen a sus propios hijos varones. Quienes se hayan perdido, no creerán. [21] ¿Hay alguien que sea más inicuo que quien inventa mentiras sobre Dios o desmiente Sus preceptos? Los inicuos no prosperarán. [22] El día que les congreguemos a todos, diremos a los que hayan asociado: «¿Dónde están los que creíais eran mis asociados?». [23] Entonces no tendrán más excusa que decir: «¡Por Dios, Señor nuestro, que no éramos asociadores!». [24] ¡Mira cómo mienten contra sí mismos y se desvanece todo aquello que inventaron!

[25] Hay entre ellos quienes te escuchan, pero hemos sellado sus corazones y ensordecido sus oídos para que no lo entiendan. Aunque vieran toda clase de signos, no creerían en ellos. Hasta el punto de que, cuando vienen a disputar contigo, dicen los que no creen: «Estas no son sino patrañas de los antiguos». [26] Se lo impiden a otros y ellos mismos se mantienen a distancia. Pero solo se destruyen a sí mismos, sin darse cuenta. [27] Si pudieras ver [¡Oh, Muhammad!, lo terrible que será] cuando, puestos de pie ante el Fuego, digan: «¡Ojalá se nos devolviera! No desmentiríamos los signos de nuestro Señor, sino que seríamos de los creyentes». [28] ¡Pero no! Se les mostrará claramente lo que antes ocultaban. Y si se les devolviera [a la vida mundanal], volverían a lo que se les prohibió. ¡Mienten, ciertamente!

[29] Dicen: «No hay más vida que esta y no seremos resucitados».

³⁰ Si pudieras ver [¡Oh, Muhammad!] cuando, puestos de pie ante su Señor... Dirá: «¿Acaso no es esto verdad?» Dirán: «¡Claro que sí, por nuestro Señor!». Entonces se les dirá: «¡Gustad, pues, el castigo por no haber creído!».

³¹ Perderán quienes hayan desmentido el encuentro con Dios. Cuando, al fin, de repente, les venga la Hora, dirán: «¡Ay de nosotros por lo que descuidamos!». Y llevarán su carga a la espalda. ¿No es carga mala la que llevan? ³² La vida de este mundo no es sino juego y distracción. Sí, la morada de la Otra Vida es mejor para quienes temen a Dios. ¿Es que no razonáis...?

³³ Ya sabemos que lo que dicen te entristece. No es a ti a quien desmienten, sino que lo que los inicuos rechazan son los signos de Dios. ³⁴ También fueron desmentidos antes de ti otros Mensajeros, y soportaron con paciencia que les desmintieran y hostigaran hasta que les llegó Nuestro auxilio. No hay quien pueda sustituir las palabras de Dios [las promesas de Dios son inalterables]; y por cierto que te hemos relatado las historias de los Mensajeros. ³⁵ Aunque te resulte muy penoso que se nieguen a creer, por más que busques a través de un túnel en la tierra o de una escalera en el cielo para traerles un signo,... Dios, si hubiera querido, les habría guiado a todos. ¡No seas de los ignorantes! ³⁶ Solo responden [a tu llamada] aquellos que escuchan. En cuanto a los muertos, Dios les resucitará y serán devueltos a Él.

³⁷ Dicen: «¿Por qué no se le ha concedido un signo [milagro] que procede de su Señor?». Diles: «Dios es capaz de enviar un signo». Pero la mayoría no saben. ³⁸ No hay criatura en la tierra, ni ave que vuele con sus dos alas, que no formen comunidades como vosotros. No hemos omitido nada en el Libro. Luego, serán congregados ante su Señor. ³⁹ Quienes desmienten Nuestros signos son sordos, mudos, y caminan en las tinieblas. Dios extravía a quien Él quiere, y a quien Él quiere le pone en una vía recta.

⁴⁰ Di: «¿Qué crees que iba a ser de vosotros si os viniera el castigo de Dios u os viniera la Hora? ¿Invocaríais a otro que no fuera Dios? [Respondedme] Sinceramente...». ⁴¹ Pero es Él a Quien invocáis cuando os azota un mal olvidándoos de quienes Le asociáis; y por cierto que Él es Quien, si quiere, puede libraros del mismo.

⁴² Antes de ti, hemos mandado Mensajeros a comunidades a las que sorprendimos con la miseria y desgracia para que así fueran humildes. ⁴³ Si se hubieran humillado cuando Nuestro rigor les alcanzó... Pero sus corazones se endurecieron y Satanás embelleció lo que hacían. ⁴⁴ Y cuando hubieron olvidado lo que se les había recordado, les abrimos las puertas de todo, y cuando hubieron disfrutado de lo que se les había concedido, les sorprendimos con el castigo, y fueron presa de la desesperación. ⁴⁵ Así fue exterminado hasta el último de los que obró impíamente. ¡Alabado sea Dios, Señor del universo!

⁴⁶ Di: «¿Qué os parece ¿Si Dios os privara del oído y de la vista y sellara vuestros corazones, qué otra divinidad en vez de Dios os lo podría devolver?». ¡Mira cómo exponemos los signos! Aun así, ellos se apartan. ⁴⁷ Di: «¿Qué crees que iba a ser de vosotros si os sorprendiera el castigo de Dios repentinamente o lo vierais venir? ¿Quién iba a ser destruido sino el pueblo inicuo?». ⁴⁸ No mandamos a los Mensajeros sino como nuncios de buenas nuevas y para advertir. Quienes crean y se enmienden, no tienen que temer y no estarán tristes. ⁴⁹ A quienes desmientan Nuestros signos les alcanzará el castigo por haberse desviado. ⁵⁰ Di: «Yo no os digo que poseo los tesoros de Dios, ni conozco lo oculto, ni pretendo ser un ángel. No hago sino seguir lo que se me ha revelado». Di: «¿Son iguales el ciego y el vidente? ¿Es que no reflexionáis?».

⁵¹ Advierte con él [el Corán] a quienes teman ser congregados ante su Señor que no tendrán fuera de Él, protector ni intercesor.

Quizás así, teman a Dios. [52] No rechaces a quienes invocan a su Señor mañana y tarde anhelando Su rostro [y complacencia]. No tienes tú que pedirles cuentas de nada, ni ellos a ti. Y, si les rechazas, serás de los inicuos. [53] Así hemos probado a unos por otros para que digan: «¿Es a estos a quienes Dios ha agraciado de entre nosotros?» ¿No conoce Dios mejor que nadie a los agradecidos?

[54] Cuando vengan a ti los que creen en Nuestros signos, diles: «¡Paz sobre vosotros!». Vuestro Señor Se ha prescrito la misericordia, de modo que si uno de vosotros obra mal por ignorancia, pero luego se arrepiente y enmienda... Él es Indulgente, Misericordioso. [55] Así es como exponemos los signos, para que aparezca claro el camino de los pecadores.

[56] Di: «Se me ha prohibido adorar a aquellos que invocáis en lugar de invocar a Dios». Di: «No seguiré vuestras pasiones; si no, me extraviaría y no me contaría entre los encaminados ». [57] Di: «Me baso en una prueba clara venida de mi Señor y vosotros lo desmentís. Lo que pedís que pronto os acontezca [el castigo] no está en mis manos. La decisión pertenece solo a Dios: Él juzga con la verdad, y es el mejor de los jueces». [58] Di: «Si lo que pedís que pronto os acontezca hubiese estado en mis manos, ya se habría decidido el asunto entre vosotros y yo ». Dios conoce mejor que nadie a los inicuos. [59] Él posee las llaves de lo oculto y solo Él las conoce. Él sabe lo que hay en la tierra y en el mar. No cae ni una hoja sin que Él lo sepa; ni hay grano en el seno de la tierra, ni nada verde o seco, que no se encuentre registrado en un libro evidente.

[60] Él es quien os llama [toma vuestras almas cuando dormís] de noche y sabe lo que habéis hecho durante el día. Luego, os despierta en él. Esto es así para que se cumpla un plazo fijo. Luego, volveréis a Él y os informará de lo que hacíais. [61] Él es Quien domina a Sus siervos y envía sobre vosotros a custodios [ángeles] y cuando, al fin, viene la muerte a uno de vosotros, Nuestros enviados [los

ángeles de la muerte] se encargan de recoger vuestras almas sin ser negligentes. [62] Luego, son devueltos a Dios, su verdadero Dueño. ¿Acaso no será Él Quien os va a juzgar? Él es el más rápido en ajustar cuentas.

[63] Di: «¿Quién otro sino Dios puede salvaros de las tinieblas de la tierra y del mar?». Le invocáis humildemente y en secreto: «Si nos libra de esta, ciertamente, seremos de los agradecidos». [64] Diles: «Dios os libra de esta y de todo apuro, pero vosotros de nuevo Le asociáis». [65] Diles: «Él es el Capaz de enviaros un castigo de arriba o de abajo, o dividiros en sectas y hacer que unos probéis la violencia de otros». Observa cómo aclaramos los signos para que puedan comprender. [66] Pero tu pueblo negó la autenticidad [del Corán] pese a ser la Verdad. Diles: «Yo no soy vuestro guardián. [67] Todo anuncio tiene su tiempo oportuno y pronto lo sabréis».

[68] Cuando veáis que se burlan de Nuestros signos, no os quedéis reunidos junto a quienes lo hacen hasta que cambien de conversación. Y, si Satanás os hace olvidar, tan pronto como lo recordéis no permanezcáis reunidos con los inicuos. [69] A quienes temen a Dios no les incumbe pedirles cuentas de nada, sino tan solo recordarles [llamándolos a la reflexión] para que teman a Dios. [70] ¡Deja a quienes toman su religión a juego y distracción, y han sido seducidos por la vida del mundo! ¡Exhorta con él [el Corán], que toda alma será entregada a su perdición por lo que se haya ganado y no tendrá, fuera de Dios, protector ni intercesor, y aunque ofrezca toda clase de compensaciones, no se le aceptará! Esos son los que serán entregados a su perdición a causa de sus obras. Se les dará a beber agua hirviendo y tendrán un castigo doloroso por no haber creído.

[71] Di: «¿Acaso invocaremos, en lugar de invocar a Dios, lo que no puede aprovecharnos ni dañarnos? ¿Volveremos sobre nuestros pasos después que Dios nos ha guiado?». Como aquel a quien

los demonios han seducido y va desorientado por la Tierra... Sus compañeros le llaman, invitándole a la guía: «¡Ven a nosotros!». Di: «La guía de Dios es la Guía, y nos ha sido ordenado someternos al Señor del Universo. ⁷² ¡Haced la oración! ¡Temedle! Es Él hacia Quien seréis congregados». ⁷³ Es Él Quien ha creado con un fin verdadero los cielos y la Tierra. El día que dice: «¡Sé!», es. Su palabra es la Verdad. Suyo será el dominio el día que se sople la trompeta. El Conocedor de lo oculto y de lo patente. Él es el Sabio, el Bien Informado. ⁷⁴ Y cuando Abraham dijo a su padre Azar: «¿Tomas a los ídolos por divinidades? Sí, veo que tú y tu pueblo estáis evidentemente extraviados».

⁷⁵ Y así mostramos a Abraham el reino de los cielos y de la Tierra, para que fuera de los que creen con certeza. ⁷⁶ Cuando cayó la noche sobre él, [con el fin de que su gente reflexione usó ejemplos para que puedan entender] vio una estrella y les dijo: «¡Este es mi Señor!». Pero cuando desapareció, dijo: «No amo a los que se ausentan». ⁷⁷ Cuando vio la luna que salía, dijo: «Este es mi Señor». Pero cuando desapareció, dijo: «Si no me guía mi Señor, voy a ser, ciertamente, de los extraviados». ⁷⁸ Cuando vio el sol que salía, dijo: «Este es mi Señor. ¡Este es mayor!». Pero cuando se puso, dijo: «¡Pueblo! Soy inocente de lo que Le asociáis. ⁷⁹ Vuelvo mi rostro, como hanif [monoteísta], hacia Quien ha creado los cielos y la Tierra. Y no soy de los que Le asocian copartícipes». ⁸⁰ Su pueblo le refutó, y él dijo: «¿Me discutís sobre Dios, siendo que Él me ha guiado? No temo lo que Le asociáis, solo podrá ocurrirme lo que mi Señor quiera. Mi Señor lo abarca todo en Su conocimiento. ¿Es que no os dejaréis amonestar? ⁸¹ ¿Cómo voy a temer lo que Le habéis asociado si vosotros no teméis asociar a Dios algo para lo que Él no os ha conferido autoridad? ¿Cuál, pues, de las dos partes tiene más derecho a seguridad? Si es que lo sabéis...». ⁸² Quienes creen y no empañan su fe con ninguna injusticia, esos son los que

están en seguridad, los que están guiados. [83] Ese es el argumento Nuestro que dimos a Abraham contra su pueblo. Así elevamos la condición de quien queremos. Tu Señor es Sabio, Omnisciente. [84] Y le agraciamos con Isaac y Jacob a quienes guiamos. A Noé ya le habíamos guiamos antes, y de sus descendientes [guiamos] a David, Salomón, Job, José, Moisés y Aarón. Así retribuimos a quienes hacen el bien.

[85] Y a Zacarías, Juan, Jesús y Elías, todos ellos se contaron entre los justos. [86] Y a Ismael, Eliseo, Jonás y Lot. A cada uno de ellos le distinguimos entre todos los hombres, [87] así como a algunos de sus antepasados, descendientes y hermanos les distinguimos y guiamos a una vía recta. [88] Esta es la guía de Dios, por la que guía a quien Él quiere de Sus siervos. Si hubieran sido de los que Le asocian copartícipes a Dios, todas sus obras habrían sido vanas. [89] Fue a estos a quienes dimos los Libros, la sabiduría y la profecía. Y, si estos no creen en ello, lo hemos confiado a otros que sí que creen. [90] A estos ha guiado Dios. ¡Sigue, pues, su Dirección! Di: «No os pido salario a cambio, [el Corán] es un Recordatorio dirigida a todo el mundo». [91] No han valorado a Dios debidamente cuando han dicho: «Dios no ha revelado nada a un mortal». Diles: «¿Quién ha revelado el Libro que trajo Moisés como luz y guía para los hombres? la ponéis en pergaminos, que enseñáis, pero ocultáis una gran parte. Se os enseñó [en el Corán] lo que no sabíais, ni vosotros ni vuestros padres». Di: «¡Fue Dios!». Y luego déjales que pasen el rato en su parloteo.

[92] Y este [el Corán] es un Libro bendito que hemos revelado en confirmación de los Libros anteriores para que adviertas a la Madre de las Ciudades [la Meca] y a los que viven en todos sus alrededores [el resto de la humanidad]. Quienes creen en la otra vida, creen también en ella y no descuidan la oración prescrita. [93] ¿Hay alguien que sea más inicuo que quien inventa una mentira contra Dios, o

quien dice: «He recibido una revelación», siendo así que no se le ha revelado nada, o quien dice: «Revelaré algo similar a lo que Dios ha revelado»? Si pudieras ver cuando estén los inicuos en la agonía de su muerte y los ángeles extiendan las manos [y les digan]: «¡Entregad vuestras almas! Hoy se os va a retribuir con un castigo denigrante, por haber dicho falsedades acerca de Dios y porque os llenasteis de soberbia ante Sus signos».

⁹⁴ «Habéis venido a Nosotros, solos, como os creamos la vez primera, y tuvisteis que dejar atrás [en la vida mundanal] lo que os habíamos otorgado. No vemos que os acompañen vuestros intercesores, esos que pretendíais que eran copartícipes [Míos en la adoración, y que intercederían por vosotros]. Se han roto ya los lazos que con ellos os unían, se han esfumado vuestras pretensiones».
⁹⁵ Dios hace que germinen el grano y el hueso del dátil, saca al vivo del muerto y al muerto del vivo. ¡Ese es Dios! ¡Cómo podéis, pues, ser tan desviados!

⁹⁶ Hace que el alba despunte, hizo de la noche descanso, y del sol y de la luna dos cómputos. Esto es lo que ha decretado el Poderoso, el Omnisciente. ⁹⁷ Y Él es Quien ha creado las estrellas, para que vosotros podáis guiaros con ellas [cuando os encontráis viajando] en las tinieblas de la tierra y del mar. Hemos evidenciado los signos para quienes entienden. ⁹⁸ Y Él es Quien os ha creado [a partir] de un solo ser, dándoos un lugar de estancia y otro de destino. Hemos hecho claro los signos para quienes entienden.

⁹⁹ Y Él es Quien ha hecho bajar agua del cielo; mediante ella hemos sacado toda clase de vegetación y follaje, del que sacamos granos espigados. Y de los brotes de la palmera hacemos salir racimos de dátiles al alcance. Y huertos plantados de vides, y los olivos y los granados, parecidos y diferentes. Cuando fructifican, ¡mirad el fruto que dan y cómo madura! Ciertamente, hay en ello signos para gente que cree. ¹⁰⁰ Y asocian a los genios con Dios,

siendo así que Él es Quien los ha creado. Y Le han atribuido, sin conocimiento, hijos e hijas. ¡Gloria a Él! ¡Está por encima de lo que Le atribuyen! [101] Creador de los cielos y de la Tierra. ¿Cómo iba a tener un hijo si no tiene compañera, y Él es Quien ha creado todo? Él tiene conocimiento de todas las cosas. [102] Ese es Dios, vuestro Señor. No hay más dios que Él. Creador de todo. ¡Adoradle, pues! Él es el protector de todas las cosas. [103] La vista no Le alcanza, pero Él sí puede ver [a Sus siervos]. Es el Sutil y está informado de cuánto hacéis. [104] «Habéis recibido evidencias de vuestro Señor. Quien quiera ver, lo hará en beneficio propio, pero quien se enceguezca lo hará en detrimento propio. Yo no soy vuestro custodio». [105] Así es como evidenciamos los signos; para que digan: «Lo has aprendido» y para explicarlo Nosotros a gente que sabe.

[106] Sigue lo que se te ha revelado, procedente de tu Señor. No hay más dios que Él. y apártate de quienes Le asocian copartícipes. [107] Si Dios hubiera querido, no habrían sido asociadores. No te hemos nombrado custodio de ellos, ni eres su protector. [108] No insultéis a los que ellos invocan en lugar de invocar a Dios, no sea que reaccionen hostilmente e insulten a Dios sin tener conocimiento. Así es como hemos hecho que a cada comunidad les parezcan buenas sus obras, luego volverán a su Señor y ya les informará Él de lo que hacían. [109] Han jurado solemnemente por Dios que si les viene un signo, ciertamente, creerán en él. Di: «Solo Dios dispone de los signos». Y ¿qué es lo que os hace pensar [¡Oh, creyentes!] que aún cuando les llegara [el signo que pedían], vayan a creer?

[110] Desviaremos sus corazones y sus ojos, como cuando no creyeron la primera vez, y les dejaremos que yerren ciegos en su extravío. [111] Aunque hubiéramos hecho que los ángeles descendieran a ellos, aunque les hubieran hablado los muertos, aunque hubiéramos juntado ante ellos todas las cosas, no habrían creído, a menos que Dios hubiera querido. Pero la mayoría son ignorantes. [112] Así es

como a cada Profeta le hemos asignado enemigos: demonios de entre los hombres y los genios, que se inspiran mutuamente hermosos discursos para desviar. Si tu Señor hubiera querido, no lo habrían hecho. ¡Déjales con sus invenciones! 113 ¡Que los corazones de los que no creen en la otra vida se vean atraídos a ello! ¡Que les plazca! Y obtengan así lo que han de ganar. 114 «¿Acaso podrían procurar otro juez que no sea Dios, siendo Él Quien os ha revelado el Libro detallado?». Aquellos a quienes Nosotros hemos dado el Libro saben bien que este [el Corán] ha sido revelado por tu Señor con la Verdad. ¡No seáis, pues, de los que dudan!

115 La Palabra de tu Señor [el Corán] es completamente cierta y justa. Nadie puede alterar la Palabra de Dios. Él es Quien todo lo oye, todo lo sabe. 116 Si obedecieras a la mayoría de los que están en la Tierra, te extraviarían del camino de Dios. No siguen sino conjeturas, y no hacen más que suponer. 117 Ciertamente, tu Señor sabe mejor que nadie quién se extravía de Su camino y quiénes están guiados. 118 Comed, pues, de aquello sobre lo que [al momento de su degüello] se ha mencionado el nombre de Dios si creéis en Sus signos.

119 ¿Qué razón tenéis para no comer de aquello sobre lo que [al momento de su degüello] se ha mencionado el nombre de Dios, habiéndoos Él detallado lo ilícito -salvo en caso de extrema necesidad-? Ciertamente muchos se extravían por seguir sus pasiones por ignorancia. Tu Señor conoce mejor que nadie a los transgresores. 120 Evitad el pecado, público o privado. Los que cometan pecado serán retribuidos conforme a su merecido. 121 No comáis de aquello sobre lo que [al momento de su degüello] no se haya mencionado el nombre de Dios, pues es una perversión. Ciertamente los demonios inspiran a sus aliados para que os confundan. Si les obedecéis, os contaréis entre quienes Le asocian copartícipes a Dios. 122 ¿Acaso quien estaba muerto [de corazón,

perdido en la incredulidad] y le dimos vida [guiándole], y dándole una luz con la cual anda entre la gente, es igual a aquel que está entre tinieblas sin poder salir? De este modo han sido engalanadas las obras de los incrédulos...

123 Y así mismo hemos hecho que en cada ciudad [la mayoría de] sus delincuentes fueran algunos de sus hombres más notables para que intriguen. Pero, al intrigar, no lo hacen sino contra sí mismos, sin darse cuenta. 124 Cuando les viene un signo dicen: «No creeremos hasta que se nos dé tanto cuanto se ha dado a los Mensajeros de Dios». Pero Dios sabe bien a quién confiar Su mensaje. La humillación ante Dios y un castigo severo alcanzarán a los pecadores por haber intrigado. 125 A quien Dios quiere guiar le abre el pecho para que acepte el islam [el sometimiento a Él]. En cambio, a quien Él quiere extraviar le oprime fuertemente el pecho como si subiese a un lugar muy elevado [impidiendo que la fe entre en su corazón]. Del mismo modo Dios pone lo peor en los que no creen.

126 Este es el sendero recto de tu Señor. Hemos evidenciado los signos a gente que se deja amonestar. 127 La Morada de la Paz junto a su Señor es para ellos. Él será su Protector, como recompensa por sus obras. 128 El día que Él les congregue a todos [y les diga]: «¡Comunidad de genios! ¡Llevasteis a la perdición a muchos hombres!», y los hombres que fueron secuaces de los genios dirán: «¡Señor nuestro! Unos hemos sacado provecho de otros y hemos llegado ya al plazo que Tú nos habías señalado». Dirá: «Tendréis el Fuego por morada, en el que estaréis eternamente, salvo para quien Dios disponga otra cosa». Tu Señor es Sabio, Omnisciente.

129 Así conferimos a algunos inicuos autoridad sobre otros por lo que han cometido. 130 [Y se les preguntará:] «¡Oh, comunidad de genios y hombres! ¿No vinieron a vosotros Mensajeros surgidos de vosotros para transmitiros Mis leyes y advertiros de este día

en el que os encontráis?». Dirán: «Atestiguamos contra nosotros mismos». Pero la vida del mundo les engañó y atestiguarán contra sí mismos su incredulidad. [131] Esto es porque tu Señor no va a destruir a ninguna ciudad que haya obrado injustamente sin antes haberles advertido. [132] Para todos habrá categorías según sus obras. Tu Señor no está desatento a lo que hacen.

[133] Tu Señor es Quien Se basta a Sí mismo, el Dueño de la misericordia. Si quisiera, os exterminaría y os sustituiría por quien Él quisiera, igual que os ha suscitado a vosotros de la descendencia de otra gente. [134] ¡Ciertamente, aquello con lo que se os ha prometido ocurrirá! Y no podréis escapar. [135] Di: «¡Oh, pueblo mío! Obrad en consecuencia con vuestra postura que yo también lo haré... Pronto sabréis para quién será la Última Morada. Los inicuos no prosperarán». [136] Reservan a Dios una parte de la cosecha y de los rebaños que Él mismo ha creado. Y dicen: «Esto es para Dios» -eso pretenden- «y esto para nuestros ídolos». Pero lo que es para quienes ellos asocian no llega a Dios y lo que es para Dios llega a quienes ellos asocian. ¡Qué mal juzgan!

[137] Así, los que ellos asocian han hecho creer a muchos asociadores que estaba bien que mataran a sus hijos. Esto era para perderles a ellos mismos y oscurecerles su religión. Si Dios hubiera querido, no lo habrían, hecho. Déjales, pues, con sus invenciones. [138] Y dicen: «He aquí unos rebaños y una cosecha que están consagrados. Nadie se alimentará de ellos sino en la medida que nosotros queramos», eso pretenden. Hay otros animales vedados para la carga y también otros sobre las que no mencionan el nombre de Dios [al momento de su degüello, sino a sus ídolos]; y todo eso es una invención acerca de Dios. Él les retribuirá por sus invenciones. [139] Y dicen: «Lo que hay en el vientre de estas bestias [refiriéndose a la cría] está reservado para nuestros varones y vedado a nuestras esposas». Y solo si una de sus crías nace muerta, entonces ambos

[hombres y mujeres] pueden comer de ella. Él les retribuirá por sus mentiras. Él es Sabio, Omnisciente. [140] Se han perdido quienes maten a sus hijos por necedad y sin conocimiento, y que, inventando contra Dios, prohíban aquello de que Dios les ha proveído. Están extraviados, no encuentran la guía. [141] Él es Quien ha creado huertos, unos con emparrados y otros sin ellos, las palmeras, los cereales de variado sabor, los olivos, los granados, parecidos y diferentes. ¡Comed del fruto que den cuando fructifiquen, pero dad [de Zakat] lo debido el día de la cosecha! ¡Y no derrochéis, que Dios no ama a los derrochadores!

[142] De los animales de rebaño, unos sirven para la carga y otros para su consumo. ¡Comed de lo que Dios os ha proveído y no sigáis los pasos de Satanás! Ciertamente él es para vosotros un enemigo declarado. [143] Cuatro parejas de reses: una de ganado ovino y otra de ganado caprino, -di: «¿Acaso os ha prohibido los dos machos, o las dos hembras, o lo que encierran los úteros de las dos hembras? ¡Informadme con conocimiento, si sois sinceros!»-,

[144] una de ganado camélido y otra de ganado bovino -di: «¿Ha prohibido los dos machos o las dos hembras o lo que encierran los úteros de las dos hembras? ¿Fuisteis, acaso, testigos cuando Dios os ordenó esto? No hay nadie más inicuo que aquel que inventa mentiras acerca de Dios sin fundamentos para desviar a los hombres»-. Ciertamente, Dios no guía a los inicuos. [145] Di [Oh Profeta]: «En lo que se me ha revelado no encuentro nada que se prohíba comer salvo la carne del animal muerto por causa natural, la sangre derramada, la carne de cerdo -que es una impureza-, y aquello sobre lo que, por perversión, haya sido sacrificado invocando otro nombre que no sea el de Dios. Pero, si alguien se ve compelido por la necesidad -no por deseo ni por afán de contravenir-... Tu Señor es Indulgente, Misericordioso». [146] A los judíos les prohibimos los animales de pezuñas partidas, la grasa de ganado bovino y ovino, excepto la

[grasa] que tengan en los lomos, en las entrañas o la mezclada con los huesos. Así les retribuimos por su rebeldía. Decimos la verdad.

147 Si te desmienten, di: «Vuestro Señor es el Dueño de una inmensa misericordia, pero no se alejará Su rigor de los pecadores». 148 Los asociadores dirán: «Si Dios hubiera querido, no Le habríamos asociado nada, ni tampoco nuestros padres, ni habríamos declarado nada ilícito». Así desmintieron sus antecesores, sufrieron Nuestro castigo. Di: «¿Tenéis algún argumento que podáis mostrarnos?». No seguís sino conjeturas, no formuláis sino hipótesis.

149 Di: «Es Dios quien posee la Verdad absoluta, y si hubiera querido, os habría guiado a todos». 150 Di: «¡Traed a vuestros testigos, esos que atestiguan que Dios ha prohibido esto!». Si atestiguan no aceptes su testimonio. No sigas las pasiones de quienes han desmentido Nuestros signos, de quienes no creen en la otra vida y equiparan a otros a su Señor. 151 Di: «Venid, que os informaré lo que vuestro Señor os ha prohibido: ¡No debéis asociarle nada! ¡Sed buenos con vuestros padres, no matéis a vuestros hijos por miedo de empobreceros - Nosotros Nos encargamos de vuestro sustento y el de ellos,- no debéis acercaros al pecado, públicas o secretas, no matéis a nadie que Dios haya prohibido, salvo que sea con justo derecho! Esto es lo que os ha ordenado para que razonéis».

152 «¡No toquéis la hacienda del huérfano, si no es para su propio beneficio [del huérfano] hasta que alcance la madurez! ¡Dad con equidad la medida y el peso justos! No imponemos a nadie sino según sus posibilidades. ¡Sed justos cuando declaréis, aun si se trata de un pariente! ¡Sed fieles a vuestro compromiso con Dios! Esto es lo que os ha ordenado para que recapacitéis».

153 Y: «Este es Mi sendero recto, seguidlo pues. Y no sigáis otros caminos, que estos os dividirán y desviarán de Su camino. Esto es lo que os ha ordenado para que Le temáis.». 154 Dimos, además, el Libro [la Torá] a Moisés para completar la gracia que le concedimos

por el bien que había hecho, como explicación detallada de todo, como dirección y misericordia. Quizás, así, crean en el encuentro con su Señor.

[155] Y este [el Corán] es un Libro bendito que hemos revelado. ¡Seguidla, pues, y temed a Dios! Quizás, así se os tenga clemencia. [156] No sea que dijerais: «Solo dos comunidades anteriores a nosotros recibieron la revelación, pero ignorábamos sus enseñanzas». [157] O que dijerais: «Si se nos hubiera revelado el Libro, habríamos seguido la guía mejor que ellos ». Pues ya ha venido a vosotros de vuestro Señor una prueba clara [el Corán], como guía y misericordia. Y ¿hay alguien más inicuo que quien desmiente los signos de Dios y se aparta de ellos? Retribuiremos con un mal castigo a quienes se aparten de Nuestros signos, por su desvío. [158] ¿Qué esperan sino que vengan a ellos los ángeles, o que venga tu Señor, o que vengan algunas señales de tu Señor? El día que vengan algunos de las señales de tu Señor, a ningún alma le servirá creer [o arrepentirse] si no lo hizo antes o no alcanzo con su fe, ningún bien. Di: «¡Esperad! ¡Que nosotros también esperamos!». [159] En cuanto a los que han dividido su religión en sectas, tú no tienes nada que ver con ellos. Su caso se remite a Dios. Luego, ya les informará Él de lo que hacían.

[160] Quien presente una buena obra, recibirá diez veces más. Y quien presente una mala obra, será retribuido con solo una pena semejante. No serán tratados injustamente. [161] Di: «Por cierto que mi Señor me ha guiado por el camino recto, y el de la fe verdadera, la religión monoteísta de Abraham, quien no se contaba entre los que Le asociaban copartícipes a Dios».

[162] Di: «Mi oración, mi oblación, mi vida y mi muerte pertenecen a Dios, Señor del Universo. [163] Quien no tiene copartícipes. Se me ha ordenado esto y soy el primero en someterse a Él». [164] Di: «¿Acaso podría adorar otro que no fuese Dios como Señor, cuando

Él es el Señor de todo?». Nadie comete un mal sino en detrimento propio. Nadie cargará con la carga ajena. Luego, volveréis a vuestro Señor y ya os informará Él de aquello en que discrepabais. [165] Él es Quien os ha hecho suceder a otros en la Tierra y Quien os ha distinguido en grados a unos sobre otros, para probaros en lo que os ha dado. Tu Señor es rápido en castigar, pero también es Indulgente, Misericordioso.

LOS LUGARES ELEVADOS

¡En el nombre de Dios, el Compasivo, el Misericordioso!

[1] *Alif. Lam. Mim. Sad.*

[2] Este [el Corán] es el libro que te ha sido revelado, ¡que tu corazón no se sienta agobiado por ello!, para que adviertas con él, y como amonestación para los creyentes. [3] ¡Seguid lo que vuestro Señor os ha revelado y no toméis protector alguno fuera de Él! ¡Qué poco reflexionáis! [4] ¡Cuántas ciudades hemos destruido anteriormente! Les azotó sorpresivamente Nuestro castigo de noche o durante la siesta. [5] Cuando les alcanzó Nuestro castigo, su única súplica fue decir: «¡Ciertamente fuimos inicuos!». [6] Ciertamente interrogaremos a los Mensajeros y a los pueblos donde fueron enviados. [7] Les informaremos, ciertamente de lo que hicieron, con conocimiento. Pues nunca estuvimos ausentes. [8] Ese día se pesaran las obras con total equidad. Aquellos cuyas buenas obras pesen más serán quienes hayan triunfado verdaderamente, [9] mientras que aquellos cuyas buenas obras pesen menos se habrán perdido, por haber negado Nuestros signos.

[10] Os hemos concedido poderío en la Tierra y os hemos

dispuesto en ella medios de subsistencia. ¡Qué poco agradecidos sois! [11] Y os creamos, os dimos una forma armoniosa. Luego dijimos a los ángeles: «¡Postraos ante Adán!». Se postraron excepto Iblîs [Satanás], que no estuvo entre ellos. [12] Dios le preguntó: «¿Qué es lo que te ha impedido postrarte cuando Yo te lo he ordenado?». Respondió: «Yo soy mejor que él. A mí me creaste de fuego, mientras que a él le creaste de barro». [13] Dijo [Dios]: «¡Desciende de aquí [del Paraíso]! ¡En este lugar no cabe que seas soberbio! ¡Vete, pues [a partir de ahora] serás maldecido!». [14] Dijo [Iblîs]: «¡Concédeme un plazo hasta el Día de la Resurrección!». [15] Dijo [Dios]: «¡Considérate entre aquellos a los que he concedido esperar!». [16] Dijo [Iblîs]: «Puesto que me has descarriado, he de acecharles para apartarlos de Tu sendero recto. [17] He de abordarles por delante y por detrás, por la derecha y por la izquierda. Y verás que la mayoría no son agradecidos». [18] Dijo [Dios]: «¡Sal de aquí, maldecido y condenado! ¡He de llenar el infierno con todos aquellos que te sigan!».

[19] «¡Oh Adán! ¡Habita con tu esposa en el Paraíso y comed de lo que queráis, pero no os acerquéis a este árbol! Si no, seréis de los inicuos». [20] Pero el Demonio les susurró el mal, mostrándoles lo que antes estaba oculto, su escondida desnudez, y dijo: «Vuestro Señor os prohibió acercaros a este árbol para que no os convirtáis en ángeles u os hagáis inmortales». [21] Y les juró: «¡De veras, yo os aconsejo para vuestro bien!».

[22] Y les sedujo con engaños. Y cuando hubieron probado ambos del árbol, se les reveló su desnudez y comenzaron a cubrirse con hojas del Jardín. Entonces su Señor les llamó: «¿No os había prohibido ese árbol y advertido que Satanás era para vosotros un enemigo declarado?». [23] Dijeron: «¡Señor! Hemos sido injustos con nosotros mismos. Si no nos perdonas y no tienes misericordia de nosotros, nos contaremos entre los perdedores». [24] Dijo:

«¡Descended! Seréis enemigos unos de otros. La Tierra será por algún tiempo vuestra morada y lugar de disfrute». ²⁵ Dijo: «En ella viviréis, en ella moriréis y de ella seréis resucitados».

²⁶ ¡Oh Hijos de Adán! Hemos hecho descender para vosotros vestiduras para cubrir vuestra desnudez y para que os sirvieran de ornato. Pero la vestidura del temor de Dios, esa es mejor. Ese es uno de los signos de Dios. Esto en un signo de Dios para que recapaciten.

²⁷ ¡Hijos de Adán! Que Satanás no os seduzca, como lo hizo con vuestros padres [Adán y Eva] haciendo que saliesen del Paraíso y fuesen despojados de su vestidura para que fueran conscientes de su desnudez. Él y su hueste os acechan desde donde vosotros no les veis. Por cierto que hicimos que los demonios fueran los aliados de los incrédulos.

²⁸ Cuando cometen una obscenidad, dicen: «Encontramos a nuestros padres haciendo lo mismo y Dios nos lo ha ordenado así». Di: «Ciertamente, Dios no ordena la indecencia. ¿Cómo decís acerca de Dios lo que no sabéis?». ²⁹ Di: «Mi Señor solo ordena lo que es justo y moral. Dirigíos a Él siempre que oréis e invocadle rindiéndole culto sincero. Y [sabed que] así como os creó [por primera vez], volveréis». ³⁰ Ha guiado a unos, pero para otros se habrá confirmado el extravío. Estos han tomado como protectores a los demonios, en lugar de tomar a Dios, y creyeron que estaban bien guiados.

³¹ ¡Hijos de Adán! ¡Poneos vuestros mejores y más puros vestidos en cada lugar de oración! ¡Comed y bebed, pero no cometáis excesos, que Él no ama a los inmoderados! ³² Di: «¿Quién os ha prohibido los adornos que Dios ha creado para Sus siervos y las cosas buenas de que os ha proveído?». Di: «Esto es para que los creyentes [y también los incrédulos] disfruten [de todo lo bueno] en esta vida, pero el Día de la Resurrección pertenecerá en exclusiva a quienes en la vida del mundo hayan sido creyentes». Así es como

explicamos con detalle los signos para la gente que sabe. [33] Di: «Mi Señor ha prohibido las obscenidades, tanto en público como en privado, el pecado, la opresión injusta, que asociéis a Dios algo a lo que Él no ha conferido autoridad y que digáis contra Dios lo que no sabéis».

[34] Cada comunidad tiene un plazo. Y cuando vence su plazo, no se les atrasará ni adelantará una sola hora. [35] ¡Hijos de Adán! Si vienen a vosotros Mensajeros surgidos de vosotros que les transmitan Mis signos, quienes temen a Dios y rectifiquen no tienen que temer ni se entristecerán. [36] Pero quienes hayan desmentido Nuestros signos y sean soberbios ante ellos, esos morarán en el Fuego eternamente. [37] ¿Acaso hay alguien que sea más inicuo que quien inventa una mentira contra Dios o niega Sus signos? Esos alcanzarán lo que les estaba predestinado. Cuando, al fin, Nuestros enviados vengan a ellos para llamarles, les dirán: «¿Dónde están aquellos que invocabais en lugar de Dios?». Ellos dirán: «¡Nos han abandonado!». Entonces, atestiguarán contra sí mismos su incredulidad.

[38] Dirá «¡Entrad en el Fuego a reuniros con las comunidades de genios y hombres que os han precedido!». Siempre que una comunidad entra, maldice a su hermana. Cuando, al fin, se encuentren allí todas, la última en llegar dirá de la primera: «¡Señor! Estos son quienes nos extraviaron. Dóblales, pues, el castigo del Fuego». Dirá: «Todos recibiréis el doble. Pero vosotros no sabéis». [39] La primera de ellas dirá a la última: «No gozáis de ningún privilegio sobre nosotros. Gustad, pues, el castigo que habéis merecido».

[40] A quienes hayan desmentido Nuestros signos y se muestren soberbios ante ellos, no se les abrirán las puertas del cielo ni entrarán en el Paraíso hasta que un camello pase por el ojo de la aguja. Así retribuiremos a los pecadores. [41] Tendrán el Infierno por lecho, y por encima, cobertores de fuego. Así retribuiremos a los inicuos.

⁴² Y quienes hayan creído y obrado rectamente – y no obligamos a nadie sino en la medida de su capacidad – esos morarán en el Jardín eternamente. ⁴³ Extirparemos el rencor que pueda haber en sus pechos, los ríos correrán a sus pies y dirán: «¡Alabado sea Dios, Que nos ha guiado a esto! Jamás habríamos sido guiados si no nos hubiera guiado Dios. Ciertamente los Mensajeros de nuestro Señor vinieron con la Verdad». Y se les dirá [como bienvenida]: «Este es el Paraíso que habéis heredado [en recompensa] por vuestras obras».

⁴⁴ Los moradores del Paraíso dirán a los moradores del Fuego: «Hemos encontrado que era verdad lo que nuestro Señor nos había prometido. Y vosotros, ¿habéis encontrado que era verdad lo que vuestro Señor os había prometido?» «¡Sí!», dirán. Entonces, una voz pregonará entre ellos: «¡Que la maldición de Dios caiga sobre los inicuos. ⁴⁵ Aquellos que apartaron a otros del camino de Dios, deseando que sea tortuoso, y no creen en la Última Vida!».

⁴⁶ Habrá entre los dos grupos una separación [un muro divisorio]. En los lugares elevados habrá hombres [cuyas obras buenas pesaron igual a sus malas en la balanza] que reconocerán a cada uno por sus rasgos distintivos y que llamarán a los moradores del Paraíso saludándoles: «¡Paz sobre vosotros!». Pero no entrarán en él, por mucho que ellos lo deseen. ⁴⁷ Cuando sus miradas se vuelvan hacia los moradores del Fuego, implorarán: «¡Señor nuestro! ¡No nos pongas con los inicuos». ⁴⁸ Y los moradores de los lugares elevados llamarán a unos hombres a los que habrán reconocido por sus rasgos distintivos y les dirán: «De nada os valieron vuestra riqueza ni vuestra soberbia. ⁴⁹ ¿Son estos de aquí de quienes jurabais que Dios no iba a apiadarse?» [y contrario a lo que creíais se les dijo:] «¡Entrad en el Paraíso! No tenéis nada que temer, ni nada por lo que entristeceros».

⁵⁰ Los moradores del Fuego gritarán a los moradores del Paraíso:

«¡Derramad sobre nosotros algo de agua o algo de lo que Dios os ha proveído!». Responderán: «Dios ha prohibido ambas cosas a los incrédulos, [51] aquellos que tomaron su religión a distracción y juego, y se dejaron seducir por la vida del mundo». Hoy les olvidaremos, como ellos olvidaron que les llegaría este día y negaron Nuestros signos.

[52] Les trajimos un Libro [el Corán], que explicamos detalladamente, con pleno conocimiento, como guía y misericordia para gente que cree. [53] ¿Acaso esperan que suceda lo que se les ha advertido? El día que esto se cumpla, los que antes lo habían olvidado dirán: «Realmente los Mensajeros de nuestro Señor vinieron con la Verdad. ¿Acaso habrá alguien que interceda por nosotros o se nos podría conceder regresar y obraríamos de modo diferente al que obramos?». Se habrán perdido a sí mismos y se habrán esfumado sus invenciones.

[54] Ciertamente vuestro Señor es Dios, Quien ha creado los cielos y la Tierra en seis días. Luego, se estableció en el Trono. Cubre el día con la noche, que le sigue rápidamente. Y el sol, la luna y las estrellas, están sometidos a Su voluntad. ¿Acaso no son Suyas la creación y el mandato? ¡Bendito sea Dios, Señor del Universo! [55] ¡Invocad a vuestro Señor humilde y secretamente! Él no ama a los transgresores. [56] ¡No corrompáis en la Tierra después de que se haya establecido en ella el orden! ¡Invocadle con temor y esperanza! La misericordia de Dios está próxima de quienes hacen el bien.

[57] Es Él quien envía los vientos como anuncio previo a Su misericordia. Cuando están cargados de nubes pesadas, las conducimos hacia una tierra muerta y hacemos que llueva en ella y que broten, gracias al agua, frutos de todas clases. Del mismo modo haremos salir a los muertos. Quizás así, reflexionéis. [58] La vegetación de una tierra buena brota con permiso de su Señor,

mientras que la tierra mala no da sino escasez. Así explicamos los signos a quienes son agradecidos.

⁵⁹ Enviamos a Noé a su pueblo. Y les dijo: «¡Oh Pueblo mío! ¡Adorad solamente a Dios! No tenéis a ningún otro dios fuera de Él. Temo por vosotros el castigo de un día terrible». ⁶⁰ Los nobles de su pueblo dijeron: «Te vemos en un claro extravío». ⁶¹ Dijo: «¡Oh pueblo mío! No estoy extraviado, soy el Mensajero del Señor del Universo. ⁶² Os transmito el mensaje de mi Señor y os aconsejo para vuestro bien. Y sé, procedente de Dios, lo que vosotros no sabéis. ⁶³ ¿Os asombra que os haya llegado una amonestación de vuestro Señor, por medio de un hombre de entre vosotros, para advertiros y para que temáis a Dios, y quizás así, os alcance la misericordia?». ⁶⁴ Pero le desmintieron, entonces le salvamos en el arca junto con quienes creían en él, y ahogamos a quienes habían desmentido Nuestros signos. Verdaderamente se habían enceguecido [en la incredulidad].

⁶⁵ Y al pueblo de 'Ad, le enviamos a su hermano Hud, que les dijo: «¡Oh pueblo mío! ¡Adorad a Dios! No tenéis a ningún otro dios fuera de Él. ¿Acaso no vais a temer [Su castigo]?». ⁶⁶ Los nobles de su pueblo, que no creían, dijeron: «Vemos que eres insensato y creemos que eres de los que mienten». ⁶⁷ Dijo [Hud]: «¡Oh Pueblo mío! No soy un insensato. Soy un Mensajero enviado por el Señor del Universo. ⁶⁸ Os transmito los mensajes de mi Señor y soy para vosotros un consejero leal. ⁶⁹ ¿Os asombra que os haya llegado una amonestación de vuestro Señor, por medio de un hombre de entre vosotros, para advertiros? Recordad cuando os hizo sucesores del pueblo de Noé y os concedió una complexión y fuerza física superiores. ¡Recordad, pues, las gracias de Dios! Quizás, así, prosperéis».

⁷⁰ Dijeron: «¿Has venido a nosotros para que adoremos a Dios solamente y renunciemos a lo que nuestros padres adoraban?

Tráenos, pues, aquello con lo que nos amenazas, si es verdad lo que dices». [71] Dijo: «¡Por cierto, que un castigo terrible y la ira de vuestro Señor caerán sobre vosotros! ¿Me vais a discutir por [ídolos de piedra] a los que habéis denominado divinidades, vosotros y vuestros padres? Con los que Dios no ha hecho descender ningún poder. ¡Esperad entonces! Que yo también soy de los que esperan». [72] Así, pues, le salvamos a él y a los que con él estaban por Nuestra misericordia. Y destruimos a quienes habían desmentido Nuestros signos y no eran creyentes.

[73] Y al pueblo de Zamud, le enviamos a su hermano Salih que les dijo: «¡Oh Pueblo mío! ¡Adorad a Dios! No tenéis a ningún otro dios fuera de Él. Esta es la camella de Dios, es una evidencia de vuestro Señor y un milagro enviado a vosotros. ¡Dejadla comer en la tierra de Dios y no le causéis ningún daño! Si lo hicierais, os alcanzará un castigo doloroso. [74] Recordad cuando os hizo sucesores, del pueblo de 'Ad y os dio una posición en la tierra. Construíais palacios en las llanuras y excavasteis viviendas en las montañas. Recordad los gracias de Dios y no obréis mal en la tierra corrompiéndola». [75] Los nobles soberbios de su pueblo, dijeron a los débiles de entre los creyentes: «¿Acaso pensáis que Salih es un Mensajero enviado por su Señor?». Dijeron: «Ciertamente creemos en el mensaje que se le ha enviado». [76] Los soberbios dijeron: «Pues nosotros negamos lo que vosotros creéis». [77] Y desjarretaron a la camella infringiendo la orden de su Señor y dijeron: «¡Oh Salih! ¡Tráenos aquello con que nos amenazas, si de verdad eres uno de los Mensajeros!» [78] Les sorprendió el Temblor y amanecieron todos muertos en sus hogares. [79] Se apartó de ellos, diciendo: «¡Oh pueblo mío! Os he transmitido el mensaje de mi Señor y os he aconsejado para vuestro bien, pero vosotros no queréis a quienes os aconsejan».

[80] Y también enviamos a Lot [a Sodoma], quien dijo a su pueblo: «¿Cometéis una indecencia de la que no hay precedentes

en la humanidad? [81] Vais a los hombres con deseo en vez de a las mujeres. ¡Realmente, sois un pueblo desmesurado!». [82] Lo único que respondió su pueblo fue: «¡Expulsadles de la ciudad! ¡Son gente que se tienen por puros!». [83] Y les salvamos, a él y a su familia, salvo a su mujer, que fue de los que se rezagaron. [84] E hicimos descender sobre ellos una lluvia [de piedras calientes y les aniquilamos]: ¡Y mira cómo terminaron los pecadores!

[85] Y al pueblo de Madián, le enviamos a su hermano Shuaib [Jetró], que dijo: «¡Oh pueblo mío! ¡Adorad a Dios! No tenéis a ningún otro dios fuera de Él. Os ha venido, de vuestro Señor, una evidencia. ¡Dad la medida y el peso justos, no defraudéis a los hombres en sus bienes! ¡No corrompáis en la tierra después de haberse establecido el orden en ella! Esto es mejor para vosotros, si es que sois creyentes. [86] No acechéis en cada vía a quienes creen en Él, amenazándoles y desviándoles del camino de Dios, deseando que sea tortuoso. Y recordad, cuando erais pocos y Él os multiplicó. ¡Y mirad cómo terminaron los corruptores! [87] [Shuaib dijo:] Y si hay entre vosotros quienes creen en el mensaje que se me ha confiado y otros no, tened paciencia hasta que Dios decida entre nosotros. Él es el Mejor de los jueces».

[88] Los nobles del pueblo, con soberbia, dijeron: «Hemos de expulsarte de nuestra ciudad, Shuaib y a los que contigo han creído, a menos que volváis a nuestra religión». Shuaib dijo: «¿Aunque sea en contra de nuestra voluntad? [89] Inventaríamos una mentira contra Dios si volviéramos a vuestra religión después de habernos salvado Dios de ella. No podemos volver a ella, a menos que Dios nuestro Señor así lo quiera, Su conocimiento lo abarca todo, ¡Confiamos en Dios! ¡Oh, Señor nuestro! Juzga entre nosotros y los incrédulos de nuestro pueblo. Tú eres el mejor de los jueces». [90] Y los nobles de entre los incrédulos de su pueblo, dijeron: «Si seguís a Shuaib, estaréis perdidos...» [91] Les sorprendió violento temblor y

amanecieron muertos en sus hogares. [92] Fue como si los que habían desmentido a Shuaib nunca hubieran habitado en ellas. Los que habían desmentido a Shuaib fueron los perdedores. [93] Se apartó de ellos, diciendo: «¡Oh pueblo mío! Os he transmitido los mensajes de mi Señor y os he aconsejado bien. ¿Cómo podría apenarme ahora por un pueblo que ha persistido en la incredulidad?».

[94] No hemos enviado a una ciudad ningún Profeta [y lo desmintieron] sin haber castigado a su población con la miseria y el padecimiento para que [reflexionaran y] se sometieran. [95] Y luego les cambiamos el mal por el bien, pero cuando se veían prósperos decían: «La desgracia y la dicha eran cosas que ya afectaban a nuestros padres». Entonces, sin que se dieran cuenta les castigamos sorpresivamente. [96] Si los habitantes de las ciudades hubieran creído y temido a Dios, habríamos derramado sobre ellos bendiciones del cielo y de la Tierra, pero desmintieron y les castigamos por lo que habían cometido. [97] ¿Es que los habitantes de las ciudades están a salvo de que Nuestro castigo les alcance de noche, mientras duermen? [98] ¿O están a salvo los habitantes de las ciudades de que Nuestro castigo les alcance de día, cuando estuviesen distraídos? [99] ¿Es que están a salvo del designio de Dios? Solo se sienten a salvo del designio de Dios, los perdedores.

[100] ¿Es que no se les ha evidenciado a quienes les sucedieron, que si quisiéramos les afligiríamos por sus pecados y sellaríamos sus corazones [con la incredulidad], y no oirían [ni comprenderían las advertencias de su Profeta]? [101] Esas son las ciudades de las que te hemos contado algunas cosas. Les llegaron sus Mensajeros con las pruebas claras, pero no iban a creer en lo que antes habían desmentido. Así es como sella Dios los corazones de los incrédulos. [102] No hemos encontrado en la mayoría de ellos fidelidad a los compromisos, pero si hemos encontrado que la mayoría eran perversos.

¹⁰³ Luego, después de ellos, enviamos a Moisés con Nuestros signos a Faraón y a sus dignatarios, pero los desmintieron injustamente. ¡Y mira cómo terminaron los corruptores! ¹⁰⁴ Moisés dijo: «¡Faraón! Ciertamente soy un Mensajero del Señor del Universo. ¹⁰⁵ Tengo la obligación, de no decir sobre Dios, sino la verdad. Os he traído una prueba clara de vuestro Señor. Deja que vengan conmigo a los Hijos de Israel». ¹⁰⁶ Dijo: «Si has traído un signo, muéstralo, si es verdad lo que dices». ¹⁰⁷ Entonces arrojó su vara y se convirtió en una serpiente real. ¹⁰⁸ Sacó su mano [de su túnica] y he aquí que apareció blanca resplandeciente a los ojos de los presentes. ¹⁰⁹ Dijo la nobleza del pueblo del Faraón: «En verdad, este es un mago experto. ¹¹⁰ Quiere expulsaros de vuestra tierra. ¿Qué es lo que deliberáis pues?». ¹¹¹ Dijeron: «¡Retenedles, a él y a su hermano, y envía a las ciudades a agentes que convoquen, ¹¹² que te traigan a todo mago entendido!».

¹¹³ Los magos vinieron a Faraón y dijeron: «Tiene que haber una recompensa para nosotros si vencemos». ¹¹⁴ Dijo [el Faraón]: «Sí, se os retribuirá y ciertamente seréis de mis allegados». ¹¹⁵ Dijeron [los magos]: «¡Moisés! ¿Arrojas tú o lo hacemos nosotros?». ¹¹⁶ Dijo: «¡Arrojad vosotros!». Y, al hacerlo hechizaron los ojos de la gente y los aterrorizaron; produjeron una magia poderosa. ¹¹⁷ E inspiramos a Moisés: «¡Arroja tu vara!» Y he aquí que esta engulló sus mentiras. ¹¹⁸ Y así prevaleció la verdad y se desvaneció lo que habían hecho. ¹¹⁹ Fueron, así, vencidos y quedaron humillados. ¹²⁰ Los magos cayeron postrados [al percibir la verdad] ¹²¹ Dijeron: «Creemos en el Señor del universo, ¹²² el Señor de Moisés y de Aarón».

¹²³ Faraón dijo: «¿Habéis creído en él sin que yo os haya dado permiso? Esta es, ciertamente, una estratagema que habéis urdido en la ciudad para sacar de ella a su población, pero vais a ver... ¹²⁴ He de haceros amputar la mano y el pie opuestos. Luego he de

haceros crucificar a todos». [125] Dijeron [los magos]: «Ciertamente, volveremos a nuestro Señor. [126] Te vengas de nosotros solo porque hemos creído en los signos de nuestro Señor cuando se evidenciaron. ¡Señor nuestro! Infunde en nosotros paciencia y haz que cuando muramos lo hagamos sometidos a Ti».

[127] Y dijo la nobleza del pueblo de Faraón: «¿Dejaréis que Moisés y su pueblo corrompan la Tierra y os abandonen a ti y a tus dioses?». Dijo: «Mataremos sin piedad a sus hijos varones y dejaremos con vida a sus mujeres. De verdad nos impondremos sobre ellos». [128] Moisés dijo a su pueblo: «¡Implorad la ayuda de Dios y tened paciencia! La Tierra es de Dios y se la da en herencia a quien Él quiere de Sus siervos. Y el buen final es para los que temen a Dios». [129] Dijeron: «Hemos sufrido antes de que tú vinieras a nosotros y luego de haber venido». Dijo: «Puede que vuestro Señor destruya a vuestros enemigos y os haga sucederles en la Tierra para ver cómo actuáis».

[130] Infligimos al pueblo de Faraón años de sequía, esterilidad y escasez de frutos. Para que reflexionaran. [131] Cuando les venía un bien, decían: «¡Esto es por nosotros!». Pero, cuando les sobrevenía un mal, lo atribuían al mal agüero de Moisés y de quienes con él estaban. ¿Es que su suerte no dependía solo de Dios? Pero la mayoría de ellos no sabía. [132] Dijeron: «Sea cual sea el signo que nos traigas para hechizarnos con él, no te creeremos».

[133] Enviamos contra ellos la inundación, las langostas, los piojos, las ranas y la sangre, como signos evidentes; pero se llenaron de soberbia y fueron un pueblo de pecadores. [134] Y, cuando cayó el castigo sobre ellos, dijeron: «¡Oh Moisés! Ruega a tu Señor por nosotros en virtud del pacto que ha concertado contigo. Si logras apartar de nosotros este castigo, creeremos en ti y dejaremos que los Hijos de Israel partan contigo». [135] Pero, cuando retiramos el

castigo hasta que se cumpliera el plazo que habíamos decretado, he aquí que quebrantaron su promesa.

[136] Nos vengamos de ellos y los ahogamos en el mar por haber desmentido Nuestros signos y por haberse mostrado indiferentes. [137] Y dimos en herencia al pueblo que había sido humillado antes, las tierras que bendijimos al este y al oeste [de Egipto]; y se cumplió la promesa de tu Señor con los Hijos de Israel por haber sido pacientes. Y destruimos lo que Faraón y su pueblo habían hecho, así como lo que habían construido.

[138] E hicimos que los Hijos de Israel atravesaran el mar y llegaron a una gente entregada al culto de sus ídolos. Dijeron: «¡Moisés! ¡Queremos que nos hagas un dios [un ídolo], similar a los que tienen ellos!». Dijo: «¡Vosotros en verdad sois un pueblo ignorante!». [139] «Aquello a lo que están dedicados esta gente va a ser destruido y sus obras serán vanas». [140] Dijo: «¿Cómo podría admitir que adoréis a ídolos en vez de Dios, siendo que Él os ha preferido a vuestros contemporáneos?». [141] Recordad cuando os salvamos del Faraón y su ejército, que os sometían a duro castigo, matando sin piedad a vuestros hijos varones y dejando con vida a vuestras mujeres. En esto hubo una dura prueba de vuestro Señor.

[142] Y convocamos a Moisés durante treinta noches, que completamos con otras diez. De manera que el encuentro que determinó su Señor, fue de cuarenta noches. Moisés dijo a su hermano Aarón: «Reemplázame ante mi pueblo, pon orden y no sigas el sendero de los corruptores». [143] Cuando Moisés acudió a Nuestro encuentro y su Señor le hubo hablado, dijo [Moisés]: «¡Señor! ¡Muéstrate ante mí, para que pueda verte!». Dijo: «¡No lo resistirías! ¡Mira, en cambio, la montaña! Si continúa firme en su sitio [después de mostrarme a ella], entonces tú también podrás verme». Pero, cuando su Señor se manifestó a la montaña, esta se convirtió en polvo, y Moisés cayó inconsciente. Cuando volvió en

sí, dijo: «¡Gloria a Ti! Me arrepiento y soy el primero de los que creen».

144 Dijo: «¡Oh Moisés! Ciertamente te he distinguido entre los hombres con la profecía y por haberte hablado directamente. ¡Aférrate, pues, a lo que te he revelado y sé de los agradecidos!».

145 Y le escribimos en las Tablas preceptos y una explicación detallada de todo. «Aférrate, pues, a ellos con fuerza y ordena a tu pueblo que siga todo lo bueno que hay en ellas [las tablas]». Yo os haré ver la morada de los desviados. 146 Alejaré de Mis signos a quienes se ensoberbezcan en la Tierra sin razón. Esos que aunque vean todo tipo de signos, no creen en ellos, y aunque vean el sendero de la guía recta no lo toman como camino, en cambio si ven el sendero de la perdición, lo toman como camino. Esto es por haber desmentido Nuestros signos y ser indiferentes a ellos. 147 Vanas serán las obras de quienes desmientan Nuestros signos y el encuentro de la Última vida. ¿Y es que acaso se les retribuirá por otra cosa que no sea por lo que hicieron?

148 Y cuando partió Moisés, su pueblo hizo, fundiendo las joyas que tenían, el cuerpo de un becerro que mugía. ¿Es que no vieron que [este ídolo] no les podía hablar ni guiar? Aun así lo adoraron y fueron inicuos. 149 Y, cuando se arrepintieron y vieron que se habían extraviado, exclamaron: «Si nuestro Señor no se apiada de nosotros y nos perdona, seremos, ciertamente, de los perdedores». 150 Y, cuando Moisés regresó a su pueblo, enojado y afligido, dijo: «¡Qué mal está lo que hicisteis durante mi ausencia! ¿Es que queréis adelantar el juicio de vuestro Señor?». Y arrojó las Tablas, y tomó a su hermano del cabello acercándolo a él, entonces [su hermano Aarón] le dijo: «¡Hijo de mi madre! La verdad es que pudieron conmigo y casi me matan. ¡No hagas, pues, que los enemigos se regocijen con mi situación! ¡No me consideres uno de los inicuos!».

¹⁵¹ Dijo: «¡Oh Señor mío! ¡Perdónanos a mí y a mi hermano, e introdúcenos en Tu misericordia! Tú eres el más Misericordioso».

¹⁵² A quienes adoraban el becerro les alcanzará la ira de su Señor y la humillación en este mundo. Así es como castigamos a quienes inventan mentiras. ¹⁵³ Y quienes obren mal pero luego se arrepientan y crean, sepan que ciertamente tu Señor es Indulgente, Misericordioso.

¹⁵⁴ Cuando se hubo calmado el enojo de Moisés, tomó de nuevo las tablas cuya escritura contiene guía y misericordia para quienes temen a su Señor. ¹⁵⁵ Moisés eligió de su pueblo a setenta hombres para asistir a Nuestro encuentro. Cuando les sorprendió un violento temblor, [Moisés] dijo: «¡Señor mío! Si hubieras querido les habrías aniquilado antes, y a mí también. ¿Vas a hacernos perecer por lo que han cometido los necios de nuestro pueblo? Esto no es sino una prueba Tuya con la que extravías y guías a quien quieres. ¡Tú eres nuestro Protector, perdónanos y ten misericordia de nosotros! Tú eres el más Indulgente. ¹⁵⁶ Y concédenos el bienestar en esta vida y en la otra. Ciertamente, nos hemos vuelto a Ti». Dijo [Dios]: «Inflijo Mi castigo a quien quiero, pero Mi misericordia lo abarca todo, y se la concederé para los que sean temerosos, para los que entreguen el Zakat y crean en Nuestros signos». ¹⁵⁷ A quienes sigan al Mensajero, el Profeta iletrado [Muhammad], quien se encontraba mencionado en la Torá y el Inyil, y que les ordena el bien y prohíbe lo que está mal, les declara lícitas las cosas buenas e ilícitas las malas, les libera de las cargas y de las cadenas que sobre ellos pesaban. Los que crean en él, le honran, defiendan y sigan la luz que le ha sido revelada [el Corán] serán quienes tengan éxito.

¹⁵⁸ Di: «¡Oh Hombres! Ciertamente soy el Mensajero de Dios para todos vosotros, de Aquel a Quien pertenece la soberanía de los cielos y de la Tierra. No hay más divinidad que Él. Él da la vida y da la muerte. ¡Creed, pues, en Dios y en su Mensajero, el

Profeta iletrado, que cree en Dios y en Sus palabras. ¡Y seguidle! Quizás, así, seáis bien guiados». [159] En el pueblo de Moisés hubo una comunidad que se dirigía según la Verdad, y que gracias a ella, obraban con justicia.

[160] Los dividimos en doce tribus. Cuando el pueblo pidió agua a Moisés, inspiramos a este «¡Golpea la roca con tu vara!». Y brotaron de ella doce manantiales. Todos sabían de cuál debían beber. Y les protegimos con la sombra de una nube y les enviamos de lo alto el maná y las codornices: «¡Comed de las cosas buenas de que os hemos proveído!». Y no fue a Nosotros a quienes agraviaron, sino que se perjudicaron a sí mismos. [161] Y cuando se les dijo: «Habitad en esta ciudad y comed cuanto queráis de lo que hay en ella, y decid: "¡Perdónanos!" ¡Entrad por la puerta postrándoos! Os perdonaremos vuestros pecados y daremos más a los que hagan el bien». [162] Pero los inicuos de ellos cambiaron por otras las palabras que se les habían dicho y les enviamos un castigo del cielo por haber obrado injustamente.

[163] Y pregúntales por aquella ciudad, a orillas del mar, cuyos habitantes trasgredían el sábado, siendo el sábado cuando los peces acudían y se dejaban ver y los otros días no venían a ellos; así es como les probamos por haber desobedecido. [164] Y cuando unos dijeron: «¿Por qué exhortáis a un pueblo que Dios va a hacer perecer o a castigar severamente?». Dijeron: «Para que nuestro Señor no nos castigue por no haber ordenado el bien. Quizás, así teman a Dios».

[165] Y, cuando hubieron olvidado lo que se les había vedado, salvamos a quienes habían prohibido el mal e infligimos un implacable castigo a los inicuos, por haber desobedecido. [166] Y cuando transgredieron lo que se les había prohibido, les dijimos: «¡Convertíos en monos despreciables!».

[167] Y tu Señor anunció que les enviaría quienes les infligieran un

severo castigo hasta el Día de la Resurrección; ciertamente tu Señor
es rápido en el castigo, pero también es Indulgente y Misericordioso.
168 Y por eso les dividimos en comunidades y les dispersamos por la
Tierra. Entre ellos, unos eran justos y otros no. Les probamos con
prosperidad y adversidad para que recapaciten.

169 Y les sucedió una generación que heredó el Libro [la Torá],
pero a pesar de esto prefirieron los bienes de este mundo. [Cada
vez que cometían un pecado] decían: «Ya se nos perdonará». Y si
se les presentaba una nueva posibilidad volvían a pecar. ¿Acaso
no se comprometieron a cumplir con el Libro y no decir acerca de
Dios sino la verdad? Y aun habiendo estudiado cuanto en ella hay...
[Desobedecieron]. Pero la Morada de la Ultima Vida es mejor para
quienes temen a Dios, ¿es que no razonáis? 170 Y los que se aferran
al Libro y realizan la oración prescrita, sepan que jamás dejaremos
de remunerar a quienes obren bien. 171 Y cuando sacudimos la
montaña por encima de ellos como si fuese una nube, y creyeron
que se les venía encima [y les dijimos]: «¡Aferraos con fuerza a lo
que os hemos concedido y recordad bien lo que contiene! Tal vez
os guardéis».

172 Y cuando tu Señor sacó de las espaldas de los hijos de
Adán a su propia descendencia e hizo que todos ellos dieran
testimonio: «¿Acaso no soy yo vuestro Señor?». Dijeron: «¡Sí, lo
atestiguamos!». Esto es para que el Día de la Resurrección no digáis:
«Nadie nos había advertido de esto [que Dios era nuestro Señor]».
173 O que dijerais: «Ciertamente nuestros padres eran ya asociadores
idólatras y nosotros no somos más que sus descendientes. ¿Acaso
vas a castigarnos por lo que hicieron los que siguieron una creencia
falsa?». 174 Así explicamos los signos, para que recapacitéis.

175 Cuéntales lo que pasó con aquel a quien dimos Nuestros
signos y se despojó de ellos [los descuidó]. Entonces Satanás le
sedujo y fue de los desviados. 176 Si hubiéramos querido, habríamos

hecho que estos le sirvieran para elevarle en rango, pero se inclinó hacia los placeres de este mundo y siguió sus pasiones. Es como el perro, que si lo ahuyentas jadea y si le dejas también jadea. Este es el ejemplo de quienes desmienten Nuestros signos. Nárrales pues, estas historias. Quizás, así, reflexionen. [177] ¡Qué mal ejemplo el de quienes desmienten Nuestros signos y son injustos con ellos mismos! [178] A quienes Dios guía estarán en el buen camino y a quienes Él extravíe, serán de los perdidos.

[179] Hemos creado para el Infierno a muchos de los genios y de los hombres. Tienen corazones con los que no comprenden, ojos con los que no ven, oídos con los que no oyen. Son como animales de rebaño, o peor aún en su extravío. Esos son los que se comportan con indiferencia. [180] A Dios pertenece los nombres [atributos] más sublimes. Empléalos, pues, para invocarle y apártate de quienes los profanen, estos serán retribuidos por lo que hicieron. [181] Entre quienes hemos creado, hay una comunidad que guía por medio de la verdad y con ella establecen la justicia. [182] A quienes desmientan Nuestros signos les degradaré paulatinamente, sin que puedan darse cuenta. [183] Y les concedo una prórroga. Mi estratagema es sólida.

[184] ¿Es que no van a reflexionar? Vuestro compañero no está poseído por ningún genio. Es solo un amonestador que habla claro. [185] ¿No han considerado el reino de los cielos y de la Tierra y todo lo que Dios ha creado? Así como el hecho de que tal vez su plazo de vida esté próximo a cumplirse. ¿En qué otro Mensaje, iban a creer? [186] Aquel a quien Dios extravía, no podrá encontrar quien lo guíe. A estos Dios les abandonará desorientados en su extravío. [187] Te preguntan por la Hora: «¿Cuándo llegará?». Di: «Solo mi Señor tiene conocimiento de ella. Nadie sino Él la manifestará en el momento decretado. Los cielos y la Tierra temen su llegada, y no vendrá a vosotros sino de repente». Te preguntan a ti como si estuvieras bien enterado. Di: «Solo Dios tiene conocimiento de

ella». Pero la mayoría de los hombres no saben. [188] Di: «Yo no dispongo de nada que pueda beneficiarme o perjudicarme, salvo lo que Dios quiera. Si yo conociera lo oculto, abundaría en bienes y no me hubiera alcanzado ningún mal. Pero no soy sino un advertidor, alguien que anuncia buenas nuevas para la gente que cree».

[189] Él es Quien os ha creado de un solo ser [Adán], del cual hizo surgir a su esposa [Eva] para que encuentre sosiego en ella. Cuando se unió a ella, esta quedó embarazada y llevó en su vientre una carga ligera, con la que podía andar; pero cuando esta se hizo pesada, invocaron ambos a Dios [diciendo]: ¡Oh, Señor Nuestro! «Si nos agracias con un hijo sano y virtuoso seremos, ciertamente, de los agradecidos. [190] Pero, cuando se les agració con lo que pidieron, atribuyeron copartícipes a Dios en lo que les había dado. ¡Pero Dios está por encima de lo que Le asocian! [191] ¿Le asocian a aquellos que no han creado nada, sino que ellos mismos han sido creados [192] y que no pueden ni auxiliarles a ellos ni auxiliarse a sí mismos? [193] Si los invitáis a la guía, no os siguen. Les da lo mismo que les invitéis o no. [194] Realmente aquellos a quienes invocáis, en lugar de invocar a Dios, son siervos como vosotros. ¡Invocadles, pues, y que os respondan, si es verdad lo que decís...!

[195] ¿Acaso tienen pies para andar, manos para tomar, ojos para ver, oídos para oír? Di: «¡Invocad a vuestros ídolos y luego tramad contra mí sin más demora! [196] Ciertamente mi protector es Dios, Quien ha revelado el Libro y Quien protege a los justos. [197] Y lo que vosotros invocáis, en vez de Dios, no pueden auxiliaros, ni auxiliarse a sí mismos». [198] ¡Si les llamáis a la guía, no escuchan. Pareciera que te miran, pero, en realidad no ven.

[199] ¡Sé indulgente, prescribe el bien y apártate de los ignorantes! [200] Si el Demonio te incita al mal, busca refugio en Dios. Es cierto que Él es Quien todo lo oye y Quien todo lo sabe. [201] En verdad los que temen a Dios, cuando el Demonio les susurra, invocan

[recuerdan] a su Señor, y entonces pueden ver con claridad ²⁰² Y los demonios persisten en mantener a sus secuaces en el extravío, y no se cansan de hacerlo.

²⁰³ Y cuando no se le revela [al Profeta Muhammad] un nuevo precepto, le dicen: «¿Por qué no habéis inventado uno?». Di: «Yo no hago más que seguir lo que mi Señor me revela». Este [Corán] es una evidencia de vuestro Señor, guía y misericordia para gente que cree. ²⁰⁴ Y mientras el Corán se esté recitando, ¡escuchadlo con atención y guardad silencio! Quizás así se os tenga misericordia. ²⁰⁵ Y recuerda a tu Señor en tu interior, humilde y temerosamente, e invócale con voz baja, por la mañana y por la tarde, y no seas de los negligentes. ²⁰⁶ Ciertamente quienes están junto a tu Señor, no sienten ninguna soberbia que les impida adorarle. Le glorifican y se postran ante Él.

SURA 8 : AL ANFÁL

EL BOTÍN

¡En el nombre de Dios, el Compasivo, el Misericordioso!

¹ Te preguntan por el botín [de guerra, cómo se distribuyen]. Diles: «El botín pertenece a Dios y al Mensajero [y él los distribuirá entre vosotros según Sus órdenes]». ¡Temed, pues, a Dios! ¡Afianzad vuestra hermandad! ¡Obedeced a Dios y a Su Mensajero, si sois creyentes! ² Son creyentes aquellos cuyos corazones se estremecen cuando se recuerda y se menciona el nombre de Dios, y cuando se les recitan Sus preceptos, estos acrecientan su fe y siempre confían en su Señor. ³ Son los que establecen la oración prescrita y dan caridad de lo que les hemos proveído. ⁴ Estos son los verdaderos

creyentes. Alcanzarán grados elevados junto a su Señor, el perdón y una generosa recompensa.

⁵ Por cierto que tu Señor decretó que dejases tu hogar [para combatir en la batalla de Badr] con un verdadero motivo, a pesar de que un grupo de creyentes se oponía a ello. ⁶ Te discuten sobre la Verdad, luego de haberse mostrado esta claramente, como si supieran que son arrastrados hacia la muerte. ⁷ Y [recordad] Dios os prometió que uno de los dos grupos [la caravana de Abu Sufian o el ejército que había venido a protegerla] caería en vuestro poder y deseasteis que fuera el que no tenía armas; pero Dios quería hacer prevalecer la Verdad con Sus palabras y exterminar a los incrédulos, ⁸ Para que así prevalezca la Verdad, se desvanezca la falsedad, aunque ello disguste a los pecadores.

⁹ Cuando pedisteis auxilio a vuestro Señor y Él os respondió: «Ciertamente, os auxiliaré con mil ángeles que descenderán en turnos sucesivos, uno tras otro». ¹⁰ Dios no lo hizo sino como buena nueva y para que con ello se tranquilizaran vuestros corazones. Y [sabed] que la victoria depende de Dios. Dios es Poderoso, Sabio. ¹¹ Cuando hizo que os envolviera un sueño que venía de Él, para daros sensación de seguridad, e hizo descender del cielo agua que pudierais purificaros con ella y apartar de vosotros los susurros de Satanás, para afirmar vuestros corazones y afianzar así vuestros pasos. ¹² Y cuando vuestro Señor inspiró a los ángeles: «Yo estoy con vosotros. ¡Dad firmeza a los creyentes! Infundiré el terror en los corazones de los incrédulos. ¡Golpeadles [con vuestras espadas] sus cuellos y golpeadles todos los dedos!». ¹³ Esto es porque se han opuesto a Dios y a Su Mensajero. Y quien se opone a Dios y a Su Mensajero... es cierto que Dios es severo en el castigo. ¹⁴ Sufrid este tormento [¡Oh, idólatras!] Pero además de eso, los incrédulos tendrán el castigo del Fuego.

¹⁵ ¡Oh Creyentes! Cuando os encontréis con los incrédulos

marchando hacia vosotros [para enfrentaros], ¡no les volváis la espalda [para huir]! [16] Quien ese día les vuelva la espalda, a menos que sea que sea para cambiar de puesto de combate o para unirse a otra tropa, incurrirá en la ira de Dios y tendrá el Infierno por morada. ¡Qué mal fin...!

[17] No erais vosotros quienes les daban muerte [en Badr con vuestra fuerza], era Dios Quien les mataba. Y tú [¡Oh, Muhammad!] no fuiste quien arrojó [el polvo que llegó a los ojos de los incrédulos en el combate] sino que fue Dios Quien lo hizo. Para probar a los creyentes con una hermosa prueba procedente de Él. Dios todo lo oye, todo lo sabe. [18] ¡Ahí tenéis! Ciertamente Dios desbarata las confabulaciones de los incrédulos. [19] «[¡Oh, incrédulos!] Si buscáis un fallo, ahí lo tenéis [vosotros pedisteis que triunfara quien tuviera la verdad, y esto fue lo que ocurrió]. Sin embargo, será mejor para vosotros si desistís de vuestra hostilidad. Y, si reanudáis la lucha, Nosotros también la reanudaremos y vuestras huestes no os servirán de nada, por numerosas que sean. ¡Dios está con los creyentes!»

[20] «¡Oh Creyentes! ¡Obedeced a Dios y a Su Mensajero! ¡No le volváis la espalda, puesto que podéis oír [el mensaje]!». [21] No hagáis como los que dicen: «¡Ya hemos oído!», y sin embargo no escuchan. [22] Ciertamente, las peores criaturas, para Dios, son los sordos [que no quieren oír la Verdad] y los mudos [que no quieren reconocerla], que no razonan. [23] Si Dios supiera que en ellos hay algún bien, les habría hecho escuchar, pero aun si les hiciera oír, habrían vuelto la espalda y se habrían apartado.

[24] ¡Oh Creyentes! ¡Responded a Dios y al Mensajero cuando este os llama a algo que os da vida! ¡Sabed que Dios está en medio del hombre y su corazón y que seréis congregados hacia Él! [25] ¡Guardaos de una prueba que no alcanzará exclusivamente a aquellos de vosotros que sean inicuos! ¡Sabed que Dios es severo en el castigo!

²⁶ ¡Y recordad cuando erais pocos, oprimidos en la Tierra y temíais que la gente os capturara! Entonces, os protegió, os fortaleció con Su auxilio y os agració con las cosas buenas; para que pudierais ser agradecidos. ²⁷ ¡Oh Creyentes! ¡No traicionéis a Dios y al Mensajero! ¡No traicionéis, a sabiendas, la confianza que se depositó en vosotros! ²⁸ Sabed que vuestra hacienda y vuestros hijos constituyen una prueba y que Dios tiene reservada junto a Sí, una magnífica recompensa.

²⁹ ¡Oh Creyentes! Si teméis a Dios, Él os concederá el discernimiento, ocultará vuestras malas obras y os perdonará. Dios es el poseedor del favor inmenso. ³⁰ Y cuando los incrédulos se confabularon contra ti para capturarte, matarte o expulsarte. Ellos planearon en tu contra, pero Dios desbarató sus planes, porque Dios es el que Mejor planea.

³¹ Y cuando se les recitan Nuestros preceptos, dicen: «¡Por cierto que hemos oído! Si quisiéramos, diríamos palabras similares. Estas no son sino fábulas de nuestros ancestros». ³² Y cuando dijeron: «¡Oh Señor nuestro! Si es esto la Verdad que de Ti procede, haz llover sobre nosotros piedras del cielo o inflígenos un castigo doloroso». ³³ Pero Dios no les iba a castigar estando tú [¡Oh, Muhammad!] entre ellos, ni tampoco mientras haya quienes Le pidan perdón. ³⁴ Más ¿por qué no habría Dios de castigarles, si ellos impedían el ingreso a la Mezquita Sagrada sin ser sus protectores? Solo son sus protectores los piadosos, pero la mayoría de ellos no saben. ³⁵ Su oración en la Casa Sagrada no consistía más que en silbidos y aplausos. «¡Sufrid, pues, el castigo merecido por vuestra incredulidad!».

³⁶ Los incrédulos gastan su hacienda en desviar a otros del sendero de Dios. La gastarán y después se lamentarán. Finalmente, serán vencidos. Y los incrédulos serán congregados hacia el Infierno. ³⁷ Dios quiere que se evidencie al malo del bueno, y ponga

a los malos unos sobre otros, los amontone a todos y los arroje al Infierno. Esos serán los perdedores.

³⁸ Di a los incrédulos que, si desisten, se les perdonará cuanto cometieron en el pasado; pero que si persisten, tendrán el mismo destino de los pueblos que les precedieron. ³⁹ Combatid contra ellos hasta que cese la opresión y toda la adoración sea para Dios. Si desisten, Dios ve bien lo que hacen. ⁴⁰ Y si se niegan [y prefieren seguir combatiéndoos], sabed que Dios es vuestro Protector. ¡Qué excelente protector y Qué excelente Defensor!

⁴¹ Sabed que un quinto del botín de guerra que logréis Le corresponde a Dios, al Mensajero, sus familiares, los huérfanos, los pobres y los viajeros insolventes, [y el resto a los combatientes]; si creéis en Dios y en lo que hemos revelado a Nuestro siervo el día de la distinción, el día que se encontraron los dos ejércitos. Dios tiene el poder sobre todas las cosas.

⁴² Cuando estabais [el día de Badr] en la ladera más próxima [a Medina] y ellos en la más lejana, mientras que la caravana [de Abu Sufian] estaba más abajo de vosotros. Si hubierais concertado una cita, no os habríais puesto de acuerdo sobre el lugar de encuentro, pero Dios hizo que os encontraseis para que así se cumpliera lo que ya había decretado. Para que pereciera quien debía perecer ante una prueba clara de la verdad y sobreviviera quien debía sobrevivir ante una prueba clara de la verdad. Ciertamente Dios todo lo oye, todo lo sabe. ⁴³ Cuando, en tu sueño, Dios te los mostró poco numerosos; porque, si te los hubiera mostrado numerosos, os habríais desanimado y habríais vacilado sobre combatir o no, pero Dios os preservó de ello, pues Él bien sabe lo que encierran los corazones. ⁴⁴ Y cuando al encontraros con ellos, Dios los hizo parecer poco numerosos a vuestros ojos y a su vez hizo que vosotros les parecierais poco numerosos a ellos, para que así se cumpliera el designio de Dios. Y sabed que a Dios retornan todos los asuntos.

⁴⁵ ¡Oh Creyentes! Cuando os encontréis con una tropa ¡manteneos firmes y recordad permanentemente a Dios! Para que así triunféis. ⁴⁶ ¡Y obedeced a Dios y a Su Mensajero! ¡No discrepéis entre vosotros! porque, os debilitaríais y seríais derrotados. ¡Tened paciencia, pues ciertamente Dios está con los pacientes! ⁴⁷ No seáis como los que salieron de sus hogares con arrogancia y ostentación ante su gente, desviando a otros del sendero de Dios. Dios está bien enterado de lo que hacen.

⁴⁸ Y cuando Satanás embelleció sus obras y [se les apareció con la figura de Suraqah Ibn Malik, líder de una tribu poderosa] les dijo: «¡Hoy nadie os podrá vencer, de verdad que soy para vosotros un protector!». Pero, cuando las dos tropas se divisaron, huyó diciendo: «Yo no soy responsable de lo que vosotros hacéis, pues veo lo que vosotros no podéis ver. Ciertamente temo a Dios y Dios es severo en el castigo». ⁴⁹ Cuando los hipócritas y aquellos cuyos corazones estaban enfermos [con la duda] dijeron: «A estos les ha engañado su religión». Pero quien confía en Dios... sepa que Él es Poderoso, Sabio.

⁵⁰ Si pudieras ver cuando los ángeles toman las almas de los incrédulos al morir y les golpean sus rostros y sus espaldas, y les dicen: «¡Sufrid el tormento del fuego del Infierno! ⁵¹ ¡Este es el castigo que merecisteis por las obras que habéis cometido y ciertamente Dios no es injusto con Sus siervos!». ⁵² Como ocurrió a la gente de Faraón y a los que les precedieron, pues tampoco creyeron en los signos de Dios y Él les castigó por sus pecados. Ciertamente Dios tiene poder sobre todas las cosas y es severo en el castigo. ⁵³ Esto es así porque Dios no modifica la gracia que ha concedido a una gente mientras ellos no cambien lo que tienen en sí mismos. Dios todo lo oye, todo lo sabe. ⁵⁴ Como ocurrió a la gente de Faraón y a los que les precedieron: desmintieron los signos de su

Señor y les hicimos perecer por sus pecados. Ahogamos a la gente de Faraón. Y sabed que todos eran inicuos.

[55] Ciertamente las peores criaturas para Dios, son los incrédulos que se niegan a creer. [56] Esos que, habiendo tú concertado una pacto con ellos, lo quebrantan a la menor ocasión y no sienten temor [a Dios]. [57] Si te enfrentas con ellos en situación de guerra, que sirvan de escarmiento a los que les siguen. Quizás, así, recapaciten. [58] Si temes una traición por parte de una gente, rompe con ellos en igualdad de condiciones. Dios no ama a los traidores.

[59] ¡Que no crean los incrédulos que han tomado ventaja! ¡Ciertamente ellos no podrán salvarse! [60] ¡Preparad contra ellos toda la fuerza, toda la caballería que podáis, para amedrentar al enemigo de Dios que también son los vuestros, y a otros fuera de ellos, que no conocéis pero que Dios conoce! Cualquier cosa que gastéis por la causa de Dios se os retribuirá generosamente y no seréis tratados injustamente. [61] Si, se inclinan hacia la paz, ¡inclínate tú también hacia ella! ¡Y encomiéndate a Dios! Él es Quien todo lo oye, Quien todo lo sabe. [62] Pero si quieren engañarte, la protección de Dios debe bastarte. Él es Quien te ha fortalecido con Su auxilio y con los creyentes. [63] Él es Quien unió vuestros corazones, aunque hubieras gastado todo cuanto hay en la Tierra, tú no lo habrías conseguido, pero Dios los unió [y reconcilió a los grupos divididos]. Ciertamente Él es Poderoso, Sabio.

[64] ¡Oh Profeta! ¡La protección de Dios es suficiente para ti! ¡Y para los creyentes que te han seguido! [65] ¡Oh Profeta! ¡Exhorta a los creyentes a combatir! Si hay entre vosotros veinte hombres pacientes y perseverantes, vencerán a doscientos. Y si hubiera cien, vencerán a mil incrédulos, pues estos son gente que no comprende. [66] Pero Dios os alivia ahora, pues sabe que en vosotros hay debilidad, de manera que si hay entre vosotros cien hombres pacientes y

perseverantes, vencerán a doscientos. Y si hay mil, vencerán a dos mil, con permiso de Dios. Ciertamente Dios está con los pacientes.

⁶⁷ No le es permitido a un Profeta [ni a los creyentes] tomar prisioneros antes de haberles combatido y diezmado en la Tierra. Vosotros pretendéis obtener un beneficio mundanal, en tanto que Dios quiere para vosotros la recompensa de la otra vida. Ciertamente Dios es Poderoso, Sabio. ⁶⁸ Y si no hubiera sido por una prescripción previa de Dios, habríais sufrido un castigo terrible por lo que hubierais tomado de él. ⁶⁹ ¡Sin embargo, beneficiaros de lo que hayáis obtenido como botín de guerra, que sea lícito y bueno! ¡Y temed a Dios! Ciertamente Dios es Indulgente, Misericordioso.

⁷⁰ ¡Profeta! Di a los prisioneros que tengáis en vuestro poder: «Si Dios encuentra bien en vuestros corazones, os dará algo mejor de lo que se os ha quitado y os perdonará, pues Dios es Indulgente, Misericordioso». ⁷¹ Y si quieren traicionarte, recuerda que ya antes traicionaron a Dios y Él los sometió a vosotros. Ciertamente Dios es Omnisciente, Sabio.

⁷² Por cierto que los creyentes que emigraron, contribuyeron con sus bienes y combatieron por la causa de Dios y los que les dieron refugio y auxilio, esos son mis aliados y amigos unos de otros. En cambio los creyentes que no emigraron no tenéis la obligación de protegerlos hasta que emigren. Si os piden que les auxiliéis para preservar su religión, debéis auxiliarles, a menos que se trate de ir contra gente con la que os una un pacto. Dios ve bien lo que hacéis. ⁷³ Ciertamente los incrédulos son aliados unos de otros. Si no cumplierais con estos preceptos se propagarían los conflictos en la Tierra y habría una gran corrupción.

⁷⁴ Los creyentes que emigraron y lucharon por la causa de Dios, y quienes les dieron refugio y auxilio, esos son los verdaderos creyentes. Tendrán perdón y recibirán una generosa recompensa. ⁷⁵ Quienes, después, creyeron, emigraron y combatieron con

vosotros, esos son de los vuestros. Y sabed que Dios ha prescrito en Su Libro que los unidos por lazos de consanguinidad tienen más derecho los unos con respecto a los otros. Y Dios es conocedor de todas las cosas.

SURA 9 : AT TAUBA

EL ARREPENTIMIENTO

[1] Dios y Su Mensajero quedan exentos de responsabilidad frente a aquellos asociadores con los que hayáis hecho un pacto.

[2] «Circulad por la tierra durante cuatro meses. Pero sabed que no podréis escapar de Dios y que Dios llenará de vergüenza a los incrédulos». [3] Y se anuncia de parte de Dios y Su Mensajero a los hombres, en el día de la Peregrinación Mayor. «Dios no es responsable de los asociadores, y Su Mensajero tampoco. Si os arrepentís será mejor para vosotros. Pero, si volvéis la espalda, sabed que no escaparéis de Dios». ¡Anuncia a los incrédulos un castigo doloroso! [4] Se exceptúan los asociadores con quienes habéis concertado una alianza y no os han fallado en nada ni han ayudado a nadie contra vosotros. Respetad vuestra alianza con ellos durante el plazo convenido. Dios ama a quienes Le temen.

[5] Mas cuando hayan transcurrido los meses sagrados [Muharram, Rayab, Dhul Qa'dah y Dhul Hiyyah en los cuales se os ha prohibido el combate], matad a los idólatras [que persiguieron y mataron a los creyentes debido a su fe] dondequiera que les encontréis. ¡Capturadles! ¡Sitiadles! ¡Tendedles emboscadas en todo lugar! Pero si se arrepienten, hacen la oración y dan el zakat [azaque], entonces ¡dejadles en paz! Dios es Indulgente, Misericordioso. [6] Si alguno de los idólatras te pide protección concédesela, para que

oiga la Palabra de Dios. Luego, facilítale la llegada a un lugar en que esté seguro. Eso es porque son gente que no sabe.

⁷ ¿Cómo podrían Dios y Su Mensajero respetar un pacto celebrado con los idólatras, a no ser aquellos con quienes concertasteis una alianza junto a la Mezquita Sagrada, cuando ellos no cumplen correctamente con vosotros mientras que vosotros sí cumplís con ellos? Ciertamente Dios ama a quienes Le temen. ⁸ ¿Cómo podría ser si cuando obtienen alguna victoria sobre vosotros no respetan ningún pacto ni tratado? Os satisfacen con la boca, pero sus corazones se oponen y la mayoría son unos perversos. ⁹ Han malvendido los signos de Dios y han desviado a otros de Su camino. ¡Qué detestable es lo que han hecho! ¹⁰ No respetan ningún pacto ni compromiso con el creyente. ¡Esos son los verdaderos transgresores! ¹¹ Pero si se arrepienten, hacen la oración y dan el zakat [azaque], entonces serán vuestros hermanos en religión. Exponemos claramente los preceptos a gente que sabe.

¹² Pero, si violan sus juramentos después de haber concluido una alianza y atacan vuestra religión, combatid contra los líderes de la incredulidad. No respetan ningún juramento. Quizás, así, desistan. ¹³ ¿Cómo no vais a combatir contra gente que ha violado su juramento, y se ha propuesto expulsar al Mensajero y fueron ellos los primeros en combatiros? ¿Les tenéis miedo, siendo así que Dios tiene más derecho a que Le tengáis miedo? Si es que sois creyentes... ¹⁴ ¡Combatid contra ellos! Dios le castigará a través de vuestras manos, les humillará, mientras que a vosotros os concederá el triunfo sobre ellos, y curará así los corazones de los creyentes ¹⁵ desvaneciendo la ira de sus corazones. Dios se vuelve hacia quien Él quiere. Dios es Omnisciente, Sabio.

¹⁶ ¿Acaso creéis que no se os pondrá a prueba y que Dios aún no conoce quienes de vosotros han combatido y no tomaron ningún

partidario fuera de Dios, de Su Mensajero y de los creyentes? Dios está bien informado de lo que hacéis.

[17] No les corresponde a los idólatras mantener las mezquitas de Dios, cuando [con sus creencias y acciones] dan testimonio de su incredulidad. Esos, ¡qué vanas son sus obras! ¡Estarán en el Fuego eternamente! [18] Solo deben mantener las mezquitas de Dios quien crea en Dios y en el Último Día, establezca la oración, dé el zakat [azaque] y no tenga miedo sino de Dios. Y así podrán ser de los que están guiados. [19] ¿Vais a comparar al que da de beber a los peregrinos y cuida del mantenimiento de la Mezquita Sagrada con el que cree en Dios y en el Último Día y lucha por la causa Dios? No son iguales para Dios. Dios no guía a los inicuos. [20] Quienes crean, emigren y luchen por la causa de Dios con su hacienda y sus personas tendrán una categoría más elevada junto a Dios. Esos serán los que triunfen. [21] Su Señor les anuncia Su misericordia, Su complacencia, y jardines en los que gozarán de delicia sin fin, [22] en los que estarán eternamente. Dios tiene junto a Sí una magnífica recompensa.

[23] ¡Oh, creyentes! No toméis como aliados [no sigáis] a vuestros padres y a vuestros hermanos si estos prefieren la incredulidad en vez de la fe; quienes de vosotros lo hagan serán inicuos. [24] Di: «Si vuestros padres, vuestros hijos, vuestros hermanos, vuestras esposas, vuestra tribu, la hacienda que habéis adquirido, un negocio por cuyo resultado teméis y casas que os placen son más amados para vosotros que Dios, Su Mensajero y la lucha por Su causa, pues entonces esperad a que venga Dios con Su orden...». Dios no dirige al pueblo perverso.

[25] Dios os ha ayudado en numerosas ocasiones. Y el día de [la batalla de] Hunain, cuando, complacidos por vuestro gran número, este no os sirvió de nada; cuando la Tierra, a pesar de su vastedad, os resultó angosta y volvisteis la espalda para huir. [26] Dios, entonces,

hizo descender de lo alto Su sosiego sobre Su Mensajero y sobre los creyentes. Hizo también descender legiones [de ángeles] invisibles a vuestros ojos y castigó a los incrédulos. Esa es la retribución de los incrédulos. [27] Pero, después de eso, Dios se volvió hacia quien Él quiso. Dios es Indulgente, Misericordioso. [28] ¡Oh, creyentes! Por cierto que los idólatras son impuros [impureza espiritual a causa de su incredulidad]. ¡Que no se acerquen, pues, a la Mezquita Sagrada [de la Meca] después de este año [el noveno de la Hégira]! Si teméis escasez, Dios os enriquecerá por favor Suyo, si quiere. Dios es Omnisciente, Sabio.

[29] ¡Combatid contra quienes, habiendo recibido el Libro, no creen en Dios ni en el Último Día, ni prohíben lo que Dios y Su Mensajero han prohibido, ni sigan la religión verdadera, hasta que paguen la Yizia [un impuesto por el cual se les permite vivir bajo la protección del estado islámico conservando su religión] con sumisión! [30] Los judíos dicen: «Uzeir es el hijo de Dios». Y los cristianos dicen: «el Mesías es el hijo de Dios». Estas son solo palabras [sin fundamento] que salen de sus bocas. Remedan lo que ya antes habían dicho los incrédulos. ¡Que Dios les maldiga! ¡Cómo pueden ser tan desviados!

[31] Han tomado a sus rabinos y a sus monjes, así como al Mesías hijo de María, como señores [llegaron a idolatrarlos], en lugar de Dios cuando las órdenes que habían recibido [en la Torá y el Inyil] no eran sino de adorar a un Dios Uno. ¡No hay más dios que Él! ¡Gloria a Él! ¡Está por encima de lo que Le asocian!

[32] Quisieran apagar de un soplo la Luz de Dios pero Dios hará que Su luz prevalezca aunque esto desagrade a los incrédulos. [33] Él es Quien ha mandado a Su Mensajero con la guía y con la religión verdadera para hacerla prevalecer sobre todas las religiones, aunque esto disguste a los idólatras.

[34] ¡Oh, creyentes! Por cierto que muchos de los rabinos y monjes

se apropian de los bienes ajenos sin derecho, y desvían a otros del camino de Dios. A quienes atesoran oro y plata y no contribuyan por la causa de Dios, anúnciales un castigo doloroso, [35] el día que esos metales se pongan candentes en el fuego del Infierno y sus frentes, costados y espaldas sean marcados con ellos. [Y se les dirá:] «Esto es lo que atesorabais para vosotros. ¡Gustad, pues, lo que atesorabais!».

[36] El número de meses para Dios es doce, porque así Él lo decretó el día que creó los cielos y la Tierra. De ellos, cuatro son sagrados. Esta es la religión verdadera. ¡No seáis injustos con vosotros mismos no respetándolos! ¡Y combatid a los idólatras por entero así como ellos os combaten por entero! Y sabed que Dios está con los que Le temen. [37] Por cierto que cambiar los meses sagrados es acrecentar aún más la incredulidad [pues los incrédulos los cambiaban a conveniencia para poder combatir en ellos]. Así se extraviaron los incrédulos, un año lo declaraban [al combate] lícito en determinados meses mientras que en otro no, para estar de acuerdo con el número de lo que Dios ha declarado sagrado. Y así hacen lícito lo que Dios había vedado. Se les ha embellecido la maldad de sus obras, pero Dios no guía a los incrédulos.

[38] ¡Creyentes! ¿Qué os pasa? ¿Por qué cuando se os dice: «¡Salid a luchad por la causa de Dios!» os aferráis a la tierra? ¿Preferís la vida de este mundo a la otra? Sabed que los placeres mundanos en comparación con los de la otra vida son insignificantes. [39] Si no salís a combatir, os infligirá un doloroso castigo y os reemplazará por otros. Y sabed que no perjudicaréis a Dios en nada. Dios es Omnipotente. [40] Si vosotros no le ayudáis, ya le ayudó Dios cuando le habían echado [de la Meca] los que no creían, había con él un solo compañero [Abu Bakr], le decía a este estando los dos en la cueva: «¡No te entristezcas, pues Dios está con nosotros!». Dios hizo descender sobre él Su sosiego y le reforzó con legiones [de

ángeles] invisibles a vuestros ojos e hizo que las palabras de los que se negaban a creer fuera la más baja; puesto que la palabra de Dios es la más alta. Dios es Poderoso, Sabio.

⁴¹ ¡Salid a combatir, tanto si os es fácil como si os es difícil! ¡Luchad por Dios con vuestra hacienda y vuestras personas! Es mejor para vosotros. Si supierais... ⁴² Si hubiera sido por algo mundano fácil de conseguir o de un viaje corto, te habrían seguido, pero el objetivo les ha parecido distante [en la batalla de Tabuk]. Jurarán por Dios: «Si hubiéramos podido, os habríamos salido con vosotros [a luchar]». Se pierden a sí mismos. Dios sabe que mienten.

⁴³ ¡Que Dios te disculpe! ¿Por qué les has dispensado antes de que se te hiciera claro quiénes eran los sinceros y quiénes mentirosos? ⁴⁴ Quienes creen en Dios y en el Último Día no te piden dispensa cuando de luchar con su hacienda y sus personas se trata. Dios conoce bien a quienes Le temen. ⁴⁵ Fueron, por el contrario, los que no creen en Dios y en el Último Día, quienes te pidieron dispensa, aquellos cuyos corazones están llenos de dudas y que, por dudar, vacilan. ⁴⁶ Si [los hipócritas] hubieran querido realmente combatir se habrían preparado para ello, pero Dios no ha aprobado su marcha. Les ha infundido pereza y se les ha dicho: «¡Quedaos con los que se quedan!».

⁴⁷ Si hubieran salido a combatir, no habrían hecho más que aumentar la confusión y habrían sembrado la discordia entre vosotros, hay entre vosotros quienes dan oídos a lo que dicen, pero Dios conoce bien inicuos [y os previene de ellos]. ⁴⁸ Ya antes pretendieron sembrar la sedición [cuando arribaste a Medina ¡Oh, Muhammad!] creándote todo tipo de conflictos, hasta que vino la Verdad y prevaleció la orden de Dios, a despecho de ellos.

⁴⁹ Hay entre ellos quien dice: «¡Dispénsame y no me pongas a prueba!». Pero ¿es que no han caído ya en la sedición? El Infierno, ciertamente, cercará a los incrédulos. ⁵⁰ Si te sucede algo bueno les

duele, y si te aflige una desgracia, dicen: «¡Ya habíamos tomado nuestras precauciones!». Y se alejan alegrándose... [51] Diles: «¡No nos acontece más que lo que Dios decretó para nosotros; Él es nuestro Protector, y a Dios se encomiendan los creyentes!». [52] Diles [a los hipócritas]: «Sabed que solo pueden sucedernos uno de los dos bienes [la victoria o el martirio]? Nosotros, en cambio, esperamos que Dios os aflija con un castigo venido de Él o a manos nuestras. ¡Esperad, pues! Nosotros también esperamos con vosotros».

[53] Di: «Da lo mismo que deis limosna a gusto o a disgusto, pues no se os ha de aceptar, ya que sois gente perversa». [54] Lo único que ha impedido que su limosna sea aceptada es que no creen en Dios ni en Su Mensajero, no acuden a la oración sino perezosamente y no dan limosna sino a disgusto. [55] ¡No te maravilles de su hacienda ni de sus hijos! Dios solo quiere con ello castigarles en esta vida y que exhalen su último suspiro siendo incrédulos. [56] Juran por Dios que son, sí, de los vuestros, pero no lo son, sino que solo son unos cobardes. [57] Si encontraran un refugio, unas cuevas o algún sitio donde poder esconderse, irían hacia él a toda prisa.

[58] De entre ellos [los hipócritas] hay quienes critican cómo repartes las caridades. Si se les da de ellas, están contentos; si no se les da de ellas, se enfadan. [59] Si quedaran satisfechos de lo que Dios y Su Mensajero les han dado y dijeran: «¡Dios nos basta! Dios nos dará de Su favor y Su Mensajero también. ¡Ciertamente anhelamos que Dios nos agracie!»... [60] Ciertamente que el Zakat es para los necesitados, los pobres, los limosneros, los que trabajan en su recaudación y distribución, aquellos cuya voluntad hay que captar, la liberación de los cautivos, los endeudados, la causa de Dios y el viajero insolvente. Es un deber prescrito por Dios. Dios es Omnisciente, Sabio.

[61] Hay entre ellos quienes molestan al Profeta y dicen: «¡Es todo oídos!». Di: «Por vuestro bien es todo oídos. Cree en Dios y tiene

fe en los creyentes. Es misericordioso para aquellos de vosotros que creen». Quienes molesten al Mensajero de Dios, tendrán un castigo doloroso. [62] [Un grupo de hipócritas] Os juran por Dios con el fin de complaceros [que no quisieron molestar al Profeta]. Estos deberían saber que Dios y Su Mensajero tienen más derecho a ser complacidos, si fueran creyentes.... [63] ¿No saben que quien se opone a Dios y a Su Mensajero tendrá eternamente el fuego del Infierno? ¡Qué enorme deshonra…!

[64] Los hipócritas temen la revelación de una sura que les informe del contenido de sus corazones. Di: «¡Burlaos, que ya sacará Dios lo que teméis!». [65] Si les preguntas, dicen: «Solo bromeábamos y jugábamos». Di: «¿Os burlabais de Dios, de Sus preceptos y de Su Mensajero?». [66] ¡No os excuséis! Habéis dejado de creer después de haber creído. Ciertamente perdonaremos a un grupo de vosotros [porque se arrepintieron], y castigaremos a otro [que no lo hizo], por haber sido transgresores.

[67] Los hipócritas y las hipócritas son aliados unos de otros. Ordenan lo que está mal y prohíben lo que está bien, y se niegan a hacer caridades. Han olvidado a Dios y Él les ha olvidado [dejándolos fuera de Su misericordia]. Los hipócritas son los perversos. [68] Dios ha prometido a los hipócritas, a las hipócritas y a los incrédulos con el fuego del Infierno, en el que estarán eternamente; esto les bastará. ¡Qué Dios les maldiga! Tendrán un castigo permanente. [69] Lo mismo les pasó a los que os precedieron. Eran más fuertes que vosotros, más ricos y tenían más hijos. Disfrutaron de su parte. Disfrutad vosotros también de vuestra parte, como vuestros antecesores disfrutaron de la suya. Os habéis entregado a la frivolidad igual que ellos. Vanas fueron sus obras en esta vida y vanas lo serán en la otra. Esos son los que pierden. [70] ¿No se han enterado de lo que pasó a quienes les precedieron: el pueblo de Noé, ʹAd, Zamud, el pueblo de Abraham, Madián y las ciudades que fueron vueltas de arriba abajo [pueblo de

Lot]? Sus enviados vinieron a ellos con las pruebas claras. No fue Dios quien fue injusto con ellos, sino que ellos lo fueron consigo mismos.

[71] Pero los creyentes y las creyentes son aliados unos de otros. Ordenan lo que está bien y prohíben lo que está mal. Hacen la oración prescrita, dan el zakat [azaque] y obedecen a Dios y a Su Mensajero. De esos se apiadará Dios. Dios es poderoso, Sabio.

[72] Dios ha prometido a los creyentes y a las creyentes jardines [en el Paraíso] por donde corren los ríos, en los que estarán eternamente, y hermosas moradas en los jardines del Edén. Pero la satisfacción de Dios será mejor aún. ¡Ese el éxito grandioso!

[73] ¡Profeta! ¡Combate contra los incrédulos y los hipócritas, sé severo con ellos! Su morada será el Infierno. ¡Qué mal fin...!

[74] Juran por Dios [los hipócritas] que no dijeron nada [en contra de la religión de Dios y Su Mensajero], y he aquí que dijeron palabras que evidenciaban su incredulidad, cuando la verdad es que sí. Han apostatado después de haber abrazado el islam. Aspiraban a algo que no han conseguido y han quedado resentidos solo por no haber obtenido más que aquello con que Dios y Su Mensajero les han enriquecido, por favor Suyo. Sería mejor para ellos que se arrepintieran. Si vuelven la espalda, Dios les infligirá un castigo doloroso en esta vida y en la otra. No encontrarán en la Tierra protector ni defensor alguno.

[75] Algunos de ellos han concertado una alianza con Dios: «Si nos da algo de Su favor, sí que daremos limosna, sí que seremos de los justos». [76] Pero cuando les agració con Su favor se mostraron avaros, y dieron la espalda desentendiéndose. [77] Así, les infundió la hipocresía en sus corazones y perdurará hasta el día en que se encontrarán con Él, por haber faltado a lo que habían prometido a Dios y por haber mentido. [78] ¿No saben que Dios conoce sus

intenciones y sus conspiraciones? Dios conoce a fondo las cosas ocultas.

[79] Estos critican a los creyentes que ofrecen grandes caridades [diciendo que con ello ostentan], y se burlan de quienes no encuentran qué dar, salvo con un gran esfuerzo [por su estrecha situación]. También Dios se burlará de ellos y tendrán un castigo doloroso. [80] Es igual [¡Oh, Muhammad!] que pidas perdón por ellos o que no lo hagas. Aunque lo pidieras setenta veces, Dios no les perdonaría, porque no han creído en Dios y en Su Mensajero. Dios no dirige al pueblo perverso.

[81] Se alegraron quienes no participaron [en la batalla de Tabûk] por haberse quedado contrariando las órdenes del Mensajero. Detestaron luchar por la causa Dios con su hacienda y sus personas y decían: «No marchéis [a combatir] con este calor». Di: «El fuego del Infierno es aún más caliente». Si entendieran... [82] ¡Que rían, pues, un poco! Ya llorarán, y mucho, como retribución de lo que han cometido. [83] Si Dios decide que [luego de la batalla de Tabûk] retornes a ellos y te piden permiso para salir a combatir [en otra batalla], diles: «¡No iréis nunca conmigo! ¡No combatiréis conmigo contra ningún enemigo! Preferisteis una vez quedaros en casa. ¡Quedaos, pues, con los que se quedan detrás!». [84] ¡No ores nunca por ninguno de ellos cuando muera, ni te detengas ante su tumba [para rogar por él]! No han creído en Dios y en Su Mensajero y han muerto en su perversidad.

[85] Que no te maravillen ni sus bienes ni sus hijos. Dios solo quiere con ello castigarles a través de ellos en esta vida y que exhalen su último suspiro siendo incrédulos. [86] Cuando se revela una sura: «¡Creed en Dios y combatid junto a Su Mensajero», los más ricos de ellos te piden permiso y dicen: «¡Deja que nos quedemos con los que se quedan!». [87] Por haber preferido quedarse con los eximidos. Han sido sellados sus corazones, así que no entienden. [88] Pero el

Mensajero y los que con él creen combaten con su hacienda y sus personas. Estos serán inmensamente agraciados [en esta vida y en la otra], y serán quienes triunfen. ⁸⁹ Dios les ha preparado jardines por donde corren los ríos, en los que estarán eternamente ¡Ese es el éxito grandioso!

⁹⁰ Los beduinos que se excusan vienen a que se les dé permiso. Los que mienten a Dios y a Su Mensajero permanecieron sin ir a luchar. A los que de ellos mienten les alcanzará un doloroso castigo. ⁹¹ Si son sinceros para con Dios y con Su Mensajero, no habrá nada que reprochar a los débiles, a los enfermos, a los que no encuentran los medios. No hay motivo contra los que obran con honradez. Dios es Indulgente, Misericordioso. ⁹² Tampoco contra aquellos a quienes, viniendo a ti para que les facilites montura [y así poder combatir por la causa de Dios], y les dices: «No os encuentro montura» y se alejan con los ojos inundados de lágrimas de tristeza por la tristeza de no poder contribuir de ninguna forma por la causa de Dios. ⁹³ Solo hay motivo contra los que, siendo ricos, te piden permiso. Prefieren quedarse con los eximidos. Dios ha sellado sus corazones y no pueden discernir.

⁹⁴ Se excusarán ante vosotros cuando volváis a ellos. Di: «¡No os excuséis! ¡No vamos a creeros! Dios ya nos ha informado acerca de vosotros. Dios y Su Mensajero verán vuestras obras. Luego, se os devolverá al Conocedor de lo oculto y de lo manifiesto y ya os informará Él de lo que hacíais». ⁹⁵ Cuando regreséis a ellos os pedirán, jurando por Dios, que les dejéis. Apartaos de ellos, pues, son una abominación. Su morada será el Infierno como retribución de lo que han cometido. ⁹⁶ Os juran que aceptéis sus excusas. Pero, si vosotros las aceptáis, Dios no las aceptará del pueblo perverso.

⁹⁷ Algunos beduinos son más incrédulos e hipócritas y en los que más procede que no conozcan los preceptos contenidos en la revelación de Dios a Su Mensajero. Dios es Omnisciente, Sabio.

⁹⁸ Entre los beduinos hay quienes consideran que las caridades que hacen son una imposición, y esperan que seáis azotados por infortunios. ¡Que sean ellos los que sufran un revés! Dios todo lo oye, todo lo sabe.

⁹⁹ Pero hay otros beduinos que creen en Dios y en el Último Día y hacen caridades anhelando acercarse más a Dios y merecer los ruegos del Mensajero. ¿No es esto para ellos un medio de acercarse? Dios les introducirá en Su misericordia. Dios es Indulgente, Misericordioso.

¹⁰⁰ Dios se complace con los primeros que aceptaron el islam y emigraron [a Medina], con aquellos que les socorrieron, y con todos los que sigan su ejemplo [en la fe y las buenas obras]… Ellos también estarán satisfechos de Él, Que les ha preparado jardines por donde corren los ríos en los que estarán eternamente, para siempre. ¡Ese es el éxito grandioso! ¹⁰¹ Entre la gente de Medina y los beduinos que habitan a su alrededor hay hipócritas que se obstinan en su hipocresía. Tú no les conoces, Nosotros les conocemos. Les castigaremos dos veces [una en esta vida con adversidades, y la otra en la tumba]. Luego, serán enviados a un castigo terrible.

¹⁰² Otros en cambio, reconocen sus pecados [y se arrepienten]. Han mezclado obras buenas con otras malas. Tal vez Dios se vuelva a ellos. Dios es Indulgente, Misericordioso. ¹⁰³ ¡Exígeles que den dádivas de sus riquezas para limpiarles y purificarles con ella! ¡Y ruega por ellos! Tu oración les sosiega. Dios todo lo oye, todo lo sabe. ¹⁰⁴ ¿No saben que Dios es Quien acepta el arrepentimiento de Sus siervos y sus caridades? Dios el Indulgente, el Misericordioso ¹⁰⁵ Diles [a los hipócritas]: «¡Obrad como queráis! Dios verá vuestras obras, así como Su Mensajero y los creyentes. Luego compareceréis ante el Conocedor de lo oculto y lo manifiesto, y Él os informará de cuanto hicisteis». ¹⁰⁶ Hay otros que están a la espera

de la decisión de Dios: castigo o misericordia. Dios es Omnisciente, Sabio.

^{107} Y los hay quienes tomaron una mezquita como perjuicio, incredulidad, división entre los creyentes y lugar de acecho al servicio de quien anteriormente había hecho la guerra a Dios y a Su Mensajero, juran solemnemente: «¡No queríamos sino el bien!». Pero Dios es testigo de que mienten. ^{108} ¡No ores nunca en esa mezquita! Una mezquita fundada desde el primer día en el temor de Dios tiene más derecho a que ores en ella, pues allí hay hombres que desean purificarse, y Dios ama a los que se purifican. ^{109} ¿Quién es mejor: quien ha cimentado su edificio en el temor de Dios y en Su satisfacción o quien lo ha cimentado al borde de una pendiente, a punto de desplomarse, y es arrastrado por ello al fuego del Infierno? Dios no guía a los inicuos. ^{110} No dejará de sembrar dudas en sus corazones la mezquita que construyeron a menos que estos se rompan, y Dios es Omnisciente, Sabio.

^{111} Dios ha comprado a los creyentes sus personas y su hacienda, ofreciéndoles, a cambio, el Jardín. Combaten por Dios, matan o les matan. Esta es una promesa verdadera que está mencionada en la Torá, en el Inyil y en el Corán. Y ¿quién cumple mejor su promesa que Dios? ¡Regocijaos por el trato que habéis cerrado con Él! ¡Ese es el éxito grandioso! ^{112} Quienes se arrepienten sirven a Dios, Le alaban, ayunan, se inclinan, se prosternan, ordenan lo que está bien y prohíben lo que está mal, observan las leyes de Dios... ¡Anuncia la buena nueva a los creyentes!

^{113} No corresponde que el Profeta ni los creyentes pidan perdón por los idólatras aunque se trate de sus parientes, después de que se evidenció que ellos serán castigados en el Infierno. ^{114} El perdón que Abraham pidió para su padre no fue sino en virtud de una promesa que le había hecho; pero, cuando vio claramente que era enemigo de Dios, se desentendió de él. Abraham, ciertamente, era piadoso y tolerante. [115] Dios no va a extraviar a un pueblo después de haberlo guiado hasta que no se les haya explicado claramente Sus preceptos. Dios es Omnisciente. [116] De Dios es el dominio de los cielos y de la Tierra. Él da la vida y da la muerte. No tenéis, fuera de Dios, amigo ni auxiliar.

[117] Dios se ha vuelto al Profeta, a los creyentes que habían emigrado y a quienes les socorrieron, cuando le siguieron en los momentos difíciles [de la expedición a Tabûk], y aceptó el arrepentimiento de quienes estuvieron a punto de flaquear [y abandonar la expedición]. Dios es con ellos Compasivo, Misericordioso. [118] Y a los tres que se habían quedado atrás hasta que la tierra, a pesar de su vastedad, les resultó angosta, sus almas se acongojaron y finalmente comprendieron que no tenían más refugio que Dios. Luego Él les aceptó su arrepentimiento para que se enmendasen. Dios es el Indulgente, el Misericordioso.

[119] ¡Creyentes! Temed a Dios y estad con los veraces. [120] No debe la gente de Medina ni los beduinos que habitan a su alrededor negarse a combatir con el Mensajero de Dios ni preferir sus propias vidas a la de él. No sufrirán sed, cansancio ni hambre mientras luchen por la causa de Dios. Todo suelo que pisen, para irritación de los incrédulos, y toda ventaja que obtengan sobre el enemigo, serán registrados como obra buena. Dios no deja de remunerar a quienes hacen el bien. [121] No gastarán nada, ni poco ni mucho, no atravesarán valle alguno, que no quede todo registrado en su favor, para que Dios les retribuya solo por sus mejores obras.

[122] No conviene a los creyentes que salgan de expedición todos a la vez. Es mejor que de cada grupo salga una parte, para que así algunos se queden para instruirse en la Religión, a fin de advertir a los suyos cuando regresen a ellos. Quizás, así se guarden.

[123] ¡Creyentes! ¡Combatid contra los incrédulos que tengáis cerca [y os combaten]! ¡Que os encuentren duros! ¡Sabed que Dios está

con los que Le temen! [124] Cuando se revela una sura, hay algunos de ellos que dicen: «Esta, ¿a quién de vosotros le ha aumentado la fe?». Se la aumenta a los que creen, y de ello se regocijan, [125] mientras que a los enfermos de corazón les aumenta la mancha que ya tenían y mueren siendo incrédulos. [126] ¿Acaso no ven que son puestos a prueba [con adversidades] cada año una o dos veces? Pero ni se arrepienten ni se dejan amonestar. [127] Y cuando se revela una sura, se miran unos a otros: «¿Os ve alguien?». Luego, se van. Dios ha desviado sus corazones, porque son gente que no entiende.

[128] Os ha venido un Mensajero salido de vosotros. Le duele que sufráis, anhela vuestro bien. Con los creyentes es benévolo, misericordioso. [129] Si te vuelven la espalda, di: «¡Dios me basta! ¡No hay más dios que Él! ¡En Él confío! ¡Él es el Señor del Trono inmenso!».

SURA 10 : YUNUS
·······································

JONÁS

¡En el nombre de Dios, el Compasivo, el Misericordioso!

[1] *Alif. Lam. Ra.*

Estos son los preceptos del Libro sabio. [2] ¿Se sorprenden los hombres de que hayamos revelado a uno de ellos: «Advierte a los hombres y anuncia a los creyentes la buena nueva de que, cuando se presenten a su Señor, tendrán una buena posición»? Los incrédulos dicen: «Por cierto que este [el Profeta Muhammad] es un mago evidente».

[3] Vuestro Señor es Dios, Que ha creado los cielos y la Tierra en seis días. Luego, se ha instalado en el trono para disponerlo todo. Nadie puede interceder sin Su permiso. ¡Ese es Dios, vuestro Señor!

¡Adoradle, pues! ¿Es que no os dejaréis amonestar? ⁴ Ante Él deberán comparecer todos, pues la promesa de Dios es verdadera. Él inicia la creación y luego la repite, para remunerar con equidad a quienes han creído y obrado bien. En cuanto a quienes hayan sido incrédulos, se les dará a beber agua hirviendo y sufrirán un castigo doloroso por no haber creído.

⁵ Él es Quien ha hecho del sol claridad y de la luna luz, Quien ha determinado las fases de esta para que sepáis el número de años y el cómputo. Dios no ha creado esto sino con un fin. Él explica los signos a gente que sabe. ⁶ En la sucesión de la noche y el día y en todo lo que Dios ha creado en los cielos y en la Tierra hay, ciertamente, signos para gente que Le teme. ⁷ Quienes no cuentan con encontrarnos y prefieren la vida de aquí, se sienten satisfechos en ella, así como quienes se despreocupan de Nuestros signos, ⁸ tendrán el Fuego como morada por lo que han cometido. ⁹ A quienes hayan creído y obrado bien, su Señor les guiará por medio de su fe. Y en los jardines del Deleite los ríos correrán por debajo de ellos. ¹⁰ Su invocación allí será: «¡Gloria a Ti, Dios!». Su saludo allí será: «¡Paz!» y terminarán con esta invocación: «¡Alabado sea Dios, Señor del Universo!».

¹¹ Si Dios precipitara el mal sobre los hombres con la misma premura con que estos buscan su bienestar, habría ya llegado su fin. Dejamos, pues, a quienes no cuentan con encontrarnos que yerren ciegos en su rebeldía. ¹² Cuando el hombre sufre una desgracia, Nos suplica, lo mismo si está echado que si está sentado o de pie. Pero, en cuanto le libramos de su desgracia, continúa su camino como si no Nos hubiera suplicado por la desgracia que sufría. Así es como son engalanadas las obras de los transgresores.

¹³ Antes de vosotros habíamos ya hecho perecer a generaciones que habían sido impías. Sus enviados les trajeron las pruebas claras pero no les creyeron. Así retribuimos al pueblo pecador. ¹⁴ Luego,

después de ellos, os constituimos sucesores en la tierra, para ver cómo os portabais.

[15] Cuando se les recitan Nuestros claros preceptos, quienes no esperan comparecer ante Nosotros dicen: «¡Tráenos otro Corán o modifica este!». Diles: «No me es permitido modificarlo, solo sigo lo que me ha sido revelado. Temo, si desobedezco a mi Señor, el castigo de un día terrible». [16] Di: «Si Dios hubiera querido, yo no os lo habría recitado y Él no os lo habría dado a conocer. Antes de él, he permanecido una vida con vosotros. ¿Es que no razonáis?». [17] ¿Hay alguien que sea más inicuo que quien inventa mentiras contra Dios o niega Sus signos? Los pecadores no tendrán éxito.

[18] En lugar de servir a Dios, sirven lo que no puede ni dañarles ni aprovecharles, y dicen: «¡Estos son nuestros intercesores ante Dios!». Di: «¿Es que pretendéis informar a Dios de algo, en los cielos o en la Tierra, que Él no sepa?». ¡Gloria a Él! ¡Está por encima de lo que Le asocian! [19] Los hombres constituían una sola nación [monoteísta], pero luego discreparon y se dividieron entre sí, y si no llega a ser por una palabra previa de tu Señor, ya se habría decidido entre ellos sobre aquello en que discrepaban.

[20] Dicen: «¡Por qué no se le ha revelado un milagro procedente de su Señor?». Di, pues: «Lo oculto pertenece solo a Dios. ¡Esperad, pues! Yo también soy de los que esperan». [21] Apenas hacemos gustar a los hombres una misericordia, después de haber sufrido una desgracia, intentan burlar Nuestros signos. Di: «¡Dios es más rápido en tramar!». Nuestros enviados [los ángeles] escriben lo que tramáis.

[22] Él es Quien os hace viajar por tierra o por mar. Y cuando os encontráis en los barcos y navegáis con buenos vientos os contentáis por ello. Mas si os sacude un viento tempestuoso, azotan las olas por todas partes y creéis llegada la hora de la muerte, entonces invocáis a Dios rindiéndole culto sincero. «Si nos salvas de esta

nos contaremos entre los agradecidos». ²³ Y apenas les salva, Le desobedecen nuevamente corrompiendo la Tierra con injusticia. «¡Hombres! ¡Vuestra insolencia se volverá contra vosotros! Tendréis breve disfrute de la vida de este mundo. Luego, volveréis a Nosotros y ya os informaremos de lo que hacíais».

²⁴ La vida del mundo es como agua que hacemos bajar del cielo. Las plantas de la tierra se empapan de ella y alimentan a los hombres y a los rebaños, hasta que, cuando la tierra se ha adornado y engalanado, y piensan los hombres que pueden disponer de ella, viene entonces Nuestra orden, de noche o de día, y la dejamos lisa como si el día anterior no hubiera estado floreciente. Así explicamos los signos a gente que reflexiona.

²⁵ Dios invita a la Morada de la Paz y guía a quien Él quiere a una vía recta. ²⁶ Para quienes obren bien, obtendrán la mejor recompensa y más. Ni el polvo ni la humillación cubrirán sus rostros. Esos morarán en el Jardín eternamente. ²⁷ A quienes obren mal, se les retribuirá con otro tanto. Les cubrirá la humillación, no tendrán quien les proteja de Dios, como si jirones de tinieblas nocturnas cubrieran sus rostros. Esos morarán en el Fuego eternamente.

²⁸ El día que les congreguemos a todos, diremos a los asociadores: «¡Quedaos donde estáis, vosotros y vuestros asociados!». Les separaremos a unos de otros y sus ídolos dirán: «¡No fuimos nosotros quienes os impusimos que nos adorarais! ²⁹ Dios basta como testigo entre nosotros y vosotros de que no hacíamos caso de vuestra adoración». ³⁰ Todos serán retribuidos por sus obras. Comparecerán ante Dios, su verdadero Dueño, y se esfumarán sus invenciones.

³¹ Di: «¿Quién os procura el sustento del cielo y de la tierra? ¿Quién dispone del oído y de la vista? ¿Quién saca al vivo del muerto y al muerto del vivo? ¿Quién lo dispone todo? Dirán: «¡Dios!». Di, pues: «¿Acaso no Le vais a temer?». ³² Ese es Dios,

vuestro verdadero Señor. Y ¿qué hay más allá de la Verdad, sino el extravío? ¡Cómo podéis ser tan desviados! [33] Así se ha cumplido la sentencia de tu Señor contra los perversos: no creerán.

[34] Di: «¿Acaso hay alguno de vuestros ídolos que pueda originar la creación y luego reproducirla?». Di: «Dios es Quien origina la creación y luego la reproduce. ¡Cómo podéis, pues, ser tan desviados!». [35] Di: «¿Hay algunos de vuestros asociados [ídolos] que guíe a la Verdad?». Di: «Dios es Quien guía a la Verdad. ¿Acaso no es más correcto seguir a Quien guía hacia la verdad, en vez de seguir a quienes no pueden guiar a nadie y necesitan ser guiados? Pero ¿qué os pasa?, ¿qué manera de juzgar es esa?». [36] Pero la mayoría no siguen sino conjeturas, y ante la Verdad, las conjeturas no sirven de nada. Dios sabe bien lo que hacen.

[37] Este Corán no puede provenir sino de Dios. No solo eso, sino que viene a confirmar los mensajes anteriores y a explicar detalladamente Sus preceptos, exenta de dudas, que procede del Señor del Universo. [38] O dicen: «Él lo ha inventado». Di: «Si es verdad lo que decís, ¡traed una sura semejante y llamad a quien podáis, en lugar de llamar a Dios!». [39] Al contrario, han desmentido lo que no abarcan con su conocimiento y aquello cuya interpretación no les ha sido dada. Así desmintieron sus antecesores. ¡Y mira cómo terminaron los inicuos!

[40] De ellos hay quien cree en él y quien no, pero tu Señor conoce mejor que nadie a los corruptores. [41] Si te desmienten, di: «Yo respondo de mis actos y vosotros de los vuestros. Vosotros no sois responsables de lo que yo haga y yo no soy responsable de lo que vosotros hagáis». [42] De ellos hay quienes te escuchan. Pero ¿acaso tú puedes hacer oír a quien Dios le ha impedido oír y razonar? [43] De ellos hay quien te mira. Pero ¿acaso tú puedes hacer ver a quien Dios ha enceguecido? [44] Dios no es nada injusto con los hombres, sino que son los hombres los injustos consigo mismos.

⁴⁵ Y el día que les congregue, será como si no hubieran permanecido más de una hora del día. Se reconocerán. Por cierto que habrán perdido quienes desmintieron el encuentro con Dios porque no seguían la guía. ⁴⁶ Lo mismo si te mostramos algo de aquello que les hemos prometido como si te llevamos con Nosotros. Luego, Dios será testigo de lo que hacían.

⁴⁷ Cada comunidad tiene un Mensajero. Y una vez que su Mensajero llega, se decide entre ellos con equidad y no son tratados injustamente.

⁴⁸ Dicen: «¿Cuándo se cumplirá esta amenaza, si es verdad lo que decís...?». ⁴⁹ Di: «Yo no tengo poder para dañarme ni para aprovecharme sino tanto cuanto Dios quiera. Cada comunidad tiene un plazo. Cuando vence su plazo, no pueden retrasarlo ni adelantarlo una hora». ⁵⁰ Di: «¿Qué os parece? Si os sorprendiera Su castigo de noche o de día, ¿querrían los pecadores aún adelantarlo? ⁵¹ ¿Dejáis el creer en él para cuando ocurra? Creed ahora, cuando pedís adelantarlo». ⁵² Se dirá a los inicuos: «¡Gustad el castigo eterno! ¿Acaso no se os castiga sino por lo que habéis merecido?».

⁵³ Te preguntan si [el Día del Juicio] es verdad. Di: «¡Sí, por mi Señor!, que es verdad y no podréis escapar». ⁵⁴ Todo inicuo que poseyera cuanto hay en la Tierra, lo ofrecería como rescate. Disimularán su pena cuando vean el castigo. Se decidirá entre ellos con equidad y no serán tratados injustamente. ⁵⁵ ¿No es de Dios lo que está en los cielos y en la Tierra? ¡Lo que Dios promete es verdad! Pero la mayoría no saben. ⁵⁶ Él da la vida y da la muerte. Y seréis devueltos a Él.

⁵⁷ ¡Hombres! Habéis recibido una exhortación procedente de vuestro Señor, remedio para los males de vuestros corazones, guía y misericordia para los creyentes. ⁵⁸ Di: «¡ Contentaos con la gracia que Dios os ha concedido [el Corán] y con Su misericordia. Esto es mejor que lo que ellos amasan». ⁵⁹ Di: «¿Habéis visto el sustento

que Dios ha hecho bajar para vosotros? ¿Y habéis declarado esto lícito y aquello ilícito? ¿Es que Dios os lo ha permitido o lo habéis inventado contra Dios?». ⁶⁰ El Día de la Resurrección ¿qué pensarán los que inventaron la mentira contra Dios? Sí, Dios dispensa Su favor a los hombres, pero la mayoría no agradecen.

⁶¹ En cualquier situación en que te encuentres, cualquiera que sea el pasaje que recites del Corán, cualquier cosa que hagáis, Nosotros somos testigos de vosotros desde su principio. A tu Señor no se Le pasa desapercibido el peso de un átomo en la Tierra ni en el cielo. No hay nada, menor o mayor que eso, que no esté en un libro claro [la Tabla Protegida]. ⁶² Ciertamente, los creyentes sinceros Dios no tienen que temer y no estarán tristes. ⁶³ Creyeron y temieron a Dios. ⁶⁴ Recibirán la buena nueva en esta vida y en la otra. No hay nada que pueda sustituir las palabras de Dios. ¡Ese es el éxito grandioso! ⁶⁵ ¡Que no te entristezca lo que digan! El poder pertenece, en su totalidad, a Dios. Él es Quien todo lo oye, Quien todo lo sabe. ⁶⁶ ¿No es, acaso, de Dios lo que está en los cielos y en la Tierra? ¿Y qué siguen, entonces, quienes invocan a ídolos en vez de Dios? No siguen sino conjeturas, no formulan sino hipótesis. ⁶⁷ Él es Quien ha dispuesto para vosotros la noche para que descanséis en ella, y el día para que podáis ver claro. Ciertamente, hay en ello signos para gente que oye.

⁶⁸ Dicen: «Dios ha adoptado un hijo». ¡Gloria a Él! Él es Quien Se basta a Sí mismo. Suyo es lo que está en los cielos y en la Tierra. ¡No tenéis ninguna autoridad para hablar así! ¿Decís contra Dios lo que no sabéis? ⁶⁹ Di: «Quienes inventen mentiras acerca de Dios, no tendrán éxito». ⁷⁰ Disfrutarán transitoriamente en la vida mundanal, luego comparecerán ante Nosotros y sufrirán un severo por no haber creído.

⁷¹ Cuéntales la historia de Noé, cuando dijo a los suyos: «¡Oh, pueblo mío! Os disgusta mi permanencia entre vosotros

y que os exhorte con los signos y preceptos de Dios, por lo que me encomiendo a Él. Confabulaos con vuestros ídolos y no os preocupéis más. ¡Decidid, luego, respecto a mí y no me hagáis esperar!». 72 Pero si no creéis sabed que yo no pretendo ninguna retribución. Mi recompensa incumbe solo a Dios. He recibido la orden de ser de los que se someten a Dios. 73 Le desmintieron, pero les salvamos a él y a quienes estaban con él en la nave, y les hicimos sucesores. Y anegamos a quienes desmintieron Nuestros signos. ¡Y mira cómo terminaron los que habían sido advertidos!

74 Luego enviamos otros Mensajeros, quienes se presentaron ante sus pueblos con las evidencias, pero no creyeron al igual que sus predecesores. Así es como sellamos [con la incredulidad] los corazones de los transgresores.

75 Luego, después de ellos, enviamos a Moisés y a Aarón con Nuestros signos a Faraón y a sus dignatarios. Pero fueron altivos. Eran gente pecadora. 76 Cuando recibieron la Verdad, venida de Nosotros, dijeron: «¡Esto es, ciertamente, manifiesta magia!». 77 Moisés dijo: «¿Os atrevéis a tachar de magia la Verdad que habéis recibido?». Los magos no prosperarán. 78 Dijeron: «¿Habéis venido para alejarnos de la religión de nuestros padres, y así ser vosotros quienes tengan el dominio en la Tierra? Realmente no os creeremos».

79 Faraón dijo: «¡Traedme a todo mago entendido!». 80 Y cuando llegaron los magos, Moisés les dijo: «¡Arrojad lo que tengáis que arrojar!». 81 Y cuando arrojaron, dijo Moisés: «Lo que habéis traído es magia. Dios va a destruirlo. Dios no permite que prospere la obra de los corruptores. 82 Y Dios hace triunfar la Verdad con Sus palabras, a despecho de los pecadores». 83 Solo una minoría de su pueblo creyó en Moisés, porque tenían miedo de que Faraón y sus dignatarios les pusieran a prueba. Ciertamente, Faraón se conducía altivamente en el país y era de los inmoderados. 84 Moisés

dijo: «¡Oh, pueblo mío! Si creéis en Dios, ¡confiad en Él! Si es que estáis sometidos a Él...». [85] Dijeron: «¡Señor nuestro! A Ti nos encomendamos. No permitas que nos venza este pueblo inicuo [para que duden quién está en el camino verdadero]». [86] Y sálvanos, por Tu misericordia, de los incrédulos.

[87] E inspiramos a Moisés y a su hermano: «¡Estableced casas para vuestro pueblo en Egipto y haced de vuestras casas lugares de culto! ¡Y haced la oración!». ¡Y anuncia la buena nueva a los creyentes!

[88] Moisés dijo: «¡Señor nuestro! Por cierto que has concedido al Faraón y su nobleza suntuosidad y riqueza en la vida mundanal para que se extravíen y desvíen a los hombres de Tu camino. ¡Señor nuestro! Devasta sus riquezas y endurece sus corazones. Y por cierto que no creerán hasta que vean el castigo doloroso».

[89] Dijo: «Vuestra plegaria ha sido escuchada. ¡Id los dos por la vía recta y no sigáis el camino de los que no saben!».

[90] Hicimos que los Hijos de Israel atravesaran el mar. Faraón y sus tropas les persiguieron con espíritu de rebeldía y hostilidad hasta que, a punto de ahogarse, dijo: «¡Sí, creo que no hay más dios que Aquel en Quien los Hijos de Israel creen! Y soy de los que se someten a Él». [91] «¿Ahora? ¿Después de haber desobedecido y de haber sido de los corruptores? [92] Conservaremos tu cuerpo y te convertirás en un signo para que las generaciones que te sucedan reflexionen. Por cierto que muchos de los hombres son indiferentes a Nuestros signos.

[93] Hemos instalado a los Hijos de Israel en un lugar bueno y les hemos proveído de cosas buenas. Y no discreparon sino después de haber recibido el Conocimiento. Tu Señor decidirá entre ellos el Día de la Resurrección sobre aquello en que discrepaban.

[94] [Di ¡Oh, Muhammad! a quien no cree de tu pueblo:] «Si tenéis dudas sobre lo que me ha sido revelado, preguntadles a

quienes podían leer la revelación que me precedió. Por cierto que
os ha llegado la Verdad de vuestro Señor, no seáis, pues, de quienes
dudan. ⁹⁵ Y no seáis como quienes desmintieron los signos de Dios;
si no, serás de los que pierden».

⁹⁶ Aquellos contra quienes se ha cumplido la sentencia de tu
Señor no creerán, ⁹⁷ aunque reciban todos los signos, hasta que vean
el castigo doloroso. ⁹⁸ ¿Por qué no ha habido ninguna ciudad que
haya creído y a la que su fe haya aprovechado, fuera del pueblo
de Jonás? Cuando creyeron, les evitamos el castigo, vergonzoso en
esta vida y les permitimos gozar aún por algún tiempo.

⁹⁹ Si tu Señor hubiera querido, todos los habitantes de la tierra,
absolutamente todos, habrían creído. Y ¿vas tú a forzar a los
hombres a que sean creyentes. ¹⁰⁰ Solo creerán quienes Dios haya
decretado que así lo hagan; y dejará en el extravío a quienes no
recapacitan [en Sus signos].

¹⁰¹ Di: «¡Mirad lo que está en los cielos y en la Tierra!». Pero
ni los signos ni las advertencias sirven de nada a gente que no cree.
¹⁰² ¿Qué esperan, pues, sino días como los de quienes pasaron
antes de ellos? Di: «¡Esperad! Yo también soy de los que esperan».
¹⁰³ Luego, salvaremos a Nuestros Mensajeros y a los que hayan
creído. Salvar a los creyentes es deber Nuestro.

¹⁰⁴ Di: «¡Hombres! Si dudáis de mi religión, yo no adoro a
quienes vosotros adoráis en lugar de adorar a Dios, sino que adoro a
Dios, Quien [os ha creado,] os hará morir [y ante Él compareceréis]
¡He recibido la orden de ser de los creyentes». ¹⁰⁵ Y consagrarme
a la religión monoteísta y no contarme entre quienes asocian
copartícipes a Dios. ¹⁰⁶ [Y también] No invocar en lugar de invocar
a Dios, lo que no puede beneficiarme ni perjudicarme, porque de
hacerlo me contaría entre los inicuos. ¹⁰⁷ Si Dios te aflige con una
desgracia, nadie sino Él podrá librarte de ella. Si Él te desea un bien,

nadie podrá oponerse a Su favor. Se lo concede a quien Él quiere de Sus siervos. Él es el Indulgente, el Misericordioso.

[108] Di: «¡Oh, hombres! Os ha llegado la Verdad de vuestro Señor. Quien siga la guía lo hará en beneficio propio, y quien se descarríe solo se perjudicará a sí mismo. Yo no soy vuestro protector».
[109] ¡Sigue lo que se te ha revelado y ten paciencia hasta que Dios juzgue! ¡Él es el Mejor de los jueces!

SURA 11 : HUD
....

HUD

¡En el nombre de Dios, el Compasivo, el Misericordioso!

[1] *Alif. Lam. Ra.*

He aquí un Libro cuyos preceptos han sido hechos unívocos y luego explicadas detalladamente, y que procede de Uno que es Sabio, que está bien informado. [2] Para que no adoréis sino a Dios. Yo soy para vosotros, de parte Suya, un monitor y nuncio de buenas nuevas. [3] Y ¡que pidáis perdón a vuestro Señor y luego os volváis a Él! Os permitirá, entonces, disfrutar bien por un tiempo determinado y concederá Su favor a todo favorecido. Pero, si volvéis la espalda, temo por vosotros el castigo de un día terrible.
[4] [Sabed que] volveréis a Dios y que Él tiene poder sobre todas las cosas.

[5] Ciertamente ellos [los hipócritas] pretenden simular su aversión y creen poder esconder sus malas acciones de Dios, pero aunque se cubran con la ropa, Él sabe lo que ocultan y lo que manifiestan: sabe bien lo que encierran los pechos. [6] No existe criatura en la Tierra cuyo sustento no provea Dios, Él conoce su morada y por

donde transita, todo está registrado en un Libro evidente [la Tabla
Protegida].

⁷ Él es Quien ha creado los cielos y la Tierra en seis días, y Su
Trono estaba sobre el agua, para probaros y distinguir a quienes
de vosotros obran mejor. Si dices: «Seréis resucitados después de
muertos», seguro que los incrédulos dicen: «Esto no es más que
magia evidente». ⁸ Si retrasamos su castigo hasta un momento
determinado, seguro que dicen: «¿Qué es lo que lo impide?». El día
que les llegue no se les alejará de él y se verán cercados por aquello
de que se burlaban.

⁹ Si hacemos gustar al hombre una misericordia venida
de Nosotros y luego le privamos de ella, está completamente
desesperado, desagradecido. ¹⁰ Pero cuando le agraciamos luego de
haber padecido una adversidad, seguro que dice: «¡Se han alejado
de mí los males!». Sí, se regocija, se jacta por ello. ¹¹ En cambio,
quienes sean pacientes y obren bien, obtendrán perdón y una gran
recompensa.

¹² Tú no dejarías de transmitirles nada de lo que te fue revelado
[¡Oh, Muhammad!]. Tu corazón se acongoja porque dicen: «¿Por
qué no se le ha enviado abajo un tesoro o le ha acompañado un
ángel?». Pero tú no eres más que amonestador. Y Dios vela por
todo... ¹³ O dicen: «Él lo ha inventado». Di: «Inventad, entonces,
diez suras como esta y presentadlas, e invocad a quienes podáis
[para que os auxilien] en vez de Dios, si es que sois veraces». ¹⁴ Y
si no os escuchan [el desafío], sabed que ha sido revelado con la
sabiduría de Dios y que no hay más dios que Él. ¿Acaso no vais a
someteros a Él?

¹⁵ A quienes hayan deseado la vida mundanal y sus placeres
solamente, se los concederemos y no será defraudado. ¹⁶ Esos son
los que no tendrán en la otra vida más que el Fuego. Sus obras no
fructificarán y será vano lo que hayan hecho.

¹⁷ ¿Son como aquel [el Profeta Muhammad] que se basa en una prueba clara procedente de su Señor, recitada por un testigo [el ángel Gabriel] de Su parte? Antes de él, el Libro de Moisés servía de guía y de misericordia. Esos creen en él [el Corán]. Quien de los grupos no cree él [el Corán] tiene el Fuego como lugar de cita. No tengas ninguna duda acerca de ello pues ciertamente es la Verdad venida de tu Señor. Pero la mayoría de los hombres no creen.

¹⁸ ¿Hay alguien más inicuo que quien inventa mentiras acerca de Dios? Esos tales serán conducidos ante su Señor y los testigos dirán: «Estos son los que mintieron contra su Señor». ¡Sí! ¡Que la maldición de Dios caiga sobre los inicuos, ¹⁹ que desvían a otros del camino de Dios, deseando que sea tortuoso, y no creen en la otra vida! ²⁰ No podrán huir de Dios en la Tierra, no tendrán protectores fuera de Él. Se les doblará el castigo. Estos no pudieron oír ni ver [la Verdad]. ²¹ Esos son los que se han perdido a sí mismos. Se han esfumado sus invenciones... ²² ¡En verdad, en la otra vida serán los que más pierdan!

²³ Pero quienes crean, obren bien y se muestren humildes para con su Señor, esos morarán en el Jardín eternamente. ²⁴ Estas dos clases de personas son como uno ciego y sordo [los incrédulos] y otro que ve y oye [los creyentes]. ¿Son similares? ¿Es que no os dejaréis amonestar?

²⁵ Y ya enviamos a Noé a su pueblo [y les dijo]: «Soy para vosotros un monitor que habla claro: ²⁶ ¡No adoréis sino a Dios! Temo por vosotros el castigo de un día doloroso». ²⁷ Los líderes de su pueblo, que no creían, dijeron: «No vemos en ti más que un mortal como nosotros y no vemos que nadie te siga sino los pobres y débiles de nuestro pueblo que no piensan. Ni vemos que gocéis de ningún privilegio sobre nosotros. Antes bien, creemos que mentís».

²⁸ Dijo: «¡Oh, pueblo mío! ¿Qué os parece? Si yo me baso en una prueba evidente venida de mi Señor Quien me ha agraciado

con Su misericordia [la profecía], y que vosotros, en vuestra ceguera, no percibís ¿Acaso creéis que vamos a imponeros aceptar [el mensaje] cuando no estáis de acuerdo? ²⁹ ¡Oh, pueblo mío! No os pido retribución alguna a cambio, pues Dios será Quien me recompensará, y no voy a rechazar a quienes creen. Ciertamente ellos se encontrarán con su Señor. Pero veo que sois un pueblo ignorante. ³⁰ ¡Oh, pueblo mío! Si les rechazo, ¿quién me auxiliará contra Dios? ¿Es que no os dejaréis amonestar? ³¹ Yo no pretendo poseer los tesoros de Dios, ni conozco lo oculto, ni pretendo ser un ángel. Yo no digo a los que vosotros despreciáis que Dios no les reserva ningún bien. Dios conoce bien sus pensamientos. Si tal dijera, sería de los inicuos».

³² Dijeron: «¡Noé! No paras de discutir con nosotros. ¡Tráenos aquello con que nos amenazas, si es verdad lo que dices!». ³³ Dijo: «Solo Dios hará que se cumpla, si Él quiere, y no podréis escapar». ³⁴ «Si Dios quiere desviaros, aunque yo quisiera aconsejaros, mi consejo no os serviría de nada. Él es vuestro Señor y seréis devueltos a Él».

³⁵ O dicen: «Él lo ha inventado». Di: «Si yo lo hubiera inventado, sobre mí recaería el castigo de ello; y por cierto que soy inocente de lo que me imputáis».

³⁶ Y se reveló a Noé: «De tu pueblo solo creerán los que ya creían. ¡No te aflijas, pues, por lo que hicieren! ³⁷ ¡Construye la nave bajo Nuestra mirada y según Nuestra inspiración y no me hables de los que han sido injustos! ¡Van a ser ahogados!». ³⁸ Y, mientras construía la nave, siempre que pasaban por allí los poderosos de su pueblo se burlaban de él. Decía: «Si os burláis de nosotros, ya nos burlaremos de vosotros como os burláis. ³⁹ Veréis quién recibirá un castigo humillante y sobre quién se abatirá un castigo permanente».

⁴⁰ Hasta que, cuando vino Nuestra orden y el horno hirvió, dijimos: «Carga en ella a una pareja de cada especie, a tu familia -

salvo a quienes de ellos decretamos que serían destruidos - y a los creyentes». Pero no eran sino pocos los que con él creían. [41] Dijo: «¡Subid a ella! ¡Que navegue y llegue a buen puerto en el nombre de Dios! Por cierto que Mi Señor es Indulgente, Misericordioso». [42] Y navegó con ellos entre olas como montañas. Noé llamó a su hijo, que se había quedado aparte: «¡Hijito! ¡Sube con nosotros, no te quedes con los incrédulos!». [43] Dijo: «Me refugiaré en una montaña que me proteja del agua». Dijo: «Hoy nadie encontrará protección contra la orden de Dios, salvo aquel de quien Él se apiade». Se interpusieron entre ambos las olas y fue de los que se ahogaron. [44] Y fue ordenado: «¡Oh, tierra! Traga tu agua. ¡Oh, cielo! Deja de llover», Y el agua fue absorbida, se cumplió la orden y [la embarcación] se detuvo y se asentó sobre el monte Yudii [Monte cercano a la ciudad de Mosul, en Iraq]. Y se dijo: «¡Atrás el pueblo inicuo!».

[45] Noé invocó a su Señor y dijo: «¡Oh, Señor mío! Por cierto que mi hijo era parte de mi familia [y pensé que no sería destruido]; Tu promesa es verdadera, y Tú eres el mejor de los jueces». [46] Dijo: «¡Noé! ¡Él no es de tu familia! pues obró en forma impía [e incrédula] ¡No Me cuestiones sobre lo que careces de conocimiento! Te prevengo: ¡no seas de los ignorantes!». [47] Dijo: «¡ Oh, Señor mío! Me refugio en Ti de cuestionarte algo sobre lo que no tengo conocimiento. Si Tú no me perdonas y Te apiadas de mí, seré de los que están perdidos...».

[48] Se dijo: «¡Noé! ¡Desembarca con paz venida de Nosotros y con bendiciones sobre ti y las comunidades que desciendan de quienes te acompañan. Hay comunidades a las que dejaremos que gocen por breve tiempo. Luego, les castigaremos severamente». [49] Esto forma parte de las historias referentes a lo oculto que Nosotros te revelamos. Antes de esto ni tú ni tu gente las conocías. ¡Ten paciencia, pues! ¡El fin es para los que temen a Dios!

⁵⁰ Y a los 'Ad, su hermano Hud dijo: «¡Oh, pueblo mío! ¡Adorad a Dios! No tenéis a ningún otro dios que a Él. No hacéis más que inventar. ⁵¹ ¡Oh, pueblo mío! No os pido remuneración alguna a cambio, solo anhelo la recompensa de Quien me ha creado. ¿Es que no razonáis? ⁵² ¡Oh, pueblo mío!, ¡pedid perdón a vuestro Señor y luego volveos a Él! Enviará sobre vosotros del cielo una lluvia abundante y os fortalecerá. ¡No volváis la espalda como pecadores!».

⁵³ Dijeron: «¡Hud! ¡No nos has traído ninguna prueba clara! ¡No vamos a dejar a nuestros dioses porque tú lo digas! ¡No tenemos fe en ti! ⁵⁴ Lo único que decimos es que uno de nuestros dioses te ha causado mal». Dijo: «¡Pongo a Dios por testigo y sed vosotros también testigos de que soy inocente de lo que vosotros adoráis ⁵⁵ en lugar de Él! ¡Confabulaos todos contra mí [si queréis] y no me hagáis esperar!». ⁵⁶ Yo confío en Dios, mi Señor y Señor vuestro. ¡No hay ser que no dependa de Él! Por cierto que mi Señor es infinitamente Justo.

⁵⁷ Si volvéis la espalda... yo ya os he comunicado aquello con que he sido enviado a vosotros. Mi Señor [os destruirá y] os hará suceder por otro pueblo diferente [que creerá], y sabed que no Le perjudicáis en nada. ¡Mi Señor todo lo vigila! ⁵⁸ Cuando vino Nuestra orden, salvamos por una misericordia venida de Nosotros a Hud y a los que con él creyeron y les libramos de un duro castigo. ⁵⁹ Así eran los 'Ad. Negaron los signos de su Señor y desobedecieron a Sus Mensajeros, siguiendo a todo prepotente [líder de la incredulidad y] rebelde. ⁶⁰ Y la maldición les alcanzó en este mundo, y también [serán maldecidos] el Día del Juicio. ¡No! ¡Los 'Ad no creyeron en su Señor! ¡Sí! ¡Fuera con los 'Ad, pueblo de Hud!

⁶¹ Y a los Zamud, su hermano Salih dijo: «¡Oh, pueblo mío! ¡Adorad a Dios! No tenéis a ningún otro dios que a Él. Él os ha creado de la tierra y os ha establecido en ella. ¡Pedidle perdón!

Luego, ¡volveos a Él! Mi Señor está cerca, escucha». [62] Dijeron: «¡Salih! habíamos puesto en ti hasta ahora nuestra esperanza. ¿Nos prohíbes que adoremos lo que adoraban nuestros padres? Dudamos seriamente de aquello a que nos llamas». [63] Dijo: «¡Oh, pueblo mío! ¿Acaso no veis que poseo una prueba evidente de mi Señor y que me ha concedido una misericordia dimanada de Él [la profecía]? ¿Quién me protegerá de Dios si Le desobedezco [como pretendéis]? No lograríais con ello más que aumentar mi perdición.

[64] ¡Oh, pueblo mío!, esa es la camella de Dios [que hizo surgir milagrosamente de entre las rocas], que sea signo para vosotros. ¡Dejadla que pazca en la tierra de Dios y no le hagáis mal! Si no, os alcanzará pronto un castigo». [65] Pero aun así la mataron, y entonces [Salih] les dijo: «¡Gozad aún de vuestros bienes durante tres días! Es una amenaza que no dejará de cumplirse». [66] Y cuando llegó lo que habíamos decretado para ellos, salvamos a Salih y los creyentes por Nuestra misericordia de la humillación de aquel día. Ciertamente tu Señor es el Fuerte, el Poderoso. [67] Y el estrépito sorprendió a los que habían sido inicuos y amanecieron muertos en sus casas, [68] como si no hubieran habitado en ellas. ¡No! ¡Los Zamud no creyeron en su Señor! ¡Sí! ¡Fuera con los Zamud!

[69] Y ya trajeron Nuestros [ángeles] enviados la buena nueva a Abraham [el nacimiento de su hijo Isaac y anunciarle la destrucción del pueblo de Lot]. Dijeron: «¡Paz!». Dijo: «¡Paz!». Y no tardó en traer un ternero asado. [70] Y cuando vio que sus manos no lo tocaban, sospechó de ellos y sintió temor de ellos. Dijeron: «¡No temas! Se nos ha enviado al pueblo de Lot». [71] Y su mujer que estaba de pie [para servir a los huéspedes] se rió [sorprendida por la noticia], y le albriciamos con Isaac y que Isaac tendría como hijo a Jacob. [72] Dijo ella: «¡Ay de mí! ¿Voy a dar a luz ahora que soy tan vieja y este mi marido tan viejo? ¡Ciertamente, esto es algo asombroso!». [73] «¿Te asombras de la orden de Dios?», dijeron. «¡Que la misericordia de

Dios y Sus bendiciones sean sobre vosotros, gente de la casa! ¡Él es digno de ser alabado, glorificado!».

⁷⁴ Y cuando el temor de Abraham se hubo desvanecido y recibió la buena noticia, quiso interceder a favor del pueblo de Lot. ⁷⁵ Ciertamente Abraham era benigno, tierno y siempre pedía perdón. ⁷⁶ [Le fue dicho:] «¡Abraham! ¡Deja de defenderles! ¡Ha llegado la orden de tu Señor y recibirán un castigo ineludible!».

⁷⁷ Y cuando Nuestros enviados vinieron a Lot, este se afligió por ellos [por lo que su pueblo pudiere proponerles] y se sintió impotente para protegerles. Dijo: «¡Este es un día terrible!». ⁷⁸ Y [los hombres de] su pueblo, que cometían maldades [obscenidades], se presentaron presurosamente ante él, y este les dijo: «¡Oh, pueblo mío! ¡Aquí tenéis a mis hijas [para casaros con ellas], Son más puras para vosotros. ¡Temed a Dios y no me avergoncéis ante mis huéspedes! ¿Es que no hay entre vosotros ningún hombre recto? ⁷⁹ Dijeron: «Tú sabes que no deseamos a las mujeres, y ya sabes lo que queremos...».

⁸⁰ Dijo: «¡Ah! Ojala tuviera fuerza contra vosotros... o un apoyo fuerte al que recurrir...». ⁸¹ Dijeron [los ángeles]: «¡Lot! Ciertamente ¡somos emisarios de tu Señor! y sabe que no podrán alcanzarte con ningún daño. ¡Ponte en camino con tu familia durante la noche y que ninguno de vosotros se vuelva! y por cierto que tu mujer lo hará y le sobrevendrá el mismo castigo que a ellos [por su incredulidad]. Esto les ocurrirá al alba. ¿No está cercana el alba?». ⁸² Y cuando vino Nuestra orden, la volvimos de arriba abajo e hicimos llover sobre ella piedras de arcilla a montones, ⁸³ marcadas [y enviadas] por tu Señor. Y sabed [¡Oh, idólatras!] que este castigo no está lejos de los inicuos.

⁸⁴ Y al pueblo llamado Madián le enviamos a su hermano Shuaib. Dijo: «¡Oh, pueblo mío! ¡Adorad a Dios! No tenéis a ningún otro dios que a Él. ¡No defraudéis en la medida ni en el peso! Os veo en

el bienestar, pero temo por vosotros el castigo de un día de alcance universal. [85] ¡Oh, pueblo mío! ¡dad la medida y el peso equitativos! ¡No defraudéis a los demás en sus bienes! ¡No obréis mal en la Tierra corrompiendo! [86] Conformaos con lo que Dios os sustenta, pues ello es lo mejor para vosotros, si sois creyentes. Y yo no soy vuestro custodio».

[87] Dijeron: «¡Shuaib! ¿Acaso te ordena tu religión que dejemos lo que nuestros padres adoraban y que no podamos hacer con nuestros bienes lo que queramos? ¿Acaso crees que solo tú eres tolerante y honrado?».

[88] Dijo: «¡Oh, pueblo mío! Ciertamente me baso en una prueba evidente de mi Señor, y Él me ha proveído un generoso sustento. No creáis que os impondría algo que yo mismo no cumpliría. No pretendo sino reformaros en la medida de mis posibilidades. Mi éxito no depende sino de Dios. En Él confío y a Él me vuelvo arrepentido. [89] ¡Oh, pueblo mío!, ¡que la oposición a mí no os cause los mismos males que alcanzaron al pueblo de Noé o al pueblo de Hud o al pueblo de Salih! Y el pueblo de Lot no está lejos de vosotros. [90] ¡Pedid perdón a vuestro Señor y volveos a Él! Ciertamente mi Señor es Misericordioso, Afectuoso».

[91] Dijeron: «¡Shuaib! No entendemos mucho de lo que dices. Entre nosotros se te tiene por débil. Si no hubiera sido por tu tribu, te habríamos lapidado. No nos impresionas». [92] Dijo: «¡Oh, pueblo mío! ¿Acaso mi tribu es más importante para vosotros que Dios, a Quien habéis dejado de lado? Mi Señor abarca todo lo que hacéis. [93] ¡Oh, pueblo mío! ¡Obrad según vuestra situación! Yo también obraré... Veréis quién va a recibir un castigo humillante y quién es el que miente... ¡Vigilad! Yo también vigilaré con vosotros».

[94] Cuando vino Nuestra orden, salvamos por una misericordia venida de Nosotros a Shuaib y a los que con él creían. El estrépito sorprendió a los que habían sido inicuos y amanecieron muertos en

sus casas, [95] como si no hubieran habitado en ellas. ¡Sí! fuera con los Madián! como también se había dicho a los Zamud.

[96] Y ya enviamos a Moisés con Nuestros signos y con una autoridad manifiesta [97] a Faraón y a sus dignatarios. Pero estos siguieron la orden de Faraón. Y la orden de Faraón no era sensata. [98] El Día de la Resurrección, precederá a su pueblo y le conducirá a beber al Fuego. ¡Qué mal abrevadero...! [99] En esta vida fueron perseguidos por una maldición y lo serán también el Día de la Resurrección. ¡Qué mal socorro el que recibirán...!

[100] Te contamos estas cosas de las ciudades: algunas de ellas están aún en pie, y otros han sido devastados. [101] No hemos sido Nosotros quienes han sido injustos con sus habitantes, sino que ellos lo han sido consigo mismos. Sus dioses, a los que invocaban, en lugar de invocar a Dios, no les sirvieron de nada cuando vino la orden de tu Señor. No hicieron sino aumentar su perdición.

[102] Así castiga tu Señor cuando castiga las ciudades por su iniquidad. Su castigo es doloroso, severo. [103] Ciertamente, hay en ello un signo para quien teme el castigo de la otra vida. Ese es un día en que todos los hombres serán congregados, un día que todos presenciarán. [104] No lo retrasaremos sino hasta el plazo fijado. [105] El día que esto ocurra nadie hablará sino con Su permiso. De los hombres, unos serán desgraciados, otros felices.

[106] Los desdichados serán castigados en el Infierno, donde se oirán sus alaridos y lamentos. [107] Quedarán eternamente en él al igual que los cielos y la Tierra [en la otra vida], que perdurarán para siempre, salvo que tu Señor disponga otra cosa. Tu Señor hace siempre lo que quiere. [108] En cambio, los bienaventurados estarán en el Paraíso eternamente al igual que los cielos y la tierra [en la otra vida], que perdurarán para siempre, exceptuando lo que Dios quiera [aquellos para quienes Dios decretó que debían permanecer un tiempo en el Infierno para purificar sus pecados]. Ciertamente

serán recompensados con una gracia infinita. [109] No vivas con dudas respecto a lo que adoran esas gentes. Ellos adoran lo mismo que anteriormente adoraban sus padres. Vamos a darles, sin mengua, la parte que les corresponde.

[110] Y ya dimos a Moisés el Libro, pero discreparon acerca de ella, y si no llega a ser por una palabra previa de tu Señor, ya se habría decidido entre ellos. Y ellos dudan seriamente de ella. [111] Ciertamente, tu Señor remunerará a todos sus obras sin falta. Está bien informado de lo que hacen. .

[112] Sé recto como se te ha ordenado y lo mismo los que, contigo, se arrepientan. ¡No seáis transgresores! Él ve bien lo que hacéis. [113] Y no os inclinéis hacia los inicuos [aceptando su iniquidad], porque [si lo hacéis] seréis castigados en el Infierno, y no tendréis fuera de Dios protector alguno ni defensor. [114] Haz la oración en los dos extremos del día y en las primeras de la noche, pues las buenas obras borran las malas. Esta es una exhortación para los que recuerdan. [115] ¡Y ten paciencia! Dios no deja de remunerar a quienes hacen el bien.

[116] Por cierto que en las generaciones que os precedieron hubo solo unos pocos piadosos, a quienes salvamos, que se opusieron a la corrupción en la Tierra, mientras que los inicuos persistían en el lujo en que vivían y fueron pecadores. [117] No iba tu Señor a destruir las ciudades injustamente mientras sus poblaciones se portaban correctamente.

[118] Tu Señor, si hubiera querido, habría hecho de los hombres una sola comunidad. Pero no cesan en sus discrepancias, [119] salvo aquellos que han sido objeto de la misericordia de tu Señor, y por eso los ha creado. Se ha cumplido la palabra de tu Señor: «¡He de llenar el Infierno de genios y hombres, a la vez!».

[120] Todo esto que te narramos sobre las historias de los Mensajeros es para [consolar y] afianzar tu corazón. Con ellas te

ha llegado la Verdad, una exhortación y una amonestación para los creyentes. ¹²¹ Y di a los que no creen: «¡Obrad según vuestra situación! Nosotros también obraremos.... ¹²² ¡Y esperad! ¡Nosotros esperamos!». ¹²³ A Dios pertenece lo oculto de los cielos y de la tierra. Él es el fin de todo. ¡Adoradle pues! ¡Confía en Él! Tu Señor está atento a lo que hacéis.

SURA 12 : YUSUF

JOSÉ

¡En el nombre de Dios, el Compasivo, el Misericordioso!

¹ *'Alif. Lam. Ra.*

Estos son los preceptos del Libro evidente [el Sagrado Corán]. ² Y ciertamente lo hemos revelado en idioma árabe para que reflexionéis. ³ Con la revelación que te hacemos de este Corán vamos a contarte Nosotros el más bello de los relatos, y antes no tenías conocimiento de ella.

⁴ Cuando José dijo a su padre [Jacob]: «¡Padre! He visto once estrellas, el sol y la luna. Los he visto que se prosternaban ante mí». ⁵ Dijo: «¡Hijito! No cuentes tu sueño a tus hermanos; si no, emplearán una artimaña contra ti [por envidia]. El Demonio es para el hombre un enemigo declarado. ⁶ Así [como te mostró esa visión en sueños] tu Señor te elegirá [como profeta] y te enseñará la interpretación de los sueños. Completará Su gracia en ti y en la familia de Jacob, como antes la completó en tus dos antepasados Abraham e Isaac. Tu Señor es Omnisciente, Sabio».

⁷ Ciertamente, en José y sus hermanos hay signos para los que investigan. ⁸ Cuando dijeron: «Sí, nuestro padre quiere más a José y a su hermano [Benjamín] que a nosotros, aun siendo nosotros más

numerosos. Nuestro padre está en un error evidente. [9] ¡Matemos a José o expulsémosle a cualquier país, para que nuestro padre no nos mire más que a nosotros! Desaparecido José, seremos gente recta».
[10] Pero uno de ellos dijo: «¡No matéis a José ¡Echadlo, más bien, al fondo del aljibe, si es que os lo habéis propuesto...! Algún viajero lo recogerá...».

[11] Dijeron: «¡Padre! ¿Por qué no confías en nosotros respecto a José? Tenemos buenas intenciones para con él. [12] ¡Envíale mañana con nosotros! Se divertirá y jugará. Ciertamente cuidaremos de él». [13] «Me entristece que os lo llevéis», dijo. «Temo que, en un descuido vuestro, se lo coma el lobo». [14] Dijeron: «Si el lobo se lo comiera, siendo nosotros tantos, seríamos unos incapaces».

[15] Y fueron con él, y acordaron arrojarlo a lo profundo de un aljibe; mas [cuando lo hicieron] le revelamos a él [a José]: «¡Ya les recordarás más tarde, sin que te reconozcan, lo que ahora han hecho!». [16] Al anochecer regresaron a su padre, llorando. [17] Dijeron: «¡Padre! Fuimos a hacer carreras y dejamos a José junto a nuestras cosas. Entonces, se lo comió el lobo. No nos creerás, pero decimos la verdad». [18] Y presentaron su camisa manchada de sangre falsa. Dijo: «¡No! Vosotros sugeristeis esto [y os llevasteis a José]. ¡Hay que tener digna paciencia! Dios es Aquel Cuya ayuda se implora contra lo que contáis».

[19] Llegaron unos viajeros y enviaron a su aguador, que bajó el cubo. Dijo: «¡Buena noticia! ¡Hay aquí un muchacho!». Y lo ocultaron con ánimo de venderlo. Pero Dios sabía bien lo que hacían. [20] Y lo malvendieron por contados dirhams, subestimándolo.

[21] El que lo había comprado, que era de Egipto, dijo a su mujer: «¡Acógele bien! Quizá nos sea útil o lo adoptemos como hijo». Así dimos poderío a José en el país, y hasta le enseñamos a interpretar sueños. Dios prevalece en lo que ordena, pero la mayoría de los

hombres no saben. ²² Cuando alcanzó la madurez, le dimos juicio y conocimiento. Así retribuimos a quienes hacen el bien.

²³ Y la señora de la casa en la cual estaba [la esposa del administrador] se sintió atraída por él, y cerrando las puertas exclamó: «¡Ven aquí!». Dijo él: «¡Dios me libre! Por cierto que mi amo me ha procurado una buena acogida. Los inicuos no prosperarán». ²⁴ Ella lo deseaba y él la deseó, pero vio que era una prueba de su Señor. Por cierto que lo preservamos del mal y la obscenidad, porque era uno de los siervos elegidos.

²⁵ Se precipitaron los dos hacia la puerta y ella desgarró por detrás su camisa, y se encontraron con el marido de ella junto a la puerta. Dijo ella: «¡Cuál es la retribución de quien ha querido mal a tu familia, sino la cárcel o un castigo doloroso?». ²⁶ Dijo: «Ella me ha solicitado». Y un miembro de la familia de ella atestiguó que si su camisa había sido desgarrada por delante, entonces, ella decía la verdad y él mentía, ²⁷ mientras que si había sido desgarrada por detrás, entonces, ella mentía y él decía la verdad. ²⁸ Y cuando vio que su camisa había sido desgarrada por detrás dijo: «Es una astucia propia de vosotras. Es enorme vuestra astucia... ²⁹ ¡Oh, José! Olvida lo sucedido [y no se lo menciones a nadie]. Y tú, pide perdón por lo que has hecho; en verdad eres una pecadora».

³⁰ Unas mujeres decían en la ciudad: «La mujer del administrador pretende seducir a su joven [criado], está perdidamente enamorada de él, por cierto que la vemos en un error evidente». ³¹ Cuando ella oyó sus murmuraciones, envió por ellas y les preparó un banquete, dando a cada una de ellas un cuchillo, y le dijo [a José] que se presentase ante ellas. Cuando las mujeres le vieron se maravillaron [por su belleza] que se hicieron cortes en las manos y dijeron: «¡Santo Dios! ¡Este no es un mortal, este no es sino un ángel maravilloso!». ³² Dijo ella: «Ahí tenéis a aquel por quien me habéis censurado y a quien yo he solicitado, pero él ha permanecido firme.

Ahora bien, si no hace lo que yo le ordeno, ha de ser encarcelado y será, ciertamente, de los despreciables». ³³ Dijo él: «¡Oh, Señor mío! Prefiero la cárcel a acceder a lo que ellas me piden. Pero, si no apartas de mí su astucia, cederé a ellas y seré de los ignorantes». ³⁴ Su Señor le escuchó y apartó de él su astucia. Él es Quien todo lo oye, Quien todo lo sabe.

³⁵ Más tarde, a pesar de haber visto las pruebas [que indicaban su inocencia], les pareció que debían encarcelarle por algún tiempo [hasta que la gente se olvidase del asunto]. ³⁶ Ingresaron con él a la cárcel dos jóvenes criados. Uno de ellos dijo: «Me he visto [en sueños] exprimiendo uvas». Y el otro dijo: «Yo me he visto llevando sobre la cabeza pan, del que comían los pájaros. ¡Danos a conocer su interpretación! Vemos que eres de quienes hacen el bien».

³⁷ Dijo: «Antes de que os traigan la comida ya os habré dado su interpretación. Esto [la interpretación de los sueños] es lo que mi Señor me enseñó; por cierto que yo no sigo la religión de un pueblo que no cree en Dios ni en la otra vida. ³⁸ y sigo la religión de mis antepasados Abraham, Isaac y Jacob, y no asociamos ningún copartícipe a Dios. Esto es una gracia de Dios para nosotros y para todo aquel que siga la guía, pero la mayoría de los hombres no lo agradecen ³⁹ ¡Oh, mis dos compañeros de cárcel! ¿Acaso los diversos ídolos [que adoráis] pueden equipararse a Dios, Único, Victorioso? ⁴⁰ Lo que servís, en lugar de servirle a Él, no son sino nombres que habéis puesto, vosotros y vuestros padres, nombres a los que Dios no ha conferido ninguna autoridad. La decisión pertenece solo a Dios. Él ha ordenado que no sirváis a nadie sino a Él. Esa es la religión verdadera. Pero la mayoría de los hombres no saben.

⁴¹ ¡Compañeros de cárcel! Uno de vosotros dos escanciará vino a su señor. El otro será crucificado y los pájaros comerán de su cabeza. Se ha decidido ya lo que me consultabais». ⁴² Y dijo a aquel

de los dos de quien creía que iba a salvarse: «¡Recuérdame ante el rey!», pero Satanás le hizo olvidar que lo mencionara ante él. Y continuó en la cárcel varios años más.

⁴³ El rey dijo: «He visto siete vacas gordas a las que comían siete flacas, y siete espigas verdes y otras tantas secas. ¡Oh, cortesanos! ¡Aclaradme mi sueño, si es que sois capaces de interpretar sueños!». ⁴⁴ Dijeron: «Son sueños incoherentes; y nosotros no somos expertos en la interpretación de sueños». ⁴⁵ Aquel de los dos que se había salvado recordó [a José] al cabo de un tiempo y dijo: «¡Yo os daré a conocer su interpretación! ¡Dejadme ir!».

⁴⁶ «¡José, veraz! ¡Acláranos qué significan siete vacas gordas a las que comen siete flacas y siete espigas verdes y otras tantas secas! Quizá vuelva yo a los hombres. Quizás, así, se enteren». ⁴⁷ Dijo: «Sembraréis durante siete años como de costumbre, y al segar, dejad la espiga, salvo una porción pequeña de que comeréis. ⁴⁸ Luego de esto, se sucederán siete años de sequía en los que comeréis lo que hayáis acopiado, salvo un poco que reserváis. ⁴⁹ Luego vendrá un año en que la gente será agraciada con la lluvia, y en él prensarán [las uvas y las aceitunas]».

⁵⁰ Dijo el rey [al escuchar la interpretación]: «¡Traedlo ante mí!». Pero cuando el enviado se presentó ante él [José], le dijo: «Regresa ante el rey y pregúntale cuál era la intención de las mujeres que se cortaron las manos, ciertamente mi Señor está bien enterado de sus conspiraciones». ⁵¹ Dijo: «¿Cuál era vuestra intención cuando solicitasteis a José?». Dijeron ellas: «¡Santo Dios! No sabemos de él que haya hecho nada malo». La mujer del Poderoso dijo: «Ahora brilla la verdad. ¡Yo soy la que le solicitó! Él es de los que dicen la verdad».

⁵² «Esto es así para que sepa que no le he traicionado a escondidas y que Dios no dirige la astucia de los traidores. ⁵³ Yo no pretendo ser inocente. El alma exige el mal y solo están a salvo

de ello aquellos a quienes mi Señor les tiene misericordia [y los protege de sus inclinaciones]. Ciertamente mi Señor es Indulgente, Misericordioso».

[54] El rey dijo: «Traedlo ante mí que quiero destinarlo exclusivamente para mi servicio». Cuando hubo hablado con él, dijo: «Hoy has encontrado entre nosotros un puesto de autoridad, de confianza». [55] Dijo: «¡Ponme al frente de los almacenes del país! ¡Yo sé bien cómo guardarlos!». [56] Y así dimos poderío a José en el país, en el que podía establecerse donde quería. Nosotros hacemos objeto de Nuestra misericordia a quien queremos y no dejamos de remunerar a quienes hacen el bien. [57] Con todo, la recompensa de la otra vida es mejor para quienes creen y temen a Dios.

[58] Los hermanos de José vinieron y entraron a verle. Este les reconoció, pero ellos a él no. [59] Cuando les hubo suministrado sus provisiones dijo: «Traedme vuestro hermano paterno. ¿No veis que cumplo con la medida justa y soy el mejor de los anfitriones? [60] Si no me lo traéis, no obtendréis más grano de mí ni os acercaréis más a mí». [61] Dijeron: «Se lo pediremos a su padre, ¡sí que lo haremos!».

[62] Y dijo a sus esclavos: «¡Poned su mercancía en sus alforjas. Quizá la reconozcan cuando regresen a los suyos. Quizás así, regresen...». [63] De vuelta a su padre, dijeron: «¡Padre! Se nos ha negado el grano [para la próxima vez]. Envía, pues, con nosotros a nuestro hermano y así recibiremos grano. Cuidaremos, ciertamente, de él». [64] Dijo: «Las seguridades que ahora me ofrecéis respecto a él, ¿son diferentes de las que antes me ofrecisteis respecto a su hermano? Pero Dios es Quien cuida mejor y es la Suma Misericordia».

[65] Y cuando abrieron sus alforjas, hallaron que se les había devuelto su mercancía. Dijeron: «¡Padre! ¿Qué más podríamos desear? He aquí que se nos ha devuelto nuestra mercancía. Aprovisionaremos a nuestra familia, cuidaremos de nuestro hermano

y añadiremos una carga de camello: será una carga ligera». ⁶⁶ Dijo: «No lo enviaré con vosotros mientras no os comprometáis ante Dios a traérmelo, salvo en caso de fuerza mayor». Cuando se hubieron comprometido, dijo: «Dios responde de nuestras palabras».

⁶⁷ Y dijo: «¡Hijos míos! No entréis por una sola puerta, sino por puertas diferentes [pues temo que os alcance el mal de ojo por envidia a vuestro hermoso aspecto]. Yo no os serviría de nada frente a Dios. La decisión pertenece solo a Dios. ¡En Él confío! ¡Que los que confían confíen en Él! ⁶⁸ Y entraron por donde su padre les había ordenado, pero esto no le habría servido de nada contra el designio de Dios, pues solo era una prevención que Jacob había tomado [para sus hijos]. Él tenía sabiduría por todo el conocimiento que le habíamos concedido, pero la mayoría de la gente lo ignoran.

⁶⁹ Cuando estuvieron ante José, este arrimó a sí a su hermano y dijo: «¡Soy tu hermano! ¡No te aflijas, pues, por lo que hicieron!». ⁷⁰ Y cuando los hubo aprovisionado, puso la copa [del rey] en la alforja de su hermano. Luego, un voceador pregonó: «¡Caravaneros! ¡Sois, ciertamente, unos ladrones!». ⁷¹ Dijeron, dirigiéndose a ellos: «¿Qué echáis de menos?». ⁷² Dijeron: «Echamos de menos la copa del rey. Una carga de camello para quien la traiga. Yo lo garantizo». ⁷³ «¡Por Dios!» dijeron. «Bien sabéis que o no hemos venido a corromper en el país y que no somos ladrones». ⁷⁴ Dijeron: «Y, si mentís, ¿Cuál será su retribución?». ⁷⁵ Dijeron: «La retribución de aquel en cuya alforja se encuentre será que se quede aquí detenido. Así retribuimos a los inicuos». ⁷⁶ Comenzó por sus sacos antes que por el de su hermano. Luego, la sacó del saco de su hermano. Nosotros sugerimos esta artimaña a José, pues no podía prender a su hermano según la ley del rey, a menos que Dios quisiera. Elevamos en grados a quien queremos. Por encima de todo el que posee conocimiento hay Uno que todo lo sabe.

⁷⁷ Dijeron: «Si él ha robado, ya un hermano suyo ha robado

antes». Pero José lo mantuvo secreto y no se lo reveló. Pensó: «Os encontráis en la situación peor y Dios sabe bien lo que contáis». [78] Dijeron: «¡Oh, administrador! Tiene un padre muy anciano. Retén a uno de nosotros en su lugar. Vemos que eres de quienes hacen el bien». [79] Dijo: «¡Dios nos libre de retener a otro distinto de aquel en cuyo poder hemos encontrado nuestra propiedad! Seríamos, si no, injustos».

[80] Desesperado de hacerle cambiar, celebraron una consulta. El mayor dijo: «¿Habéis olvidado que vuestro padre os ha exigido comprometeros ante Dios y cómo faltasteis antes a José? Yo no saldré de este país hasta que mi padre me lo permita o hasta que Dios decida en mi favor, que Él es el Mejor en decidir. [81] Regresad a vuestro padre y decid: "¡Padre! Tu hijo ha robado. No atestiguamos sino lo que sabemos, y no tenemos acceso a lo oculto [para saber si realmente lo hizo o no]. [82] Y pregunta en la ciudad donde estuvimos y a la caravana con la cual vinimos, pues nosotros decimos la verdad"».

[83] Dijo: «¡No! Vuestra imaginación os ha sugerido esto. ¡Hay que tener digna paciencia! Tal vez Dios me los devuelva a todos. Él es el Omnisciente, el Sabio». [84] Y se alejó de ellos y dijo: «¡Qué triste estoy por José!». Y de tristeza, sus ojos perdieron la vista. Sufría en silencio... [85] Dijeron: «¡Por Dios, que no vas a dejar de recordar a José hasta ponerte enfermo o morir!». [86] Dijo: «Solo me quejo a Dios de mi pesadumbre y de mi tristeza. Pero sé por Dios lo que vosotros no sabéis... [87] ¡Hijos míos! ¡Id e indagad acerca de José y de su hermano y no desesperéis de la misericordia de Dios, porque solo el pueblo infiel desespera de la misericordia de Dios!».

[88] Cuando estuvieron ante él, dijeron: «¡Oh, administrador! Hemos sufrido una desgracia [de la sequía], nosotros y nuestra familia, y traemos una mercancía de escaso valor. ¡Danos, pues, la medida justa y haznos caridad! Dios retribuye a los que hacen la

caridad». ⁸⁹ Dijo: «¿Sabéis lo que, en vuestra ignorancia, hicisteis a José y a su hermano?». ⁹⁰ Dijeron [sorprendidos]: «¿Es que tú eres José?». Dijo: «¡Yo soy José y este es mi hermano! Dios nos ha agraciado. Quien teme a Dios y es paciente...Dios no deja de remunerar a quienes hacen el bien».

⁹¹ Dijeron: «¡Por Dios! Ciertamente, Dios te ha preferido a nosotros. ¡Hemos pecado!». ⁹² Dijo: «¡Hoy no os reprochéis nada! Dios os perdonará, y Él es el más Misericordioso. ⁹³ ¡Id con esta camisa mía y arrojadla sobre el rostro de mi padre, que así recuperará la vista. ¡Traedme luego a vuestra familia, a todos!».

⁹⁴ Al tiempo que la caravana emprendía el regreso, dijo su padre: «Noto el olor de José, aunque penséis que desvarío». ⁹⁵ Dijeron: «¡Por Dios, ya estás en tu antiguo error!». ⁹⁶ Cuando el portador de la buena nueva llegó, la aplicó a su rostro y recuperó la vista. Dijo: «¿No os decía yo que sé por Dios lo que vosotros no sabéis?». ⁹⁷ Dijeron: «¡Padre! ¡Pide a Dios que nos perdone nuestros pecados! ¡Hemos pecado!». ⁹⁸ Dijo: «¡Pediré a mi Señor que os perdone! Él es el Indulgentes el Misericordioso».

⁹⁹ Y cuando se presentaron [todos] ante José, estrechó a sus padres y dijo: «¡Entrad seguros en Egipto, si Dios quiere!». ¹⁰⁰ Hizo sentar a sus padres en el trono, y todos [tanto sus padres como sus hermanos] hicieron una reverencia ante él, quien dijo: «¡Padre! He aquí la interpretación de mi sueño de antes. Mi Señor ha hecho de él una realidad. Fue bueno conmigo, sacándome de la cárcel y trayéndoos del desierto, luego de haber sembrado el Demonio la discordia entre yo y mis hermanos. Mi Señor es bondadoso para quien Él quiere. Él es el Omnisciente, el Sabio.

¹⁰¹ ¡Oh, Señor mío! Tú me has dado del dominio y me has enseñado a interpretar sueños. ¡Creador de los cielos y de la Tierra! ¡Tú eres mi Amigo en esta vida y en la otra! ¡Haz que cuando muera lo haga sometido a Ti y me reúna con los justos!».

[102] Esto forma parte de las historias referentes a lo oculto, que Nosotros te revelamos. Tú no estabas con ellos cuando se pusieron de acuerdo e intrigaron. [103] La mayoría de los hombres, aunque te esfuerces [para que crean], no creen. [104] Tú no les pides remuneración alguna para exhortarles. Ciertamente este es un Mensaje para todo el mundo.

[105] ¡Cuántos signos hay en los cielos y en la Tierra [que evidencian el poder del Creador]! Pasan frente a ellos, pero se apartan [y no reflexionan]. [106] La mayoría no creen en Dios sino como asociadores. [107] ¿Acaso [estos idólatras] se sienten a salvo de ser alcanzados por el castigo de Dios, o que les llegue la Hora [del Juicio] de improviso, sin advertirlo? [108] Di: «Este es mi camino. Basado en una prueba visible, llamo a Dios, y los que me siguen también. ¡Gloria a Dios! Yo no soy de los asociadores».

[109] Antes de ti no enviamos más que a hombres de las ciudades, a los que hicimos revelaciones. ¿No han ido por la tierra y mirado cómo terminaron sus antecesores? Sí, la Morada de la otra vida es mejor para los que temen a Dios ¿Es que no razonáis...? [110] Cuando los Mensajeros se resignaron y tuvieron la certeza de que les desmentirían radicalmente, les llegó Nuestro socorro y salvamos a quien quisimos. Pero Nuestro rigor no respetará al pueblo pecador.

[111] Hay en sus historias motivo de reflexión para los dotados de intelecto... No es un relato inventado, sino confirmación de los mensajes anteriores, explicación detallada de todo, guía y misericordia para gente que cree.

EL TRUENO

¡En el nombre de Dios, el Compasivo, el Misericordioso!

¹ *Alif. Lam. Mim. Ra.*

Estos son los preceptos innegables del Libro [el Corán] que te fue revelado por tu Señor, pero la mayoría de los hombres no creen. ² Dios es quien elevó los cielos sin pilares visibles. Luego, se estableció sobre el Trono y sujetó el sol y la luna, haciendo que cada uno recorra [su órbita] por un plazo prefijado. Él lo dispone todo. Explica detalladamente Sus preceptos. Quizás, así, estéis convencidos del encuentro de vuestro Señor. ³ Él es quien ha extendido la tierra y puesto en ella montañas firmes, ríos y una pareja en cada fruto. Cubre el día con la noche. Ciertamente, hay en ello signos para gente que reflexiona.

⁴ En la Tierra hay parcelas de terreno colindantes, viñedos, cereales, palmeras de tronco simple o múltiple. Todo lo riega una misma agua, pero hacemos que unos frutos sean mejores que otros. Ciertamente, hay en ello signos para gente que razona.

⁵ Si te asombras [¡Oh, Muhammad! de estos signos], pues más asombroso es lo que dicen [los incrédulos]: «Cuando seamos tierra, ¿es verdad que se nos creará de nuevo?». Esos son los que niegan a su Señor, esos son los que llevarán argollas al cuello, esos son los moradores del Fuego, eternamente.

⁶ Te piden que precipites el mal antes que el bien, aun habiendo precedido castigos ejemplares. Tu Señor es el que perdona a los hombres, a pesar de sus iniquidades. Pero también tu Señor es severo en castigar.

⁷ Los incrédulos dicen: «¿Por qué no se le ha revelado un signo

procedente de su Señor?». Tú eres solo uno que advierte y para cada
pueblo hemos enviado un [Profeta como] guía.

⁸ Dios sabe lo que cada hembra lleva en su vientre, así como lo
que no llega a concretarse en los úteros y lo que sigue su crecimiento.
Todo lo tiene medido. ⁹ El Conocedor de lo oculto y de lo patente, el
Grande, el Sublime. ¹⁰ Da lo mismo que uno de vosotros diga algo
en secreto o lo divulgue, se esconda de noche o se muestre de día.

¹¹ El hombre tiene [ángeles] custodios por delante y por detrás,
que lo protegen por orden de Dios. Dios no cambiará la condición
de un pueblo mientras este no cambie lo que en sí tiene. Y si Dios
decreta el mal para un pueblo, no existe nada que lo pueda impedir,
y no tendrán fuera de Él protector alguno.

¹² Él es quien os hace ver el relámpago, motivo de temor y
de anhelo, Él es quien forma las pesadas nubes. ¹³ El trueno Le
glorifica con su alabanza, así como los ángeles por temor a Él.
Envía los rayos, y fulmina con ellos a quien quiere, sin embargo
[los incrédulos] discuten acerca de Dios. Ciertamente Él es severo
en el castigo.

¹⁴ La verdadera invocación es la que se dirige a Él. Y aquellos
[ídolos] que invocan [los incrédulos] en vez de Dios no podrán
responder sus súplicas, es como a quien, deseando alcanzar el agua
con la boca, se contenta con extender hacia ella las manos y no lo
consigue. Y las súplicas de los incrédulos [a sus ídolos] son en vano.

¹⁵ Ante Dios se prosternan mañana y tarde los que están en los
cielos y en la Tierra, de grado o por fuerza, así como sus sombras.
¹⁶ Di: «¿Quién es el Señor de los cielos y de la Tierra?». Di: «¡Dios!».
Di: «¿Es que tomáis en vez de Él [ídolos como] protectores que
no pueden beneficiarse ni perjudicarse a sí mismos?». Di: «¿Son
iguales el ciego y el vidente? ¿Son iguales las tinieblas y la luz? ¿O
es que aquello que Le atribuyen a Dios ha creado algo como lo hace

Él, por lo que os confundisteis y creísteis que debíais adorarlo?».
Di: «Dios es el Creador de todo. Él es el Uno, el Victorioso».

[17] Ha hecho bajar del cielo agua, que se desliza por los valles, según la capacidad de estos. El torrente arrastra una espuma flotante, semejante a la escoria que se produce en la fundición para fabricar joyas o utensilios. Así habla Dios en símil de la Verdad y de lo falso: la espuma se pierde; en cambio, queda en la tierra lo útil a los hombres. Así propone Dios los símiles.

[18] Los que escuchen a su Señor tendrán, lo mejor. A los que no Le escuchen, aunque posean todo lo que hay en la Tierra y otro tanto y lo ofrezcan como rescate, les irá mal al ajustar las cuentas. Su morada será el Infierno. ¡Qué mal lecho...!

[19] ¿Acaso quien reconoce que lo que te reveló tu Señor es la Verdad es igual al ciego [de corazón]? Ciertamente lo recordarán solo los dotados de intelecto. [20] Quienes observan fielmente la alianza con Dios y no violan lo pactado, [21] quienes mantienen los lazos que Dios ha ordenado mantener y tienen miedo de su Señor y de que les vaya mal al ajustar las cuentas, [22] quienes tienen paciencia por deseo de agradar a su Señor, hacen la oración, dan limosna en secreto o en público, de lo que les hemos proveído y repelen el mal con el bien, esos tendrán la Morada Postrera, [23] los jardines del Edén, en que entrarán, junto con aquellos de sus padres, esposas y descendientes que fueron buenos. Los ángeles entrarán en donde ellos estén, por todas partes: [24] «¡Paz sobre vosotros, por haber tenido paciencia!». ¡Qué agradable será la Morada Postrera!

[25] Pero quienes violan el pacto con Dios después de haberla contraído, cortan los lazos que Dios ha ordenado mantener y corrompen en la tierra, esos serán malditos y tendrán una morada detestable. [26] Dios dispensa el sustento a quien Él quiere: a unos con largueza, a otros con mesura. Se han regocijado en la vida de aquí y esta vida no es, comparada con la otra, sino breve disfrute...

²⁷ Los incrédulos dicen: «¿Por qué no se le ha revelado un signo que procede de su Señor?». Di: «Dios extravía a quien Él quiere y dirige a Él a quien se arrepiente». ²⁸ Aquellos que creen, sus corazones se sosiegan con el recuerdo de Dios. ¿Acaso no es con el recuerdo de Dios que se sosiegan los corazones?, ²⁹ quienes crean y obren bien, serán bienaventurados y tendrán un bello lugar de retorno.

³⁰ Así te hemos enviado a una comunidad que fue precedida de otras, para que les recites lo que te hemos revelado, pero niegan al Compasivo. Di: «¡Es mi Señor! No hay más dios que Él. En Él confío y a Él me vuelvo arrepentido».

³¹ Si hubiera un Corán en virtud del cual pudieran ponerse en marcha las montañas, agrietarse la tierra, hablar los muertos... Pero todo está en manos de Dios. Los que creen ¿no saben que si Dios hubiera querido habría puesto a todos los hombres en la buena dirección? No dejará de alcanzar una calamidad a los incrédulos en premio a sus obras o bien tendrá lugar cerca de sus casas hasta que se cumpla la promesa de Dios. Dios no falta a Su promesa. ³² Ya han sido objeto de burla otros enviados antes de ti. Concedí una prórroga a los incrédulos; luego, les sorprendí. Y ¡cuál no fue Mi castigo...!

³³ ¿Acaso Quien tiene presente lo que toda alma hace [se equipara con los ídolos]? Pero igualmente Le atribuyeron copartícipes a Dios. Diles: «¡Mencionad [a los copartícipes si es que existen!». ¿Acaso creéis que vais a informarle de algo que existe en la Tierra y que Él no sepa, o solo habláis sin sentido? [Satanás] Les hizo ver a los incrédulos la idolatría como algo bueno, y apartaron a los hombres del camino recto, y aquel a quien Dios extravía, nadie lo podrá guiar. ³⁴ Tendrán un castigo en la vida del mundo, pero en la otra tendrán un castigo más penoso. No tendrán quien les proteja contra Dios.

³⁵ Os describimos el Paraíso que le fue prometido a quienes temen a Dios: En él corren los ríos, tiene frutos y sombra perpetuos. Esta será la recompensa de los temerosos de Dios. El fin de los incrédulos, empero, será el Fuego.

³⁶ Aquellos a quienes dimos el Libro, se alegran de lo que se te ha revelado. En los coligados, en cambio, hay quienes rechazan una parte. Di: «He recibido solo la orden de servir a Dios y de no asociarle. Llamo a Él y a Él vuelvo». ³⁷ Así lo hemos revelado como juicio en lengua árabe. Si tú sigues sus pasiones, después de haber sabido tú lo que has sabido, no tendrás amigo ni protector frente a Dios. ³⁸ Mandamos a otros Mensajeros antes de ti, y les dimos esposas y descendientes. Ningún Mensajero, empero, puede traer un signo si no es con permiso de Dios. Cada Libro fue revelado en su momento prefijado. ³⁹ Dios abroga o confirma lo que quiere. Él tiene el Libro Matriz [la Tabla Protegida].

⁴⁰ Lo mismo si te mostramos algo de lo que les reservamos, que si te llamamos, a ti te incumbe solo la transmisión y a Nosotros el ajuste de cuentas. ⁴¹ ¿Es que no ven Nuestra intervención cuando reducimos la superficie de la Tierra? ¡Dios decide! Nadie puede oponerse a Su decisión y es rápido en ajustar cuentas... ⁴² Sus antecesores intrigaron, pero el éxito de toda intriga depende de Dios. Sabe lo que cada uno merece y los incrédulos verán para quién es la Morada Postrera.

⁴³ Los incrédulos dicen: «¡Tú no has sido enviado!». Di: «Dios basta como testigo entre yo y vosotros, y también quienes tienen conocimiento sobre los Libros revelados anteriormente».

ABRAHAM

¡En el nombre de Dios, el Compasivo, el Misericordioso!

[1] *Alif. Lam. Ra.*

Esta es una Escritura que te hemos revelado para que, con permiso de tu Señor, saques a los hombres de las tinieblas a la luz, a la vía del Poderoso, del Digno de Alabanza, [2] A Dios pertenece cuanto existe en los cielos y la Tierra. ¡Ya verán los incrédulos el terrible castigo que les aguarda [el Día del Juicio]! [3] Quienes prefieren esta vida a la otra y desvían a otros del camino de Dios, deseando que sea tortuoso, están profundamente extraviados.

[4] No mandamos a ningún Mensajero que no hablara en la lengua de su pueblo, para que les explicara con claridad. Dios extravía a quien Él quiere y guía a quien Él quiere. Él es el Poderoso, el Sabio.

[5] Ya hemos enviado a Moisés con Nuestros signos: «¡Saca a tu pueblo de las tinieblas a la luz, y recuérdales las gracias de Dios!». Ciertamente, hay en ello signos para todo aquel que tenga mucha paciencia, mucha gratitud.

[6] Y cuando Moisés dijo a su pueblo: «Recordad la gracia que Dios os dispensó cuando os salvó de las gentes de Faraón, que os sometían a duro castigo, degollando a vuestros hijos varones y dejando con vida a vuestras mujeres. Con esto os probó vuestro Señor duramente». [7] Y cuando vuestro Señor anunció: «Si sois agradecidos, os daré más. Pero, si sois desagradecidos,... Ciertamente, Mi castigo es severo». [8] Moisés dijo: «Si sois desagradecidos, vosotros y todos los que están en la Tierra... Dios Se basta a Sí mismo, es digno de alabanza».

[9] ¿No os habéis enterado de lo que pasó a quienes os precedieron:

el pueblo de Noé, Ád, Zamud y los que les sucedieron, que solo Dios conoce? Vinieron a ellos sus Mensajeros con las pruebas claras, pero llevaron las manos a sus bocas y dijeron: «No creemos en vuestro mensaje y dudamos seriamente de aquello a que nos invitáis».

¹⁰ Sus Mensajeros dijeron: «¿Es posible dudar de Dios, Creador de los cielos y de la Tierra? Él os llama para perdonaros vuestros pecados y remitiros a un plazo fijo». Dijeron: «No sois más que unos mortales como nosotros. Queréis apartarnos de los dioses a los que nuestros antepasados adoraban. Presentad pues una evidencia [que corrobore lo que decís, si sois veraces]».

¹¹ Sus Mensajeros les dijeron: «No somos más que unos mortales como vosotros, pero Dios agracia a quien Él quiere de Sus siervos. Y nosotros no podemos aportaros una autoridad sino con permiso de Dios. ¡Que los creyentes confíen en Dios!». ¹² ¿Cómo no vamos a poner nosotros nuestra confianza en Dios, si nos ha dirigido en nuestros caminos? Tendremos, ciertamente, paciencia, a pesar de lo mucho que nos molestáis. ¡Que los que confían confíen en Dios!

¹³ Los incrédulos dijeron a su Mensajeros: «¡Hemos de expulsaros de nuestro territorio, a menos que volváis a nuestra religión!». Su Señor les inspiró: «¡Hemos de hacer perecer a los inicuos ¹⁴ y hemos de instalaros, después de ellos, en la Tierra! Esto es para quien tema Mi condición y tema Mi amenaza».

¹⁵ Pidieron un fallo y todo tirano desviado sufrió una decepción. ¹⁶ Le espera el Infierno y se le dará a beber una mezcla de pus y sangre, ¹⁷ a tragos, que apenas podrá pasar. La muerte vendrá a él por todas partes, sin que llegue a morir. Le espera un duro castigo. ¹⁸ Las obras de quienes no creen en su Señor son como cenizas azotadas por el viento en un día de tormenta. No pueden esperar nada por lo que han merecido. Ese es el profundo extravío. ¹⁹ ¿No has visto que Dios ha creado con un fin los cielos y la Tierra? Si Él

quisiera, os haría desaparecer y os sustituiría por criaturas nuevas. [20] Y eso no sería difícil para Dios.

[21] Todos comparecerán ante Dios. Los débiles dirán entonces a los altivos: «Nosotros os seguíamos. ¿No podríais ahora servirnos de algo contra el castigo de Dios?». Dirán: «Si Dios nos hubiera guiado, os habríamos guiado. Da igual que nos impacientemos o que tengamos paciencia: no tenemos escape...».

[22] Satanás dirá cuando se decida la cosa: «Dios os hizo una promesa de verdad, pero yo os hice una que no he cumplido. No tenía más poder sobre vosotros que para llamaros y me escuchasteis. ¡No me censuréis, pues, a mí, sino censuraos a vosotros mismos! Ni yo puedo socorreros, ni vosotros podéis socorrerme. Niego que me hayáis asociado antes a Dios». Los inicuos tendrán un castigo doloroso,

[23] mientras que a quienes hayan creído y obrado el bien se les introducirá en jardines por donde corren los ríos y en los que estarán, con permiso de su Señor, eternamente. Como saludo oirán: «¡Paz!».

[24] ¿No has visto cómo ha propuesto Dios como símil una buena palabra, semejante a un árbol bueno, de raíz firme y copa que se eleva en el aire, [25] que da fruto en toda estación, con permiso de su Señor? Dios propone símiles a los hombres. Quizás se dejen amonestar. [26] Una mala palabra es, al contrario, semejante a un árbol malo arrancado del suelo: le falta firmeza.

[27] Dios confirma con palabra firme a quienes creen, en la vida de este mundo y en la otra. Pero Dios extravía a los inicuos, Dios hace lo que quiere.

[28] ¿No has visto a quienes cambian la gracia de Dios por la incredulidad y alojan a su pueblo en la morada de perdición? [29] En el Infierno en el que arderán. ¡Qué mala morada...! [30] Atribuyeron iguales a Dios para extraviar a otros de Su camino. Di: «¡Gozad brevemente! ¡Estáis destinados al Fuego!».

³¹ Di a mis servidores creyentes que hagan la oración y que den limosna, en secreto o en público, de lo que les hemos proveído, antes de que venga día en que ya no haya comercio ni amistad.

³² Dios es Quien ha creado los cielos y la Tierra y ha hecho bajar agua del cielo, mediante la cual ha sacado frutos para sustentaros. Ha sujetado a vuestro servicio las naves para que, por Su orden, surquen el mar. Ha sujetado a vuestro servicio los ríos. ³³ Ha sujetado a vuestro servicio el sol y la luna, que siguen su curso. Ha sujetado a vuestro servicio la noche y el día. ³⁴ Os ha dado de todo lo que Le habéis pedido. Si os pusierais a contar las gracias de Dios, no podríais enumerarlas. El hombre es, ciertamente, muy inicuo, muy desagradecido.

³⁵ Y cuando Abraham dijo: «¡Oh, Señor mío! ¡Que esté segura esta ciudad! ¡Y evita que yo y mis hijos adoremos a los ídolos! ³⁶ ¡Oh, Señor mío! ¡Han extraviado a muchos hombres! Quien me siga será de los míos. Pero quien me desobedezca... Tú eres Indulgente, Misericordioso.

³⁷ ¡Oh, Señor mío! He establecido a parte de mi descendencia en un valle sin cultivar, junto a tu Casa Sagrada, ¡Oh, Señor mío!, para que hagan la oración. ¡Haz que los corazones de algunos hombres sean afectuosos con ellos! ¡Provéeles de frutos! Quizás, así, sean agradecidos.

³⁸ ¡Oh, Señor mío! Tú sabes bien lo que ocultamos y lo que manifestamos. No hay nada, en la tierra como en el cielo, que se esconda a Dios. ³⁹ ¡Alabado sea Dios, Que, a pesar de mi vejez, me ha regalado a Ismael e Isaac! Mi Señor oye, ciertamente, a quien Le invoca. ⁴⁰ ¡Oh, Señor mío! ¡Haz que haga la oración, y también mi descendencia! ¡Señor acepta mi invocación! ⁴¹ ¡Oh, Señor mío! Perdónanos, a mí, a mis padres y a los creyentes el día que se ajusten cuentas».

⁴² No creas que Dios se despreocupa de lo que hacen los

inicuos. Les remite solamente a un día en que mirarán con los ojos desorbitados, [43] corriendo con el cuello extendido, erguida la cabeza, clavada la mirada, el corazón vacío.

[44] ¡Prevén a los hombres contra el día en que tendrá lugar el Castigo! Entonces, dirán los inicuos: «¡Oh, Señor mío! ¡Remítenos a un plazo próximo para que respondamos a Tu llamada y sigamos a los Mensajeros!» «¿No jurasteis en otra ocasión que no conoceríais el ocaso? [45] Habitasteis las mismas viviendas que habitaron quienes fueron injustos consigo mismos y se os mostró claramente cómo hicimos con ellos. Os dimos ejemplos...». [46] Urdieron intrigas, pero Dios las conocía, y eso que eran intrigas como para trasladar montañas.

[47] No creas que Dios vaya a faltar a la promesa hecha a Sus Mensajeros, ¡Dios es poderoso, vengador!, [48] el día que la Tierra sea sustituida por otra Tierra y los cielos por otros cielos, que comparezcan ante Dios, el Uno, el Invicto. [49] Ese día verás a los culpables encadenados juntos, [50] sus indumentos hechos de alquitrán, cubiertos de fuego sus rostros. [51] Dios retribuirá así a cada uno según sus méritos. ¡Dios es rápido en ajustar cuentas!

[52] Este es un comunicado dirigido a los hombres para que, por él, sean advertidos, para que sepan que Él es un Dios Uno y para que los dotados de intelecto se dejen amonestar.

AL-HIYR

¡En el nombre de Dios, el Compasivo, el Misericordioso!

[1] *Alif. Lam. Ra.*

Estos son los preceptos del Corán, el Libro claro. [2] ¡Cuánto desearán los incrédulos [el Día del Juicio] haberse sometido a Dios! [3] ¡Déjales que coman y que gocen por breve tiempo! ¡Que se distraigan con la falsa esperanza! ¡Van a ver...! [4] Nunca destruimos ciudad cuya suerte no estuviera decidida. [5] Ninguna comunidad puede adelantar ni retrasar su plazo.

[6] Dicen: «¡Eh, tú, a quien se ha hecho bajar la Amonestación! ¡Eres, ciertamente, un poseso! [7] Si es verdad lo que dices, ¿por qué no nos traes a los ángeles?». [8] No enviamos a los ángeles sino con el castigo, y si los hubiésemos enviado [como pretendían] no habrían sido tolerados.

[9] Somos Nosotros Quienes hemos revelado la Amonestación y somos Nosotros sus custodios.

[10] Antes de ti, mandamos a otros Mensajeros a los pueblos antiguos. [11] No vino a ellos Mensajero que no se burlaran de él. [12] Así es como infundimos el extravío en los corazones de los pecadores, [13] No creerán en él [el Corán] a pesar de lo acontecido a los pueblos anteriores. [14] Aun si les abriéramos una puerta del cielo y pudieran ascender a él, [15] dirían: «Nuestra vista ha sido enturbiada nada más, o, más bien, somos gente a quienes se ha hechizado».

[16] Hemos dispuesto constelaciones en el cielo, y las hemos embellecido para quienes las contemplan, [17] y las hemos protegido contra todo demonio maldito [que pretenda escuchar las órdenes de

Dios a los ángeles]. [18] Y quien intente escuchar le arrojaremos una bola de fuego visible.

[19] Hemos extendido la tierra, colocado en ella firmes montañas y hecho crecer en ella de todo en la debida proporción. [20] Y hemos puesto en ella subsistencias para vosotros y para quien no depende de vuestro sustento.

[21] En Nuestro poder están las reservas de todo vuestro sustento y os proveemos de él en la medida que hemos determinado. [22] Hemos enviado los vientos que fecundan, y hacemos bajar del cielo agua de la que os damos a beber y vosotros no podéis disponer de sus reservas.

[23] Nosotros damos la vida y la muerte, y Nosotros somos los herederos. [24] Ciertamente, conocemos a los que de vosotros se adelantan y a los que se retrasan. [25] Tu Señor es Quien les congregará. Él es Sabio, Omnisciente.

[26] Hemos creado al hombre de arcilla, de barro maleable, [27] Y al genio lo creamos antes [que al hombre] de fuego.

[28] Y cuando tu Señor dijo a los ángeles: «Voy a crear un ser humano de arcilla, de barro maleable, [29] y cuando lo haya formado armoniosamente e infundido en él de Mi Espíritu, caed prosternados [en honor a Mí] ante él». [30] Todos los ángeles, juntos, se prosternaron, [31] excepto Iblis, que rehusó unirse a los que se prosternaban. [32] Dijo: «¡Iblis! ¿Qué tienes, que no te unes a los que se prosternan?». [33] Dijo: «Yo no voy a prosternarme ante un ser humano que Tú has creado de barro arcilloso, maleable».

[34] Dijo: «¡Sal de aquí [del Paraíso], pues Te maldigo! [35] ¡La maldición te perseguirá hasta el Día del Juicio!». [36] Dijo, «¡Señor, permíteme vivir hasta el Día de la Resurrección!». [37] Dijo: «¡Te concedo la prórroga que me pides [porque he decretado probar a los hombres a través de tu seducción] [38] hasta el día señalado!».

[39] Dijo: «¡Oh, Señor mío! Por haberme descarriado, les seduciré

y descarriaré a todos, [40] salvo a aquellos que sean siervos Tuyos escogidos».

[41] Dijo [Dios]: «Quien siga Mí sendero recto Le protegeré. [42] Tú no tienes poder alguno sobre Mis siervos, salvo sobre los descarriados que te sigan». [43] El Infierno es el lugar de cita de todos ellos. [44] Tiene siete puertas y cada una tendrá un grupo definido de ellos.

[45] Ciertamente los piadosos serán retribuidos con jardines y manantiales. [46] «¡Entrad en ellos, en paz, seguros!». [47] Extirparemos el rencor que quede en sus pechos. Serán como hermanos, en lechos, unos enfrente de otros. [48] Allí no sufrirán pena, ni serán expulsados. [49] Informa a Mis siervos de que Yo soy el Indulgente, el Misericordioso, [50] pero que Mi castigo es el castigo doloroso.

[51] Infórmales de lo que pasó con los [ángeles que se presentaron como hombres] huéspedes de Abraham. [52] Cuando se presentaron ante él, dijeron: «¡La paz sea contigo!». Dijo [Abraham y su esposa, luego de haberles ofrecido comida y observar que no comían]: «¡Nos dais miedo!». [53] «¡No tengas miedo!», dijeron. «Te anunciamos la buena noticia [el nacimiento] de un hijo sabio». [54] Dijo: «¿Me anunciáis buenas noticias, a pesar de mi avanzada edad?, ¿qué es lo que me anunciáis?». [55] Dijeron: «Te anunciamos la buena noticia de la Verdad. ¡No te desesperes!». [56] Dijo: «¿Y quién podría desesperar de la misericordia de su Señor, sino los extraviados?».

[57] Dijo: «¿Cuál es vuestra misión? ¡Oh, emisarios!». [58] Dijeron: «Se nos ha enviado a un pueblo pecador. [59] No incluimos a la familia de Lot, a los que salvaremos, a todos. [60] salvo a su mujer». Determinamos: sería de los que se rezagaran.

[61] Cuando los enviados llegaron a la familia de Lot, [62] dijo [Lot]: «Me sois desconocidos». [63] Dijeron: «¡No, sino que te traemos aquello de que han dudado! [64] Te traemos la Verdad. ¡Sí, es como decimos! [65] ¡Ponte en camino con tu familia, durante la noche! ¡Ve

el último y que ninguno de vosotros se vuelva! ¡Id a donde se os ordena!». ⁶⁶ Y decidimos respecto a él este asunto: iban a amanecer todos ellos, hasta el último, despedazados.

⁶⁷ Se presentaron los habitantes de la ciudad contentos [ante Lot, al saber de sus huéspedes, con la intención de cometer con ellos la obscenidad que tenían por costumbre]. ⁶⁸ Dijo: «¡Estos son huéspedes míos! ¡No me deshonréis! ⁶⁹ ¡Temed a Dios y no me llenéis de vergüenza!». ⁷⁰ Dijeron: «¿No te habíamos prohibido que trajeras a nadie?». ⁷¹ Dijo: «¡Aquí tenéis a mis hijas [casaos con las mujeres del pueblo], si es que os lo habéis propuesto...!».

⁷² ¡Por tu vida!, que erraban en su ofuscación. ⁷³ Y les sorprendió el castigo al amanecer. ⁷⁴ La volvimos de arriba abajo e hicimos llover sobre ellos piedras de arcilla. ⁷⁵ Ciertamente, hay en ello signos para los que prestan atención. ⁷⁶ Está situada, ciertamente, en un camino que aún existe. ⁷⁷ Ciertamente, hay en ello un signo para los creyentes.

⁷⁸ Los habitantes de la Espesura fueron, sí, inicuos. ⁷⁹ Y nos vengamos de ellos. Los dos casos son típicos y claros. ⁸⁰ Los habitantes de al-Hiyr desmintieron a los enviados. ⁸¹ Les trajimos Nuestros signos y se apartaron de ellos. ⁸² Excavaban, tranquilos, casas en las montañas. ⁸³ Les sorprendió el Grito por la mañana ⁸⁴ y sus posesiones no les sirvieron de nada.

⁸⁵ No hemos creado sino con un fin los cielos, la Tierra y lo que entre ellos hay. ¡Sí, la Hora llega! ¡Perdona, pues, generosamente! ⁸⁶ Tu Señor es el Creador de todo, el Omnisciente.

⁸⁷ Te hemos dado siete de las más repetidas y el sublime Corán. ⁸⁸ ¡No codicies los goces efímeros que hemos concedido a algunos de ellos y no estés triste por ellos! Y ¡sé benévolo con los creyentes! ⁸⁹ Di: «¡En verdad he sido enviado para advertiros [del castigo]!». ⁹⁰ Como hemos infligido un castigo a los que se dividieron, ⁹¹ y

creyeron en una parte del Corán y otra no. ^{92} ¡Por tu Señor, que hemos de pedir cuentas a todos ellos ^{93} de sus actos!

^{94} ¡Anuncia lo que se te ordena y apártate de los asociadores! ^{95} Nosotros te bastamos contra los que se burlan, ^{96} Quienes asocian copartícipes a Dios. ¡Van a ver...! ^{97} Bien sabemos que te angustias por lo que dicen. ^{98} Pero tú ¡celebra las alabanzas de tu Señor y sé de los que se prosternan! ^{99} ¡Y adora a tu Señor hasta que te llegue la certeza [la muerte]!

SURA 16 : AN NAHL

LAS ABEJAS

¡En el nombre de Dios, el Compasivo, el Misericordioso!

^{1} ¡La orden de Dios viene! ¡No queráis adelantarla! ¡Gloria a Él! Está por encima de lo que Le asocian. ^{2} Hace descender a los ángeles con el Espíritu que procede de Su orden sobre quien Él quiere de Sus siervos: «¡Advertid que no hay otro dios que Yo! ¡Temedme, pues!». ^{3} Ha creado los cielos y la Tierra con un fin. Está por encima de lo que Le asocian.

^{4} Ha creado al hombre de una gota y ¡ahí le tienes, porfiador declarado! ^{5} Y los rebaños los ha creado para vosotros. Hay en ellos abrigo y otras ventajas y os alimentáis de ellos. ^{6} Disfrutáis viéndolos cuando los volvéis por la tarde o cuando los sacáis a pastar por la mañana. ^{7} Llevan vuestras cargas a países que no alcanzaríais sino con mucha pena. Por cierto que vuestro Señor es Compasivo, Misericordioso. ^{8} Y los caballos, los mulos, los asnos, para que os sirvan de montura y de ornato. Y crea otras cosas que no sabéis.

^{9} A Dios le incumbe indicar el Camino, del que algunos se desvían. Si hubiera querido, os habría dirigido a todos.

^{10} Él es Quien ha hecho bajar para vosotros agua del cielo. De ella bebéis y de ella viven las matas con que apacentáis. ¹¹ Gracias a ella, hace crecer para vosotros los cereales, los olivos, las palmeras, las vides y toda clase de frutos. Ciertamente, hay en ello un signo para gente que reflexiona.

¹² Y ha sujetado a vuestro servicio la noche y el día, el sol y la luna. Las estrellas están sujetas por Su orden. Ciertamente, hay en ello signos para gente que razona. ¹³ Las criaturas que Él ha puesto en la Tierra para vosotros son de clases diversas. Ciertamente, hay en ello un signo para gente que se deja amonesta

¹⁴ Él es Quien ha sujetado el mar para que comáis de él carne fresca y obtengáis de él adornos que poneros. Y ves que las naves lo surcan. Para que busquéis Su favor. Quizás, así, seáis agradecidos.

¹⁵ Y ha fijado en la tierra las montañas para que ella y vosotros no vaciléis, ríos, caminos -quizás, así, seáis bien dirigidos- ¹⁶ y señales. Y se guían por los astros.

¹⁷ ¿Acaso Quien cree es como quien no cree? ¿Es que no os dejaréis amonestar? ¹⁸ Si os pusierais a contar las gracias de Dios, no podríais enumerarlas. Dios es, en verdad, Indulgente, Misericordioso. ¹⁹ Dios sabe lo que ocultáis y lo que manifestáis.

²⁰ Aquellos que ellos invocan en lugar de invocar a Dios, no crean nada, sino que ellos son creados. ²¹ Están muertos, no vivos. Y no saben cuándo serán resucitados. ²² Vuestro Dios es un Dios Uno. Los corazones de quienes, altivos, no creen en la otra vida Le niegan. ²³ ¡En verdad, Dios sabe lo que ocultan y lo que manifiestan! No ama a los altivos.

²⁴ Si se les dice: «¿Qué ha revelado vuestro Señor?», dicen: «Patrañas de los antiguos». ²⁵ ¡Que lleven su carga completa el Día de la Resurrección y algo de la carga de los que, sin conocimiento, extraviaron! ¡Qué carga más detestable!

²⁶ Sus antecesores intrigaron [en Babel] construyeron grandes edificaciones [para combatir a los Ángeles]. Dios vino contra los

cimientos de su edificio y el techo se desplomó sobre ellos. Les vino el castigo de donde no lo presentían. ²⁷ Luego, el Día de la Resurrección, Él les avergonzará y dirá: «¿Dónde están Mis asociados, sobre los que discutíais?». Quienes hayan recibido el conocimiento dirán: «Hoy la vergüenza y la desgracia caen sobre los incrédulos,

²⁸ a quienes, injustos consigo mismos, los ángeles llaman». Ofrecerán someterse: «No hacíamos ningún mal». «¡Claro que sí! ¡Dios sabe bien lo que hacíais! ²⁹ ¡Entrad por las puertas del Infierno, por toda la eternidad!». ¡Qué mala es la morada de los soberbios!

³⁰ A los que temieron a Dios se les dirá: «¿Qué ha revelado vuestro Señor?». Dirán: «Un bien». Quienes obren bien tendrán en esta vida una bella recompensa, pero la Morada de la otra vida será mejor aún. ¡Qué agradable será la Morada de los que hayan temido a Dios! ³¹ Entrarán en los jardines del Edén, por donde corren los ríos. Tendrán en ellos lo que deseen. Así retribuye Dios a quienes Le temen, ³² Aquellos a los que se lleven los ángeles en estado de bondad, les dirán: «¡Paz sobre vosotros! ¡Entrad en el Jardín, como premio a vuestras obras!».

³³ ¿Qué esperan sino que vengan los ángeles o que venga la orden de tu Señor? Así hicieron sus antecesores. No fue Dios quien fue injusto con ellos, sino que ellos lo fueron consigo mismos. ³⁴ Les alcanzará la misma maldad de sus acciones y les cercará aquello de que se burlaban.

³⁵ Dirán los asociadores: «Si Dios hubiera querido, ni nosotros ni nuestros padres habríamos adorado nada en lugar de adorarle a Él. No habríamos prohibido nada que Él no hubiera prohibido». Así hicieron sus antecesores. Y ¿qué otra cosa incumbe a los Mensajeros, sino la transmisión clara?

³⁶ Mandamos a cada comunidad un Mensajero: «Adorad a Dios

y evitad a los taguts». A algunos de ellos les guió Dios, mientras que otros merecieron extraviarse. ¡Id por la tierra y mirad cómo terminaron los desmentidores! [37] Si anhelas guiarles,... Dios no guía a quienes Él extravía y no tendrán quien les auxilie.

[38] Han jurado solemnemente por Dios: «¡Dios no resucitará a quien haya muerto!» ¡Claro que sí! Es una promesa que Le obliga, verdad. Pero la mayoría de los hombres no saben. [39] Para mostrarles aquello en que discrepaban y para que sepan los incrédulos que han mentido. [40] Cuando queremos algo, Nos basta decirle: «¡Sé!», y es.

[41] A quienes han emigrado por Dios, después de haber sido tratados injustamente, hemos de procurarles una buena situación en esta vida, pero la recompensa de la otra será mayor aún. Si supieran... [42] Que tienen paciencia y confían en Dios...

[43] No enviamos antes de ti sino hombres a quienes les transmitíamos Nuestra revelación. Preguntadle a la gente de conocimiento [de entre la Gente del Libro] si no lo sabéis. [44] Los enviamos con las evidencias claras y con los Libros. Y a ti te revelamos el Corán para que expliques a los hombres sus preceptos, y así reflexionen.

[45] Quienes han tramado males, ¿acaso se sienten a salvo de que Dios haga que la tierra los trague, o de que el castigo les venga de donde no lo presientan, [46] o de que les sorprenda en plena actividad sin que puedan escapar, [47] o de que les sorprenda atemorizados? Por cierto que vuestro Señor es Compasivo, Misericordioso [y no les adelantará el castigo].

[48] ¿No han visto que la sombra de todo lo que Dios ha creado se mueve hacia la derecha y hacia la izquierda, en humilde prosternación ante Dios? [49] Lo que está en los cielos y en la Tierra se prosterna ante Dios: los ángeles y toda criatura existente, y no se ensoberbecen. [50] [Los ángeles] Temen a su Señor, que está por encima de ellos, y hacen lo que se les ordena.

⁵¹ Dios ha dicho: «¡No toméis a dos dioses! ¡Por cierto que Yo soy un Dios Único! ¡Temedme a Mí, y solo a Mí». ⁵² Suyo es lo que está en los cielos y en la Tierra. Se le debe un culto permanente. ¿Vais a temer a otro que no sea Dios? ⁵³ Todas las gracias que os alcanzan provienen de Dios. Pero solo os amparáis en Él y Le agradecéis cuando padecéis una desgracia. ⁵⁴ Pero, luego, cuando aparta de vosotros la desgracia, he aquí que algunos de vosotros asocian a su Señor, ⁵⁵ para terminar negando lo que les hemos dado. ¡Gozad, pues, brevemente! ¡Vais a ver...! ⁵⁶ Atribuyen a lo que no conocen algunos de los bienes de que les hemos proveído. ¡Por Dios, que habréis de responder de lo que inventabais!

⁵⁷ Atribuyen hijas a Dios [los idólatras creían que los ángeles eran de sexo femenino] -¡glorificado sea Él! [Él está por encima de lo que Le atribuyen]- y a sí mismos se atribuyen lo que desean. ⁵⁸ Cuando se le anuncia a uno de ellos una niña, se queda hosco y se angustia. ⁵⁹ Esquiva a la gente por vergüenza de lo que se le ha anunciado, preguntándose si lo conservará, para deshonra suya, o lo esconderá bajo tierra... ¡Qué pésimo lo que hacen! ⁶⁰ Quienes no creen en la otra vida son el peor ejemplo [de ignorancia e incredulidad], y Dios es el más sublime ejemplo [de perfección absoluta], y Él es Poderoso, Sabio.

⁶¹ Si Dios tuviera en cuenta la impiedad humana, no dejaría ningún ser vivo sobre ella. Pero los retrasa por un plazo determinado, y cuando vence su plazo, no pueden retrasarlo ni adelantarlo una hora.

⁶² Atribuyen a Dios lo que detestan y sus lenguas inventan la mentira cuando pretenden que les espera lo mejor. ¡En verdad, tendrán el Fuego, e irán los primeros!

⁶³ ¡Por Dios!, que antes de ti hemos mandado Mensajeros a comunidades, pero Satanás también les hizo ver sus malas acciones como buenas, y hoy es él su aliado. Ellos recibirán un castigo

doloroso. [64] No te hemos revelado el Libro sino para que les aclares sobre aquello sobre lo que discrepaban, y como guía y misericordia para gente que cree.

[65] Dios ha hecho bajar agua del cielo, vivificando con ella la tierra después de muerta. Ciertamente, hay en ello un signo para gente que oye.

[66] Y en los rebaños tenéis motivo de reflexión. Os damos a beber del contenido de sus vientres, entre heces y sangre: una leche pura, grata para quienes la beben. [67] De los frutos de las palmeras y de las vides obtenéis un sustento bueno, y también una bebida embriagadora [la cual os está prohibida]. En esto hay un signo para quienes razonan.

[68] Tu Señor ha inspirado a las abejas: «Habitad en las moradas que hayáis construido en las montañas, en los árboles y en las que el hombre os construya. [69] Comed de todos los frutos y caminad dócilmente por los caminos de vuestro Señor». De su abdomen sale un líquido de diferentes clases, que contiene un remedio para los hombres. Ciertamente, hay en ello un signo para gente que reflexiona.

[70] Dios os ha creado y luego os llamará. A algunos de vosotros se les deja que alcancen una edad decrépita, para que, después de haber sabido, terminen no sabiendo nada. Dios es Omnisciente, Poderoso.

[71] Dios os ha favorecido a unos con más sustento que a otros, ¿es que aquellos que han sido favorecidos comparten su provisión con los esclavos que poseen sus diestras hasta el punto que no haya distinción entre ellos? ¿Vais a negar la gracia de Dios?

[72] Dios os ha dado esposas de vuestra misma especie, de las cuales crea hijos y nietos. Os ha proveído también de cosas buenas. ¿Creen, pues, en lo falso y no creerán en la gracia de Dios? [73] En lugar de adorar a Dios, adoran a lo que no puede procurarles sustento

de los cielos ni de la Tierra, lo que no posee ningún poder. [74] ¡No pongáis a Dios como objeto de vuestras comparaciones! Dios sabe, mientras que vosotros no sabéis.

[75] Dios os expone un ejemplo: un esclavo, propiedad de otro, incapaz de nada, y un hombre a quien Nosotros hemos proveído de bello sustento, del que da limosna, en secreto o en público. ¿Son, acaso, iguales? ¡Alabado sea Dios! Pero la mayoría no saben.

[76] Dios os expone un ejemplo: dos hombres, uno de ellos mudo, incapaz de nada y carga para su dueño; le mande adonde le mande, no trae ningún bien. ¡Son iguales este hombre y el que prescribe la justicia y está en una vía recta?

[77] A Dios pertenece lo oculto de los cielos y de la Tierra. La orden que anuncie la Hora no será sino como un abrir y cerrar de ojos, o más breve. Dios es Omnipotente.

[78] Dios os ha sacado del seno de vuestras madres, privados de todo saber. Él os ha dado el oído, la vista y el intelecto. Quizás, así, seáis agradecidos.

[79] ¿No han visto las aves sujetas en el aire del cielo? Solo Dios las sostiene. Ciertamente, hay en ello signos para gente que cree. [80] Dios os ha hecho de vuestras viviendas un lugar habitable. De la piel de los rebaños os ha hecho tiendas, que encontráis ligeras al trasladaros o al acampar. De su lana, de su pelo y de su crin, artículos domésticos para disfrute por algún tiempo.

[81] De lo que ha creado, Dios os ha procurado sombra, refugios en las montañas, indumentos que os resguardan del calor e indumentos que os protegen de los golpes. Así completa Su gracia en vosotros. Quizás, así, os sometáis a Dios. [82] Si vuelven la espalda... A ti te incumbe solo la transmisión clara. [83] Conocen la gracia de Dios, pero la niegan. La mayoría son unos desagradecidos.

[84] Y el día que hagamos surgir de cada comunidad a un testigo, no se permitirá a los que no hayan creído, ni se les agraciará. [85] Y

cuando los inicuos vean el castigo, este no se les mitigará, ni les será dado esperar.

⁸⁶ Y cuando los asociadores vean a los que ellos asociaron a Dios, dirán: «¡Señor!! ¡Estos son los que Te habíamos asociado, a quienes invocábamos en lugar de invocarte a Ti!». Y esos asociados les rebatirán: «¡Mentís, ciertamente!». ⁸⁷ Y, entonces, ofrecerán a Dios someterse. Pero sus invenciones se esfumarán. ⁸⁸ A los que no creyeron y desviaron a otros del camino de Dios, les infligiremos castigo sobre castigo por haber corrompido.

⁸⁹ El día que hagamos surgir de cada comunidad a un testigo de cargo, te traeremos a ti como testigo contra estos. Te hemos revelado el Libro como aclaración de todo, como guía y misericordia, como buena nueva para los que se someten.

⁹⁰ Dios ordena ser equitativo, benevolente y ayudar a los parientes cercanos. Prohíbe la deshonestidad, lo reprobable y la opresión. Os exhorta. Quizás, así, os dejéis amonestar.

⁹¹ Cuando concertéis una alianza con Dios, sed fieles a ella. No violéis los juramentos después de haberlos ratificado. Habéis puesto a Dios como garante contra vosotros. Dios sabe lo que hacéis. ⁹² No hagáis como aquella que deshacía de nuevo el hilo que había hilado fuertemente. Utilizáis vuestros juramentos para engañaros so pretexto de que una comunidad es más fuerte que otra. Dios no hace más que probaros con ello. El Día de la Resurrección ha de mostraros aquello en que discrepabais.

⁹³ Dios, si hubiera querido, habría hecho de vosotros una sola comunidad. Pero extravía a quien Él quiere y guía a quien Él quiere. Tendréis que responder de lo que hacíais.

⁹⁴ No utilicéis vuestros juramentos para engañaros; pues resbalaréis después de haber pisado firme. Si lo hacéis se os castigará por haberos extraviado y desviado a otros del sendero de Dios, y el

castigo que sufriréis será terrible. ⁹⁵ No malvendáis la alianza con Dios. Lo que Dios tiene es mejor para vosotros. Si supierais...

⁹⁶ Lo que vosotros tenéis se agota. En cambio, lo que Dios tiene perdura. A los que tengan paciencia les retribuiremos, sí, con arreglo a sus mejores obras. ⁹⁷ Al creyente que obre rectamente, sea varón o mujer, le concederemos una vida buena y le multiplicaremos la recompensa de sus obras.

⁹⁸ Cuando recites el Corán, busca refugio en Dios del maldito Satanás. ⁹⁹ Él no puede nada contra los que creen y confían en su Señor. ¹⁰⁰ Solamente tiene poder sobre quienes lo toman como protector y por ello asocian copartícipes a Dios.

¹⁰¹ Cuando revelamos un precepto para abrogar otro, y Dios bien sabe lo que hace, dicen: «Eres tú quien lo ha inventado». Pero la mayoría de ellos son ignorantes. ¹⁰² Di: «El Espíritu Puro [el ángel Gabriel] lo ha revelado, de tu Señor, con la Verdad, para confirmar a los que creen y como guía y buena nueva para los que se someten a Dios».

¹⁰³ Bien sabemos que dicen: «A este hombre le enseña solo un simple mortal». Pero aquel en quien piensan habla una lengua no árabe, mientras que esta [el del Corán] es árabe puro. ¹⁰⁴ Dios no dirigirá a quienes no crean en los signos de Dios y tendrán un castigo doloroso. ¹⁰⁵ Solo inventan la mentira quienes no creen en los signos de Dios. Esos son los que mienten.

¹⁰⁶ Quien no crea en Dios luego de haber creído -no quien sufra coacción mientras su corazón permanece tranquilo en la fe, sino quien abra su pecho a la incredulidad-, ese tal incurrirá en la ira de Dios y tendrá un castigo terrible. ¹⁰⁷ Y eso por haber preferido la vida del mundo a la otra. Dios no guía al pueblo infiel. ¹⁰⁸ Esos son aquellos cuyo corazón, oído y vista Dios ha sellado. Esos los que no se preocupan... ¹⁰⁹ ¡En verdad, serán los que pierdan en la otra vida!

¹¹⁰ Quienes emigraron luego de haber sido tratados hostilmente,

combatieron y fueron pacientes y perseverantes, por cierto que tu Señor será con ellos Absolvedor, Misericordioso. [111] El día que venga cada uno intentando justificarse, cada uno reciba conforme a sus obras y nadie sea tratado injustamente.

[112] Dios propone como parábola una ciudad, segura y tranquila, que recibía abundante sustento de todas partes. Y no agradeció las gracias de Dios. Dios, en castigo por su conducta, le dio a gustar la vestidura del hambre y del temor. [113] Ha venido a ellos un Mensajero salido de ellos, pero le han desmentido y el castigo les sorprendió por su iniquidad.

[114] ¡Comed de lo lícito y bueno de que Dios os ha proveído! ¡Y agradeced la gracia de Dios, si es a Él solo a Quien adoráis! [115] Os ha prohibido solo la carne mortecina, la sangre, la carne de cerdo y la de todo animal sobre el que se haya invocado un nombre diferente del de Dios. Pero, si alguien se ve compelido por la necesidad, no por deseo ni por afán de contravenir... Dios es Indulgente, Misericordioso.

[116] No digáis, entre lo que vuestras lenguas profieren, mentiras como «Esto es lícito y esto es ilícito», inventando así la mentira contra Dios. Quienes inventen la mentira contra Dios no prosperarán. [117] ¡Mezquino disfrute! ¡Tendrán un castigo doloroso!

[118] A los judíos les prohibimos lo que ya te contamos. No hemos sido Nosotros quienes han sido injustos con ellos, sino que ellos lo han sido consigo mismos. [119] Quienes hayan cometido un mal por ignorancia y luego se arrepientan y se enmienden, tu Señor será con ellos Absolvedor, Misericordioso.

[120] Por cierto que Abraham fue un guía ejemplar [que reunió las mejores virtudes], fue obediente a Dios, monoteísta y nunca se contó entre quienes Le asociaron copartícipes, [121] [También fue] Agradecido de los favores de Dios. Él lo eligió y lo guió por el sendero recto. [122] En esta vida le dimos una buena situación y en la

otra vida estará con los justos. ^{123} Te ordenamos [¡Oh, Muhammad!] que sigas la religión monoteísta de Abraham, que no se contó entre los idólatras.

^{124} El sábado se impuso solamente a los que sobre él discrepaban. Tu Señor, ciertamente, decidirá entre ellos el Día de la Resurrección sobre aquello en que discrepaban.

^{125} Llama al camino de tu Señor con sabiduría y buena exhortación. Discute con ellos de la manera más conveniente. Tu Señor conoce mejor que nadie a quien se extravía de Su camino y conoce mejor que nadie a quien está bien guiado.

^{126} Si castigáis, castigad de la misma manera que se os ha castigado. Pero, si tenéis paciencia, es mejor para vosotros. ^{127} ¡Ten paciencia! No podrás tener paciencia sino con la ayuda de Dios. Y no estés triste por ellos, ni te angusties por sus intrigas. ^{128} Dios está con quienes Le temen y quienes hacen el bien.

SURA 17 : AL ISRA'
....

EL VIAJE NOCTURNO

¡En el nombre de Dios, el Compasivo, el Misericordioso!

^{1} ¡Gloria a Quien hizo viajar a Su Siervo de noche, desde la Mezquita Sagrada a la Mezquita Lejana, cuyos alrededores hemos bendecido, para mostrarle parte de Nuestros signos! Él es Quien todo lo oye, todo lo ve.

^{2} Dimos a Moisés el Libro e hicimos de ella dirección para los Hijos de Israel: «¡No toméis protector fuera de Mí, ^{3} descendientes de los que llevamos con Noé!». Este fue un siervo muy agradecido.

^{4} Decretamos en el Libro respecto a los Hijos de Israel: Ciertamente, corromperéis en la tierra dos veces y oprimiréis [a los hombres] en forma soberbia. [5] Cuando de las dos amenazas se cumpla la primera, suscitaremos contra vosotros a siervos Nuestros dotados de gran valor y penetrarán en el interior de las casas. Amenaza que se cumplirá». [6] Más tarde, os permitimos desquitaros de ellos. Os dimos más hacienda e hijos varones e hicimos de vosotros un pueblo numeroso.

[7] El bien o mal que hagáis redundará en provecho o detrimento vuestro. «Cuando se cumpla la última amenaza, os afligirán y entrarán en el Templo como entraron una vez primera y exterminarán todo aquello de que se apoderen». [8] Quizá vuestro Señor se apiade de vosotros. Pero, si reincidís, Nosotros también reincidiremos. Hemos hecho del Infierno cárcel para los incrédulos.

[9] Este Corán guía a lo que es más recto y anuncia a los creyentes que obran bien la buena nueva de una gran recompensa, [10] y que a los que no creen en la otra vida les hemos preparado un castigo doloroso.

[11] El hombre invoca el mal con la misma facilidad con que invoca el bien: el hombre es muy precipitado... [12] Hemos hecho de la noche y del día dos signos. Hemos apagado el signo de la noche y hecho visible el signo del día, para que busquéis favor de vuestro Señor y sepáis el número de años y el cómputo: todo lo hemos explicado detalladamente.

[13] Hemos asignado a cada hombre su suerte, y el Día de la Resurrección le sacaremos una Escritura que encontrará desenrollada: [14] «¡Lee tu Escritura ! ¡Hoy bastas tú para ajustarte cuentas!». [15] Quien sigue la vía recta la sigue, en realidad, en provecho propio, y quien se extravía, se extravía, en realidad, en detrimento propio. Nadie cargará con la carga ajena. Nunca hemos castigado sin haber mandado antes a un Mensajero.

[16] Cuando queremos destruir una ciudad, ordenamos a sus ricos y ellos se entregan en ella a la iniquidad. Entonces, la sentencia

contra ella se cumple y la aniquilamos. ¹⁷ ¡A cuántas generaciones hemos hecho perecer después de Noé! Tu Señor está bien informado de los pecados de Sus siervos, los ve suficientemente.

¹⁸ Si alguien desea la vida fugaz, Nosotros nos apresuraremos a darle en ella lo que queremos, y a quien queremos. Luego, le destinamos el Infierno, donde arderá denigrado, desechado. ¹⁹ Al creyente que desee la otra vida y se esfuerce por alcanzarla, se le reconocerá su esfuerzo.

²⁰ A todos [en esta vida] se les concederá de los favores de tu Señor [¡Oh, Muhammad!]. Sus favores no le son vedados a nadie. ²¹ ¡Mira cómo hemos preferido a unos más que a otros! En la otra vida habrá, no obstante, categorías más elevadas y una mayor distinción.

²² No pongas junto con Dios a otro dios; si no, te encontrarás denigrado, abandonado. ²³ Tu Señor ha decretado que no adoréis sino a Él y que debéis ser buenos con vuestros padres. Si uno de ellos o ambos envejecen en tu casa, no les digas: «¡Uf!» y trates con antipatía, sino sé cariñoso con ellos. ²⁴ Trátales con humildad y clemencia, y ruega: «¡Oh, Señor mío! ¡Ten misericordia de ellos como ellos la tuvieron conmigo cuando me educaron siendo pequeño!». ²⁵ Vuestro Señor conoce bien vuestros pensamientos. Si sois justos... Él es Indulgente con los que se arrepienten sinceramente.

²⁶ Ayuda a los parientes, también al pobre y al viajero insolvente, pero no des desmesuradamente, ²⁷ Porque quienes se exceden son iguales a los demonios que siguen a Satanás, y por cierto que Satanás fue ingrato con su Señor. ²⁸ Y si no puedes ayudarles, pero esperas que tu Señor te agracie para poder hacerlo, y diles al menos, una palabra amable.

²⁹ No lleves la mano cerrada a tu cuello, ni la extiendas demasiado; si no, te encontrarás censurado, falto de recursos. ³⁰ Tu

Señor dispensa el sustento a quien Él quiere: a unos con largueza, a otros con mesura. Está bien informado de Sus siervos, les ve bien.

31 ¡No matéis a vuestros hijos por miedo a empobreceros! Somos Nosotros Quienes les proveemos, y a vosotros también. Matarles es un gran pecado. 32 ¡Evitad la fornicación: es una deshonestidad! ¡Mal camino...!

33 No matéis a nadie que Dios haya prohibido, sino con justo motivo. Si se mata a alguien sin razón, damos autoridad a su pariente próximo, pero que este no se exceda en la venganza. Se le auxiliará.

34 No toquéis la hacienda del huérfano sino de manera conveniente hasta que alcance la madurez. ¡Cumplid todo compromiso, porque se pedirá cuenta de él! 35 Cuando midáis, dad la medida justa y pesad con una balanza exacta. Es mejor y da muy buen resultado.

36 No vayas tras algo de lo que no tienes ningún conocimiento. Del oído, de la vista, del intelecto, de todo eso se pedirá cuenta. 37 No vayas por la Tierra con insolencia, que no eres capaz de hender la tierra, ni de alzarte a la altura de las montañas. 38 Tu Señor detesta lo malo que en ello hay.

39 Esto es parte de la sabiduría que tu Señor te ha revelado. No atribuyáis copartícipes a Dios porque seréis arrojados en el Infierno, condenados y humillados.

40 ¿Es que vuestro Señor, que ha escogido daros hijos varones, iba a tomar para Sí hijas de entre los ángeles? Decís, en verdad, algo muy grave. 41 Hemos expuesto en este Corán para que se dejen amonestar, pero esto no hace sino acrecentar su repulsa. 42 Di: «Si hubiera dioses además de Él, como dicen, buscarían un camino que les condujera hasta el Señor del Trono. 43 ¡Gloria a Él! ¡Está por encima de lo que dicen!». 44 Le glorifican los siete cielos, la Tierra y sus habitantes. No hay nada que no celebre Sus alabanzas, pero no comprendéis su glorificación. Él es Tolerante, Absolvedor.

45 Cuando recitas el Corán, ponemos un velo protector entre

ti y quienes no creen en la otra vida, ⁴⁶ velamos sus corazones y endurecemos sus oídos para que no lo entiendan. Cuando mencionas en el Corán que tu Señor es la única divinidad [con derecho a ser adorada], vuelven la espalda disgustados.

⁴⁷ Nosotros sabemos bien lo que escuchan cuando te escuchan o cuando conversan en secreto; y dicen los inicuos: «No seguís sino a un hombre hechizado». ⁴⁸ ¡Mira a qué te comparan! Se extravían y no pueden encontrar camino.

⁴⁹ Dicen: «Cuando seamos huesos y polvo, ¿es verdad que se nos resucitará a una nueva creación?». ⁵⁰ Di: «Aunque seáis piedra o hierro ⁵¹ o cualquier sustancia que imaginéis difícil...». Dirán: «¿Y quién nos volverá!». Di: «Quien os creó una vez primera». Y, sacudiendo la cabeza hacia ti, dirán: «¿Cuándo?». Di: «Tal vez pronto». ⁵² El día que os llame, responderéis alabándole y creeréis no haber permanecido [en las tumbas] sino poco tiempo.

⁵³ Di a Mis siervos que hablen de la mejor manera que puedan, pues Satanás quiere sembrar la discordia entre ellos. Por cierto que Satanás es para el hombre un enemigo declarado.

⁵⁴ Vuestro Señor os conoce bien. Si quiere, se apiadará de vosotros y, si quiere, os castigará. No te hemos enviado para que seas su protector. ⁵⁵ Tu Señor conoce bien a quienes están en los cielos y en la Tierra. Hemos diferenciado a los Profetas unos de otros. A David le revelamos los Salmos.

⁵⁶ Di: «¡Llamad a los que, en lugar de Dios, pretendéis! ¡No pueden evitaros la desgracia ni modificarla!». ⁵⁷ Esos a los que invocan buscan ellos mismos el medio de acercarse a su Señor. Esperan en Su misericordia y temen Su castigo. El castigo de tu Señor es temible. ⁵⁸ No hay ninguna ciudad que no destruyamos o que no castiguemos severamente antes del día de la Resurrección. Está anotado en el Libro.

⁵⁹ No Nos ha impedido obrar milagros sino que los antiguos los

desmintieran. Dimos la camella a los Zamud como milagro palpable, pero fueron inicuos [y la mataron]. No obramos los milagros sino para atemorizar [del castigo que sufrirían si no creían].

⁶⁰ Y cuando te dijimos: «Tu Señor tiene total poder sobre los hombres». Lo que te mostramos [la noche de tu ascensión a los cielos] y el árbol maldito mencionado en el Corán no es sino para probar la fe de los hombres. Les atemorizamos [con Nuestros signos], pero esto les incrementa aún más su rebeldía.

⁶¹ [Recuerda] cuando dijimos a los ángeles: «¡Postraos ante Adán!». Se postraron, excepto Iblis, que dijo: «¿Voy a postrarme ante quien has creado de barro?». ⁶² Y agregó: «¿Por qué lo has honrado más que a mí [que me has creado de fuego]? Si me dejas vivir hasta el Día de la Resurrección desviaré a la mayoría de sus descendientes».

⁶³ Dijo: «¡Vete! Y quienes de ellos te sigan merecerán el Infierno, pues es el castigo que les tenemos reservado. ⁶⁴ ¡Seduce con tus palabra a todos los que puedas! ¡Atácales con tu caballería y con tu infantería! ¡Asóciate a ellos en la hacienda y en los hijos! ¡Promételes!». Y sabed [¡Oh, creyentes!] que Satanás solo hace promesas falsas. ⁶⁵ «Pero no tienes ninguna autoridad sobre Mis siervos». ¡Tu Señor basta como protector!

⁶⁶ Vuestro Señor es Quien, para vosotros, hace que surquen las naves el mar, para que busquéis Su favor. Él es Misericordioso con vosotros. ⁶⁷ Si sufrís una desgracia en el mar, los que invocáis se esfuman, Él no. Pero, en cuanto os salva llevándoos a tierra firme, os apartáis. El hombre es muy desagradecido.

⁶⁸ ¿Estáis a salvo de que Dios haga que la tierra os trague o que os envíe un huracán? No podrías encontrar protector. ⁶⁹ ¿O estáis a salvo de que lo repita una segunda vez, enviando contra vosotros un viento huracanado y anegándoos por haber sido desagradecidos?

No encontraríais a nadie que, en vuestro favor, Nos demandara por ello.

⁷⁰ Hemos honrado a los hijos de Adán. Los hemos llevado por tierra y por mar, les hemos proveído de cosas buenas y los hemos preferido marcadamente a muchas otras criaturas.

⁷¹ El día que llamemos a todos los hombres con su Libro, aquellos a quienes se dé su libro de sus obras en la diestra, entonces leerán el registro de sus propias obras y no serán oprimidos en lo más mínimo. ⁷² Quien haya estado ciego en esta vida continuará ciego en la otra y aún se extraviará más del Camino.

⁷³ Pretendieron los idólatras [¡Oh, Muhammad!] que obraras distinto de lo que te habíamos revelado, y así inventar mentiras sobre Nosotros. De haberlo hecho te habrían tomado como su aliado. ⁷⁴ Si no hubiéramos decretado proteger Nuestro Mensaje afirmándote, te habrías inclinado hacia ellos. ⁷⁵ Te habríamos hecho gustar el doble en la vida y el doble en la muerte. Y no habrías encontrado quien te auxiliara contra Nosotros.

⁷⁶ Casi logran intimidarte para que abandones tu tierra [la Meca], pero si lo hubiesen logrado no habrían permanecido en ella sino poco tiempo [porque habríamos enviado sobre ellos el castigo]. ⁷⁷ lo mismo que ocurrió con los Mensajeros que mandamos antes de ti, porque ese es Nuestro decreto. Nuestro designio es irrevocable.

⁷⁸ Haz la oración al ocaso hasta la caída de la noche, y la recitación del alba, que la recitación del alba tiene testigos. ⁷⁹ Parte de la noche, vela: será para ti una obra supererogatoria. Quizá tu Señor te conceda un rango privilegiado.

⁸⁰ Y di: «¡Oh, Señor mío! ¡Hazme entrar bien, hazme salir bien! ¡Concédeme, de Ti, una autoridad que me auxilie!». ⁸¹ Y di: «¡Ha triunfado la Verdad y se ha disipado lo falso! ¡Lo falso siempre se desvanece!».

⁸² Hacemos descender, por medio del Corán, lo que es curación

y misericordia para los creyentes, pero esto no hace sino perder más a los inicuos.

⁸³ Cuando agraciamos al hombre, este se desvía y se aleja. Pero, si sufre un mal, se desespera. ⁸⁴ Di: «Cada uno obra a su modo, pero vuestro Señor conoce bien al que va mejor dirigido por el Camino».

⁸⁵ Te preguntan por el espíritu. Di: «El espíritu procede de la orden de mi Señor». Y no se os ha permitido acceder sino a una parte del inmenso conocimiento de Dios.

⁸⁶ Si quisiéramos, retiraríamos lo que te hemos revelado y no encontrarías quien te protegiera en esto contra Nosotros. ⁸⁷ No es sino una misericordia venida de tu Señor, que te ha favorecido grandemente. ⁸⁸ Di: «Si los hombres y los genios se unieran para producir un Corán como este, no podrían conseguirlo, aunque se ayudaran mutuamente».

⁸⁹ En este Corán hemos expuesto a los hombres toda clase de ejemplos. Pero la mayoría de los hombres no quieren sino ser incrédulos. ⁹⁰ Y dicen: «No creeremos en ti hasta que nos hagas brotar un manantial de la tierra, ⁹¹ o que tengas un jardín con palmeras y vides entre los que hagas brotar caudalosos arroyos, ⁹² o que, como pretendes, hagas caer sobre nosotros parte del cielo o nos traigas en tu apoyo a Dios y a los ángeles, ⁹³ o que tengas una casa suntuosa, o te eleves en el aire. Pero tampoco vamos a creer en tu elevación mientras no nos hagas bajar un Libro que podamos leer». Di: «¡Gloria a mi Señor! ¿Y qué soy yo sino un mortal, un Mensajero?».

⁹⁴ No ha impedido a los hombres creer cuando les ha llegado la Dirección sino el haber dicho: «¿Ha mandado Dios a un mortal como Mensajero?». ⁹⁵ Di: «Si hubiera habido en la tierra ángeles andando tranquilamente, habríamos hecho que les bajara del cielo un ángel como Mensajero». ⁹⁶ Di: «Dios basta como testigo entre yo y vosotros. Está bien informado sobre Sus siervos, les ve bien».

⁹⁷ Aquel a quien Dios guía está bien guiado. Pero no encontrarás amigos, fuera de Él, para aquellos a quienes Él extravía. Les congregaremos el día de la Resurrección boca abajo, ciegos, mudos, sordos. Tendrán el Infierno por morada. Siempre que el fuego vaya a apagarse, se lo atizaremos. ⁹⁸ Esa será su retribución por no haber creído en Nuestros signos y por haber dicho: «Cuando seamos huesos y polvo, ¿es verdad que se nos resucitará a una nueva creación?».

⁹⁹ ¿Es que no ven que Dios, Que ha creado los cielos y la Tierra, es capaz de crear semejantes a ellos? Les ha señalado un plazo indubitable, pero los inicuos no quieren sino ser incrédulos. ¹⁰⁰ Di: «Si poseyerais los tesoros de misericordia de mi Señor, entonces, los retendríais por miedo de gastarlos». El hombre es tacaño...

¹⁰¹ Dimos a Moisés nueve signos claros. Pregunta a los Hijos de Israel qué pasó, cuando vino a ellos y Faraón le dijo: «¡Moisés! ¡Yo creo, sí, que estás hechizado!». ¹⁰² Dijo: «Tú sabes bien que solo el Señor de los cielos y de la Tierra ha hecho bajar estos como pruebas evidentes. ¡Yo creo, Faraón, sí, que estás perdido!». ¹⁰³ Quiso ahuyentarles del país y le ahogamos con todos los suyos. ¹⁰⁴ Y, después de él, dijimos a los Hijos de Israel: «Habitad la tierra y, cuando se cumpla la promesa de la otra vida, os llevaremos en tropel».

¹⁰⁵ Lo hemos hecho descender con la Verdad y con la Verdad ha descendido. No te hemos enviado sino como nuncio de buenas nuevas y como monitor. ¹⁰⁶ Y a este Corán te lo hemos revelado en partes para que se lo recites a los hombres gradualmente. Te lo hemos ido revelando poco a poco.

¹⁰⁷ Di: «Creáis o no en él, en nada perjudicará a Dios. Quienes fueron agraciados con el conocimiento de entre aquellos que recibieron las revelaciones anteriores [judíos y cristianos], cuando escuchan la recitación del Corán se prosternan ante Dios, ¹⁰⁸ y

dicen: "¡Gloria a nuestro Señor! ¡Se ha cumplido, sí, la promesa de nuestro Señor!". [109] Y continúan rostro en tierra, llorando y creciendo en humildad».

[110] Diles: «Y sea que Le invoquéis diciendo: ¡Oh, Dios! ¡Oh, Compasivo! O cualquier otro nombre con el que Le invoquéis, [Él os oirá]. Él posee los nombres más bellos». No hagas la oración en voz demasiado alta, ni en silencio, sino con voz moderada. [111] Y di: «¡Alabado sea Dios! Él no tiene ningún hijo, ni tiene asociado alguno en Su soberanía ni necesita de ningún socorredor».

SURA 18 : AL KAHF
....

LA CAVERNA

¡En el nombre de Dios, el Compasivo, el Misericordioso!

[1] ¡Alabado sea Dios, que ha revelado el Libro a Su siervo y no ha puesto en ella tortuosidad, [2] y ha hecho de él un Libro justo para advertir de Su severo castigo [en esta vida y en la otra], y para albriciar a los creyentes que obran rectamente que recibirán una bella recompensa [en el Paraíso], [3] en la que permanecerán para siempre, [4] y para advertir a los que dicen que Dios ha adoptado un hijo! [5] Ni ellos ni sus predecesores tienen ningún conocimiento de eso. ¡Qué monstruosa palabra la que sale de sus bocas! No dicen sino mentira.

[6] Tú quizá te mortifiques porque ellos rechazan y no creen en este Corán. [7] Hemos adornado la Tierra con lo que en ella hay para probarles y ver quién de ellos obra mejor. [8] Pero luego la convertiremos en un terreno árido.

[9] ¿No te has parado a pensar que los compañeros de la caverna y de ar-Raqim fueron parte de los signos sorprendentes de tu Señor?

¹⁰ Cuando los jóvenes, al refugiarse en la caverna, dijeron: «¡Señor! ¡Concédenos una misericordia de Ti y haz que nos conduzcamos correctamente!». ¹¹ Y les hicimos dormir en la caverna por muchos años. ¹² Luego, les despertamos para distinguir cuál de los dos grupos [creyentes e incrédulos] calculaba mejor cuánto tiempo habían permanecido.

¹³ Nosotros vamos a contarte su relato verdadero. Eran jóvenes que creían en su Señor y a quienes habíamos confirmado en la buena dirección. ¹⁴ Fortalecimos su ánimo cuando se levantaron y dijeron: «Nuestro Señor es el Señor de los cielos y de la Tierra. No invocaremos a más dios que a Él. Si no, diríamos una solemne mentira. ¹⁵ Nuestro pueblo ha tomado fuera de Él falsas deidades. ¿Por qué no presentan un fundamento evidente para ello? ¿Hay alguien que sea más inicuo que quien inventa una mentira contra Dios?

¹⁶ [Dijo uno de ellos:] Si os apartáis de ellos y renegáis de cuanto adoran en vez de Dios, refugiaos en la caverna que vuestro Señor os cubrirá con Su misericordia y os secundará».

¹⁷ Si hubieras estado presente [¡Oh, Muhammad!] habrías observado cómo el Sol salía a la derecha de la caverna y se ponía a la izquierda, mientras ellos permanecían en un espacio de la misma [protegidos del Sol]. Ese es uno de los signos de Dios. Aquel a quien Dios guíe estará bien encaminado, pero para aquel a quien Él extravía no encontrarás nadie que le guíe.

¹⁸ Les hubieras creído despiertos cuando, en realidad, dormían. Les volteábamos hacia la derecha y hacia la izquierda, y su perro estaba con las patas delanteras extendidas en la entrada. Si les hubieras visto habrías huido preso del temor

¹⁹ Así estaban cuando les despertamos para que se preguntaran unos a otros. Uno de ellos dijo: «¿Cuánto tiempo habéis permanecido?». Dijeron: «Permanecimos un día o menos». Dijeron:

«Vuestro Señor sabe bien cuánto tiempo habéis permanecido. Enviad a uno de vosotros con esta vuestra moneda a la ciudad. Que mire quién tiene el alimento más fresco y que os traiga provisión del mismo. Que se conduzca bien y que no atraiga la atención de nadie sobre vosotros, [20] pues, si se enteraran de vuestra existencia, os lapidarían u os harían volver a su religión y nunca más seríais felices».

[21] Pero hicimos que los descubrieran para que supieran [los hombres] que la promesa de Dios es verdadera, y que la Hora del Juicio es indubitable. Y los habitantes del pueblo discutieron acerca de qué hacer con ellos; algunos dijeron [los incrédulos]: «Construid una pared que bloquee la entrada de la cueva y que Su Señor se encargue de ellos». Pero aquellos cuya opinión prevaleció dijeron: «¡Levantemos sobre ellos un santuario!».

[22] Unos dirán: «Eran tres, cuatro con su perro». Otros dirán: «Eran cinco, seis con su perro», conjeturando sobre lo oculto. Otros dirán: «Eran siete, ocho con su perro». Di: «Mi Señor sabe bien su número, solo pocos les conocen». No discutas sobre ellos, sino someramente y no consultes sobre ellos a nadie. [23] Y no digas acerca de algo: «Lo haré mañana». [24] Salvo que agregues: «si Dios quiere». Y, si te olvidas de hacerlo, recuerda a tu Señor, diciendo: «Quizá mi Señor me dirija a algo que esté más cerca que eso de lo recto».

[25] Permanecieron en su caverna trescientos años y nueve más [Esto es porque su estadía fue de trescientos años si se cuenta en el calendario solar, y trescientos nueve en el calendario lunar]. [26] Di: «Dios sabe bien cuánto tiempo permanecieron. Suyo es lo oculto de los cielos y de la Tierra. ¡Qué bien ve y qué bien oye! Fuera de Él, los hombres no tienen protector. Y Él no asocia a nadie en Sus decisiones».

[27] Recita lo que se te ha revelado del Libro de tu Señor. No hay

quien pueda cambiar Sus palabras y no encontrarás asilo fuera de Él. ²⁸ ¡No rehúyas estar con los que invocan a su Señor mañana y tarde por deseo de agradarle! ¡No quites los ojos de ellos por deseo del ornato de la vida de este mundo! ¡No obedezcas a aquel cuyo corazón hemos hecho que se despreocupe de Nuestro recuerdo, que sigue su pasión y se conduce insolentemente!

²⁹ Y di: «La Verdad viene de vuestro Señor. ¡Que crea quien quiera, y quien no quiera que no crea!». Hemos preparado para los inicuos un fuego cuyas llamas les cercarán. Si piden socorro, se les socorrerá con un líquido como de metal fundido, que les abrasará el rostro. ¡Mala bebida! Y ¡mal lugar de descanso!

³⁰ Quienes, en cambio, crean y obren bien... No dejaremos de remunerar a quienes se conduzcan bien. ³¹ Para esos serán los jardines del Edén, por donde corren los ríos. Se les adornará allí con brazaletes de oro, se les vestirá de satén y brocado verdes, estarán allí reclinados en divanes. ¡Qué agradable recompensa y qué bello lugar de descanso!

³² Proponles la parábola de dos hombres, a uno de los cuales dimos dos viñedos, que cercamos de palmeras y separamos con sembrados. ³³ Ambos viñedos dieron su cosecha, no fallaron nada, e hicimos brotar entre ellos un arroyo. ³⁴ Uno tuvo frutos y dijo a su compañero, con quien dialogaba: «Soy más que tú en hacienda y más fuerte en gente». ³⁵ Luego ingresó en su viñedo lleno de soberbia e incredulidad y exclamó: No creo que este viñedo perezca jamás. ³⁶ Tampoco creo que jamás llegue la Hora [del Día del Juicio]. Y si llego a ser resucitado seguro tendré un viñedo mejor que este».

³⁷ El creyente con quien conversaba le preguntó: «¿No crees en Quien ha creado a tu padre [Adán] de polvo, luego a toda su descendencia de una gota de esperma y te ha dado a ti forma de hombre? ³⁸ En cuanto a mí, Él es Dios, mi Señor, y no asocio nadie a mi Señor. ³⁹ Deberías haber dicho cuando ingresaste a tus viñedos:

"Esto es lo que Dios ha querido, todo el poder proviene de Dios".
Ya ves que poseo menos riqueza e hijos que tú, [40] quizá me dé Dios
algo mejor que tu viñedo [en la otra vida], y es posible que envíe
del cielo una lluvia torrencial sobre tus viñedos y los convierta en
un lodazal, [41] o se filtre su agua por la tierra y no puedas volver a
encontrarla».

[42] Su cosecha fue destruida, y a la mañana siguiente, se retorcía
las manos pensando en lo mucho que había gastado en él: sus cepas
estaban arruinadas. Y decía: «¡Ojalá no hubiera asociado nadie a mi
Señor!». [43] No hubo grupo que, fuera de Dios, pudiera auxiliarle, ni
pudo defenderse a sí mismo. [44] Allí se evidenció que el verdadero
triunfo proviene de Dios, la verdadera divinidad. Él es Quien mejor
recompensa y Quien mejor castiga.

[45] Exponles el ejemplo de la vida mundanal, y diles que es como
el agua que enviamos del cielo y se empapa de ella la vegetación
de la tierra, luego esta se seca y los vientos la dispersan. Dios tiene
poder sobre todas las cosas. [46] La hacienda y los hijos varones son
el ornato de la vida de este mundo. Pero las obras perdurables,
las buenas obras, recibirán una mejor recompensa ante tu Señor,
constituyen una esperanza mejor fundada.

[47] El día que pongamos en marcha las montañas, veas la tierra
allanada, congreguemos a todos sin excepción, [48] y sean presentados
en fila ante tu Señor. «Venís a Nosotros como os creamos por vez
primera. Y ¿pretendíais que no íbamos a citaros?».

[49] Se expondrá el Libro y oirás decir a los pecadores, temiendo
por su contenido: «¡Ay de nosotros! ¿Qué clase registro es este, que
no deja de enumerar nada, ni grande ni pequeño?». Allí encontrarán
ante ellos lo que han hecho. Y tu Señor no será injusto con nadie.

[50] Y cuando dijimos a los ángeles: «¡Postraos ante Adán!». Se
postraron, excepto Iblis, que era uno de los genios y desobedeció la
orden de su Señor. ¿Acaso tomáis a él y a sus descendientes como

protectores en vez de tomarme a Mí, a pesar de que son vuestros enemigos? ¡Qué mal está lo que hacen los inicuos!

⁵¹ No les he puesto como testigos [ni a Iblîs ni a su descendencia] de la creación de los cielos y de la Tierra ni de su propia creación, ni he tomado como auxiliares a los que extravían a otros.

⁵² El día que se les diga [a los idólatras]: «Invocad a aquellos que pretendíais que eran Mis copartícipes». Les invocarán pero ellos no les responderán. Pondremos entre ellos un abismo que les separe. ⁵³ Los pecadores verán el Fuego y creerán que se precipitan en él, sin encontrar modo de escapar.

⁵⁴ En este Corán hemos expuesto a los hombres toda clase de ejemplos, pero el hombre es, de todos los seres, el más discutidor. ⁵⁵ Lo único que impide a los hombres creer cuando les llega la guía y pedir el perdón de su Señor, es el no admitir que les alcanzará la misma suerte que a los antiguos o que deberán afrontar el castigo.

⁵⁶ No mandamos a los Mensajeros sino como nuncios de buenas nuevas y para advertir. Los que no creen discuten con argucias para derribar la Verdad, y toman a burla Mis signos y las advertencias. ⁵⁷ ¿Hay alguien que sea más inicuo que quien, habiéndosele recordado los signos de su Señor, se desvía luego de ellos y olvida lo que sus manos obraron? Hemos velado sus corazones y endurecido sus oídos para que no lo entiendan. Aunque les llames hacia la guía, no se encaminarán jamás.

⁵⁸ Tu Señor es el Indulgente, el Dueño de la Misericordia. Si les diera su merecido, les adelantaría el castigo. Tienen, sin embargo, una cita a la que no podrán faltar. ⁵⁹ Hicimos perecer esas ciudades cuando obraron impíamente, habiendo fijado por anticipado cuándo iban a perecer.

⁶⁰ Y cuando Moisés dijo a su fiel servidor: «¡No desistiré hasta que llegue a la confluencia de los dos mares [donde Dios me ha revelado que encontraré a un siervo Suyo a quien Él ha agraciado

con otros conocimientos], aunque esto me lleve muchos años!».
[61] Y cuando alcanzaron su confluencia, se olvidaron de su pez, que emprendió tranquilamente el camino hacia la gran masa de agua. [62] Y, cuando pasaron más allá dijo a su servidor: «¡Trae la comida, que nos hemos cansado con este viaje!».

[63] Dijo: «¿Qué te parece? Cuando nos refugiamos en la roca, me olvidé del pez, nadie sino Satanás hizo olvidarme de que me acordara de él, y emprendió el camino hacia la gran masa de agua. ¡Es asombroso!». [64] Dijo: «Eso es lo que deseábamos», y regresaron volviendo sobre sus pasos, [65] encontrando a uno de Nuestros, siervos a quien habíamos hecho objeto de una misericordia venida de Nosotros transmitido algunos conocimientos [que Moisés no poseía].

[66] Moisés le dijo: «¿Puedo seguirte para que me instruyas sobre aquello que se te ha enseñado?». [67] Dijo: «No podrás tener paciencia conmigo. [68] ¿Y cómo vas a tenerla en aquello de que no tienes pleno conocimiento?». [69] Dijo: «Me encontrarás, si Dios quiere, paciente, y no desobedeceré tus órdenes». [70] Dijo: «Si me sigues, no me preguntes sobre nada hasta que yo no te haga mención de ello».

[71] Y se fueron ambos hasta que, habiendo subido a la nave, hizo en ella un boquete. Dijo: «¿Le has hecho un boquete para que se ahoguen sus pasajeros? ¡Has hecho algo muy grave!». [72] Dijo: «¿No te he dicho que no podrías tener paciencia conmigo?». [73] «No lleves a mal mi olvido», dijo, «y no me sometas a una prueba demasiado difícil». [74] Y reanudaron ambos la marcha, hasta que encontraron a un muchacho y le mató. Dijo: «¿Has matado a una persona inocente que no había matado a nadie? ¡Has hecho algo horroroso!».

[75] Dijo: «¿No te he dicho que no podrías tener paciencia conmigo?». [76] Dijo: «Si en adelante te pregunto algo, no me tengas más por compañero. Y acepta mis excusas». [77] Y se pusieron de nuevo en camino hasta que llegaron a una ciudad a cuyos

habitantes pidieron de comer, pero estos les negaron la hospitalidad. Encontraron, luego, en ella un muro que amenazaba derrumbarse y lo apuntaló. Dijo: «Si hubieras querido, habrías podido recibir un salario por eso». [78] Dijo: «Ha llegado el momento de separarnos. Voy a informarte del significado de aquello en que no has podido tener paciencia.

[79] En cuanto a la nave, pertenecía a unos pobres que trabajaban en el mar y yo quise averiarla, pues detrás de ellos venía un rey que se apoderaba por la fuerza de todas las naves que estuvieran en perfectas condiciones.

[80] Y en cuanto al muchacho, sus padres eran creyentes y supimos que él les induciría al desvío y la incredulidad, [81] y quisimos que su Señor les diera a cambio uno más puro que aquel y más afectuoso.

[82] Y en cuanto al muro, pertenecía a dos muchachos huérfanos de la ciudad. Debajo de él había un tesoro que les pertenecía. Su padre era bueno y tu Señor quiso que descubrieran su tesoro cuando alcanzaran la madurez, como muestra de misericordia venida de tu Señor. No lo hice por propia iniciativa. Este es el significado de aquello en que no has podido tener paciencia».

[83] Te preguntarán acerca de Dhul Qarnein. Di: «Voy a contaros una historia a propósito de él». [84] Le habíamos dado poderío en el país y le habíamos facilitado todo.

[85] Siguió, pues, un camino [86] así cuando hubo alcanzado el poniente del sol, encontró que este se ponía en un manantial cenagoso, junto a la cual encontró a gente. Dijimos: «¡Oh, Dhul Qarnein! Puedes castigarles o tratarles con benevolencia». [87] Dijo: «Castigaremos a quien obre impíamente, y luego será llevado a su Señor, que le infligirá un castigo horroroso. [88] Pero quien crea y obre bien tendrá como retribución lo mejor y le ordenaremos cosas fáciles».

[89] Luego, siguió otro camino [90] hasta que llego a donde nacía

el sol, y encontró que este aparecía sobre otra gente a la que no habíamos dado refugio para protegerse de él. [91] Así fue, Nosotros teníamos pleno conocimiento de su situación.

[92] Luego, siguió otro camino [93] hasta que, llegado a un espacio a un valle entre dos montañas, encontró del lado de acá a gente que apenas comprendía palabra. [94] Dijeron: «¡Oh, Dhul Qarnein! Por cierto que Gog y Magog corrompen la Tierra. ¿Quieres que te paguemos a cambio de que levantes una muralla entre ellos y nosotros?».

[95] Dijo: «El poderío que mi Señor me ha dado es mejor. ¡Ayudadme con fuerza física y levantaré una muralla entre vosotros y ellos! [96] ¡Traedme bloques de hierro!» hasta cubrir el espacio de las dos montañas, y dijo: «¡Soplad!» hasta llevarlo al rojo vivo; y agregó: «¡Traedme bronce fundido para derramarlo encima!». [97] Y no pudieron escalarla, ni pudieron abrir brecha en ella. [98] Dijo: «Esta es una misericordia venida de mi Señor, pero, cuando venga la promesa de mi Señor, la reducirá a polvo. Lo que mi Señor promete es verdad».

[99] Ese día dejaremos que surjan [Gog y Magog] a la humanidad [y la corrompan], luego será tocada la trompeta y los congregaremos a todos. [100] Ese día mostraremos plenamente el Infierno a los incrédulos, [101] cuyos ojos estaban cerrados a Mi recuerdo y que no podían oír.

[102] ¿Piensan, acaso, quienes no creen, que podrán tomar a Mis siervos como amigos en lugar de tomarme a Mí? Hemos preparado el Infierno como alojamiento para los incrédulos.

[103] Di: «¿Os daré a conocer quiénes son los que más pierden por sus obras, [104] aquellos cuyo celo se pierde en la vida del mundo mientras creen obrar bien?». [105] Son ellos los que no creen en los signos de su Señor, ni en que Le encontrarán. Vanas habrán sido sus obras y el Día de la Resurrección no les reconoceremos peso. [106] Su

retribución será el Infierno por no haber creído y por haber tomado a burla Mis signos y a Mis Mensajeros.

[107] En cambio, los que hayan creído y obrado bien se alojarán en los jardines del Paraíso, [108] eternamente, y no desearán mudarse.

[109] Di: «Si el mar fuese tinta para escribir las Palabras de mi Señor, se agotaría antes de que se agotaran las Palabras de mi Señor, aunque se trajese otro mar de tinta».

[110] Di: «Yo soy solo un mortal como vosotros, a quien se ha revelado que vuestro Dios es un Dios Uno. Quien cuente con encontrar a su Señor, que haga buenas obras y que cuando adore a su Señor, no Le asocie nadie».

SURA 19 : MARYAM
·····································

MARÍA

¡En el nombre de Dios, el Compasivo, el Misericordioso!

[1] *Kaf. <u>Ha</u>. Ia. 'Ain. <u>Sad</u>.*

[2] Esto es un recuerdo de la misericordia que tu Señor tuvo con Su siervo Zacarías. [3] Cuando invocó en secreto a su Señor. [4] Dijo: «¡Señor! Se me han debilitado los huesos, mis cabellos han encanecido. Cuando Te he invocado, Señor, nunca me has decepcionado. [5] Temo por mis parientes a mi muerte, pues mi mujer es estéril. Concédeme un hijo, [6] que me herede a mí y herede de la familia de Jacob, y ¡haz, Señor, que él Te sea agradable!».

[7] «¡Zacarías! Te anunciamos la buena nueva de un muchacho que se llamará Juan. Nadie ha sido llamado así antes que él». [8] «¡Señor!» dijo «¿Cómo puedo tener un muchacho, siendo mi mujer estéril y yo un viejo decrépito?».

[9] Dijo [el Ángel]: «Así será, pues tu Señor dice: Ello es fácil

para Mí puesto que te he creado antes, cuando no existías ». ¹⁰ Dijo: «¡Oh, Señor mío! ¡Dame un signo!». Dijo: «Tu signo será que, estando sano, no podrás hablar a la gente durante tres días». ¹¹ Entonces, salió del Templo hacia su gente y les indicó por señas que glorificaran por la mañana y por la tarde.

¹² [Cuando su hijo alcanzó la pubertad, le dijimos:] «¡Juan! ¡Aférrate al Libro [la Torá] con firmeza!». Y le concedimos la sabiduría desde pequeño, ¹³ así como ternura de Nosotros y pureza. Y fue temeroso de Dios ¹⁴ y piadoso con sus padres; no fue violento, desobediente. ¹⁵ ¡Paz sobre él el día que nació, el día que murió y el día que sea resucitado a la vida!

¹⁶ Y recuerda a María en el Libro, cuando dejó a su familia para retirarse a un lugar hacia Oriente. ¹⁷ Y puso un velo para apartarse de la vista [mientras adoraba a Dios] de los hombres de su pueblo. Entonces le enviamos Nuestro espíritu [el ángel Gabriel], quien se le presentó con forma humana. ¹⁸ Dijo ella: «Me refugio de ti en el Compasivo. Si es que temes a Dios...» ¹⁹ Dijo él: «Yo soy solo el Mensajero de tu Señor para regalarte un muchacho puro». ²⁰ Dijo ella: «¿Cómo puedo tener un muchacho si no me ha tocado mortal, ni soy una indecente?». ²¹ «Así será», dijo. «Tu Señor dice: "Es cosa fácil para Mí. Para hacer de él signo para la gente y muestra de Nuestra misericordia". Es cosa decidida».

²² Lo concibió, y decidió retirarse a un lugar apartado. ²³ Entonces los dolores de parto la empujaron hacia el tronco de la palmera. Dijo: «¡Ojalá hubiera muerto antes y se me hubiera olvidado del todo...!».

²⁴ Entonces [el ángel] la llamó desde abajo [del valle]: «No te apenes, tu Señor ha hecho fluir debajo de ti un arroyo. ²⁵ ¡Sacude hacia ti el tronco de la palmera y esta hará caer sobre ti dátiles frescos, maduros! ²⁶ ¡Come, pues, bebe y alégrate! Y si ves a algún

mortal, di: "He hecho voto de silencio al Compasivo. No voy a hablar, pues, hoy con nadie"».

²⁷ Y vino con él a los suyos, llevándolo en brazos [a Jesús]. Dijeron: «¡María! ¡Has hecho algo inaudito! ²⁸ ¡Oh, tú que desciendes de Aarón! Tu padre no era un hombre deshonesto, ni tu madre una indecente».

²⁹ Entonces ella se lo indicó. Dijeron: «¿Cómo vamos a hablar a uno que aún está en la cuna, a un niño?». ³⁰ Entonces [Jesús] habló: Por cierto que soy el siervo de Dios. Él me revelará el Libro y hará de mí un Profeta. ³¹ Me ha bendecido dondequiera que me encuentre y me ha ordenado la oración y el zakat [azaque] mientras viva, ³² y que sea piadoso con mi madre. No me ha hecho violento, desgraciado. ³³ La paz sobre mí el día que nací, el día que muera y el día que sea resucitado a la vida».

³⁴ Tal es Jesús hijo de María, para decir la Verdad, de la que ellos dudan. ³⁵ No es propio de Dios tomar ningún hijo. ¡Gloria a Él! Cuando decide algo, le dice tan solo: «¡Sé!» y es.

³⁶ Y: «Dios es mi Señor y Señor vuestro. ¡Adoradle, pues! Esto es una vía recta». ³⁷ Pero discreparon las diferentes sectas [sobre Jesús]. Ya verán los incrédulos cuando comparezcan [ante Dios] en un día terrible. ³⁸ ¡Qué bien oirán y verán el día que vengan a Nosotros! Pero los inicuos en esta vida están extraviados evidentemente.

³⁹ ¡Prevenles contra el día de la Lamentación, cuando se decida la cosa! Y ellos, entre tanto, están despreocupados y no creen. ⁴⁰ Nosotros heredaremos la Tierra y a sus habitantes. Y a Nosotros serán devueltos.

⁴¹ Y recuerda en el Libro a Abraham. Fue veraz, Profeta. ⁴² Cuando dijo a su padre: «¡Padre! ¿Por qué sirves lo que no oye, ni ve, ni te sirve de nada? ⁴³ ¡Oh, padre mío! Se me ha revelado un conocimiento que tú no tienes. Sígueme, y te guiaré por el sendero

recto. ⁴⁴ ¡Oh, padre mío! No adores a Satanás; por cierto que Satanás fue desobediente con el Compasivo. ⁴⁵ ¡Padre! Temo que te alcance un castigo del Compasivo y seas de los que acompañen a Satanás [en esta vida y en la otra]».

⁴⁶ Dijo: «Abraham! ¿Sientes aversión a mis dioses? Si no paras, he de lapidarte. ¡Aléjate de mí por algún tiempo!». ⁴⁷ Dijo: «¡Paz sobre ti! Pediré por tu perdón a mi Señor. Ha sido benévolo conmigo. ⁴⁸ Me alejaré de vosotros y de cuanto invocáis en vez de Dios, e imploraré a mi Señor [que me consuele], y ciertamente no me decepcionaré rogando a mi Señor».

⁴⁹ Cuando se apartó de ellos y de lo que adoraban en lugar de adorar a Dios, le regalamos a Isaac y a Jacob e hicimos de cada uno de estos un Profeta. ⁵⁰ Les regalamos de Nuestra misericordia y les dimos una reputación buenísima.

⁵¹ Y nárrales la historia de Moisés mencionada en el Libro [el Corán]. Fue un sincero creyente, Profeta y Mensajero. ⁵² Le llamamos desde la ladera derecha del monte e hicimos que se acercara para hablarle en forma confidencial. ⁵³ Hicimos que, por Nuestra misericordia, su hermano Aarón fuera también un Profeta.

⁵⁴ Y nárrales la historia de Ismael mencionada en el Libro. Siempre cumplió su palabra, fue Profeta y Mensajero. ⁵⁵ Prescribía a su gente la oración y el zakat [azaque], y obtuvo la complacencia su Señor. ⁵⁶ Y nárrales la historia de Enoc que se menciona en el Libro. Fue un Profeta veraz. ⁵⁷ Le elevamos a un lugar eminente.

⁵⁸ Estos son los que Dios ha agraciado entre los Profetas descendientes de Adán, entre los que llevamos con Noé, entre los descendientes de Abraham y de Israel [Jacob], entre los que guiamos y elegimos. Cuando se les recitan los preceptos del Compasivo, caen prosternados llorando.

⁵⁹ Sus sucesores descuidaron la oración, siguieron lo apetecible y terminarán descarriándose. ⁶⁰ Salvo quienes se arrepientan,

crean y obren bien. Esos entrarán en el Jardín y no serán tratados injustamente en nada.

⁶¹ [Entrarán] A los Jardines del Edén, prometidos por el Clemente a Sus siervos que Le adoraron a pesar de no haberlo visto. Su promesa será cumplida. ⁶² No oirán allí frivolidades, sino «¡Paz!» y tendrán allí su sustento, mañana y tarde. ⁶³ Ese es el Jardín que daremos en herencia a aquellos de Nuestros siervos que hayan temido a Dios.

⁶⁴ «Y debes saber [¡Oh, Muhammad!], que los ángeles no descienden sino por orden de tu señor. Él conoce nuestro presente, pasado y futuro. Tu Señor no es olvidadizo. ⁶⁵ Es el Señor de los cielos, de la Tierra y de lo que entre ellos está. ¡Adórale y persevera en Su adoración! ¿Conoces a alguien similar a Él?».

⁶⁶ El hombre dice: «Cuando muera, ¿se me resucitará?». ⁶⁷ Pero ¿es que no recuerda el hombre que ya antes, cuando no era nada, le creamos? ⁶⁸ ¡Por tu Señor, que hemos de congregarles, junto con los demonios, y luego hemos de hacerles comparecer, arrodillados, alrededor del Infierno!

⁶⁹ Luego, hemos de arrancar de cada grupo a aquellos que se hayan mostrado más rebeldes al Compasivo. ⁷⁰ Además, sabemos bien quiénes son los merecedores de ser arrojados en él [el Infierno]. ⁷¹ Por cierto que todos vosotros lo contemplaréis [al Infierno], y esta es una determinación irrevocable de tu Señor. ⁷² Luego, salvaremos a quienes temieron a Dios, y abandonaremos en ella, arrodillados, a los inicuos.

⁷³ Cuando se les recitan Nuestros claros preceptos, los incrédulos dicen con arrogancia a los creyentes: «¿Quién posee de nosotros moradas más placenteras y mejores lugares de encuentro?». ⁷⁴ ¡A cuántas generaciones antes de ellos, que les superaban en bienes y en apariencia, hemos hecho perecer...!

⁷⁵ Di: «¡Que el Compasivo prolongue la vida de los que están

extraviados, hasta que vean lo que les amenaza: el castigo o la Hora! Entonces verán quién es el que se encuentra en la situación peor y dispone de tropas más débiles».

⁷⁶ A los que se dejen guiar, Dios les guiará aún mejor. Las obras perdurables, las obras buenas, recibirán ante tu Señor una recompensa mejor y un fin mejor.

⁷⁷ ¿Y te parece que quien no cree en Nuestros signos y dice: «Recibiré, ciertamente, hacienda e hijos», ⁷⁸ conoce lo oculto o ha concertado una alianza con el Compasivo? ⁷⁹ ¡No! Antes bien, tomaremos nota de lo que él dice y le prolongaremos el castigo. ⁸⁰ Heredaremos de él lo que dice y vendrá, solo, a Nosotros. ⁸¹ Han tomado dioses en lugar de tomar a Dios, para alcanzar poder. ⁸² ¡Pero no! [Estos ídolos] Se desentenderán de su adoración y se convertirán en sus adversarios.

⁸³ ¿Acaso no ves que hemos enviado demonios sobre los incrédulos para que les induzcan a la destrucción? ⁸⁴ No esperes que el castigo les azote antes de tiempo; por cierto que tienen sus días contados. ⁸⁵ El día que congreguemos hacia el Compasivo a los temerosos de Dios, en grupo, ⁸⁶ Y arriemos a los pecadores hacia el Infierno sedientos. ⁸⁷ no dispondrán de intercesores sino los que hayan concertado una alianza con el Compasivo [de creer que Él es la única divinidad con derecho a ser adorada].

⁸⁸ Dicen: «El Compasivo tuvo un hijo». ⁸⁹ Por cierto que han dicho algo terrible. ⁹⁰ Estuvieron los cielos a punto de hendirse, la Tierra de abrirse, y las montañas de caer derrumbadas, ⁹¹ por haber atribuido un hijo al Compasivo, ⁹² No es propio [de la grandiosidad] del Compasivo tener un hijo. ⁹³ No hay nadie en los cielos ni en la Tierra que no venga al Compasivo sino como siervo. ⁹⁴ Él los ha enumerado y contado bien. ⁹⁵ Todos vendrán a Él, uno a uno, el Día de la Resurrección. ⁹⁶ A quienes hayan creído y obrado bien, el Compasivo les dará amor.

⁹⁷ En verdad, lo hemos hecho fácil en tu lengua, para que anuncies con él la buena nueva a los que temen a Dios y para que adviertas con él a la gente pendenciera. ⁹⁸ ¡A cuántas generaciones antes de ellos hemos hecho perecer! ¿Percibes a alguno de ellos u oyes de ellos un leve susurro?

TA HA

¡En el nombre de Dios, el Compasivo, el Misericordioso!

¹ *Ta. Ha.*

² No te hemos revelado el Corán para que te agobies [y sufras por la incredulidad de tu pueblo ¡Oh, Muhammad!], ³ sino como Recuerdo para quien tiene miedo de Dios, ⁴ como revelación venida de Quien ha creado la Tierra y los altos cielos. ⁵ El Compasivo se ha establecido sobre el Trono. ⁶ Suyo es lo que está en los cielos y en la Tierra, lo que existe entre ellos y lo que hay bajo la tierra.

⁷ No es preciso que te expreses en voz alta, pues Él conoce lo secreto y las intenciones más ocultas. ⁸ ¡Dios! ¡No hay más dios que Él! Posee los nombres más bellos.

⁹ ¿Te has enterado de la historia de Moisés? ¹⁰ Cuando vio un fuego y dijo a su familia: «¡Quedaos aquí! Distingo un fuego. Quizá pueda yo traeros de él un tizón o encontrar la buena dirección con ayuda del fuego».

¹¹ Cuando llegó al fuego, le llamaron: «¡Moisés! ¹² Yo soy, ciertamente, tu Señor. ¡Quítate las sandalias! Estás en el valle sagrado de Tuwa. ¹³ Y Yo te he elegido; escucha, pues, lo que te revelaré. ¹⁴ Ciertamente Yo soy Dios. No hay más dios que Yo. ¡Adórame, pues, y haz la oración para recordarme! ¹⁵ La Hora vendrá con toda

seguridad, y casi la tengo oculta para Mí mismo, para que cada uno sea retribuido según su esfuerzo. ¹⁶ ¡Que no te desvíe de ella quien no cree en ella y sigue su pasión! Pues te perderías.

¹⁷ ¿Qué es eso que tienes en la diestra, Moisés?». ¹⁸ «Es mi vara», dijo. «Me apoyo en ella y con ella vareo los árboles para alimentar a mi rebaño. También la empleo para otros usos». ¹⁹ Dijo: «¡Tírala, Moisés!». ²⁰ La tiró y he aquí que se convirtió en una serpiente que reptaba. ²¹ Dijo: «¡Cógela y no temas! Vamos a devolverle su condición primera. ²² E introduce tu mano por el cuello de tu túnica y saldrá blanca resplandeciente, sin tener ningún mal. Y este será otro milagro. ²³ Para mostrarte parte de Nuestros tan grandes signos. ²⁴ ¡Ve ante el Faraón! pues se ha extralimitado».

²⁵ Dijo: «¡Oh, Señor mío! ¡Infúndeme ánimo! ²⁶ ¡Facilítame la tarea! ²⁷ ¡Desata un nudo de mi lengua! ²⁸ Así entenderán lo que yo diga. ²⁹ Dame a alguien de mi familia que me ayude: ³⁰ a Aarón, mi hermano. ³¹ ¡Aumenta con él mi fuerza ³² Y asóciale en mi misión [y desígnalo Mensajero igual que a mí], ³³ para que Te glorifiquemos ³⁴ y Te recordemos mucho! ³⁵ Tú nos ves bien». ³⁶ Dijo: «¡Moisés! Tu ruego ha sido escuchado.

³⁷ Y por cierto que anteriormente también te agraciamos. ³⁸ Cuando inspiramos a tu madre lo siguiente: ³⁹ "Échalo a esta arqueta y échala al río. El río lo depositará en la orilla. Un enemigo mío y suyo lo recogerá". He lanzado sobre ti un amor venido de Mí para que seas educado bajo Mi mirada. ⁴⁰ Cuando tu hermana pasaba por allí y dijo: "¿Queréis que os indique a alguien que podría encargarse de él?". Así te devolvimos a tu madre para que se alegrara y no estuviera triste. Mataste a un hombre, te salvamos de la tribulación y te sometimos a muchas pruebas. Y luego de permanecer unos años en Madián regresaste por decreto Nuestro ¡Oh, Moisés!

⁴¹ Te he escogido para Mí. ⁴² ¡Ve acompañado de tu hermano,

con Mis signos, y no descuidéis el recordarme! ⁴³ ¡Id a Faraón! pues
se ha extralimitado. ⁴⁴ ¡Hablad con él amablemente! Quizás, así, se
deje amonestar o tenga miedo de Dios».

⁴⁵ Dijeron: «¡Señor! Tememos que la tome con nosotros o que
se muestre rebelde». ⁴⁶ Dijo: «¡No temáis! Yo estoy con vosotros,
oyendo y viendo. ⁴⁷ Id, pues, a él y decid: "Somos los Mensajeros
de tu Señor. ¡Deja marchar con nosotros a los Hijos de Israel y no
les atormentes! Te hemos traído un signo de tu Señor, y quien siga la
guía estará a salvo. ⁴⁸ Se nos ha revelado que se infligirá el castigo
a quien desmienta o se desvíe"».

⁴⁹ Dijo: «¿Y quién es vuestro Señor, Moisés?». ⁵⁰ Dijo: «Nuestro
Señor es Quien ha dado a todo su forma, y luego dirigido». ⁵¹ Dijo:
«¿Y qué ha sido de las generaciones pasadas?». ⁵² Dijo: «Mi Señor
lo sabe y Él todo lo tiene registrado en un Libro. Mi Señor no yerra,
ni olvida.

⁵³ Quien os ha puesto la Tierra como cuna y os ha trazado en ella
caminos y hecho bajar agua del cielo. Mediante ella, hemos sacado
toda clase de plantas. ⁵⁴ ¡Comed y apacentad vuestros rebaños!
Hay, en ello, ciertamente, signos para los dotados de entendimiento.
⁵⁵ Os hemos creado de ella y a ella os devolveremos, para sacaros
otra vez de ella».

⁵⁶ Le mostramos todos Nuestros signos, pero él desmintió
y rehusó creer. ⁵⁷ Dijo: «¡Moisés! ¿Has venido a nosotros para
sacarnos de nuestra tierra con tu magia? ⁵⁸ Hemos de responderte
con otra magia igual. ¡Fija entre nosotros y tú una cita, a la que ni
nosotros ni tú faltemos, en un lugar conveniente!».

⁵⁹ Dijo: «Vuestra cita será para el día de la Gran Fiesta. Que la
gente sea convocada por la mañana». ⁶⁰ Faraón se retiró, preparó
sus artilugios y acudió. ⁶¹ Moisés les dijo: «¡Ay de vosotros! ¡No
inventéis mentira contra Dios! Si no, os destruirá con un castigo.
Quien invente, sufrirá una decepción».

⁶² Los magos discutieron entre sí sobre su asunto y mantuvieron secreta la discusión. ⁶³ Dijeron: «En verdad, estos dos son unos magos que, con su magia, quieren sacaros de vuestra tierra y acabar con vuestra eminente doctrina. ⁶⁴ Preparad vuestros artilugios y luego venid uno a uno. ¡Quien sobresalga será el ganador!».

⁶⁵ Dijeron: «¡Moisés! ¿Quién es el primero en tirar? ¿Tú o nosotros?» ⁶⁶ Dijo: «¡Arrojad vosotros primero!». Entonces arrojaron sus cuerdas y varas, y por la magia que había empleado estas parecían moverse [como si fuesen verdaderas serpientes]. ⁶⁷ Y Moisés temió en su interior. ⁶⁸ Dijimos: «¡No temas, tú serás el vencedor! ⁶⁹ Arroja lo que tienes en tu diestra que anulará lo que ellos hicieron, pues solo se trata de magia. Y sabe que los magos jamás prosperarán, venga de donde venga». ⁷⁰ Y entonces los magos [al percibir la Verdad] cayeron prosternados. Dijeron: «¡Creemos en el Señor de Aarón y de Moisés!».

⁷¹ Dijo: «Le habéis creído antes de que yo os autorizara a ello. Él es vuestro maestro, que os ha enseñado la magia. He de haceros amputar las manos y los pies opuestos y crucificar en troncos de palmera. Así sabréis, ciertamente, quién de nosotros es el que inflige un castigo más cruel y más duradero».

⁷² Dijeron: «No te preferiremos a las pruebas evidentes que nos han llegado, y [menos aún] a Quien nos creó. Haz pues con nosotros lo que has decidido; tú solo puedes condenarnos en esta vida. ⁷³ Creemos en nuestro Señor, para que nos perdone nuestros pecados y la magia a que nos has obligado. Por cierto que la recompensa de Dios es la mejor y Su castigo es el más perdurable».

⁷⁴ Quien viene a su Señor como culpable tendrá el Infierno y en ella no podrá morir ni vivir. ⁷⁵ Quien, al contrario, venga a Él como creyente, después de haber obrado bien, tendrá la categoría más elevada: ⁷⁶ los Jardines del Edén, por donde corren los ríos, en los

que estará eternamente. Esa es la retribución de quien se mantiene puro.

⁷⁷ Inspiramos a Moisés: «¡Sal de noche con Mis siervos, y abre [por Mi voluntad] el mar dejándoles un camino de tierra firme, y no temas que os alcancen ni tampoco morir ahogados». ⁷⁸ Faraón les persiguió con sus tropas y las aguas del mar les cubrieron. ⁷⁹ Faraón había extraviado a su pueblo, no le había guiado bien.

⁸⁰ ¡Hijos de Israel! Os hemos salvado de vuestros enemigos y nos hemos dado cita con vosotros en la ladera derecha del monte. Hemos hecho descender sobre vosotros el maná y las codornices: ⁸¹ «Comed de lo bueno de que os hemos proveído, pero sin excederos. Si no, me airaré con vosotros». Y aquel que incurre en Mi ira va a la ruina... ⁸² Yo soy, ciertamente, Indulgente con quien se arrepiente, cree, obra bien y persevera en el sendero recto.

⁸³ [Y cuando Moisés se presentó a la cita, Dios le dijo:] «¡Oh, Moisés! ¿Por qué te has adelantado dejando atrás a tu pueblo?». ⁸⁴ Dijo: «Ellos vienen detrás de mí, y solo me adelanté para complacerte ¡Oh, Señor mío!». ⁸⁵ Dijo: «Hemos probado a tu pueblo después de que les dejaste, y el samaritano les extravió [exhortándoles a adorar el becerro]».

⁸⁶ Y Moisés regresó a su pueblo airado y apenado. Dijo: «¡Oh, pueblo mío! ¿No os había prometido vuestro Señor algo bello? ¿Es que la alianza os ha resultado demasiado larga o habéis querido que vuestro Señor se aíre con vosotros al faltar a lo que me habéis prometido?».

⁸⁷ Dijeron: «No hemos faltado por propio impulso a lo que te habíamos prometido, sino que se nos obligó a cargar con las joyas del pueblo y las hemos arrojado como hizo el samaritano». ⁸⁸ Fundió las joyas dándoles la forma de un becerro que mugía, y dijeron: «Este es vuestro dios y el dios de Moisés. Pero ha olvidado». ⁸⁹ ¿Es

que no veían que no les daba ninguna contestación y no podía ni dañarles ni aprovecharles?

⁹⁰ Ya antes [que regresara Moisés] les había dicho Aarón: «¡Oh, pueblo mío! Se os está poniendo a prueba con él. Vuestro verdadero Señor es el Compasivo. ¡Seguidme pues y obedeced mis órdenes!».
⁹¹ Dijeron: «No dejaremos de entregarnos a su culto hasta que Moisés haya regresado».
⁹² Dijo: «¡Aarón! ¿Qué te impidió, cuando viste que se desviaban, ⁹³ buscarme [para informarme lo sucedido]? ¿Es que desobedeciste mi orden [de velar por ellos]?». ⁹⁴ Dijo: «¡Hijo de mi madre! ¡No me cojas por la barba ni por la cabeza! Tenía miedo de que dijeras: "Lo que has hecho es causar la discordia y la división entre los Hijos de Israel [al haberte ausentado] y no has observado mi palabra"».
⁹⁵ Dijo: «¿Qué alegas tú, samaritano?». ⁹⁶ Dijo: «He visto algo que ellos no han visto [el corcel donde iba montado el ángel Gabriel cuando las aguas del mar se partieron]. He tomado un puñado de tierra de las huellas que dejó el [corcel del ángel] enviado y lo arrojé [sobre las joyas cuando se fundían]. Así me lo sugirió mi alma».
⁹⁷ Dijo: «¡Vete de aquí! En esta vida irás gritando: "¡No me toquéis!" Se te ha fijado una cita a la que no faltarás. ¡Y mira a tu dios, a cuyo culto tanto te has entregado! ¡Hemos de quemarlo y dispersar sus cenizas por el mar! ⁹⁸ ¡Solo Dios es vuestro dios, aparte del Cual no hay otro dios! y todo lo abarca con Su conocimiento».
⁹⁹ Así es como te revelamos las historias de quienes os precedieron; y ciertamente te hemos agraciado con Nuestro Mensaje [el Sagrado Corán]. ¹⁰⁰ Quien se desvíe de ella llevará una carga el Día de la Resurrección, ¹⁰¹ eternamente. ¡Qué carga más pesada tendrán el Día de la Resurrección! ¹⁰² El día que se toque la trompeta y reunamos a los pecadores, y sus miradas estarán ensombrecidas, ¹⁰³ diciéndose unos a otros por lo bajo: «No habéis

permanecido sino diez días». [104] Y otros, los más sensatos, dirán: «No habéis permanecido sino un día». Y por cierto que Nosotros bien sabemos lo que dicen.

[105] Te preguntarán por las montañas. Di: «Mi Señor las reducirá a polvo, [106] y las convertirá en inmensas llanuras, [107] no habrá valles ni colinas». [108] Ese día todos los hombres acudirán a la llamada del [ángel] pregonero, y nadie errará el camino; y las voces callarán ante el Misericordioso, y solo se oirá el sonido de sus pasos.

[109] Ese día no aprovechará más intercesión que la de aquel que cuente con la autorización del Compasivo, de aquel cuyas palabras Él acepte. [110] Conoce su pasado y su futuro mientras que los hombres nunca podrán alcanzar este conocimiento. [111] Los rostros se humillarán ante el Viviente, el Subsistente. Los inicuos fracasarán. [112] En cambio, el creyente que haya obrado rectamente no temerá ninguna injusticia ni merma en su recompensa. [113] Ciertamente revelamos el Corán en idioma árabe, y expusimos en él toda clase de advertencias. Quizás, así, Nos teman o les sirva de amonestación. [114] ¡Exaltado sea Dios, el Rey verdadero! ¡No te precipites en la Recitación antes de que te sea revelada por entero! Y di: «¡Oh, Señor mío! ¡Acrecienta mi conocimiento!».

[115] Habíamos concertado antes una alianza con Adán, pero olvidó y no vimos en él resolución. [116] Y cuando dijimos a los ángeles: «¡Postraos ante Adán!» Se postraron, excepto Iblis [Satanás], que se negó. [117] Dijimos: «¡Adán! Este [Satanás] es un enemigo para ti y para tu esposa. ¡Que no os haga expulsar del Jardín pues conocerías la penalidad!

[118] Por cierto que en el Paraíso no padecerás hambre ni te faltará con que cubrir tu desnudez, [119] ni sed, ni calor». [120] Pero Satanás le sedujo diciéndole: «¡Adán! ¿Te indico el árbol de la inmortalidad y de un dominio imperecedero?». [121] Y cuando ambos comieron del árbol quedaron desnudos, y comenzaron a cubrirse con hojas del

Paraíso. Adán desobedeció a su Señor y se descarrió. [122] Luego su Señor lo eligió [como Profeta], lo perdonó y lo guió.

[123] Dijo: «¡Descended ambos de él! ¡Todos! ¡Seréis enemigos unos de otros! Cuando sea que os llegue de Mí una guía, quienes sigan Mi guía no se extraviarán ni serán desdichados. [124] Pero quien no siga Mi Amonestación llevará una existencia miserable y le resucitaremos ciego el Día de la Resurrección». [125] Dirá: «¡Señor! ¿Por qué me has resucitado ciego, siendo así que antes veía?». [126] Dirá: «Igual que tú recibiste Nuestros signos y los olvidaste, así hoy eres olvidado». [127] Así retribuiremos a quien haya cometido excesos y no haya creído en los signos de su Señor. Y el castigo de la otra vida será más cruel y más duradero.

[128] ¿Es que no les dice nada que hayamos hecho perecer a tantas generaciones precedentes, cuyas viviendas caminan ellos ahora? Ciertamente, hay en ello signos para los dotados de entendimiento. [129] Si no llega a ser por una palabra previa de tu Señor y no hubiera sido prefijado el plazo, habría sido ineludible. [130] ¡Ten paciencia, pues, con lo que dicen y celebra las alabanzas de tu Señor antes de la salida del sol y antes de su puesta! ¡Glorifícale durante las horas de la noche y en las horas extremas del día! Quizás, así, quedes satisfecho.

[131] Y no codicies los goces efímeros que hemos concedido a algunos de ellos, brillo de la vida de este mundo, con objeto de probarles con ellos. El sustento de tu Señor es mejor y más duradero. [132] ¡Prescribe a tu gente la oración y persevera en ella! No te pedimos sustento. Somos Nosotros Quienes te sustentamos. El buen fin está destinado a los que temen a Dios.

[133] Dicen: «¿Por qué no nos trae un signo de su Señor?». Pero ¿es que no han recibido prueba clara de lo que contienen las Hojas primeras? [134] Si les Hubiéramos hecho perecer antes con un castigo, habrían dicho: «¡Señor! ¿Por qué no nos has mandado un

Mensajero? Habríamos seguido Tus signos antes de ser humillados y confundidos». [135] Di: «Todos esperan. ¡Esperad, pues! Cuando sea que os llegue de Mí una guía, quienes sigan Mi guía no se extraviarán ni serán desdichados».

SURA 21 : AL ANBIA'

LOS PROFETAS

¡En el nombre de Dios, el Compasivo, el Misericordioso!

[1] Se acerca el momento en que los hombres deban rendir cuentas, pero ellos, despreocupados, se desvían. [2] Cuando reciben una nueva amonestación de su Señor, la escuchan sin tomarla en serio, [3] divertidos sus corazones. Los inicuos cuchichean entre sí: «¿No es este sino un mortal como vosotros? ¿Cederéis a la magia a sabiendas?». [4] Dice: «Mi Señor sabe lo que se dice en el cielo y en la Tierra. Él es Quien todo lo oye, Quien todo lo sabe».

[5] Ellos, en cambio, dicen: [El Corán que ha traído] No es más que sueños incoherentes, o [palabras que] él mismo ha inventado, o es un poeta [que divaga]. Que nos muestre un milagro como lo hicieron los primeros Mensajeros». [6] Antes de ellos, ninguna de las ciudades que destruimos creía. Y estos ¿van a creer?

[7] Antes de ti, no enviamos sino a hombres a los que hicimos revelaciones. Si no lo sabéis, ¡preguntad a la gente de la Amonestación! [8] Y no les creamos [a los Mensajeros] con un cuerpo que no necesitara alimentarse, ni tampoco eran inmortales. [9] Cumplimos la promesa que les hicimos y les salvamos, igual que a otros a quienes Nosotros quisimos salvar, mientras que hicimos perecer a los inmoderados.

[10] Os hemos revelado una Escritura en que se os amonesta. ¿Es

que no comprendéis? [11] ¿Cuántos pueblos inicuos destruimos, e hicimos surgir después de ellos nuevas generaciones? [12] Cuando sintieron Nuestro rigor, quisieron escapar de ellas rápidamente. [13] «¡[Y entonces se les dijo irónicamente:] No escapéis, y volved a la vida placentera que llevabais y esperad en vuestras viviendas! Quizá se os pidan cuentas». [14] Dijeron: «¡Ay de nosotros, que hemos obrado impíamente!». [15] Y no cesaron en sus lamentaciones hasta que les segamos sin vida.

[16] No creamos el cielo, la Tierra y lo que entre ellos hay para pasar el rato. [17] Si hubiésemos querido entretenernos [como pretendéis] lo hubiéramos hecho sin que vosotros lo percibierais [pero sabed que no creamos nada sin un motivo justo y verdadero]. [18] Por cierto que siempre refutamos lo falso con la Verdad, pues lo falso se desvanece. ¡Ay de vosotros, por lo que habéis dicho...!

[19] Suyos son quienes están en los cielos y en la Tierra. Y quienes están junto a Él no se consideran demasiado altos para servirle, ni se cansan de ello. [20] Glorifican noche y día sin cesar.

[21] ¿Acaso las divinidades que tomaron en la Tierra tienen poder para resucitar a los muertos? [22] Si hubiera habido en ellos otras divinidades parte de Dios, estos se habrían destruido. ¡Gloria a Dios, Señor del Trono, Que está por encima de lo que Le atribuyen! [23] No tendrá Él que responder de lo que hace, pero ellos tendrán que responder.

[24] Diles [¡Oh, Muhammad!] a aquellos que adoran a otras divinidades en lugar de Dios: Presentad fundamentos válidos de lo que hacéis [si los tenéis]. Este es nuestro Mensaje y el mismo de quienes nos precedieron, pero la mayoría no puede distinguir la Verdad y se apartan de él. [25] Antes de ti no mandamos a ningún Mensajero que no le reveláramos: «¡No hay más dios que Yo! ¡Adoradme, pues!».

[26] Y dicen: «El Compasivo ha tenido hijos». ¡Gloria a Él! Son,

nada más, siervos distinguidos. ²⁷ Dejan que sea Él el primero en hablar y obran siguiendo Sus órdenes. ²⁸ Él conoce su pasado y su futuro. Solo quien es aceptado puede interceder por ellos. Y están imbuidos del miedo que Él les inspira. ²⁹ A quién de ellos diga: «Soy un dios fuera de Él» le retribuiremos con el Infierno. Así retribuimos a los inicuos.

³⁰ ¿Acaso los incrédulos no reparan que los cielos y la Tierra formaban una masa homogénea y la disgregamos, y que creamos del agua a todo ser vivo? ¿Es que aún después de esto no creerán?

³¹ Y por cierto que afirmamos las montañas en la Tierra para que no se sacudiera, y dispusimos caminos para que viajéis por ellos. ³² Hemos hecho del cielo una techumbre protegida. Pero ellos se desvían de sus signos. ³³ Y Él es Quien creó la noche y el día, y dispuso que el Sol y la Luna recorran cada uno en una órbita.

³⁴ No hemos hecho eterno a ningún mortal antes de ti. Muriendo tú, ¿iban otros a ser inmortales? ³⁵ Cada uno gustará la muerte. Os pondremos a prueba a través de todo lo malo y bueno que os acontezca. Y a Nosotros seréis devueltos.

³⁶ Cuanto te ven los incrédulos «no hacen sino tomarte a burla: «¿Es este quien habla mal de vuestros dioses?». Y ellos cuando se les menciona el Misericordioso Lo niegan.

³⁷ El hombre ha sido creado precipitado. Ya os haré ver Mis signos. ¡No Me deis prisa! ³⁸ Y dicen: «¿Cuándo se cumplirá esta amenaza, si es verdad lo que decís?». ³⁹ Si supieran los incrédulos, cuando no puedan apartar el fuego de sus rostros ni de sus espaldas, cuando no puedan ser auxiliados... ⁴⁰ Pero ¡no! Les vendrá de repente y les dejará aturdidos. No podrán ni rechazarla ni retardarla. ⁴¹ Se burlaron de otros Mensajeros que te precedieron, pero los que se burlaban se vieron cercados por aquello de lo que se burlaban.

⁴² Di: «¿Quién os protegerá, noche y día contra el Compasivo?». Pero no hacen caso de la amonestación de su Señor. ⁴³ ¿Tienen

dioses que les defiendan en lugar de Nosotros? Estos no pueden auxiliarse a sí mismos, ni encontrarán quien les ayude frente a Nosotros.

44 Les hemos permitido gozar de efímeros placeres, a ellos y a sus padres, hasta alcanzar una edad avanzada. ¿Es que no se dan cuenta de Nuestra intervención cuando reducimos la superficie de la Tierra? ¡Serán ellos los vencedores?

45 Di: «Os advierto, en verdad, por la Revelación, pero los sordos no oyen el llamamiento cuando se les advierte». 46 Si les alcanza un soplo del castigo de tu Señor, dicen de seguro: «¡Ay de nosotros, ciertamente fuimos unos inicuos!».

47 Para el Día de la Resurrección dispondremos balanzas que den el peso justo y nadie será tratado injustamente en nada. Aunque se trate de algo del peso de un grano de mostaza, lo tendremos en cuenta. ¡Bastamos Nosotros para ajustar cuentas!

48 Dimos a Moisés y a Aarón el Criterio [la Torá], una claridad y una amonestación para los temerosos de Dios, 49 que tienen miedo de su Señor en secreto y se preocupan por la Hora. 50 Este Corán es un Mensaje bendito que hemos revelado. ¿Acaso lo negaréis?

51 Es verdad que anteriormente le dimos a Abraham la dirección correcta para él, a quien conocíamos la rectitud. 52 Cuando dijo a su padre y a su pueblo: «¿Qué son estas estatuas a cuyo culto estáis entregados?». 53 Dijeron: «Nuestros padres ya les rendían culto». 54 Dijo: «Pues vosotros y vuestros padres estáis evidentemente extraviados».

55 Dijeron: «¿Nos traes la Verdad o estás bromeando?». 56 Dijo: «¡No! Vuestro Señor es el Señor de los cielos y de la Tierra, que Él ha creado. Yo soy testigo de ello. 57 ¡Y por Dios!, que he de urdir algo contra vuestros ídolos cuando hayáis vuelto la espalda». 58 Y los destruyó a todos excepto al más grande que tenían, para que su atención se volviera sobre él.

⁵⁹ Dijeron: «¿Quién ha hecho eso a nuestros dioses? Ese tal es, ciertamente, de los inicuos». ⁶⁰ «Hemos oído», dijeron, «a un mozo llamado Abraham que hablaba mal de ellos». ⁶¹ Dijeron: «¡Traedlo a vista de la gente! Para que atestigüen». ⁶² Dijeron: «¡Abraham! ¿Has hecho tú eso con nuestros dioses?». ⁶³ «¡No!» dijo. «El mayor de ellos es quien lo ha hecho. ¡Preguntadles [a los ídolos] si es que pueden responderos!».

⁶⁴ Se volvieron a sí mismos y dijeron: «Sois vosotros los inicuos». ⁶⁵ Pero, en seguida, mudaron completamente de opinión: «Tú sabes bien que estos son incapaces de hablar». ⁶⁶ Dijo: «¿Es que adoráis en vez de Dios lo que no puede beneficiaros ni perjudicaros? ⁶⁷ ¡Qué perdidos estáis vosotros con lo que adoráis en vez de Dios! ¿Es que no reflexionáis?».

⁶⁸ Dijeron: «¡Quemadlo y auxiliad así a vuestros dioses, si es que os lo habéis propuesto...!». ⁶⁹ Dijimos: «¡Fuego! ¡Sé frío para Abraham y no le dañes!». ⁷⁰ Quisieron emplear artimañas contra él, pero hicimos que fueran ellos los que más perdieran.

⁷¹ Y lo salvamos a él, y también a Lot, en la Tierra que bendijimos para la humanidad [Palestina]. ⁷² Y le regalamos, por añadidura, a Isaac y a Jacob. Y de todos hicimos justos. ⁷³ Les hicimos jefes, que dirigieran siguiendo Nuestra orden. Les inspiramos que obraran bien, hicieran la oración y dieran el zakat [azaque]. Y Nos rindieron culto.

⁷⁴ Y concedimos a Lot conocimiento y sabiduría, y lo salvamos de la ciudad donde se cometían obscenidades, ciertamente era un pueblo malvado lleno de corruptos. ⁷⁵ Le introdujimos en Nuestra misericordia. Es de los justos. ⁷⁶ Y a Noé. Cuando, antes, invocó y le escuchamos. Y les salvamos a él y a los suyos de la gran calamidad. ⁷⁷ Y le auxiliamos contra el pueblo que había desmentido Nuestros signos. Eran gente mala y los ahogamos a todos.

⁷⁸ Y cuando David y Salomón emitieron su fallo sobre un campo labrado en el que las ovejas de su vecino [habían ingresado arruinándolo], y fuimos testigos de su sentencia. ⁷⁹ Hicimos comprender a Salomón de qué se trataba. Y a ambos les concedimos conocimiento y sabiduría. Sometimos a David las montañas y las aves para que glorificaran a Dios junto a él; así lo decretamos. ⁸⁰ Le enseñamos a elaborar cotas de malla para vosotros, para que os protegieran de vuestra propia violencia. ¿Es que no vais a ser agradecidos?

⁸¹ A Salomón le sometimos el viento tempestuoso, que soplaba por orden suya hacia la tierra que bendijimos [Palestina], y Nosotros tenemos conocimiento de todas las cosas. ⁸² Y también le sometimos los demonios, algunos buceaban para él [en busca de perlas y gemas] y también realizaban otras tareas, y Nosotros éramos sus custodios.

⁸³ Y a Job. Cuando invocó a su Señor: «¡He sufrido una desgracia, pero Tú eres el más Misericordioso!». ⁸⁴ Y le escuchamos, alejando de él la desgracia que tenía, dándole su familia y otro tanto, como misericordia venida de Nosotros y como amonestación para Nuestros siervos. ⁸⁵ Y a Ismael, Idris y Dhul kifl. Todos fueron de los pacientes. ⁸⁶ Les introdujimos en Nuestra misericordia. Son de los justos.

⁸⁷ Y al del pez [Jonás], cuando se fue airado [con los incrédulos de su pueblo], pensó que no lo íbamos a poner a prueba [pero lo hicimos tragar por la ballena]. Y clamó en las tinieblas: «¡No hay más dios que Tú! ¡Gloria a Ti! He sido de los inicuos». ⁸⁸ Le escuchamos y le salvamos de la tribulación. Así es como salvamos a los creyentes.

⁸⁹ Y a Zacarías. Cuando invocó a su Señor: «¡Oh, Señor mío! ¡No me dejes solo! ¡Pero Tú eres el Mejor de los herederos!». ⁹⁰ Y escuchamos su súplica, y le agraciamos con [su hijo] Juan, pues

hicimos que su mujer fuera otra vez fértil. Les agraciamos porque siempre se apresuraban a realizar obras buenas. Nos invocaban con amor y con temor y se conducían humildemente ante Nosotros.

⁹¹ Y a la que conservó su virginidad. Infundimos en ella de Nuestro espíritu [a través del ángel Gabriel] e hicimos de ella y de su hijo un signo [del poder divino] para la humanidad.

⁹² «Por cierto que todos vosotros transmitís un mismo Mensaje [¡Oh, Profetas!], y Yo soy vuestro Señor. ¡Adoradme solo a Mí!».
⁹³ Y luego se dividieron sus naciones [discrepando sobre ellos], y todos deberán comparecer ante Nosotros. ⁹⁴ El esfuerzo del creyente que obra bien no será ignorado, pues todo lo tenemos registrado.

⁹⁵ Cuando destruimos una ciudad, les está prohibido a sus habitantes regresar a ella. ⁹⁶ [Y cuando se aproxime el Día del Juicio] Abriremos la barrera de Gog y Magog, y ellos se precipitarán desde todas las laderas [y devastarán cuanto encuentren a su paso]. ⁹⁷ En verdad que se acerca el Día del Juicio con el que se os había amenazado y no hay duda de ello. Cuando llegue, la mirada de los incrédulos quedará fija [y exclamarán:] «¡Ay de nosotros, que no solo nos traía esto sin cuidado, sino que fuimos unos inicuos!».

⁹⁸ Vosotros [¡Oh, incrédulos!] y cuanto adoráis en vez de Dios seréis combustible para el fuego del Infierno donde ingresaréis. ⁹⁹ Si estos [ídolos] fueran divinidades como pretendéis no ingresarían en él; pero todos vosotros junto a lo que adoráis moraréis allí eternamente. ¹⁰⁰ Gemirán en ella, pero no oirán en ella. ¹⁰¹ Aquellos que ya hayan recibido de Nosotros lo mejor, serán mantenidos lejos de ella. ¹⁰² No oirán el más leve ruido de ella y estarán eternamente en lo que tanto ansiaron. ¹⁰³ No les entristecerá el gran terror y los ángeles saldrán a su encuentro: «¡Este es vuestro día, que se os había prometido!».

¹⁰⁴ Día en que plegaremos el cielo como se pliega un pergamino de escritos. Como creamos una vez primera, crearemos otra. ¡Es

promesa que nos obliga y la cumpliremos! [105] Hemos escrito en los Salmos, después de la Amonestación [alusión a la Torá o a la Tabla Protegida], que el Paraíso será heredado por Mis siervos justos. [106] He aquí un comunicado para gente que rinde culto a Dios.

[107] Nosotros no te hemos enviado sino como misericordia para todo el mundo. [108] Di: «Solo se me ha revelado que vuestro Dios es un Dios Uno ¡Os someteréis a Él?». [109] Si se desvían, di: «Os prevengo [del castigo] a todos por igual, y no tengo conocimiento si lo que os amenaza está cerca o lejos. [110] Él sabe tanto lo que decís abiertamente como lo que ocultáis». [111] «No sé si quizás eso constituya para vosotros tentación y disfrute por algún tiempo». [112] Dice: «¡Señor, decide según justicia! Nuestro Señor es el Compasivo, Aquel Cuya ayuda se implora contra lo que contáis».

SURA 22 : AL HAYY
·······································

LA PEREGRINACIÓN

¡En el nombre de Dios, el Compasivo, el Misericordioso!

[1] ¡Hombres! ¡Temed a vuestro Señor! El terremoto de la Hora será algo terrible. [2] Cuando eso ocurra, toda nodriza olvidará a su lactante, toda embarazada abortará [por el terror de ese día]. Los hombres parecerán, sin estarlo, ebrios. El castigo de Dios será severo. [3] Hay algunos hombres que discuten de Dios sin tener conocimiento, y siguen a todo demonio rebelde. [4] Se le ha prescrito que extravíe y guíe al castigo del fuego del Infierno a quien le tome por dueño.

[5] ¡Oh, hombres! Si tenéis dudas de que tenemos poder para resucitaros, sabed que Nosotros hemos creado [a Adán] de barro, luego [a toda su descendencia] de una gota; luego, de un coágulo

de sangre; luego, de un embrión formado o informe. Para aclararos. Depositamos en las matrices lo que queremos por un tiempo determinado; luego, os hacemos salir como criaturas para alcanzar, más tarde, la madurez. Algunos de vosotros mueren prematuramente; otros viven hasta alcanzar una edad decrépita, para que, después de haber sabido, terminen no sabiendo nada. Ves la tierra reseca, pero, cuando hacemos que el agua baje sobre ella, se agita, se hincha y hace brotar toda especie primorosa. [6] Esto es así porque Dios es la Verdad, devuelve la vida a los muertos y es Omnipotente. [7] Es que la Hora llega, no hay duda de ella, y Dios resucitará a quienes se encuentren en las sepulturas.

[8] Hay algunos hombres que discuten de Dios sin tener conocimiento, ni guía alguna, ni Libro luminoso. [9] Con arrogancia pretenden apartar a los hombres del sendero de Dios. Esos tales sufrirán la ignominia en esta vida y el Día de la Resurrección les haremos gustar el castigo del fuego del Infierno: [10] «¡Ahí tienes, por las obras que has cometido!», Dios no es injusto con Sus siervos.

[11] Hay entre los hombres quien vacila en adorar a Dios. Si recibe un bien, lo disfruta tranquilamente. Pero, si sufre una tentación, gira en redondo, perdiendo así esta vida y la otra: es una pérdida irreparable.

[12] Invoca, en lugar de invocar a Dios, lo que no puede dañarle ni aprovecharle. Ese es el profundo extravío. [13] Invoca, ciertamente, a quien puede más fácilmente dañar que aprovechar. ¡Qué mal protector! y ¡qué mal compañero! [14] Dios introducirá a los creyentes que obraron bien en jardines por donde corren los ríos. Dios hace lo que quiere.

[15] Quien crea que Dios no va a auxiliarle en esta vida ni en la otra, que tienda una cuerda al cielo y luego la corte. ¡Que vea si su ardid acaba con lo que le irritaba! [16] Y así revelamos preceptos claros. Dios guía a quien Él quiere.

[17] El Día de la Resurrección, Dios hará distinciones acerca de los creyentes, los judíos, los sabeos, los cristianos, los zoroastrianos y los asociadores. Dios es testigo de todo.

[18] ¿No ves que se prosternan ante Dios los que están en los cielos y en la Tierra, así como el sol, la luna, las estrellas, las montañas, los árboles, los animales y muchos de los hombres? Esto no obstante, muchos merecen el castigo. No hay quien honre a quien Dios desprecia. Dios hace lo que Él quiere.

[19] Estos son dos grupos rivales que disputan sobre su Señor. A los incrédulos se les cortarán trajes de fuego y se les derramará en la cabeza agua muy caliente, [20] que les consumirá las entrañas y la piel; [21] Y serán atormentados allí con garfios de hierro. [22] Siempre que, de atribulados, quieran salir de ella se les hará volver. «¡Gustad el castigo del fuego del Infierno!».

[23] Pero a los creyentes y a los que obraron bien, Dios les introducirá en jardines por donde corren los ríos. Allí se les ataviará con brazaletes de oro y con perlas, allí vestirán de seda. [24] Habrán sido guiados a la bella Palabra y a la vía del Digno de Alabanza.

[25] Los incrédulos que apartan a otros del camino de Dios y de la Mezquita Sagrada, que hemos establecido para los hombres, tanto si residen en ella como si no, y a quien quiera impíamente profanarla, le haremos que guste un doloroso castigo.

[26] Y cuando preparamos para Abraham el emplazamiento de la Casa: «¡No Me asocies nada! ¡Purifica Mi Casa para los que dan las vueltas y para los que están de pie, para los que se inclinan y prosternan!».

[27] ¡Llama a los hombres a la peregrinación para que vengan a ti a pie o en todo flaco camello, venido de todo paso ancho y profundo, [28] para atestiguar los beneficios recibidos y para invocar el nombre de Dios en días determinados sobre las reses de que Él les ha proveído!: «¡Comed de ellas y alimentad al desgraciado, al

pobre!». ²⁹ Luego, ¡que den fin a sus prohibiciones, que cumplan sus votos y que den las vueltas alrededor de la Casa Antigua!

³⁰ ¡Así es! Y quien respete las cosas sagradas de Dios, será mejor para él ante su Señor. Se os han declarado lícitos los rebaños, excepto lo que se os recita. ¡Apartaos, pues, de la impureza de los ídolos, y apartaos de decir falsedades!

³¹ ¡Sed monoteístas y creed en Dios, y no seáis idólatras! Quien asocia a Dios otros dioses es como si cayera del cielo: las aves se lo llevarán o el viento lo arrastrará a un lugar lejano.

³² Así es. Y quien respeta las cosas sagradas de Dios... Pues proceden del temor de Dios que tienen los corazones. ³³ Podéis beneficiaros de los animales hasta un plazo determinado; luego, su lugar de sacrificio es cerca de la Antigua Casa [en Mina].

³⁴ Y hemos establecido un ritual para cada comunidad, a fin de que invoquen el nombre de Dios sobre las reses de que Él les ha proveído. Vuestro Dios es un Dios Uno. ¡Someteos, pues, a Él! ¡Y anuncia la buena nueva a los humildes, ³⁵ cuyo corazón tiembla a la mención de Dios, a los que tienen paciencia ante la adversidad, a los que hacen la oración, a los que dan limosna de lo que les hemos proveído!

³⁶ Establecimos que el sacrificio de los camellos sean parte de los ritos de Dios, ésta es una obra beneficiosa. Recordad el nombre de Dios sobre ellos cuando estén dispuestos en fila [para ser sacrificados], y luego de que se desplomen comed de ellos, y dad de comer al mendigo y al necesitado. Así os los sometimos para que seáis agradecidos. ³⁷ Dios no presta atención a su carne ni a su sangre, sino a vuestro temor de Él. Así os los ha sujetado a vuestro servicio, para que ensalcéis a Dios por haberos dirigido. ¡Y anuncia la buena nueva a quienes hacen el bien!

³⁸ Dios abogará en favor de los que han creído. Dios no ama a nadie que sea traidor contumaz, desagradecido. ³⁹ Les está permitido

a quienes son atacados, porque han sido tratados injustamente. Dios es, ciertamente, Poderoso para auxiliarles. ⁴⁰ A quienes han sido expulsados injustamente de sus hogares, solo por haber dicho: «¡Nuestro Señor es Dios!». Si Dios no hubiera rechazado a unos hombres valiéndose de otros, habrían sido demolidas ermitas, iglesias, sinagogas y mezquitas, donde se menciona mucho el nombre de Dios. Ciertamente Dios socorre a quien se esfuerza denodadamente por Su religión, y Dios es Fuerte, Poderoso.

⁴¹ Aquellos que, si los afianzamos en la Tierra, practican la oración prescrita, pagan el Zakat, ordenan el bien y prohíben el mal. Y a Dios vuelven todos los asuntos...

⁴² Y si te desmienten, también desmintieron antes el pueblo de Noé, los 'Ad y los Zamud, ⁴³ el pueblo de Abraham, el pueblo de Lot. ⁴⁴ Y los habitantes de Madián, y también fue desmentido Moisés; pero concedí un plazo a esos incrédulos, luego les sorprendí. ¡Qué terrible fue Mi castigo!

⁴⁵ ¡Y cuántas ciudades inicuas hemos destruido, que ahora yacen en ruinas...! ¡Qué de pozos abandonados...! ¡Qué de elevados palacios...! ⁴⁶ ¿No han ido por la Tierra con un corazón capaz de comprender y con un oído capaz de oír? ¡No son, no, sus ojos los que son ciegos, sino los corazones que sus pechos encierran!

⁴⁷ Te piden que adelantes la hora del castigo, pero Dios no faltará a Su promesa. Un día junto a tu Señor vale por mil años de los vuestros. ⁴⁸ A cuántas ciudades que eran inicuas les diferimos el castigo, pero luego las sorprendí, y ante Mí comparecerán.

⁴⁹ Di: «¡Hombres! Yo solo soy para vosotros un monitor que habla claro». ⁵⁰ Quienes crean y obren bien, obtendrán perdón y generoso sustento. ⁵¹ Pero quienes se empeñen en hacer fracasar Nuestros signos, esos morarán en el fuego del Infierno.

⁵² Y no hemos enviado antes de ti [¡Oh, Muhammad!] Mensajero ni Profeta alguno sin que Satanás les susurrara a sus pueblos para

que no comprendieran correctamente cuando les transmitían los preceptos divinos. Pero Dios desbarata los planes de Satanás y aclara Sus preceptos, porque Dios es Omnisciente, Sabio. ⁵³ Para tentar por las sugestiones de Satanás a los enfermos de corazón y a los duros de corazón, los inicuos están en marcada oposición. ⁵⁴ Y aquellos que fueron agraciados con el conocimiento y la sabiduría saben que el Corán es la Verdad que dimana de su Señor, y creen en él, y así se sosiegan sus corazones. En verdad, Dios dirige a los creyentes a una vía recta.

⁵⁵ Pero quienes no crean persistirán en sus dudas acerca de él, hasta que les llegue la Hora de repente o el castigo de un día nefasto. ⁵⁶ Ese día el dominio será de Dios y Él decidirá entre ellos: quienes hayan creído y obrado bien, estarán en los jardines del Deleite, ⁵⁷ pero quienes no creyeron y desmintieron Nuestros signos tendrán un castigo humillante.

⁵⁸ A quienes, habiendo emigrado por Dios, sean muertos o mueran, Dios les proveerá de bello sustento. Dios es el Mejor de los proveedores. ⁵⁹ Ha de introducirles en un lugar que les placerá. Dios es, ciertamente, Omnisciente, Benigno.

⁶⁰ Así es. Y si uno se desagravia en la medida del agravio recibido y es de nuevo tratado injustamente, Dios no dejará de auxiliarle. Dios, en verdad. Remisorio, Absolvedor.

⁶¹ Esto es así porque Dios hace que la noche entre en el día y que el día entre en la noche. Dios todo lo oye, todo lo ve. ⁶² Esto es así porque Dios es la Verdad, pero lo que ellos invocan en lugar de invocarle a Él es lo falso, y porque Dios es el Altísimo, el Grande.

⁶³ ¿No ves cómo hace Dios bajar agua del cielo y la Tierra verdea? Dios es Sutil, está bien informado. ⁶⁴ Suyo es lo que está en los cielos y en la Tierra. Dios es, ciertamente, Quien Se basta a Sí mismo, el Digno de Alabanza.

⁶⁵ ¿No ves que Dios ha sujetado a vuestro servicio lo que hay

en la Tierra, así como las naves que navegan siguiendo Su orden? Sostiene el cielo para que no se desplome sobre la Tierra, si no es con Su permiso. En verdad, Dios es Compasivo y Misericordioso con los hombres. [66] Él es Quien os dio la vida; luego, os hará morir, luego, os volverá a la vida. El hombre es, ciertamente, desagradecido.

[67] Por cierto que hemos prescrito a cada nación sus ritos para que los observen, que no te discutan [¡Oh, Muhammad! los incrédulos] sobre los preceptos. Exhorta a creer en tu Señor; en verdad, tú estás en la guía del sendero recto. [68] Y, si discuten contigo, di: «¡Dios sabe bien lo que hacéis! [69] Dios decidirá entre vosotros el Día de la Resurrección sobre aquello en que discrepabais». [70] ¿No sabes que Dios sabe lo que está en el cielo y en la Tierra? Eso está en una Escritura. Es cosa fácil para Dios.

[71] Sirven, en lugar de servir a Dios, algo a lo que Él no ha conferido autoridad y de lo que no tienen ningún conocimiento. Los inicuos no tendrán quien les auxilie. [72] Y cuando se les recitan nuestros claros preceptos, ves el disgusto en los rostros de los incrédulos; poco les falta para lanzarse sobre quienes los recitan [con la intención de matarles]. Diles [¡Oh, Muhammad!]: «¿Queréis saber de algo peor [que vuestro repudio por el Corán]? Es el castigo del Infierno con el que Dios ha amenazado a los incrédulos ¡Qué pésimo destino!».

[73] ¡Hombres! Se propone una parábola. ¡Escuchadla! Los que invocáis en lugar de invocar a Dios serían incapaces de crear una mosca, aun si se aunaran para ello. Y, si una mosca se les llevara algo, serían incapaces de recuperarlo. ¡Qué débiles son el suplicante y el suplicado! [74] No han valorado a Dios debidamente. Dios es, en verdad, Fuerte, Poderoso.

[75] Dios escoge Mensajeros entre los ángeles y entre los hombres.

Dios todo lo oye, todo lo ve. [76] Conoce su pasado y su futuro. Y todo será devuelto a Dios.

[77] ¡Creyentes! ¡Inclinaos, prosternaos, adorad a vuestro Señor y obrad bien! Quizás, así, prosperéis. [78] ¡Luchad por Dios como Él se merece! Él os eligió y no os ha impuesto ninguna carga en la religión! ¡La religión de vuestro padre Abraham! Él os llamó 'musulmanes' anteriormente y aquí, para que el Mensajero sea testigo de vosotros y que vosotros seáis testigos de los hombres. ¡Haced la oración, y dad el zakat [azaque]! ¡Y aferraos a Dios! ¡Él es vuestro Protector! ¡Qué excelente Protector, y qué excelente Defensor!

SURA 23 : AL MU'MINÚN

LOS CREYENTES

¡En el nombre de Dios, el Compasivo, el Misericordioso!

[1] ¡Bienaventurados los creyentes, [2] que hacen su oración con humildad, [3] que evitan el vaniloquio, [4] que dan el zakat [azaque], [5] que se abstienen de cometer adulterio o fornicación, [6] salvo con sus esposas o con sus esclavas en cuyo caso no incurren en reproche. [7] Y [sabed que] quienes lo hagan con otras mujeres serán trasgresores. [8] [También triunfarán quienes] Devuelvan los depósitos que se les confían y respeten los acuerdos que celebran. [9] Y cumplan con las oraciones prescritas. [10] Esos son los herederos [11] que heredarán el Paraíso, en el que estarán eternamente.

[12] He aquí que creamos al hombre [Adán] de barro. [13] Luego, hicimos [que se reprodujese por medio de la fecundación] que fuera una gota de esperma dentro de en un receptáculo firme. [14] Luego, transformamos la gota de esperma creando un coágulo de sangre, del coágulo un embrión y del embrión huesos, que revestimos de

carne haciendo de ello otra criatura. ¡Bendito sea Dios, el Mejor de los creadores! [15] Luego, después de esto, habéis de morir. [16] Luego, el Día de la Resurrección, seréis resucitados.

[17] Encima de vosotros, hemos creado siete cielos. No hemos descuidado la creación. [18] Hemos hecho bajar del cielo agua en la cantidad debida y hecho que cale la tierra. Y también habríamos sido bien capaces de hacerla desaparecer. [19] Por medio de ella os hemos creado palmerales y viñedos en los que hay frutos abundantes, de los que coméis. [20] Y un árbol que crece en el monte Sinaí y que produce aceite y condimento para la comida. [21] Tenéis, ciertamente, en los rebaños motivo de reflexión: os damos a beber del contenido de sus vientres, deriváis de ellos muchos beneficios, coméis de ellos. [22] Ellos y las naves os sirven de medios de transporte.

[23] Enviamos a Noé a su pueblo y dijo: «¡Pueblo! ¡Adorad a Dios! No tenéis a ningún otro dios que a Él. ¿Y no Le temeréis?». [24] Los dignatarios del pueblo, que no creían, dijeron: «Este no es sino un mortal como vosotros, que quiere imponerse a vosotros. Si Dios hubiera querido, habría hecho descender a ángeles. No hemos oído que ocurriera tal cosa en tiempo de nuestros antepasados. [25] No es más que un poseso. ¡Observadle durante algún tiempo!».

[26] «¡Oh, Señor mío!» dijo: «¡Auxíliame, que me desmienten!». [27] Y le inspiramos: «¡Construye la nave bajo Nuestra mirada y según Nuestra inspiración! Y cuando venga Nuestra orden y el horno hierva, haz subir a ella una pareja de cada especie y embarca a tu familia, salvo a quienes de ellos decretamos que serían destruidos; y no Me pidas compasión por quienes obraron injustamente, pues ellos serán ahogados.

[28] Cuando tú y los tuyos estéis instalados en la nave, di: "¡Alabado sea Dios, Que nos ha salvado del pueblo inicuo!". [29] Y di: "¡Oh, Señor mío! ¡Haz que desembarque en un lugar bendito!

Tú eres Quien mejor puede hacerlo". [30] Ciertamente, hay en ello signos. En verdad, ponemos a prueba...».

[31] Luego, después de ellos, suscitamos otra generación [32] y les mandamos un Mensajero salido de ellos: «¡Adorad a Dios! No tenéis a ningún otro dios que a Él ¿Y no Le temeréis?». [33] Pero los dignatarios del pueblo, que no creían y desmentían la existencia de la otra vida y a los cuales habíamos enriquecido en la vida de este mundo, dijeron: «Este no es sino un mortal como vosotros, que come de lo mismo que vosotros coméis y bebe de lo mismo que vosotros bebéis. [34] Si obedecéis a un mortal como vosotros, estáis perdidos.

[35] ¿Os ha prometido que se os sacará cuando muráis y seáis tierra y huesos? [36] ¡Está bien lejos de ocurrir lo que se os ha prometido! [37] ¡No hay más que esta vida! Morimos y vivimos, pero no se nos resucitará. [38] No es más que un hombre, que se ha inventado una mentira contra Dios. No tenemos fe en él».

[39] Dijo: «¡Oh, Señor mío! ¡Auxíliame, que me desmienten!». [40] Dijo: «Un poco más y se arrepentirán». [41] El estrépito les sorprendió merecidamente convertimos en despojos. ¡Atrás el pueblo inicuo!

[42] Luego, después de ellos, suscitamos otras generaciones. [43] Ninguna comunidad puede adelantar ni retrasar su plazo. [44] Luego, mandamos a Nuestros Mensajeros, uno tras otro. Siempre que venía un Mensajero a su comunidad, le desmentían. Hicimos que a unas generaciones les siguieran otras y las hicimos legendarias. ¡Atrás una gente que no cree!

[45] Luego, enviamos Moisés y su hermano Aarón con Nuestros signos y con una autoridad manifiesta [46] a Faraón y a sus dignatarios, que fueron altivos. Eran gente arrogante. [47] Dijeron: «¿Vamos a creer a dos mortales como nosotros, mientras su pueblo nos sirve de

esclavos?». [48] Les desmintieron y fueron hechos perecer. [49] Dimos a Moisés el Libro. Quizás, así, fueran bien dirigidos.

[50] Hicimos del hijo de María y de su madre un signo y les ofrecimos refugio en una colina tranquila y provista de agua viva.

[51] «¡Mensajeros! ¡Comed de las cosas buenas y obrad bien! ¡Yo sé bien lo que hacéis! [52] Y esta es vuestra comunidad. Es una sola comunidad. Y Yo soy vuestro Señor. ¡Temedme, pues!».

[53] Pero se dividieron en sectas, en escrituras, contento cada grupo con lo suyo. [54] Déjales por algún tiempo en su abismo. [55] ¿Creen que, al proveerles de hacienda y de hijos varones, [56] estamos anticipándoles las cosas buenas? No, no se dan cuenta.

[57] Ciertamente aquellos que [además de obrar correctamente] temen a su Señor, [58] que creen en los signos de su Señor, [59] que no asocian a otros dioses a su Señor, [60] que dan lo que dan con corazón tembloroso, a la idea de que volverán a su Señor, [61] esos rivalizan en buenas obras y son los primeros en practicarlas. [62] No pedimos a nadie sino según sus posibilidades. Tenemos un Libro que dice la verdad [en el que se encuentran registradas todas las obras de Nuestros siervos], y nadie será oprimido. Y no serán tratados injustamente.

[63] Pero sus corazones están en un abismo respecto a esto y en lugar de aquellas obras, hacen otras. [64] Hasta que sorprendamos con el castigo a los que de ellos han caído en la vida fácil, entonces pedirán socorro. [65] [Y se les dirá entonces:] «De nada sirve que pidáis auxilio hoy, pues nadie podrá salvaros de Nuestro castigo. [66] Ciertamente Mis preceptos os fueron recitados pero los rechazasteis, [67] altivos con él, y pasabais la noche parloteando».

[68] ¿Es que no ponderan lo que se dice para ver si han recibido lo que sus antepasados no recibieron? [69] ¿No han conocido, acaso, a su Mensajero para que le nieguen? [70] ¿O dicen que es un poseso? ¡No! Ha venido a ellos con la Verdad, pero la mayoría sienten aversión

a la Verdad. [71] Si la Verdad se hubiera conformado a sus pasiones, los cielos, la Tierra y los que en ellos hay se habrían corrompido. Nosotros, en cambio, les hemos traído su Amonestación, pero ellos se apartan de su Amonestación.

[72] ¿Les pides, acaso, una retribución? La retribución de tu Señor es mejor. Él es el Mejor de los proveedores. [73] Sí, tú les llamas a una vía recta, [74] pero quienes no creen en la otra vida se desvían, sí, de la vía.

[75] Si nos apiadáramos de ellos y les retiráramos la desgracia que tienen, persistirían, ciegos, en su rebeldía. [76] Les infligimos un castigo, pero no se sometieron a su Señor y no se humillaron. [77] Hasta que abramos contra ellos una puerta de severo castigo, y entonces sean presa de la desesperación.

[78] Él es Quien ha creado para vosotros el oído, la vista y el intelecto. ¡Qué poco agradecidos sois! [79] Él es Quien os ha diseminado por la tierra. Y hacia Él, seréis congregados. [80] Él es Quien da la vida y da la muerte. Él ha hecho que se sucedan la noche y el día. ¿Es que no comprendéis?

[81] Al contrario, dicen lo mismo que dijeron los antiguos. [82] Dicen: «Cuando muramos y seamos tierra y huesos, ¿se nos resucitará acaso? [83] Ya antes se nos había prometido esto a nosotros y a nuestros padres. No son más que patrañas de los antiguos».

[84] Di: «¿De quién es la Tierra y quien en ella hay? Si es que lo sabéis...». [85] Dirán: «¡De Dios!». Di: «¿Es que no os dejaréis amonestar?». [86] Di: «¿Quién es el Señor de los siete cielos, el Señor del Trono augusto?». [87] Dirán: «¡Dios!». Di: «¿Y no Le teméis?». [88] Di: «¿Quién tiene en Sus manos la realeza de todo, protegiendo sin que nadie pueda proteger contra Él? Si es que lo sabéis...». [89] Dirán: «¡Dios!». Di: «¿Y ¿cómo podéis estar tan sugestionados?».

[90] Vinimos a ellos con la Verdad, pero mienten, sí. [91] Dios no ha tenido un hijo, ni hay otro dios junto con Él. Si no, cada dios

se habría atribuido lo que hubiera creado y unos habrían sido superiores a otros. ¡Gloria a Dios, Que está por encima de lo que cuentan! ^{92} El conocedor de lo oculto y de lo patente. ¡Está por encima de lo que Le asocian!

^{93} Di: «¡Oh, Señor mío! Si me mostraras aquello con que se les ha amenazado... ^{94} ¡No me pongas, Señor, con el pueblo inicuo!». ^{95} Nosotros somos bien capaces, ciertamente, de mostrarte aquello con que les hemos amenazado.

^{96} Repele el mal con algo que sea mejor Sabemos bien lo que cuentan. ^{97} Di: «¡Oh, Señor mío! Me refugio en Ti contra las sugestiones de los demonios. ^{98} Y me refugio en Ti de su presencia maligna».

^{99} Cuando, al fin, viene la muerte a uno de ellos, dice: «¡Señor! ¡Hazme volver! ^{100} Quizás, así, pueda hacer el bien que dejé de hacer». ¡No! No son sino meras palabras. Pero, detrás de ellos, hay una barrera hasta el día que sean resucitados. ^{101} Y, cuando se toque la trompeta, ese día, no valdrá ningún parentesco, ni se preguntarán unos a otros. ^{102} Aquellos cuyas obras pesen mucho serán los que prosperen. ^{103} Aquellos cuyas obras pesen poco, serán los que se hayan perdido y estarán en el Infierno eternamente. ^{104} El fuego abrasará su rostro; tendrán allí los labios contraídos.

^{105} [Se les dirá:] «¿Acaso no se os recitaron Mis signos y Mis preceptos y los desmentisteis?». ^{106} «¡Señor!», dirán, «Nuestra miseria nos pudo y fuimos gente extraviada. ^{107} ¡Señor! ¡Sácanos de ella! Si reincidimos, seremos unos inicuos». ^{108} Dirá: «¡Quedaos en ella y no Me habléis!». ^{109} Algunos de Mis siervos decían: «¡Señor! ¡Creemos! ¡Perdónanos, pues, y ten misericordia de nosotros! ¡Tú eres el Mejor de quienes tienen misericordia!». ^{110} Pero os burlasteis tanto de ellos que hicieron que os olvidarais de Mí. Os reíais de ellos. ^{111} Hoy les retribuyo por la paciencia que tuvieron. Ellos son los que triunfan.

¹¹² Dirá: «¿Cuántos años habéis permanecido en la Tierra?».
¹¹³ Dirán: «Hemos permanecido un día o parte de un día. ¡Interroga a los encargados de contar!». ¹¹⁴ Dirá: «No habéis permanecido sino poco tiempo. Si hubierais sabido...

¹¹⁵ ¿Os figurabais que os habíamos creado para pasar el rato y que no ibais a ser devueltos a Nosotros?». ¹¹⁶ ¡Exaltado sea Dios, el Rey verdadero! No hay más dios que Él, el Señor del Trono noble.
¹¹⁷ Quien invoque a otro dios junto con Dios, sin tener prueba de ello, tendrá que dar cuenta solo a su Señor. Los incrédulos no prosperarán ¹¹⁸ Y di: «¡Oh, Señor mío! ¡Perdona y ten misericordia! ¡Tú eres el Mejor de quienes tienen misericordia!».

SURA 24 : AN NÚR

LA LUZ

¡En el nombre de Dios, el Compasivo, el Misericordioso!

¹ Esta es una sura que revelamos y prescribimos [sus preceptos], y en ella expusimos signos evidentes para que reflexionéis. ² Flagelad a la fornicadora y al fornicador con cien azotes cada uno. Por respeto a la ley de Dios, no uséis de mansedumbre con ellos, si es que creéis en Dios y en el Último Día. Y que un grupo de creyentes sea testigo de su castigo. ³ El hombre que haya fornicado solo habrá podido hacerlo con una fornicadora igual que él o una idólatra, y la mujer que haya fornicado solo habrá podido hacerlo con un fornicador igual que ella o un idólatra. Y [sabed que] se les ha prohibido a los creyentes la fornicación.

⁴ A quienes difamen a las mujeres honestas sin poder presentar cuatro testigos, flageladles con ochenta azotes y nunca más aceptéis su testimonio. Esos son los perversos. ⁵ Se exceptúan aquellos

que, después, se arrepientan y se enmienden. Dios es Indulgente, Misericordioso.

⁶ Quienes difamen a sus propias esposas sin poder presentar a más testigos que a sí mismos, deberán testificar jurando por Dios cuatro veces que dicen la verdad, ⁷ e imprecando una quinta la maldición de Dios sobre sí si mintieran. ⁸ Pero se verá libre del castigo la mujer que atestigüe jurando por Dios cuatro veces que él miente, ⁹ e imprecando una quinta la ira de Dios sobre sí si él dijera la verdad. ¹⁰ Si no llega a ser por el favor de Dios y Su misericordia para con vosotros y porque Dios es Indulgente, Sabio...

¹¹ Los mentirosos forman un grupo entre vosotros. No creáis que se resolverá en mal para vosotros, antes, al contrario, en bien. Todo aquel que peque recibirá conforme a su pecado; pero el que se cargue con más culpa tendrá un castigo terrible.

¹² Cuando los creyentes y las creyentes lo han oído, ¿por qué no han pensado bien en sus adentros y dicho: «¡Es una mentira manifiesta!»? ¹³ ¿Por qué no presentaron cuatro testigos del hecho? [Sabed que] Para Dios quienes [cuando acusan a alguien] no presentan testigos son los mentirosos.

¹⁴ Si no llega a ser por el favor de Dios y Su misericordia para con vosotros en esta vida y en la otra, habríais sufrido un castigo terrible por vuestras habladurías. ¹⁵ Cuando las habéis recibido en vuestras lenguas, y vuestras bocas han dicho algo de que no teníais ningún conocimiento, creyendo que era cosa de poca monta, siendo así que para Dios era grave. ¹⁶ Cuando lo habéis oído, ¿por qué no habéis dicho: «¡No tenemos que hablar de eso! ¡Gloria a Ti! ¡Es una calumnia enorme!»? ¹⁷ Dios os exhorta, si sois creyentes, a que nunca reincidáis. ¹⁸ Dios os aclara los preceptos. Dios es Omnisciente, Sabio.

¹⁹ Quienes deseen que se extienda la torpeza entre los creyentes, tendrán un castigo doloroso en esta vida y en la otra. Dios sabe,

mientras que vosotros no sabéis. [20] Si no llega a ser por el favor de Dios y Su misericordia para con vosotros y porque Él es Compasivo Misericordioso... [21] ¡Creyentes! ¡No sigáis los pasos de Satanás! A quien sigue las pisadas de Satanás, este le ordena lo deshonesto y lo reprobable. Si no fuera por el favor de Dios y Su misericordia para con vosotros, ninguno de vosotros sería puro jamás. Pero Dios purifica a quien Él quiere. Dios todo lo oye, todo lo sabe.

[22] Quienes de vosotros gocen del favor y de una vida acomodada, que no juren que no darán más a los parientes, a los pobres y a los que han emigrado por Dios. Que perdonen y se muestren indulgentes. ¿Es que no queréis que Dios os perdone? Dios es Indulgente, Misericordioso.

[23] Quienes difamen a las mujeres honestas, inocentes y creyentes serán maldecidos en esta vida y en la otra, y sufrirán un gran castigo. [24] El día que sus lenguas, manos y pies atestigüen contra ellos por las obras que cometieron, [25] ese día, Dios les retribuirá en su justa medida y sabrán que Dios es la Verdad manifiesta.

[26] Las mujeres malas para los hombres malos, los hombres malos para las mujeres malas. Las mujeres buenas para los hombres buenos, los hombres buenos para las mujeres buenas. Estos son inocentes de lo que se les acusa. Obtendrán perdón y generoso sustento.

[27] ¡Creyentes! No entréis en casa ajena sin daros a conocer y saludar a sus moradores. Es mejor para vosotros. Quizás, así, recapacitéis. [28] Si no encontráis en ella a nadie, no entréis sin que se os dé permiso. Si se os dice que os vayáis, ¡marchaos! Es más correcto. Dios sabe bien lo que hacéis. [29] No hacéis mal si entráis en casa deshabitada que contenga algo que os pertenece. Dios sabe lo que manifestáis y lo que ocultáis.

[30] Di a los creyentes que bajen la vista con recato y que sean castos. Es más correcto. Dios está bien informado de lo que hacen.

³¹ Y di a las creyentes que bajen la vista con recato, que sean castas y no muestren más adorno que los que están a la vista, que cubran su escote con el velo y no exhiban sus adornos sino a sus esposos, a sus padres, a sus suegros, a sus propios hijos, a sus hijastros, a sus hermanos, a sus sobrinos carnales, a sus mujeres, a sus esclavas, a sus sirvientes que no tengan deseos sexuales, a los niños que no saben aún de las partes femeninas. Que no batan ellas con sus pies de modo que se descubran sus adornos ocultos. ¡Volveos todos a Dios, creyentes! Quizás, así, prosperéis.

³² Casad a aquellos de vosotros que no estén casados y a vuestros esclavos y esclavas honestos. Si son pobres, Dios les enriquecerá con Su favor. Dios es Inmenso, Omnisciente. ³³ Que los que no puedan casarse observen la continencia hasta que Dios les enriquezca con Su favor. Extended el Libro a los esclavos que lo deseen si reconocéis en ellos bien, y dadles de la hacienda que Dios os ha concedido. Si vuestras esclavas prefieren vivir castamente, no les obliguéis a prostituirse para procuraros los bienes de la vida de este mundo. Si alguien les obliga, luego de haber sido obligadas Dios se mostrará Indulgente, Misericordioso. ³⁴ Por cierto que os revelamos [en el Sagrado Corán] signos evidentes y relatos de quienes os precedieron, y exhortamos a los piadosos a reflexionar.

³⁵ Dios es la luz de los cielos y de la Tierra. Su luz es comparable a una hornacina en la cual hay una lámpara dentro de un recipiente de vidrio tan brillante como un astro resplandeciente. La lámpara se enciende con el aceite de un árbol bendito de olivo [procedente] de una zona central entre oriente y occidente, cuyo aceite por poco alumbra sin haber sido tocado por el fuego: Es luz sobre luz. Dios guía hacia Su luz a quien Él quiere, y expone ejemplos para que los hombres recapaciten; y Él es Omnisciente.

³⁶ En casas que Dios ha permitido erigir y que se mencione en ellas Su nombre. En ellas Le glorifican, mañana y tarde, ³⁷ hombres

a quienes ni los negocios ni el comercio les distraen del recuerdo de Dios, de hacer la oración y de dar el zakat [azaque]. Temen un día en que los corazones y las miradas sean puestos del revés. [38] Para que Dios les retribuya por sus mejores obras y les dé más de Su favor. Dios provee sin medida a quien Él quiere.

[39] Las obras de los incrédulos son como espejismo en una llanura: el muy sediento cree que es agua, hasta que, al llegar, no encuentra nada. Sí encontrará, en cambio, a Dios junto a sí y Él le saldará su cuenta. Dios es rápido en ajustar cuentas. [40] O como tinieblas en un mar profundo, cubierto de olas, unas sobre otras, con nubes por encima, tinieblas sobre tinieblas. Si se saca la mano, apenas se la distingue. No dispone de luz ninguna aquel a quien Dios se la niega.

[41] ¿No ves que glorifican a Dios quienes están en los cielos y en la Tierra, y las aves con las alas desplegadas? Cada uno sabe cómo orar y cómo glorificarle. Dios sabe bien lo que hacen. [42] El dominio de los cielos y de la tierra pertenece a Dios. ¡Es Dios el fin de todo!

[43] ¿No ves que Dios empuja las nubes y las agrupa y, luego, forma nubarrones? Ves, entonces, que el chaparrón sale de ellos. Hace bajar del cielo montañas de granizo y hiere o no con él según que quiera o no quiera. El resplandor del relámpago que acompaña deja casi sin vista. [44] Dios hace que se sucedan la noche y el día. Sí, hay en ello motivo de reflexión para los que tienen ojos.

[45] Dios ha creado a todos los animales de agua: de ellos unos se arrastran, otros caminan a dos patas, otros a cuatro. Dios crea lo que quiere. Dios es Omnipotente. [46] Por cierto que hemos revelado [en este Corán] signos evidentes. Dios dirige a quien Él quiere a una vía recta.

[47] Y dicen: «¡Creemos en Dios y en el Mensajero y obedecemos!». Pero luego, después de eso, algunos de ellos vuelven la espalda. Esos tales no son creyentes. [48] Cuando se les llama ante Dios y

su Mensajero para que decida entre ellos, he aquí que algunos se van. ⁴⁹ Cuando les asiste la razón, vienen a él sumisos. ⁵⁰ ¿Tienen, acaso, el corazón enfermo? ¿Dudan? ¿Temen, acaso, que Dios y Su Mensajero sean injustos con ellos? Antes bien, ellos son los injustos.

⁵¹ Cuando se llama a los creyentes ante Dios y Su Mensajero para que decida entre ellos, se contentan con decir: «¡Oímos y obedecemos!». Esos son los que prosperarán. ⁵² Quienes obedecen a Dios y a Su Mensajero, tienen miedo de Dios y Le temen, esos son los que triunfarán.

⁵³ Han jurado solemnemente por Dios que si tú se lo ordenaras, sí que saldrían a campaña. Di: «¡No juréis! Una obediencia como se debe. Dios está bien informado de lo que hacéis». ⁵⁴ Di: «¡Obedeced a Dios y obedeced al Mensajero!». Si volvéis la espalda... Él es responsable de lo que se le ha encargado y vosotros de lo que se os ha encargado. Si le obedecéis, seguís la buena dirección. Al Mensajero no le incumbe más que la transmisión clara.

⁵⁵ A quienes de vosotros crean y obren bien, Dios les ha prometido hacer prevalecer en la Tierra a quienes crean de vosotros y obren correctamente, como lo hizo con quienes os precedieron. [A estos también] Les concederá el poder necesario para que puedan practicar la religión que Dios ha dispuesto para ellos [el islam] y tornará su temor en seguridad. Adoradme, pues, y no Me atribuyáis copartícipe alguno. Y [sabed que] quienes no crean estarán descarriados.

⁵⁶ ¡Haced la oración, dad el zakat [azaque] y obedeced al Mensajero! Quizás, así, se os tenga piedad. ⁵⁷ No creas, no, que los incrédulos puedan escapar en la Tierra. Su morada será el Fuego. ¡Qué mal fin...!

⁵⁸ ¡Creyentes! Los esclavos y los impúberes, en tres ocasiones, deben pediros permiso: antes de levantaros, cuando os quitáis la ropa al mediodía y después de acostaros. Son para vosotros tres

momentos íntimos. Fuera de ellos, no hacéis mal, ni ellos tampoco, si vais de unos a otros, de acá para allá. Así os aclara Dios los preceptos. Dios es Omnisciente, Sabio. [59] Y cuando vuestros hijos alcancen la pubertad deberán pedir permiso en todo momento como lo hacen los adultos. Así es como Dios os aclara Sus preceptos; Dios es Omnisciente, Sabio. [60] Las mujeres que han alcanzado la edad crítica y no cuentan ya con casarse, pueden aligerar sus vestimentas, siempre que no sea con la intención de mostrar algún atractivo. Pero si se abstienen de ello por recato es mejor para ellas. Dios todo lo oye, todo lo sabe.

[61] El ciego, el cojo, el enfermo, vosotros mismos, no tengáis escrúpulos en comer en vuestras casas o en casa de vuestros padres o de vuestras madres, en casa de vuestros hermanos o de vuestras hermanas, en casa de vuestros tíos paternos o de vuestras tías paternas, en casa de vuestros tíos maternos o de vuestras tías maternas, en casa cuyas llaves poseéis o en casa de un amigo. No tengáis escrúpulos en comer juntos o por separado. Y, cuando entréis en una casa, saludaos unos a otros empleando una fórmula venida de Dios, bendita buena, Así os aclara Dios los preceptos. Quizás, así, comprendáis.

[62] Los creyentes son, en verdad, quienes creen en Dios y en su Mensajero. Cuando están con este por un asunto de interés común, no se retiran sin pedirle permiso. Quienes te piden ese permiso son los que de verdad creen en Dios y en Su Mensajero. Si te piden permiso por algún asunto suyo, concédeselo a quien de ellos quieras y pide a Dios que les perdone. Dios es Indulgente, Misericordioso.

[63] No tratéis al Mensajero con el mismo trato que entre vosotros, y sabed que ciertamente Dios conoce a quienes de vosotros se retiran con disimulo [sin pedir permiso]. Y que aquellos que desobedezcan las órdenes del Mensajero de Dios [y rechacen su Mensaje] estén precavidos, no sea que les sobrevenga una desgracia o les azote un

severo castigo. ⁶⁴ ¿No es de Dios lo que está en los cielos y en la Tierra? Él conoce vuestra situación. Y el día que sean devueltos a Él, ya les informará de lo que hicieron. Dios es Omnisciente.

SURA 25 : AL FURQÁN
....

EL CRITERIO

¡En el nombre de Dios, el Compasivo, el Misericordioso!

¹ Enaltecido sea Quien reveló la fuente de todo criterio [el Sagrado Corán] a Su siervo [el Profeta Muhammad] a fin de que sea monitor para todo el mundo. ² Quien posee el dominio de los cielos y de la Tierra, Él no ha tenido ningún hijo, y no comparte Su soberanía con nadie, creó todas las cosas determinando su justa medida. ³ En lugar de tomarle a Él, han tomado a dioses que no crean nada, sino que ellos mismos son creados, que no disponen, ni siquiera para sí mismos, de lo que puede dañar o aprovechar, y no tienen poder sobre la muerte, ni sobre la vida, ni sobre la resurrección.

⁴ Dicen los incrédulos: «Esto no es sino una mentira, que él se ha inventado y en la que otra gente le ha ayudado». Pero en verdad son ellos quienes han cometido una gran injusticia y proferido una gran infamia. ⁵ Y dicen: «Patrañas de los antiguos que él se ha apuntado. Se las dictan mañana y tarde». ⁶ Di: «Lo ha revelado Quien conoce el secreto en los cielos y en la Tierra. Es Indulgente, Misericordioso».

⁷ Y dicen: «¿Qué clase de Mensajero es este que se alimenta y pasea por los mercados? ¿Por qué no se le ha mandado de lo alto un ángel que sea, junto a él, monitor...? ⁸ ¿Por qué no se le ha dado un tesoro o por qué no tiene un jardín de cuyos frutos pueda comer...?».

Los inicuos dicen: «No seguís sino a un hombre hechizado». ⁹ ¡Mira a qué te comparan! Se extravían y no pueden encontrar un camino.

¹⁰ ¡Bendito sea Quien, si quiere, puede darte algo mejor que eso: jardines por donde corren los ríos, palacios! ¹¹ Pero ¡no! Desmienten la Hora y hemos preparado fuego del Infierno para quienes desmienten la Hora. ¹² Cuando les vea, lejos aún, oirán su furor y bramido. ¹³ Cuando, atados unos a otros, sean precipitados en un lugar estrecho de él, invocarán entonces la destrucción. ¹⁴ «¡No invoquéis hoy una sola destrucción sino muchas destrucciones!». ¹⁵ Di: «¿Vale más esto que el Jardín de inmortalidad que se ha prometido a los temerosos de Dios como retribución y fin último?». ¹⁶ Inmortales, tendrán cuanto deseen. Es una promesa que obliga a tu Señor.

¹⁷ El día que Él les congregue, a ellos y a los que servían en lugar de servir a Dios, dirá: «¿Sois vosotros los que habéis extraviado a estos Mis siervos o ellos solos se han extraviado del Camino?». ¹⁸ Dirán: «¡Gloria a Ti! No nos estaba bien que tomáramos a otros como amigos, en lugar de tomarte a Ti. Pero les permitiste gozar tanto, a ellos y a sus padres, que olvidaron la Amonestación y fueron gente perdida». ¹⁹ «Os desmienten lo que decís. No podréis escapar al castigo ni encontrar quien os auxilie. A quien de vosotros obre impíamente le haremos gustar un gran castigo».

²⁰ Antes de ti no mandamos más que a Mensajeros que se alimentaban y paseaban por los mercados. Hemos puesto a algunos de vosotros como prueba para los demás, a ver si tenéis paciencia. Tu Señor todo lo ve.

²¹ Los que no cuentan con encontrarnos, dicen: «¿Por qué no se nos han enviado de lo alto ángeles o por qué no vemos a nuestro Señor?». Fueron altivos en sus adentros y se insolentaron sobremanera. ²² El día que vean a los ángeles, no habrá, ese día, buenas nuevas para los pecadores. Dirán: «¡Límite infranqueable!».

²³ Examinaremos sus obras y haremos de ellas polvo disperso en el aire. ²⁴ Ese día los moradores del Jardín gozarán de la mejor morada y del más bello descansadero.

²⁵ El día que se desgarre el nubarrón del cielo y sean enviados abajo los ángeles, ²⁶ ese día, el dominio, el verdadero, será del Compasivo, y será un día difícil para los incrédulos. ²⁷ El día que el inicuo se muerda las manos diciendo: «¡Ojalá hubiera seguido un mismo camino que el Mensajero! ²⁸ ¡Ay de mí! ¡Ojalá no hubiera tomado a fulano como amigo! ²⁹ Me ha desviado de la Amonestación, después de haber venido a mí». Satanás siempre deja colgado al hombre. ³⁰ El Mensajero dice: «¡Oh, Señor mío! ¡En verdad mi pueblo ha abandonado el Corán!». ³¹ Así hemos asignado a cada Profeta un enemigo de entre los pecadores. Pero tu Señor basta como guía y auxilio.

³² Los incrédulos dicen: «¿Por qué no se le ha revelado el Corán de una vez?». Para, así, confirmar con él tu corazón. Y lo hemos hecho recitar lenta y claramente. ³³ No te proponen ninguna parábola que no te aportemos Nosotros el verdadero sentido y la mejor interpretación. ³⁴ Aquellos que sean congregados, boca abajo, hacia el Infierno serán los que se encuentren en la situación peor y los más extraviados del Camino.

³⁵ Dimos a Moisés el Libro y pusimos a su hermano Aarón como ayudante suyo. ³⁶ Y dijimos: «¡Id al pueblo que ha desmentido Nuestros signos!». Y los aniquilamos. ³⁷ Y al pueblo de Noé. Cuando desmintió a los Mensajeros, le anegamos e hicimos de él un signo para los hombres. Y hemos preparado un castigo doloroso para los inicuos. ³⁸ A los 'Ad, a los Zamud, a los habitantes de ar-Rass y a muchas generaciones intermedias... ³⁹ A todos les dimos ejemplos y a todos les exterminamos. ⁴⁰ Por cierto que [los incrédulos de la Meca] pasan frecuentemente por las ruinas de la ciudad sobre la cual

hicimos caer una lluvia de piedras [Sodoma] pero no recapacitan, pues no creen en la resurrección.

⁴¹ Cuando te ven, no hacen sino tomarte a burla: «¿Es este el que Dios ha mandado como Mensajero? ⁴² Si no llega a ser porque nos hemos mantenido fieles a nuestros dioses, nos habría casi desviado de ellos». Pero, cuando vean el castigo, sabrán quién se ha extraviado más del Camino.

⁴³ ¿Qué te parece quien ha divinizado su pasión? ¿Vas a ser tú su protector? ⁴⁴ ¿Crees que la mayoría oyen o entienden? No son sino como rebaños. No, más extraviados aún del Camino.

⁴⁵ ¿No ves cómo hace tu Señor que se deslice la sombra? Si quisiera, podría hacerla fija. Además, hemos hecho del sol guía para ella. ⁴⁶ Luego, la atraemos hacia Nosotros con facilidad. ⁴⁷ Él es Quien ha hecho para vosotros de la noche vestidura, del sueño descanso, del día resurrección. ⁴⁸ Él es Quien envía los vientos como nuncios que preceden a Su misericordia. Hacemos bajar del cielo agua pura, ⁴⁹ para vivificar con ella un país muerto y dar de beber, entre lo que hemos creado, a la multitud de rebaños y seres humanos.

⁵⁰ La hemos distribuido entre ellos para que se dejen amonestar, pero la mayoría de los hombres no quieren sino ser incrédulos. ⁵¹ Si hubiéramos querido, habríamos enviado a cada ciudad un monitor. ⁵² No obedezcas, pues, a los incrédulos y lucha esforzadamente contra ellos, por medio de él.

⁵³ Él es Quien ha hecho que las dos grandes masas de agua fluyan: una, dulce, agradable; otra, salobre, amarga. Ha colocado entre ellas una barrera y límite infranqueable. ⁵⁴ Él es quien ha creado del agua un ser humano, haciendo de él el parentesco por consanguinidad o por afinidad. Tu Señor es Omnipotente.

⁵⁵ Pero, en lugar de servir a Dios, sirven lo que no puede aprovecharles ni dañarles. El infiel es un auxiliar contra su Señor.

⁵⁶ A ti no te hemos enviado sino como nuncio de buenas nuevas y como monitor. ⁵⁷ Di: «No os pido a cambio ningún salario. Solo que, quien quiera, ¡que emprenda camino hacia su Señor!».

⁵⁸ Y ¡confía en el Viviente, Que no muere! ¡Celebra Sus alabanzas! Él está suficientemente informado de los pecados de Sus siervos. ⁵⁹ Él es Quien ha creado en seis días los cielos, la Tierra y lo que entre ellos hay. Luego, se ha instalado en el Trono. El Compasivo. ¡Interroga a quien esté bien informado de Él! ⁶⁰ Cuando se les dice: «¡Prosternaos ante el Compasivo!», dicen: «Y ¿qué es 'el Compasivo'? ¿Vamos a prosternarnos solo porque tú lo ordenes?». Y esto acrecienta su repulsa.

⁶¹ ¡Bendito sea Quien ha puesto constelaciones en el cielo y entre ellas un luminar y una luna luminosa! ⁶² Él es Quien ha dispuesto que se sucedan la noche y el día para quien quiera dejarse amonestar o quiera dar gracias.

⁶³ Los siervos del Compasivo son los que van por la tierra humildemente y que, cuando los ignorantes les dirigen la palabra, dicen: «¡Paz!». ⁶⁴ Pasan la noche ante su Señor, postrados o de pie. ⁶⁵ Dicen: «¡Señor! ¡Aleja de nosotros el castigo del Infierno!». Su castigo es perpetuo. ⁶⁶ Sí es mala como morada y residencia. ⁶⁷ Cuando gastan, no lo hacen con prodigalidad ni con tacañería, el término medio es lo justo. ⁶⁸ No invocan a otro dios junto con Dios, no matan a nadie que Dios haya prohibido, si no es con justo motivo, no fornican. Quien comete tal, incurre en castigo. ⁶⁹ El Día de la Resurrección se le doblará el castigo y lo sufrirá eternamente humillado. ⁷⁰ No así quien se arrepienta, crea y haga buenas obras. A estos Dios les cambiará sus malas obras en buenas. Dios es Indulgente, Misericordioso. ⁷¹ Quien se arrepienta y obre bien dará muestras de un arrepentimiento sincero.

⁷² No prestan falso testimonio y, cuando pasan y oyen vaniloquio, prosiguen la marcha dignamente. ⁷³ Aquellos que

cuando se les exhorta a reflexionar en los signos de su Señor escuchan y recapacitan. ⁷⁴ Dicen: «¡Señor! ¡Haznos el regalo de que nuestras esposas y descendencia sean nuestra alegría, haz que seamos modelo para los temerosos de Dios!».

⁷⁵ Estos serán retribuidos con una cámara alta porque tuvieron paciencia. Se les acogerá allí con palabras de salutación y de paz. ⁷⁶ Eternos allí... ¡Qué bello lugar como morada y como residencia! ⁷⁷ Di: «Mi Señor solo os tiene consideración si Le adoráis. Y por cierto que vosotros [¡Oh, incrédulos!] habéis desmentido Su Mensaje [y no habéis creído en Él], por ello os azotará un merecido castigo [en esta vida y en la otra]».

SURA 26 : ASH SHÚʻARAʼ

LOS POETAS

¡En el nombre de Dios, el Compasivo, el Misericordioso!

¹ *Ta. Sin. Mim.*

² Estos son los preceptos del Libro sabio. ³ Tú, quizás, te consumas de pena porque no creen. ⁴ Si quisiéramos les enviaríamos un signo del cielo, ante el cual sus cuellos se inclinarían con sumisión. ⁵ No les llega una nueva amonestación del Compasivo que no se aparten de ella. ⁶ Han desmentido, pero recibirán noticias de aquello de que se burlaban.

⁷ ¿No han visto cuántas nobles especies de toda clase hemos hecho crecer en la tierra? ⁸ Ciertamente, hay en ello un signo, pero la mayoría no creen. ⁹ En verdad, tu Señor es el Poderoso, el Misericordioso.

¹⁰ Y cuando tu Señor llamó a Moisés: «Ve al pueblo inicuo, ¹¹ al pueblo de Faraón. ¿No van a temerme?». ¹² Dijo: «¡Oh, Señor mío!

Temo que me desmientan. [13] Me angustio, se me traba la lengua. ¡Envía a Aarón conmigo! [14] Además me acusan de un crimen y temo que me maten».

[15] Dijo: «¡No! ¡Id los dos con Nuestros signos! Estamos con vosotros, escuchamos. [16] Id a Faraón y decid: "¡Nos ha enviado el Señor del Universo: [17] ¡Deja marchar con nosotros a los Hijos de Israel!"». [18] Dijo: «¿No te hemos educado, cuando eras niño, entre nosotros? ¿No has vivido durante años de tu vida entre nosotros? [19] Desagradecido, hiciste lo que hiciste».

[20] Dijo: «Lo hice cuando estaba extraviado. [21] Tuve miedo de vosotros y me escapé. Mi Señor me ha regalado juicio y ha hecho de mí uno de los Mensajeros. [22] ¿Es esta una gracia que me echas en cara, tú que has esclavizado a los Hijos de Israel?». [23] Faraón dijo: «Y ¿qué es "el Señor del Universo"?» [24] Dijo: «Es el Señor de los cielos, de la Tierra y de lo que entre ellos está. Si estuvierais convencidos...». [25] Dijo a los circunstantes: «¿Habéis oído?». [26] Dijo. «Es vuestro Señor y Señor de vuestros antepasados...». [27] Dijo: «¡El Mensajero que se os ha mandado es; ciertamente, un poseso!». [28] Dijo: «...el Señor del Oriente y del Occidente y de lo que entre ellos está. Si razonarais...». [29] Dijo: «¡Si tomas por dios a otro diferente de mí, he de enviarte a la cárcel!». [30] Dijo: «¿Y si te trajera algo claro?». [31] Dijo: «¡Tráelo, si es verdad lo que dices!». [32] Moisés tiró su vara y he aquí que esta se convirtió en una auténtica serpiente. [33] Sacó su mano y he aquí que apareció blanca a los ojos de los presentes. [34] Dijo a los dignatarios que le rodeaban: «Sí, este es un mago muy entendido, [35] que quiere expulsaros de vuestra tierra con su magia. ¿Qué ordenáis?».

[36] Dijeron: «Dales un plazo, a él y a su hermano, y envía a las ciudades a agentes que convoquen, [37] que te traigan a los magos más entendidos, a todos». [38] Los magos fueron convocados para una determinada hora del día convenido [39] y se dijo a la gente: «¿No

queréis asistir? ⁴⁰ Quizás, así, sigamos a los magos, si son ellos los que ganan». ⁴¹ Cuando llegaron los magos dijeron a Faraón: «Si ganamos, recibiremos una recompensa, ¿no?». ⁴² Dijo: «¡Sí! Y seréis entonces, ciertamente, de mis allegados».

⁴³ Moisés les dijo: «¡Tirad lo que vayáis a tirar!». ⁴⁴ Y tiraron sus cuerdas y varas, y dijeron: «¡Por el poder de Faraón, que venceremos!». ⁴⁵ Moisés tiró su vara y he aquí que esta engulló sus mentiras. ⁴⁶ Y los magos cayeron prosternados. ⁴⁷ Dijeron: «¡Creemos en el Señor del Universo, ⁴⁸ el Señor de Moisés y de Aarón!».

⁴⁹ Dijo: «¡Le habéis creído antes de que yo os autorizara a ello! ¡Es vuestro maestro, que os ha enseñado la magia! ¡Vais a ver! ¡He de haceros amputar las manos y los pies opuestos! ¡Y he de haceros crucificar a todos!». ⁵⁰ Dijeron: «¡No importa! ¡Nos volvemos a nuestro Señor! ⁵¹ Anhelamos que nuestro Señor nos perdone nuestros pecados, ya que hemos sido los primeros en creer».

⁵² E inspiramos a Moisés: «¡Parte de noche con Mis siervos! ¡Seréis perseguidos!». ⁵³ Faraón envió a las ciudades a agentes que convocaran: ⁵⁴ [Diciendo:] «Ciertamente ellos [los Hijos de Israel] son solo unos pocos ⁵⁵ Y nos han enfurecido. ⁵⁶ Nosotros, en cambio, somos todo un ejército y estamos bien prevenidos». ⁵⁷ Les expulsamos de sus jardines y fuentes, ⁵⁸ de sus tesoros y suntuosas residencias. ⁵⁹ Así fue, y se lo dimos en herencia a los Hijos de Israel.

⁶⁰ A la salida del sol, les persiguieron. ⁶¹ Cuando los dos grupos se divisaron, dijeron los compañeros de Moisés: «¡Nos ha alcanzado!». ⁶² Dijo: «¡No! ¡Mi Señor está conmigo, el me dirigirá!». ³ E inspiramos a Moisés: «¡Golpea el mar con tu vara!». El mar, entonces, se partió y cada parte era como una imponente montaña. ⁶⁴ Hicimos que los otros se acercaran allá, ⁶⁵ y salvamos a Moisés y a todos los que con él estaban. ⁶⁶ Luego, anegamos a

los otros. [67] Ciertamente, hay en ello un signo, pero la mayoría no creen. [68] ¡Sí, tu Señor es el Poderoso, el Misericordioso!

[69] ¡Cuéntales la historia de Abraham! [70] Cuando dijo a su padre y a su pueblo: «¿Qué adoráis?». [71] Dijeron: «Adoramos a ídolos y continuaremos entregándonos a su culto». [72] Dijo: «Y ¿os escuchan cuando les invocáis? [73] ¿Pueden aprovecharos o haceros daño?». [74] Dijeron: «¡No, pero encontramos que nuestros antepasados hacían lo mismo!».

[75] Dijo: «¿Y habéis visto lo que adorabais, [76] vosotros y vuestros lejanos antepasados? [77] Ellos [los ídolos] son mis enemigos, pero no así quien adore al Señor del Universo. [78] Que me ha creado y me guía, [79] me da de comer y de beber, [80] me cura cuando enfermo, [81] me hará morir y, luego, me volverá a la vida, [82] de Quien anhelo el perdón de mis faltas el Día del Juicio.

[83] ¡Oh, Señor mío! ¡Regálame juicio y reúneme con los justos! [84] ¡Agráciame con el respeto y el buen recuerdo de las generaciones venideras! [85] ¡Cuéntame entre los herederos del Jardín del Deleite! [86] ¡Perdona a mi padre, estaba extraviado! [87] No me avergüences el Día de la Resurrección, [88] el día que no aprovechen hacienda ni hijos varones, [89] excepto a quien vaya a Dios con corazón sano».

[90] El Jardín será acercado a quienes hayan temido a Dios [91] y el fuego del Infierno aparecerá ante los descarriados. [92] Se les dirá: «¿Dónde está lo que adorabais [93] en lugar de adorar a Dios? ¿Pueden auxiliaros o auxiliarse a sí mismos?». [94] Ellos y los descarriados serán precipitados en él, [95] así como las huestes de Iblis, todas. [96] Ya en él dirán mientras disputan: [97] «¡Por Dios, que estábamos, sí, evidentemente extraviados [98] cuando os equiparábamos al Señor del Universo! [99] Nadie sino los pecadores nos extraviaron [100] y ahora, no tenemos a nadie que interceda, [101] a ningún amigo ferviente. [102] Si pudiéramos volver para ser creyentes...». [103] Ciertamente,

hay en ello un signo, pero la mayoría no creen. ¹⁰⁴ Tu Señor es, ciertamente, el Poderoso, el Misericordioso.

¹⁰⁵ El pueblo de Noé desmintió a los Mensajeros. ¹⁰⁶ Cuando su hermano Noé les dijo: «¿Es que no vais a temer a Dios? ¹⁰⁷ Tenéis en mí a un Mensajero digno de confianza. ¹⁰⁸ ¡Temed, pues, a Dios y obedecedme! ¹⁰⁹ Yo no os pido ninguna remuneración a cambio [de transmitiros el Mensaje], solo el Señor del Universo me recompensará por ello. ¹¹⁰ ¡Temed, pues, a Dios y obedecedme!». ¹¹¹ Dijeron: «¿Acaso vamos a creerte cuando solo te siguen los más débiles?». ¹¹² Dijo: «No se me ha encomendado indagar sobre lo que han hecho, ¹¹³ solo a mi Señor tienen que dar cuenta. Si os dierais cuenta... ¹¹⁴ ¡No voy yo a rechazar a los creyentes! ¹¹⁵ ¡Yo no soy más que un monitor que habla claro!».

¹¹⁶ Dijeron: «¡Noé! Si no paras, ¡hemos de lapidarte!». ¹¹⁷ Dijo: «¡Oh, Señor mío! Mi pueblo me desmiente. ¹¹⁸ ¡Falla, pues, entre yo y ellos, y sálvame, junto con los creyentes que están conmigo!». ¹¹⁹ Les salvamos, pues, a él y a quienes estaban con él en la nave abarrotada. ¹²⁰ Luego, después, anegamos al resto. ¹²¹ Ciertamente, hay en ello un signo, pero la mayoría no creen. ¹²² En verdad, tu Señor es el Poderoso, el Misericordioso.

¹²³ Los 'Ad desmintieron a los Mensajeros. ¹²⁴ Cuando su hermano Hud les dijo: «¿Es que no vais a temer a Dios? ¹²⁵ Tenéis en mí a un Mensajero digno de confianza. ¹²⁶ ¡Temed, pues, a Dios y obedecedme! ¹²⁷ Yo no os pido ninguna remuneración a cambio [de transmitiros el Mensaje], solo el Señor del Universo me recompensará por ello. ¹²⁸ Edificáis enormes construcciones en todas las colinas solo por ostentación. ¹²⁹ Y habitáis en majestuosos palacios como si fuerais a vivir eternamente. ¹³⁰ Cuando usáis de violencia lo hacéis sin piedad. ¹³¹ ¡Temed, pues, a Dios y obedecedme! ¹³² ¡Temed a Quien os ha proveído de lo que sabéis:

¹³³ Os concedió hijos, rebaños, ¹³⁴ de jardines y fuentes. ¹³⁵ ¡Temo por vosotros el castigo de un día terrible!».

¹³⁶ Dijeron: «¡Nos da lo mismo que nos amonestes o no! ¹³⁷ No hacemos sino lo que acostumbraban a hacer los antiguos. ¹³⁸ ¡No se nos castigará!». ¹³⁹ Le desmintieron y les aniquilamos. Ciertamente, hay en ello un signo, pero la mayoría no creen. ¹⁴⁰ En verdad, tu Señor es el Poderoso, el Misericordioso.

¹⁴¹ Los Zamud desmintieron a los Mensajeros. ¹⁴² Cuando su hermano Salih les dijo: «¿Es que no vais a temer a Dios? ¹⁴³ Tenéis en mí a un Mensajero digno de confianza. ¹⁴⁴ ¡Temed, pues, a Dios y obedecedme! ¹⁴⁵ Yo no os pido ninguna remuneración a cambio [de transmitiros el Mensaje], solo el Señor del Universo me recompensará por ello. ¹⁴⁶ ¿Acaso creéis que se os dejará gozar [de las gracias que os concedió vuestro Señor], y estaréis a salvo [de Su castigo], ¹⁴⁷ entre jardines y fuentes, ¹⁴⁸ entre campos cultivados y esbeltas palmeras, ¹⁴⁹ y continuaréis excavando, hábilmente, casas en las montañas? ¹⁵⁰ ¡Temed, pues, a Dios y obedecedme! ¹⁵¹ ¡No obedezcáis las órdenes de los inmoderados, ¹⁵² que corrompen en la tierra y no la reforman!».

¹⁵³ Dijeron: «¡Eres solo un hechizado! ¹⁵⁴ ¡No eres sino un mortal como nosotros! ¡Trae un signo, si es verdad lo que dices!». ¹⁵⁵ Dijo: «He aquí una camella. Un día le tocará beber a ella y otro día a vosotros. ¹⁵⁶ ¡No le hagáis mal! ¡Si no, os sorprenderá el castigo de un día terrible!». ¹⁵⁷ Pero ellos la desjarretaron... y se arrepintieron. ¹⁵⁸ Y les sorprendió el Castigo. Ciertamente, hay en ello un signo, pero la mayoría no creen. ¹⁵⁹ ¡En verdad, tu Señor es el Poderoso, el Misericordioso!

¹⁶⁰ El pueblo de Lot desmintió a los Mensajeros. ¹⁶¹ Cuando su hermano Lot les dijo: «¿Es que no vais a temer a Dios? ¹⁶² Tenéis en mí a un Mensajero digno de confianza. ¹⁶³ ¡Temed, pues, a Dios y obedecedme! ¹⁶⁴ No os pido por ello ningún salario. Mi salario

no incumbe sino al Señor del Universo. [165] ¿Satisfacéis vuestros deseos con los hombres, [166] y descuidáis a vuestras esposas, que vuestro Señor ha creado para vosotros? Sí, sois gente que viola la ley».

[167] Dijeron: «Si no paras, Lot, serás, ciertamente, expulsado».

[168] Dijo: «Detesto vuestra conducta. [169] ¡Oh, Señor mío! ¡Sálvanos, a mí y a mi familia, de lo que hacen!». [170] Y les salvamos, a él y a su familia, a todos, [171] salvo a una vieja entre los que se rezagaron. [172] Luego, aniquilamos a los demás. [173] E hicimos caer sobre ellos una lluvia de piedras. ¡Qué lluvia aterradora fue la que les enviamos! [174] Ciertamente, hay en ello un signo, pero la mayoría no creen. [175] ¡En verdad tu Señor es el Poderoso, el Misericordioso!

[176] Los habitantes de la Espesura desmintieron a los Mensajeros. [177] Cuando Shuaib les dijo: «¡Es que no vais a temer a Dios? [178] Tenéis en mí a un Mensajero digno de confianza. [179] ¡Temed, pues, a Dios y obedecedme! [180] Yo no os pido ninguna remuneración a cambio [de transmitiros el Mensaje], solo el Señor del Universo me recompensará por ello. [181] ¡Dad la medida justa, no hagáis trampa! [182] ¡Pesad con una balanza exacta! [183] ¡No dañéis a nadie en sus cosas y no obréis mal en la tierra corrompiendo! [184] ¡Temed a Quien os ha creado, a vosotros y a las generaciones antiguas!».

[185] Dijeron: «Eres solo un hechizado. [186] No eres sino un mortal como nosotros. Creemos que mientes. [187] Si es verdad lo que dices, ¡haz que caiga sobre nosotros parte del cielo!». [188] Dijo: «Mi Señor sabe bien lo que hacéis». [189] Le desmintieron. Y el castigo del día de la Sombra les sorprendió: fue el castigo de un día terrible. [190] Ciertamente, hay en ello un signo, pero la mayoría no creen. [191] ¡En verdad, tu Señor es el Poderoso, el Misericordioso!

[192] Es, en verdad, la Revelación del Señor del Universo. [193] El Espíritu digno de confianza [el ángel Gabriel] lo ha bajado [194] a tu corazón, para que seas uno que advierte. [195] En lengua árabe

clara, [196] y estaba, ciertamente, en las Escrituras de los antiguos. [197] ¿No es para ellos un signo que los sabios de los Hijos de Israel ya supieran acerca de él [el Corán]?

[198] Si lo hubiéramos revelado a uno no árabe [199] y este se lo hubiera recitado, no habrían creído en él. [200] Así se lo hemos insinuado a los pecadores, [201] pero no creerán en él hasta que vean el castigo doloroso, [202] que les vendrá de repente, sin presentirlo. [203] Entonces, dirán: «¿Es que no se nos va a dar otra oportunidad?».

[204] ¿Quieren, entonces, adelantar Nuestro castigo? [205] Y ¿qué te parece? Si le dejáramos gozar durante años [206] y, luego, se cumpliera en ellos la amenaza, [207] no les serviría de nada el haber disfrutado tanto. [208] No hemos destruido nunca una ciudad sin haberle enviado antes quienes advirtieran, [209] como amonestación. No somos injustos. [210] No son los demonios quienes lo han bajado: [211] ni les estaba bien, ni podían hacerlo. [212] Están, en verdad, lejos de oírlo.

[213] No invoques a otros dioses junto con Dios si no, serás castigado. [14] Advierte a los miembros más allegados de tu tribu. [215] Sé benévolo con los creyentes que te siguen. [216] Si te desobedecen, di: «Soy inocente de lo que hacéis». [217] Confía en el Poderoso, el Misericordioso, [218] que te ve cuando estás de pie [219] y ve las posturas que adoptas entre los que se prosternan. [220] Él es Quien todo lo oye, Quien todo lo sabe.

[221] ¿Tengo que informaros de sobre quién descienden los demonios? [222] Descienden sobre todo mentiroso pecador. [223] Ellos [los demonios] se esfuerzan por oír [las revelaciones a los Ángeles en el cielo], pero le transmiten [a los hombres] mentiras. [224] En cuanto a los poetas, les siguen los descarriados. [225] ¿No has visto que van errando por todos los valles [226] y que dicen lo que no hacen? [227] No son así los que creen, obran bien, recuerdan mucho a Dios y

se defienden cuando son tratados injustamente. ¡Los inicuos verán pronto la suerte que les espera!

LAS HORMIGAS

¡En el nombre de Dios, el Compasivo, el Misericordioso!

¹ *Ta. Sin.*

Estos son los preceptos del Corán y de una Escritura clara, ² dirección y buena nueva para los creyentes, ³ que hacen la oración, dan el zakat [azaque] y están convencidos de la otra vida. ⁴ Hemos engalanado a sus propios ojos las acciones de los que no creen en la otra vida. Yerran ciegos. ⁵ Esos tales son los que sufrirán el castigo peor y los que perderán más en la otra vida. ⁶ En verdad tú recibes el Corán de Uno que es Sabio, Omnisciente.

⁷ Cuando Moisés dijo a su familia: «Distingo un fuego. Voy a informaros de qué se trata y os traeré un tizón ardiente. Quizás, así, podáis calentaros». ⁸ Al llegar a él, le llamaron: «¡Bendito sea Quien está en el fuego y quien está en torno a él! ¡Gloria a Dios, Señor del Universo!

⁹ ¡Moisés! ¡Yo soy Dios, el Poderoso, el Sabio!». ¹⁰ Y: «¡Tira tu vara!». Y cuando vio que se movía como si fuera una serpiente, dio media vuelta para escapar, sin volverse. «¡Moisés! ¡No tengas miedo! Ante Mí, los Mensajeros no temen. ¹¹ Sí, en cambio, quien haya obrado impíamente; pero, si sustituye su mala acción por una buena. Yo soy Indulgente, Misericordioso. ¹² Introduce la mano por la escotadura de tu túnica y saldrá blanca, sana. Esto formará parte de los nueve signos destinados a Faraón y su pueblo. Son gente perversa». ¹³ Cuando Nuestros signos vinieron a ellos para abrirles

los ojos, dijeron: «¡Esto es magia manifiesta!». [14] Y los negaron injusta y altivamente, a pesar de estar convencidos de ellos. ¡Y mira cómo terminaron los corruptores!

[15] Por cierto que concedimos a David y a Salomón sabiduría, y dijeron: «¡Alabado sea Dios, que nos ha preferido a muchos de Sus siervos creyentes!». [16] Salomón heredó a David y dijo: «¡Hombres! Se nos ha enseñado el lenguaje de los pájaros y se nos ha dado de todo. ¡Es un favor manifiesto!».

[17] Las tropas de Salomón, compuestas de genios, de hombres y pájaros, fueron agrupadas ante él y formadas. [18] Hasta que, llegados al Valle de las Hormigas, una hormiga dijo: «¡Hormigas! ¡Entrad en vuestras viviendas, no sea que Salomón y sus tropas os aplasten sin darse cuenta!». [19] Sonrió al oír lo que ella decía y dijo: «¡Oh, Señor mío! ¡Permíteme que Te agradezca la gracia que nos has dispensado, a mí y a mis padres! ¡Haz que haga obras buenas que Te plazcan! ¡Haz que entre a formar parte, por Tu misericordia, de Tus siervos justos!».

[20] Pasó revista a los pájaros y dijo: «¿Cómo es que no veo a la abubilla? ¿O es que está ausente? [21] He de castigarla severamente o degollarla, a menos que me presente, sin falta, una excusa satisfactoria». [22] No tardó en regresar y dijo: «Sé algo que tú no sabes, y te traigo de los Saba una noticia segura. [23] He encontrado que reina sobre ellos una mujer, a quien se ha dado de todo y que posee un trono augusto. [24] He encontrado que ella y su pueblo se postran ante el sol, no ante Dios. Satanás les ha engalanado sus obras y, habiéndoles apartado del camino, no siguen la buena dirección, [25] de modo que no se prosternan ante Dios, Que pone de manifiesto lo que está escondido en los cielos y en la Tierra, y sabe lo que ocultáis y lo que manifestáis. [26] Dios, fuera del Cual no hay otro dios, es el Señor del Trono augusto».

[27] Dijo él: «Vamos a ver si dices verdad o mientes. [28] Lleva

este escrito mío y échaselo. Luego, mantente aparte y mira qué responden». ²⁹ Dijo ella: «¡Dignatarios! Me han echado un escrito respetable. ³⁰ Es de Salomón y dice: "¡En el nombre de Dios el Compasivo el Misericordioso! ³¹ ¡No os mostréis altivos conmigo y venid a mí sumisos!"». ³² Dijo ella: «¡Dignatarios! ¡Aconsejadme en mi asunto! No voy a decidir nada sin que seáis vosotros testigos». ³³ Dijeron: «Poseemos fuerza y poseemos gran valor, pero a ti te toca ordenar. ¡Mira, pues, qué ordenas!». ³⁴ Dijo ella: «Los reyes, cuando entran en una ciudad, la arruinan y reducen a la miseria a sus habitantes más poderosos. Así es como hacen. ³⁵ Yo, en cambio, voy a enviarles un regalo y ver con qué regresan los enviados».

³⁶ Cuando llegó a Salomón, dijo: «¿Queréis colmarme de hacienda? Lo que Dios me ha dado vale más que lo que él os ha dado. No, sino que sois vosotros quienes están contentos con vuestros regalos. ³⁷ ¡Regresa a los tuyos! Hemos de marchar contra ellos con tropas a las que no podrán contener y hemos de expulsarles de su ciudad, abatidos y humillados».

³⁸ Dijo él: «¡Dignatarios! ¿Quién de vosotros me traerá su trono antes de que vengan a mí sumisos?». ³⁹ Uno de los genios, un ifrit, dijo: «Yo te lo traeré antes de que hayas tenido tiempo de levantarte de tu asiento. Soy capaz de hacerlo, digno de confianza». ⁴⁰ Dijo [un creyente piadoso] que tenía conocimiento del Libro: «Yo te lo traeré antes de que parpadees». Y cuando [Salomón] lo vio delante suyo dijo: «Esto es una de las gracias de mi Señor para probarme si soy agradecido o ingrato. Quien agradezca [las gracias de su Señor] se beneficiará a sí mismo, y quien sea ingrato sepa que mi Señor es Opulento, Generoso».

⁴¹ Dijo: «¡Modificad partes de su trono; veremos si lo reconoce y es verdaderamente inteligente!». ⁴² Y cuando ella llegó, se le preguntó: «¿Así es tu trono?». Respondió: «Parece que fuera él». Y [dijo Salomón:] «Por cierto recibimos la guía antes que ella

y nos sometimos a Dios». [43] Pero lo que ella servía, en lugar de servir a Dios, la ha apartado. Pertenecía a un pueblo infiel. [44] Se le dijo: «¡Entra en el palacio!». Cuando ella lo vio, creyó que era un estanque de agua y se descubrió las piernas. Dijo él: «Es un palacio pavimentado de cristal». Dijo ella: «¡Oh, Señor mío! He sido injusta conmigo misma, pero, como Salomón, me someto a Dios, Señor del Universo».

[45] Y a los Zamud les enviamos su hermano Salih: «¡Adorad a Dios!». Y he aquí que se escindieron en dos grupos, que se querellaron. [46] Dijo: «¡Pueblo! ¿Por qué precipitáis el mal antes que el bien? ¿Por qué no pedís perdón a Dios? Quizás, así, se os tenga piedad». [47] Dijeron: «Os tenemos, a ti y a los que te siguen, por aves de mal agüero». Dijo: «Vuestro augurio está en manos de Dios. Sí, sois gente sujeta a prueba».

[48] En la ciudad había un grupo de nueve hombres, que corrompían en la Tierra y no la reformaban. [49] Dijeron: «¡Juramentémonos ante Dios que hemos de atacarles de noche, a él y a su familia! Luego, diremos a su pariente próximo que no presenciamos el asesinato de su familia y que decimos la verdad». [50] Urdieron una intriga sin sospechar que Nosotros urdíamos otra. [51] Y ¡mira cómo terminó su intriga! Les aniquilamos a ellos y a su pueblo, a todos. [52] Ahí están sus casas en ruinas, en castigo de su impiedad. Ciertamente, hay en ello un signo para gente que sabe. [53] Salvamos, en cambio, a los que creían y temían a Dios.

[54] Y a Lot. Cuando dijo a su pueblo: «¿Cometéis deshonestidad a sabiendas? [55] ¿Os llegáis a los hombres, por concupiscencia, en lugar de llegaros a las mujeres? Sí, sois gente ignorante». [56] Lo único que respondió su pueblo fue: «¡Expulsad de la ciudad a la familia de Lot! Son gente que se las dan de puros». [57] Les preservamos del castigo, a él y a su familia, salvo a su mujer. Determinamos que fuera de los que se rezagaran. [58] E hicimos llover sobre ellos una

lluvia [de piedras]. ¡Qué lluvia aterradora fue la que les enviamos! ⁵⁹ Di: «¡Alabado sea Dios! ¡Paz sobre Sus siervos, que Él ha elegido! ¿Quién es mejor: Dios o lo que Le asocian?».

⁶⁰ ¿Quién, si no, ha creado los cielos y la Tierra y hecho bajar para vosotros agua del cielo, mediante la cual hacemos crecer primorosos jardines allí donde vosotros no podríais hacer crecer árboles? ¿Acaso puede haber otra divinidad junto con Dios? Realmente son desviados ⁶¹ ¿Quién, si no, ha estabilizado la Tierra, colocado por ella ríos, fijado montañas y puesto una barrera entre las dos grandes masas de agua? ¿Hay un dios junto con Dios? Pero la mayoría no saben.

⁶² ¿Quién, si no, escucha la invocación del necesitado, quita el mal y hace de vosotros sucesores en la Tierra? ¿Hay un dios junto con Dios? ¡Qué poco os dejáis amonestar! ⁶³ ¿Quién, si no, os guía por entre las tinieblas de la tierra y del mar, quién envía los vientos como nuncios que preceden a Su misericordia? ¿Hay un dios junto con Dios? ¡Dios está por encima de lo que Le asocian! ⁶⁴ ¿Quién, si no, inicia la creación y luego la repite? ¿Quién os sustenta de los bienes del cielo y de la Tierra? ¿Hay un dios junto con Dios? Di: «¡Aportad vuestra prueba, si es verdad lo que decís!».

⁶⁵ Di: «Nadie en los cielos ni en la tierra conoce lo oculto, fuera de Dios. Y no presienten cuándo van a ser resucitados. ⁶⁶ El conocimiento de los hombres no alcanza para comprender la otra vida. Algunos dudan de su existencia e ignoran completamente todo lo que a ella se refiere». ⁶⁷ Los incrédulos dicen: «Cuando nosotros y nuestros padres seamos tierra, ¿se nos sacará? ⁶⁸ ¡Esto es lo que antes se nos prometió, a nosotros y a nuestros padres! ¡No son más que patrañas de los antiguos!». ⁶⁹ Di: «¡Id por la tierra y mirad cómo terminaron los pecadores!».

⁷⁰ ¡No estés triste por ellos ni te angusties por sus intrigas! ⁷¹ Dicen: «¡Cuándo se cumplirá esta amenaza, si es verdad lo

que decís?». [72] Di: «Quizás algo de aquello cuya venida queréis apresurar esté ya pisándoos los talones». [73] Sí, tu Señor dispensa Su favor a los hombres, pero la mayoría no agradecen. [74] En verdad, tu Señor conoce lo que ocultan sus pechos y lo que manifiestan. [75] No hay nada escondido en el cielo ni en la Tierra que no esté en una Escritura clara.

[76] Este Corán cuenta a los Hijos de Israel la mayor parte de aquello en que discrepan. [77] Es, sí, dirección y misericordia para los creyentes. [78] Tu Señor decidirá entre ellos con Su fallo. Es el Poderoso, el Omnisciente. [79] ¡Confía en Dios! Posees la verdad manifiesta. [80] Tú no puedes hacer que los muertos oigan, ni que los sordos oigan el llamamiento si vuelven la espalda. [81] Ni puedes dirigir a los ciegos, sacándolos de su extravío. Tú no puedes hacer que oigan sino quienes creen en Nuestros signos y están sometidos a Nosotros.

[82] Cuando ocurra lo que ha sido decretado para ellos, haremos salir de la Tierra una bestia que les hablará milagrosamente [y esta será una señal de la proximidad del Día del Juicio]; esto es porque los hombres no estaban convencidos de Nuestros signos. [83] El día que, de cada comunidad, congreguemos a una muchedumbre de los que desmentían Nuestros signos, serán divididos en grupos. [84] Y al llegar [al lugar del juicio, Dios] les dirá: «Desmentisteis Mis signos sin reflexionar sobre ellos», y se les preguntará: «¿Cuáles fueron vuestras obras?». [85] Se pronunciará contra ellos la sentencia por haber obrado impíamente y no tendrán qué decir. [86] ¿No ven que hemos establecido la noche para que descansen y el día para que puedan ver claro? Ciertamente, hay en ello signos para gente que cree.

[87] El día que se toque la trompeta, se aterrorizarán quienes estén en los cielos y en la Tierra, salvo aquellos que Dios quiera. Todos vendrán a Él humildes. [88] Verás pasar las montañas, que tú

creías inmóviles, como pasan las nubes: obra de Dios, Que todo lo hace perfecto. Él está bien informado de lo que hacéis. [89] Quienes presenten una obra buena obtendrán una recompensa mejor aún y se verán, ese día, libres de terror, [90] mientras que quienes presenten una obra mala serán precipitados de cabeza en el Fuego: «¿Se os retribuye por algo que no hayáis cometido?».

[91] «He recibido solo la orden de servir al Señor de esta ciudad, que Él ha declarado sagrada. ¡Todo Le pertenece! He recibido la orden de ser de los sometidos a Él, [92] y de recitar el Corán. Quien sigue la vía recta la sigue, en realidad, en provecho propio». Pero quien se extravía... Di: «Yo no soy sino uno que advierte». [93] Di también: «¡Alabado sea Dios! él os mostrará Sus signos y vosotros los reconoceréis. Tu Señor está atento a lo que hacéis».

SURA 28 : AL QASAS

EL RELATO

¡En el nombre de Dios, el Compasivo, el Misericordioso!

[1] *Ta. Sin. Mim.*

[2] Estos son los preceptos del Libro claro. [3] Te recitamos la historia de Moisés y de Faraón, conforme a la verdad, para gente que cree. [4] Por cierto que el Faraón fue un tirano en la Tierra. Dividió a sus habitantes en clases y esclavizó a un grupo de ellos [los Hijos de Israel], degollando a sus hijos varones y dejando con vida a las mujeres; por cierto que fue un corruptor. [5] Quisimos agraciar a los que habían sido humillados en el país y hacer de ellos jefes, hacer de ellos herederos, [6] darles poderío en el país y servirnos de ellos para hacer que Faraón, Hamán y sus ejércitos experimentaran lo que ya recelaban.

[7] Inspiramos a la madre de Moisés [y le dijimos]: «Amamántalo, y cuando temas por él déjalo [en un cesto de mimbre] en el río. Y no temas ni te entristezcas, porque ciertamente te lo devolveremos y haremos de él un Mensajero». [8] Lo recogió la familia de Faraón, para terminar siendo para ellos enemigo y causa de tristeza. Faraón, Hamán y sus ejércitos eran pecadores. [9] La mujer de Faraón dijo: «Mi alegría y la tuya. ¡No le mates! Quizá nos sea útil o le adoptemos como hijo». No presentían...

[10] La madre de Moisés quedó desolada y estuvo a punto de revelar lo ocurrido, si no llega a ser porque fortalecimos su corazón para que tuviera fe. [11] Dijo a su hermana: «¡Síguele!». Y le observaba de lejos, a hurtadillas. [12] Antes, le habíamos vedado los pechos. Dijo ella: «¿Queréis que os indique una familia que os lo cuide y eduque?». [13] Así, lo devolvimos a su madre, para, que se alegrara y no estuviera triste, para que supiera que lo que Dios promete es verdad. Pero la mayoría no saben. [14] Cuando alcanzó la madurez y completó su crecimiento, le dimos juicio y ciencia: así retribuimos a quienes hacen el bien.

[15] Y [Moisés] ingresó cierta vez a la ciudad sin que sus habitantes se percataran, cuando encontró a dos hombres que peleaban, uno era de los suyos [de los Hijos de Israel] y el otro de sus enemigos. El que era de los suyos le pidió ayuda contra el que era de sus enemigos. Entonces Moisés le golpeó con su puño y le mató [inintencionadamente]. Exclamó [Moisés]: Esto es obra de Satanás, ciertamente [Satanás] es un enemigo evidente que pretende desviar a los hombres. [16] Dijo: «¡Oh, Señor mío! He sido injusto conmigo mismo. ¡Perdóname!». Y le perdonó. Él es el Indulgente, el Misericordioso. [17] Dijo: «¡Oh, Señor mío! Por las gracias que me has dispensado, no respaldaré a los pecadores».

[18] A la mañana siguiente se encontraba en la ciudad, temeroso, cauto, y he aquí que el que la víspera había solicitado su auxilio le

llamó a gritos. Moisés le dijo: «¡Estás evidentemente descarriado!».
[19] Habiendo querido, no obstante, poner las manos en el enemigo
de ambos, este le dijo: «¡Moisés! ¿Es que quieres matarme a mí
como mataste ayer a aquel? Tú no quieres sino tiranizar el país,
no reformarlo». [20] Entonces, de los arrabales, vino corriendo un
hombre. Dijo: «¡Moisés! Los dignatarios están deliberando sobre ti
para matarte. ¡Sal! Te aconsejo bien». [21] Y salió de ella, temeroso,
cauto. «¡Oh, Señor mío!», dijo: «¿Sálvame del pueblo inicuo!».

[22] Y, dirigiéndose hacia Madián, dijo: «Quizá mi Señor me
conduzca por el camino recto». [23] Cuando llegó a la aguada
de Madián, encontró allí a un grupo de gente que abrevaba sus
rebaños. Encontró, además, a dos mujeres que mantenían alejado
el de ellas. Dijo: «¿Qué os pasa?». Dijeron ellas: «No podemos
abrevar el rebaño mientras estos pastores no se lleven los suyos. Y
nuestro padre es muy anciano». [24] Y abrevó su rebaño. Luego, se
retiró a la sombra. Y dijo: «¡Oh, Señor mío! Me hace mucha falta
cualquier bien que quieras hacerme». [25] Una de las dos vino a él con
paso tímido y dijo: «Mi padre te llama para retribuirte por habernos
abrevado el rebaño». Cuando llegó ante él y le contó lo que le había
ocurrido, dijo: «¡No temas! Estás a salvo del pueblo inicuo». [26] Una
de ellas dijo: «¡Padre! ¡Dale un empleo! No podrás emplear a nadie
mejor que este hombre, fuerte, de confianza». [27] Dijo: «Quisiera
casarte con una de estas dos hijas mías, pero a condición de que
trabajes para mí durante ocho años. Si completas diez, es ya cosa
tuya. No quiero coaccionarte. Encontrarás, si Dios quiere, que
soy de los justos». [28] Dijo: «¡Trato hecho! Y cualquiera que sea el
plazo que yo decida, no seré objeto de hostilidad. Dios responde de
nuestras palabras».

[29] Y, cuando Moisés cumplió el tiempo convenido y se fue con su
familia, distinguió un fuego del lado del monte y dijo a su familia:
«¡Quedaos aquí! Distingo un fuego. Quizá pueda informaros de

qué se trata u os traiga un tizón. Quizás, así podáis calentaros».
³⁰ Cuando llegó hasta el fuego sintió un llamado que provenía en
dirección de un árbol que se encontraba en la ladera derecha del
valle, en un lugar bendito: «¡Moisés! ¡Soy Dios, Señor del Universo!
³¹ ¡Tira tu vara!». Y cuando vio que se movía como si fuera una
serpiente, dio media vuelta para escapar, sin volverse. «¡Moisés!
¡Avanza y no temas! ¡No va a pasarte nada! ³². Introduce la mano
por la escotadura de tu túnica y saldrá blanca, sana. Frente al miedo,
¡mantente sereno! He aquí dos pruebas de tu Señor, destinadas a
Faraón y a sus dignatarios, que son gente perversa».

³³ Dijo: «¡Oh, Señor mío! He matado a uno de los suyos y
temo que me maten. ³⁴ Mi hermano Aarón es más elocuente que
yo. Envíale conmigo como ayudante, para que confirme lo que
yo diga. Temo que me desmientan». ³⁵ Dijo: «Fortaleceremos tu
brazo con tu hermano y os daremos autoridad. Así no se llegarán
a vosotros. Gracias a Nuestros signos, vosotros dos y quienes os
oigan ganaréis».

³⁶ Cuando Moisés les trajo Nuestros signos como pruebas claras,
dijeron: «¡Esto no es sino magia inventada! No hemos oído que
ocurriera tal cosa en tiempo de nuestros antepasados». ³⁷ Moisés
dijo: «Mi Señor sabe bien quién ha traído la Dirección de Él y
quién tendrá la Morada Postrera. Los inicuos no prosperarán».
³⁸ Faraón dijo: «¡Oh, nobleza! No conozco otra divinidad que no sea
yo. ¡Oh, Hamán! Enciende el horno para cocer ladrillos de barro, y
constrúyeme una torre para poder observar a la divinidad que adora
Moisés; aunque creo que es de los que mienten».

³⁹ Y se condujeron, él y sus tropas, en el país altivamente sin
razón. Creían que no iban a ser devueltos a Nosotros. ⁴⁰ Entonces,
les sorprendimos, a él y a sus tropas, y les precipitamos en el mar.
¡Y mira cómo terminaron los inicuos! ⁴¹ Hicimos de ellos jefes que
llaman al Fuego. Y el Día de la Resurrección no serán auxiliados.

⁴² Y decretamos que en esta vida fuesen maldecidos, y que en el Día de la Resurrección sean de los aborrecibles. ⁴³ Después de haber hecho perecer a las generaciones precedentes, dimos a Moisés el Libro como argumento evidente para los hombres, como dirección y misericordia. Quizás, así, se dejaran amonestar.

⁴⁴ Cuando decidimos la orden respecto a Moisés, tú no estabas en la ladera occidental del monte, ni eras testigo. ⁴⁵ Pero suscitamos generaciones que vivieron una vida larga. Tú no residías entre los madianitas para recitarles Nuestras aleyas. Pero enviamos. ⁴⁶ Ni estabas en la ladera del monte cuando llamamos. Empero, por una misericordia venida de tu Señor, para que adviertas a un pueblo al que no ha venido monitor alguno antes de ti. Quizás, así, se dejen amonestar. ⁴⁷ Si como castigo a sus obras, les afligiera una desgracia, dirían: «¡Señor! ¿Por qué no nos has mandado un Mensajero? Habríamos seguido Tus signos y creído». ⁴⁸ Pero, ahora que la Verdad ha venido a ellos de parte Nuestra, dicen: «¿Por qué no se le ha dado lo mismo que se dio a Moisés?». Pero ¿no se mostraron también incrédulos ante lo que se había dado antes a Moisés? Dicen: «Son dos casos de magia que se respaldan mutuamente». Y dicen: «No creemos en ninguna».

⁴⁹ Di: «Traed un libro que provenga de Dios que sea una guía mejor que estos dos [la Torá y el Evangelio] y entonces yo lo seguiré, si es que decís la verdad». ⁵⁰ Y, si no te escuchan, sabe que no hacen sino seguir sus pasiones. ¿Y hay alguien más extraviado que quien sigue sus pasiones, sin ninguna dirección venida de Dios? Dios no dirige al pueblo inicuo. ⁵¹ Les hemos hecho llegar la Palabra. Quizás, así se dejen amonestar.

⁵² Aquellos a quienes hemos dado el Libro antes de él, creen en él. ⁵³ Y, cuando se les recita este, dicen: «¡Creemos en él! Es la Verdad que viene de nuestro Señor. Antes de él nos habíamos sometido». ⁵⁴ Recibirán doble remuneración por haber tenido paciencia.

Repelen el mal con el bien y dan limosna de lo que les hemos proveído. ⁵⁵ Cuando oyen vaniloquio, se desvían y dicen: «Nosotros responderemos de nuestros actos y vosotros de los vuestros. ¡Paz sobre vosotros! ¡No deseamos tratar con los ignorantes!». ⁵⁶ Tú no puedes dirigir a quien amas. Dios es, más bien, Quien dirige a quien él quiere. Él sabe mejor que nadie quiénes son los que siguen la buena dirección.

⁵⁷ Dicen: «Si seguimos la Dirección contigo, se nos despojará de nuestra tierra». Pero ¿es que no les hemos dado poder sobre un territorio sagrado y seguro, al que se traen frutos de todas clases como sustento de parte Nuestra? Pero la mayoría no saben.

⁵⁸ ¡Cuántas ciudades hemos hecho perecer, que se ufanaban de sus medios de subsistencia! Ahí tenéis sus viviendas, casi del todo deshabitadas después de ellos. Hemos sido Nosotros los Herederos. ⁵⁹ Tu Señor no destruye ninguna población sin antes enviar un Mensajero a su ciudad principal para que les trasmita Sus preceptos; y solo hacemos sucumbir una población cuando estos son inicuos

⁶⁰ Lo que habéis recibido no es más que breve disfrute de la vida del mundo y ornato suyo. En cambio, lo que Dios tiene es mejor y más duradero. ¿Es que no razonáis? ⁶¹ Uno a quien hemos prometido algo bello, que verá cumplirse, ¿es comparable a aquel otro a quien hemos permitido el breve disfrute de la vida del mundo y a quien luego, el Día de la Resurrección, se hará comparecer?

⁶² El día que les llame, dirá: «¿Dónde están aquellos que pretendíais que eran Mis asociados?». ⁶³ Aquellos contra quienes se pronuncie la sentencia dirán: «¡Señor! estos son los que nosotros descarriamos. Les descarriamos como nosotros también estábamos descarriados. Somos inocentes ante Ti. No es a nosotros a quienes adoraban».

⁶⁴ Se dirá: «¡Invocad a vuestros asociados!». Les invocarán, pero no les escucharán y verán el castigo. Si hubieran seguido la

buena dirección... ⁶⁵ El día que les llame, dirá: «¿Qué respondisteis a los Mensajeros?». ⁶⁶ Ese día, como no sabrán qué responder, ni se preguntarán unos a otros. ⁶⁷ En cuanto a quien se arrepienta, crea y obre bien, es posible que se cuente entre los que prosperen.

⁶⁸ Tu Señor crea y elige lo que quiere. El elegir no les incumbe. ¡Gloria a Dios! ¡Está por encima de lo que Le asocian! ⁶⁹ Tu Señor conoce lo que ocultan sus pechos y lo que manifiestan. ⁷⁰ ¡Es Dios ¡No hay más dios que Él! ¡Alabado sea en esta vida y en la otra! ¡Suya es la decisión! ¡Y a Él seréis devueltos!

⁷¹ Di: «¿Qué os parece si Dios os impusiera una noche perpetua hasta el Día de la Resurrección? ¿Qué otro dios que Dios podría traeros la claridad? ¿Es que no oís?». ⁷² Di: «¿Qué os parece si Dios os impusiera un día perpetuo hasta el Día de la Resurrección? ¿Qué otro dios que Dios podría traeros la noche para reposaros? ¿Es que no veis?». ⁷³ Como muestra de Su misericordia, ha establecido la noche para vosotros para que descanséis y el día para que busquéis Su favor. Y quizás así, seáis agradecidos.

⁷⁴ El día que les llame, dirá: «¿Dónde están aquellos que pretendíais que eran Mis asociados?». ⁷⁵ Haremos comparecer un testigo de cada comunidad y diremos: «¡Aportad vuestra prueba!». Y sabrán que la Verdad es de Dios. Y se esfumarán sus invenciones.

⁷⁶ Por cierto que Qarún era del pueblo de Moisés pero se ensoberbeció. Le habíamos concedido tantos tesoros que hasta las llaves [de dichas riquezas] resultaban pesadas para un grupo de hombres fornidos [cuando las cargaban]. Y recuerda [¡Oh, Muhammad!] cuando su pueblo le dijo: «No te jactes [de lo que tienes] porque Dios no ama a los presuntuosos! ⁷⁷ ¡Busca en lo que Dios te ha dado la Morada Postrera, pero no olvides la parte que de la vida de esta te toca! ¡Sé bueno, como Dios lo es contigo! ¡No busques corromper en la Tierra, que Dios no ama a los corruptores!».

⁷⁸ Dijo: «Por cierto que lo que se me ha concedido es gracias

a mi conocimiento». Pero ¿es que no sabía que Dios había hecho perecer antes de él a otras generaciones más poderosas y opulentas que él? Pero a los pecadores no se les interrogará acerca de sus pecados.

[79] Y se presentó [Qarún un día] ante su pueblo con todo su lujo, y quienes amaban la vida mundanal exclamaron: «¡Ojalá tuviéramos lo mismo que Qarún! Realmente que es muy afortunado». [80] Pero los que habían sido agraciados con el conocimiento, dijeron: «¡Ay de vosotros! La recompensa de Dios es mejor para el que cree y obra bien. Y no lo conseguirán sino los que tengan paciencia».

[81] Hicimos que la Tierra se tragara a él y su vivienda. No hubo ningún grupo que, fuera de Dios, le auxiliara, ni pudo defenderse a sí mismo. [82] A la mañana siguiente, los que la víspera habían envidiado su posición dijeron: «¡Ah! Dios dispensa el sustento a quien Él quiere de sus Siervos: a unos con largueza, a otros con mesura. Si Dios no nos hubiera agraciado, habría hecho que nos tragara. ¡Ah! ¡Los incrédulos no prosperarán!».

[83] Asignamos esa Morada Postrera a quienes no quieren conducirse con altivez en la tierra ni corromper. El fin es para los que temen a Dios. [84] Quien venga habiendo obrado bien tendrá como recompensa algo aún mejor. Y quien venga habiendo obrado mal,... Quienes hayan obrado mal no serán retribuidos sino conforme a sus obras.

[85] Por cierto que Quien te ha ordenado transmitir el Corán os resucitará el Día de la Resurrección [y os juzgará]. Di: «Mi Señor sabe bien quién ha traído la Dirección y quién está evidentemente extraviado». [86] Tú no podías esperar que se te transmitiera a ti el Libro. No ha sido así más que por misericordia venida de tu Señor. ¡No respaldes a los incrédulos! [87] ¡Que no te desvíen de los preceptos de Dios, después de haberte sido reveladas! ¡Llama a tu Señor y no seas de los asociadores! [88] ¡No invoques a otro dios

junto con Dios! ¡No hay más dios que Él! ¡Todo perece, salvo Él! ¡Suya es la decisión! ¡Y a Él seréis devueltos!

....

LA ARAÑA

¡En el nombre de Dios, el Compasivo, el Misericordioso!

¹ *Alif. Lam. Mim.*

² ¿Piensan los hombres que se les dejará decir: «¡Creemos!», sin ser probados? ³ Ya probamos a sus predecesores. Dios, sí, conoce perfectamente a los sinceros y conoce perfectamente a los que mienten.

⁴ ¿Piensan quienes obran mal que podrán escapar de Nosotros? ¡Qué mal juzgan! ⁵ Quien cuente con encontrar a Dios sepa que el plazo fijado por Dios vendrá ciertamente, Él es Quien todo lo oye, Quien todo lo sabe. ⁶ Quien combate por Dios combate, en realidad, en provecho propio. Dios, ciertamente, puede prescindir de las criaturas. ⁷ A quienes hayan creído y obrado bien les borraremos, sí, sus malas obras y les retribuiremos, sí, con arreglo a sus mejores obras.

⁸ Hemos ordenado al hombre que se porte bien con sus padres. Pero si estos te insisten en que Me asocies algo de lo que no tienes conocimiento, ¡no les obedezcas! Volveréis a Mí y ya os informaré de lo que hacíais. ⁹ A quienes hayan creído y obrado bien hemos de hacer que entren a formar parte de los justos.

¹⁰ Hay algunos que dicen: «¡Creemos en Dios!». Pero, en cuanto sufren algo por Dios, toman la prueba a que los hombres les somenten como castigo de Dios. Si, en cambio, tu Señor les auxilia, seguro que dicen: «¡Estábamos con vosotros!». ¿Es que Dios no

sabe bien lo que hay en los pechos de la Humanidad? [11] Dios, sí, conoce perfectamente a los que creen y conoce perfectamente a los hipócritas.

[12] Los incrédulos dicen a los creyentes: «¡Seguid nuestro camino y cargaremos con vuestros pecados!». Pero, si ni con sus propios pecados cargan nada... ¡Mienten, ciertamente! [3] Llevarán, ciertamente, su carga juntamente con la ajena. El Día de la Resurrección tendrán que responder de lo que se inventaban.

[14] Enviamos Noé a su pueblo y permaneció con él durante mil años menos cincuenta. Luego, el diluvio les sorprendió en su iniquidad. [15] Les salvamos, a él y a los de la nave, e hicimos de ella un signo para todo el mundo.

[16] Y a Abraham. Cuando dijo a su pueblo: «¡Adorad a Dios y temedle! Es mejor para vosotros. Si supierais...». [17] Solo adoráis ídolos en lugar de Dios, e inventáis una mentira. Ciertamente lo que adoráis en lugar de Dios no puede proveeros ningún sustento. Pedid, pues, a Dios el sustento, adoradle y agradecedle. Y por cierto que ante Él compareceréis [18] Si desmentís, ya otras generaciones, antes de vosotros, desmintieron. Al Mensajero solo le incumbe la transmisión clara.

[19] ¿Es que no ven cómo inicia Dios la creación y, luego, la repite? Es cosa fácil para Dios. [20] Di: «¡Id por la tierra y mirad cómo inició la creación! Luego, Dios creará por última vez. Dios es Omnipotente». [21] Castiga a quien Él quiere y se apiada de quien Él quiere. A Él seréis devueltos. [22] No podéis escapar en la Tierra ni en el cielo. No tenéis, fuera de Dios, amigo ni auxiliar. [23] Quienes no crean en los signos de Dios y en que Le encontrarán, esos son quienes desesperarán de Mi misericordia, esos son quienes sufrirán un castigo doloroso.

[24] Lo único que respondió su pueblo fue: «¡Matadle o quemadle!». Pero Dios le libró del fuego. Ciertamente hay en ello

signos para gente que cree. ^{25} Dijo: «Habéis tomado ídolos en lugar de tomar a Dios, solo por el afecto mutuo que os tenéis en la vida del mundo. Luego, el día de la Resurrección, renegaréis unos de otros y os maldeciréis mutuamente. Vuestra morada será el Fuego y no tendréis quien os auxilie». ^{26} Lot creyó en Él y dijo: «Me refugio en mi Señor. Él es el Poderoso, el Sabio». ^{27} Le regalamos Isaac y Jacob, e instituimos en su descendencia el profetismo y el Libro. Le recompensamos en esta vida, y en la otra es de los justos.

^{28} Y a Lot, cuando dijo a su pueblo: «Ciertamente cometéis una deshonestidad que ninguna criatura ha cometido antes. ^{29} ¿Os llegáis a los hombres, salteáis y cometéis actos reprobables en vuestras reuniones?». Lo único que respondió su pueblo fue: «¡Tráenos el castigo de Dios, si es verdad lo que dices!». ^{30} Dijo: «¡Oh, Señor mío! ¡Auxíliame contra el pueblo corruptor!».

^{31} Cuando Nuestros mensajeros vinieron a Abraham con la buena nueva, dijeron: «Vamos a hacer perecer a la población de esta ciudad. Son unos inicuos». ^{32} Dijo: «Pero Lot está en ella». Dijeron: «Sabemos bien quién está en ella. Les salvaremos, ciertamente, a él y a su familia, excepto a su mujer, que será de los que se rezaguen». ^{33} Habiendo llegado nuestros mensajeros a Lot, este se afligió por ellos y se sintió impotente para protegerles. Pero ellos dijeron: «¡No temas ni estés triste! Vamos a salvaros, a ti y a tu familia, excepto a tu mujer, que será de los que se rezaguen. ^{34} Vamos a hacer bajar un castigo del cielo sobre la población de esta ciudad, porque han sido unos perversos». ^{35} E hicimos de ella un signo claro para gente que razona.

^{36} A los Madián su hermano Suayb. Dijo: «¡Pueblo! ¡Adorad a Dios y contad con el Último Día! ¡No obréis mal en la Tierra corrompiendo!». ^{37} Le desmintieron y el Temblor les sorprendió, amaneciendo muertos en sus casas.

^{38} ¡Y a los 'Ad y a los Zamud! Por sus viviendas se os muestra claramente... Satanás engalanó sus obras y los apartó del Camino, a pesar de su perspicacia.

[39] ¡Y a Qarún, a Faraón y a Hamán! Moisés vino a ellos con las pruebas claras y ellos se condujeron en el país altivamente. Pero no consiguieron escapar. [40] Sorprendimos a cada uno por su pecado. Contra unos enviamos una tempestad de arena. A otros les sorprendió el Grito. A otros hicimos que la tierra se los tragara. A otros les ahogamos. No fue Dios quien fue injusto con ellos, sino que ellos lo fueron consigo mismos.

[41] Quienes toman amigos en lugar de tomar a Dios son semejantes a la araña que se ha hecho una casa. Y la casa más frágil es la de la araña. Si supieran... [42] Dios sabe todo lo que invocan en lugar de invocarle a Él. Es el Poderoso, el Sabio. [43] Proponemos estas parábolas a los hombres, pero no las comprenden sino los que saben. [44] Dios ha creado con un fin los cielos y la Tierra. Ciertamente, hay en ello un signo para los creyentes.

[45] ¡Recita lo que se te ha revelado del Libro! ¡Haz la oración! La oración prohíbe la deshonestidad y lo reprobable. Pero el recuerdo de Dios es más importante aún. Dios sabe lo que hacéis.

[46] No discutáis sino con buenos modales con la gente del Libro, excepto con los que hayan obrado impíamente. Y decid: «Creemos en lo que se nos ha revelado a nosotros y en lo que se os ha revelado a vosotros. Nuestro Dios y vuestro Dios es Uno. Y nos sometemos a él».

[47] Y, así, te hemos revelado el Libro. Aquellos a quienes revelamos el Libro creen en ella. Entre estos hay algunos que creen en ella. Nadie rechaza Nuestros signos sino los incrédulos. [48] Tú no leías, antes de recibirla, ninguna Escritura, ni copiabas ninguna con tu diestra. Los falsarios, si no, habrían sospechado... [49] Antes bien, es un conjunto de claras revelaciones en los corazones de quienes

han sido agraciados con el conocimiento. Nadie niega nuestras revelaciones sino los inicuos.

⁵⁰ Dicen: «¿Por qué no se le han revelado signos procedentes de su Señor?». Di: «Solo Dios dispone de los signos. Yo soy solamente un monitor que habla claro». ⁵¹ ¿Es que no les basta que te hayamos revelado el Libro que se les recita? Hay en ello una misericordia y una amonestación para gente que cree. ⁵² Di: «¡Dios basta como testigo entre yo y vosotros! Conoce lo que está en los cielos y en la Tierra. Quienes crean en lo falso y no crean en Dios, esos serán los que pierdan».

⁵³ Y te piden que adelantes el castigo. Si no fuera porque ha sido prefijado, les habría ya alcanzado. Les vendrá, en verdad, de repente, sin presentirlo. ⁵⁴ Te piden que adelantes el castigo. Sí, el Infierno cercará a los incrédulos. ⁵⁵ El día que el castigo les cubra de pies a cabeza y diga: «¡Gustad el fruto de vuestras obras!».

⁵⁶ ¡Siervos creyentes! ¡Mi tierra es vasta! ¡Adoradme, pues, a Mí solo! ⁵⁷ Cada uno gustará la muerte. Luego, seréis devueltos a Nosotros. ⁵⁸ A quienes hayan creído y obrado rectamente les alojaremos en las mansiones del Paraíso, bajo las cuales corren los ríos, y donde morarán eternamente. ¡Qué placentera será la recompensa de los creyentes, ⁵⁹ que fueron perseverantes y se encomendaron a su Señor! ⁶⁰ ¡Cuántas bestias hay que no pueden proveerse del sustento! Dios se encarga de él y del vuestro. Él es Quien todo lo oye, Quien todo lo sabe.

⁶¹ Si les preguntas: «¿Quién ha creado los cielos y la Tierra y sujetado el sol y la luna?», seguro que dicen: «¡Dios!». ¡Cómo pueden, pues, ser tan desviados! ⁶² Dios dispensa el sustento a quien Él quiere de Sus siervos: a unos con largueza, a otros con mesura. Dios es Omnisciente. ⁶³ Si les preguntas: «¿Quién hace bajar agua del cielo, vivificando con ella la tierra después de muerta?», seguro

que dicen: «¡Dios!». Di: «¡Alabado sea Dios!». No, la mayoría no comprenden.

⁶⁴ Esta vida del mundo no es sino distracción y juego, pero la Morada Postrera, esa sí que es la verdadera vida. Si supieran... ⁶⁵ Cuando se embarcan, invocan a Dios rindiéndole culto sincero. Pero, en cuanto les salva, llevándoles a tierra firme, al punto Le asocian otros dioses, ⁶⁶ para terminar negando lo que les hemos dado. ¡Que gocen por breve tiempo! ¡Van a ver...!

⁶⁷ ¿Acaso no ven que hemos dispuesto [para ellos] un territorio sagrado y seguro [la Meca], mientras que a su alrededor los hombres son expulsados [de sus tierras y atacados]? ¿Creen, pues, en lo falso y no creerán en la gracia de Dios? ⁶⁸ ¿Hay alguien que sea más inicuo que quien inventa una mentira contra Dios o que, cuando viene a él la Verdad, la desmiente? ¿No hay en el Infierno una morada para los incrédulos? ⁶⁹ A quienes hayan combatido por Nosotros ¡hemos de guiarles por Nuestros caminos! ¡Dios está, en verdad, con quienes hacen el bien!

SURA 30 : AR RÚM
....

LOS BIZANTINOS

¡En el nombre de Dios, el Compasivo, el Misericordioso!

¹ *Alif. Lam. Mim.*

² Los bizantinos han sido vencidos [por los persas] ³ en los confines del país. Pero, después de su derrota, vencerán ⁴ dentro de varios años. Todo está en manos de Dios, tanto el pasado como el futuro. Ese día, los creyentes se regocijarán ⁵ del auxilio de Dios. Auxilia a quien Él quiere. Es el Poderoso, el Misericordioso. ⁶ ¡Promesa de Dios! Dios no falta a Su promesa. Pero la mayoría de los hombres

no saben. [7] Conocen lo externo de la vida del mundo, pero no se preocupan por la Otra Vida.

[8] ¿Es que no reflexionan en su interior? Dios no ha creado los cielos, la Tierra y lo que entre ellos está sino con un fin y por un período determinado. Pero muchos hombres se niegan, sí, a creer en el encuentro de su Señor. [9] ¿No han ido por la Tierra y mirado cómo terminaron sus antecesores? Eran más poderosos, araban la tierra y la poblaban más que ellos. Sus enviados vinieron a ellos con las pruebas claras. No fue Dios quien fue injusto con ellos, sino que ellos lo fueron consigo mismos. [10] Y el fin de los que obraron mal fue el peor, porque desmintieron los signos de Dios y se burlaron de ellos.

[11] Dios inicia la creación y luego la repite, después de lo cual seréis devueltos a Él. [12] Cuando suene la Hora, los pecadores serán presa de la desesperación. [13] Sus asociados no intercederán por ellos y estos renegarán de aquellos. [14] El día que suene la Hora se dividirán: [15] Quienes hayan creído y obrado rectamente morarán en un jardín en el que se deleitarán; [16] pero quienes no hayan creído y hayan desmentido Nuestros signos y la existencia de la Otra Vida serán entregados al castigo. [17] ¡Gloria a Dios tarde y mañana! [18] ¡Alabado sea en los cielos y en la Tierra, por la tarde y al mediodía!

[19] Saca al vivo del muerto, al muerto del vivo. Vivifica la tierra después de muerta. Así es como se os sacará. [20] Y entre Sus signos está el haberos creado de tierra. Luego, hechos hombres, os diseminasteis... [21] Y entre Sus signos está el haberos creado esposas nacidas entre vosotros, para que os sirvan de quietud, y el haber suscitado entre vosotros el afecto y la bondad. Ciertamente, hay en ellos signos para gente que reflexiona.

[22] Y entre Sus signos está la creación de los cielos y de la Tierra, la diversidad de vuestras lenguas y de vuestros colores. Ciertamente hay en ello signos para los que saben. [23] Y entre Sus signos está

vuestro sueño, de noche o de día, vuestra solicitud en recibir Su favor. Ciertamente, hay en ello signos para gente que oye. [24] Y entre Sus signos está el haceros ver el relámpago, motivo de temor y de anhelo, y el hacer bajar agua del cielo, vivificando con ella la tierra después de muerta. Ciertamente, hay en ello signos para gente que razona.

[25] Y entre sus Signos está el que los cielos y la Tierra se sostengan por una orden Suya. Al final, apenas Él os llame de la tierra, saldréis inmediatamente. [26] Suyos son quienes están en los cielos y en la Tierra. Todos Le obedecen. [27] Él es Quien origina la creación y luego la reproduce, y ello Le es aún más fácil [que crear por primera vez]. A Él pertenecen los más sublimes atributos en los cielos y en la Tierra, y Él es Poderoso, Sabio.

[28] Os propone una parábola tomada de vuestro mismo ambiente: ¿Hay entre vuestros esclavos quienes participen del mismo sustento del que os hemos proveído, de modo que podáis equipararos en ello con ellos y les temáis tanto cuanto os teméis unos a otros? Así explicamos detalladamente los signos a gente que razona. [29] Los inicuos, al contrario, siguen sus pasiones sin conocimiento. ¿Quién podrá dirigir a aquellos a quienes Dios ha extraviado? No tendrán quien les auxilie.

[30] Conságrate [¡Oh, Muhammad!] al monoteísmo, que ello es la inclinación natural con la que Dios creó a los hombres. La religión de Dios es inalterable y esta es la forma de adoración verdadera, pero la mayoría de los hombres lo ignoran. [31] Volviéndoos a Él arrepentidos. ¡Temedle, haced la oración y no seáis de los asociadores, [32] de los que escinden su religión en sectas, contento cada grupo con lo suyo!

[33] Cuando los hombres sufren una desgracia, invocan a su Señor, volviéndose a Él arrepentidos. Luego, cuando les ha hecho gustar una misericordia venida de Él, algunos de ellos asocian otros dioses

a su Señor, [34] para terminar negando lo que les hemos dado. ¡Gozad, pues, brevemente! ¡Vais a ver...! [35] ¿Acaso les hemos conferido una autoridad que hable de lo que ellos Le asocian?

[36] Cuando hacemos gustar a los hombres una misericordia, se regocijan de ella. Pero, si les sucede un mal como castigo a sus obras, ahí les tenéis desesperados. [37] ¿Es que no ven que Dios dispensa el sustento a quienes Él quiere: a unos con largueza, a otros con mesura? Ciertamente, hay en ello signos para gente que cree. [38] Da lo que es de derecho al pariente, al pobre y al viajero. Es lo mejor para quienes desean agradar a Dios. Esos son los que prosperarán. [39] Lo que prestáis con usura para que os produzca a costa de la hacienda ajena no os produce ante Dios. En cambio, lo que dais de zakat [azaque] por deseo de agradar a Dios... Esos son los que recibirán el doble.

[40] Dios es Quien os ha creado y, luego proveído del sustento, Quien os hará morir y, luego, volveros a la vida. ¿Hay alguno de vuestros asociados que sea capaz de hacer algo de eso? ¡Gloria a Él! ¡Está por encima de lo que Le asocian! [41] Ha aparecido la corrupción en la tierra y en el mar como consecuencia de las acciones de los hombres, para hacerles gustar parte de lo que han hecho. Quizás, así, se conviertan. [42] Di: «¡Id por la tierra y mirad cómo terminaron sus antecesores: fueron, en su mayoría, asociadores!».

[43] Profesa la religión verdadera antes de que llegue un día que Dios no evitará. Ese día serán separados: [44] quienes no hayan creído sufrirán las consecuencias de su incredulidad, pero quienes hayan obrado bien se habrán preparado un lecho. [5] Para retribuir con Su favor a los que hayan creído y obrado bien. Él no ama a los incrédulos.

[46] Entre Sus signos, está el envío de los vientos como nuncios de la buena nueva, para daros a gustar de Su misericordia, para que naveguen las naves siguiendo Sus órdenes y para que busquéis

Su favor. Y quizás, así, seáis agradecidos. [47] Antes de ti, hemos mandado Mensajeros a su pueblo. Les aportaron las pruebas claras. Nos vengamos de los que pecaron, era deber Nuestro auxiliar a los creyentes.

[48] Dios es Quien envía los vientos para que estos reúnan las nubes, extendiendo y fragmentándolas por el cielo como Él quiere. Luego ves que la lluvia cae de entre ellas; y aquellos siervos [azotados por la sequía] a quienes Dios agracia con ella, se alegran., [49] mientras que, antes de haberles sido enviado desde arriba, habían sido presa de la desesperación. [50] ¡Y mira las huellas de la misericordia de Dios, cómo vivifica la tierra después de muerta! Ciertamente Él es Quien resucitará a los muertos, porque Él tiene poder sobre todas las cosas. [51] Y si enviamos un viento y ven que amarillea, se obstinan, no obstante, en su incredulidad. [52] Tú no puedes hacer que los muertos oigan ni que los sordos oigan el llamamiento, si vuelven la espalda. [53] Ni puedes dirigir a los ciegos, sacándoles de su extravío. Tú no puedes hacer que oigan sino quienes creen en Nuestros signos y están sometidos a Nosotros.

[54] Dios es Quien os creó débiles; luego, después de ser débiles, os fortaleció luego, después de fortaleceros, os debilitó y os encaneció. Crea lo que Él quiere. Es el Omnisciente, el Omnipotente. [55] El día que llegue la Hora, jurarán los pecadores que no han permanecido sino una hora. Así estaban de desviados... [56] Y aquellos a los que se les concedió el conocimiento y [se les agració] con la fe les dirán: «Habéis permanecido el tiempo previsto en el Libro de Dios: hasta el Día de la Resurrección, y hoy es el Día de la Resurrección. Pero no sabíais...». [57] Ese día, no les servirán de nada a los inicuos sus excusas y no serán agraciados.

[58] Por cierto que hemos citado en este Corán todo tipo de ejemplos. Y si te hubieras presentado ante ellos con un milagro hubieran dicho: «[¡Oh, Muhammad!] Tú y tus seguidores no sois

más que unos farsantes». ⁵⁹ Así es como sella Dios los corazones de los que no saben. ⁶⁰ ¡Ten, pues, paciencia! ¡Lo que Dios promete es verdad! ¡Y que no te hagan flaquear quienes no están convencidos!

SURA 31 : LUQMÁN

....

LUQMÁN

¡En el nombre de Dios, el Compasivo, el Misericordioso!

¹ *Alif. Lam. Mim.*

² Estos son los preceptos del Libro sabio, ³ como dirección y misericordia para quienes hacen el bien, ⁴ que hacen la oración, dan el zakat [azaque] y están convencidos de la Otra Vida. ⁵ Esos tales están dirigidos por su Señor, esos son los que prosperarán. ⁶ Y entre los hombres hay quienes se vuelcan a las palabras vanas para desviar a los demás del sendero de Dios sin saber [el castigo que les aguarda], y se burlan [de los preceptos de Dios]. Estos son quienes tendrán un castigo humillante. ⁷ Cuando se les recitan Nuestras aleyas, se alejan altivamente, como si no las hubieran oído, como si hubieran estado sordos. ¡Anúnciales un castigo doloroso! ⁸ Quienes, en cambio, hayan creído y obrado bien tendrán los jardines del Deleite. ⁹ en los que estarán eternamente. ¡Promesa de Dios verdad! Él es el Poderoso, el Sabio.

¹⁰ Creó los cielos sin columnas, afirmó la Tierra con montañas para que no se sacuda, diseminó en ella toda clase de animales e hizo descender del cielo la lluvia para que brote generosamente toda especie generosa. ¹¹ Esta es la creación de Dios. ¡Mostradme, pues, qué han creado los otros dioses que hay fuera de Él! Sí, los inicuos están evidentemente extraviados.

¹² Dimos a Luqmán la sabiduría: «¡Sé agradecido con Dios!

Quien es agradecido lo es, en realidad, en provecho propio. Quien es desagradecido... Dios Se basta a Sí mismo, es digno de alabanza».
¹³ Y cuando Luqmán amonestó a su hijo, diciéndole: «¡Hijito! ¡No asocies a Dios otros dioses, que la asociación es una injusticia enorme!».

¹⁴ Hemos ordenado al hombre con respecto a sus padres. Su madre le llevó sufriendo pena tras pena y le destetó a los dos años: «Sé agradecido conmigo y con tus padres. ¡Soy Yo el fin de todo! ¹⁵ Pero, si te insisten en que Me asocies aquello de que no tienes conocimiento, ¡no les obedezcas! En esta vida ¡pórtate amablemente con ellos! ¡Sigue el camino de quien vuelve a Mí arrepentido! Luego, volveréis a Mí y ya os informaré de lo que hacíais».

¹⁶ «¡Hijito! Aunque se trate de algo del peso de un grano de mostaza y esté escondido en una roca, en los cielos o en la Tierra, Dios lo sacará a luz. Dios es sutil, está bien informado. ¹⁷ ¡Hijito! ¡Haz la oración! ¡Ordena lo que está bien y prohíbe lo que está mal! ¡Ten paciencia ante la adversidad! ¡Eso sí que es dar muestras de resolución! ¹⁸ ¡No pongas mala cara a la gente, ni pises la tierra con insolencia! Dios no ama a nadie que sea presumido, jactancioso. ¹⁹ ¡Sé modesto en tus andares! ¡Habla en voz baja! ¡La voz más desagradable es, ciertamente, la del asno!».

²⁰ ¿No veis que Dios ha sujetado a vuestro servicio lo que está en los cielos y en la Tierra, y os ha colmado de Sus gracias, visibles u ocultas? Pero hay algunos hombres que discuten de Dios sin tener conocimiento, ni dirección, ni Escritura luminosa. ²¹ Y, cuando se les dice: «¡Seguid lo que Dios ha revelado!», dicen: «¡No, sino que seguiremos lo mismo que nuestros padres seguían!». ¿Y si Satanás les llamara al castigo del fuego del Infierno?

²² Quien se somete a Dios y hace el bien se habrá aferrado al asidero más firme. El fin de todo es Dios. ²³ Si alguien no cree, ¡que su incredulidad no te entristezca! Volverán a Nosotros y ya les

informaremos de lo que hacían. Dios sabe bien lo que encierran los pechos. ²⁴ Les dejaremos que gocen por breve tiempo. Luego, les arrastraremos a un duro castigo.

²⁵ Si les preguntas: «¿Quién ha creado los cielos y la Tierra?», seguro que dicen: «¡Dios!». Di: «¡Alabado sea Dios!». No, la mayoría no saben. ²⁶ Es de Dios lo que está en los cielos y en la Tierra. Dios es Quien Se basta a Sí mismo, el Digno de Alabanza. ²⁷ Si se hicieran cálamos de los árboles de la tierra, y se añadieran al mar, luego de él, otros siete mares más, no se agotarían las palabras de Dios. Dios es Poderoso, Sabio.

²⁸ Crearos y resucitaros cuesta a Dios tanto como si se tratara de una sola persona. Dios todo lo oye, todo lo ve. ²⁹ ¿No ves que Dios hace que la noche entre en el día y que el día entre en la noche, ha sujetado el sol y la luna, prosiguiendo los dos su curso hasta un término fijo, y que Dios está bien informado de lo que hacéis? ³⁰ Esto es así porque Dios es la Verdad, pero lo que ellos invocan en lugar de invocarle a Él es lo falso. Dios es el Altísimo, el Grande.

³¹ ¿No ves que las naves navegan por la gracia de Dios, para que Él os muestre algunos de Sus signos? Ciertamente, hay en ello signos para todo aquel que tenga mucha paciencia, mucha gratitud. ³² Y, cuando las olas les cubren cual pabellones, invocan a Dios rindiéndole culto sincero. Pero, en cuanto les salva, llevándolos a tierra firme, algunos de ellos vacilan. Nadie niega Nuestros signos sino todo aquel que es pérfido, desagradecido.

³³ ¡Hombres! ¡Temed a vuestro Señor y tened miedo del día en el que ningún padre pueda hacer nada por su hijo y ningún hijo por su padre! ¡Lo que Dios promete es verdad! ¡Que la vida del mundo no os engañe, y que el Engañador no os engañe acerca de Dios! ³⁴ Solo Dios sabe cuándo llegará la Hora [el Día del Juicio], cuándo hará descender la lluvia y qué hay en los vientres maternos; y nadie sabe qué le deparará el día siguiente ni en qué tierra ha de morir.

Ciertamente Dios es Omnisciente y está bien informado de lo que hacéis.

LA POSTRACIÓN

¡En el nombre de Dios, el Compasivo, el Misericordioso!

[1] *Alif. Lam. Mim.*

[2] La revelación del Libro, exenta de dudas, procede del Señor del Universo. [3] O dicen: «Él la ha inventado». ¡No! es la Verdad venida de tu Señor, para que adviertas a un pueblo al que no ha venido monitor alguno antes de ti. Quizás, así se encaminen.

[4] Dios es Quien ha creado los cielos, la Tierra y lo que entre ellos está en seis días. Luego, se ha instalado en el Trono. Fuera de Él[1], no tenéis amigo ni intercesor. ¿Es que no os dejaréis amonestar? [5] Él dispone en el cielo todo lo de la Tierra. Luego, todo ascenderá a Él en un día equivalente en duración a mil años de los vuestros. [6] Tal es el Conocedor de lo oculto y de lo patente, el Poderoso, el Misericordioso, [7] Quien perfeccionó todo lo que ha creado, y comenzó la creación del hombre [Adán] a partir de barro. [8] Luego hizo que su descendencia surja de una gota de esperma insignificante. [9] Luego, le ha dado forma armoniosa, e infundido en él de Su Espíritu. Os ha dado el oído, la vista y el intelecto. ¡Qué poco agradecidos sois!

[10] Dicen: «¿Acaso después que nos hayamos convertido en polvo podremos ser creados nuevamente?». No, no creen en el encuentro de su Señor. [11] Di: «El ángel de la muerte, encargado de vosotros, os llamará y, luego, seréis devueltos a vuestro Señor». [12] Si pudieras ver a los pecadores, cabizbajos ante su Señor: «¡Señor! ¡Hemos visto

y oído! ¡Haznos volver para que hagamos obras buenas! ¡Estamos convencidos!». [13] Si hubiéramos querido, habríamos dirigido a cada uno. Pero se ha realizado Mi sentencia: «¡He de llenar el Infierno de genios y de hombres, de todos ellos!». [14] ¡Gustad, pues, por haber olvidado que os llegaría este día! Nosotros también os hemos olvidado. ¡Gustad el castigo eterno por lo que habéis hecho! [15] Solo creen en Nuestros signos quienes se prosternan cuando se les recitan, glorifican a su Señor, y no se ensoberbecen. [16] Se levantan de sus lechos para invocar a su Señor con temor y anhelo, y dan en caridad parte de lo que le hemos proveído. [17] Nadie sabe la alegría reservada a ellos en retribución a sus obras.

[18] ¿Acaso el creyente es igual que el pecador? No son iguales. [19] Quienes crean y obren rectamente tendrán los jardines del Paraíso como morada en recompensa por lo que hicieron. [20] Pero los que obren con perversidad tendrán el Fuego como morada. Siempre que quieran salir de él, serán devueltos a él y se les dirá: «¡Gustad el castigo del Fuego que desmentíais!». [21] Y os haremos padecer adversidades en esta vida para que recapacitéis, antes de que os azote el castigo del Infierno. [22] ¿Hay alguien que sea más inicuo que quien, habiéndosele recordado los signos de su Señor, se desvía luego de ellos? Nos vengaremos de los pecadores.

[23] Hemos dado a Moisés el Libro -no dudes, pues, en encontrarle- e hicimos de ella dirección para los Hijos de Israel. [24] E hicimos de algunos de ellos líderes ejemplares para guiar a los hombres con Nuestra voluntad. Esto por haber sido perseverantes y haber estado convencidos de Nuestros signos. [25] Tu Señor fallará entre ellos el Día de la Resurrección sobre aquello en que discrepaban. [26] ¿Acaso no se les ha evidenciado [a quienes no creen en este Mensaje] cuántas civilizaciones destruimos, siendo que ellos ahora pueden observar sus ruinas? Por cierto que en ello hay signos para que reflexionen. [27] ¿Es que no ven cómo conducimos el agua a la tierra

pelada y gracias a ella, sacamos los cereales de que se alimentan sus rebaños y ellos mismos? ¿No verán, pues? [28] Y dicen: «¿Para cuándo ese fallo, si es verdad lo que decís?». [29] Di: «El día de la voctoria, la fe ya no aprovechará a los incrédulos y no les será dado esperar». [30] ¡Apártate, pues, de ellos y espera! ¡Ellos esperan!

SURA 33 : AL AHZÁB

LA COALICIÓN

¡En el nombre de Dios, el Compasivo, el Misericordioso!

[1] ¡Profeta! ¡Teme a Dios y no obedezcas a los incrédulos y a los hipócritas! Dios es Omnisciente, Sabio. [2] ¡Sigue lo que tu Señor te revela! Dios está bien informado de lo que hacéis. [3] ¡Confía en Dios! ¡Dios basta como protector!

[4] Dios no ha puesto dos corazones en cl pecho de ningún hombre [como para albergar la fe y la hipocresía a la vez]. Ni ha hecho que las esposas que repudiáis por la fórmula: «¡Eres para mí como la espalda dc mi madre!» sean vuestras madres. Ni ha hecho que vuestros hijos adoptivos sean vuestros propios hijos. Eso cs lo que vuestras bocas dicen. Dios, empero, dice la verdad y conduce por el Camino. [5] Llamadles [a quienes no sean vuestros hijos] por el nombre de sus padres verdaderos, pues esto es lo más justo ante Dios. Y si no sabéis quién es su padre, que sean vuestros hermanos en religión y vuestros protegidos. No incurrís en culpa si en ello os equivocáis, pero sí si lo hacéis deliberadamente. Dios es Indulgente, Misericordioso.

[6] El Profeta es más importante para los creyentes que ellos mismos; las esposas del Profeta [deben ser respetadas como si fueran] las madres de ellos [y no podrán desposarlas jamás]; y

según el Libro de Dios [el Corán] los parientes son quienes tienen derecho a la herencia, algunos en mayor proporción que otros, y no los creyentes y los emigrados, pero aun así podéis testar a favor de ellos [una parte consabida]. Esto ha sido decretado y registrado en el Libro [la Tabla Protegida].

⁷ Y cuando concertamos un pacto con los Profetas, contigo, con Noé, con Abraham, con Moisés y con Jesús, hijo de María, pacto solemne, ⁸ para pedir cuenta de su sinceridad a los sinceros. Y para los incrédulos ha preparado un castigo doloroso.

⁹ ¡Creyentes! Recordad la gracia que Dios os dispensó cuando vinieron las legiones contra vosotros y Nosotros enviamos contra ellas un viento y legiones invisibles a vuestros ojos. Dios ve bien lo que hacéis. ¹⁰ Cuando os atacaron por todas partes, el terror desencajó vuestras miradas, se os subieron vuestros corazones hasta las gargantas, e hicisteis conjeturas sobre Dios [pensando que no socorrería a los creyentes]. ¹¹ En esa ocasión, los creyentes fueron puestos a prueba y sufrieron una violenta conmoción.

¹² Y cuando los hipócritas y los enfermos de corazón decían: «¡Dios y Su Mensajero no han hecho sino engañarnos con sus promesas!». ¹³ Y cuando un grupo de ellos dijo: «¡Gente de Yatrib! ¡No os quedéis aquí! ¡Regresad!». Parte de ellos pidió autorización al Profeta, diciendo: «¡Nuestras casas están indefensas!». En realidad, no es que sus casas estuvieran indefensas, lo que querían era huir. ¹⁴ Si les hubieran entrado por sus arrabales y se les hubiera pedido que apostataran, habrían aceptado casi sin demora. ¹⁵ Pero habían concertado antes con Dios una alianza: no volver la espalda. Y hay que responder de la alianza con Dios... ¹⁶ Di: «No sacaréis nada con huir si es que pretendéis con ello no morir o que no os maten. De todas maneras, se os va a dejar gozar solo por poco tiempo». ¹⁷ Di: «¿Quién podrá protegeros de Dios, tanto si quiere

haceros mal como si quiere haceros objeto de misericordia?». No encontrarán, fuera de Dios, amigo ni auxiliar.

[18] Dios sabe quiénes son, entre vosotros, los que levantan obstáculos y los que dicen a sus hermanos: «¡Venid a nosotros!», pero sin mostrar gran ardor para combatir. [19] Os regatean la ayuda. Cuando viene el miedo, les ves que te miran, girándoles los ojos, como mira aquel a quien ronda la muerte. Pero, cuando ha desaparecido el miedo, os hieren con sus afiladas lenguas, ávidos de botín. Esos tales no son creyentes. Dios hará vanas sus obras. Es cosa fácil para Dios. [20] Creen que los coalicionistas no se han ido. Pero, si los coalicionistas regresaran, querrían retirarse al desierto entre los beduinos, preguntando qué ha sido de vosotros. Si se quedaran con vosotros, combatirían pero poco.

[21] En el Mensajero de Dios tenéis, ciertamente, un bello modelo para quien cuenta con Dios y con el Último Día y que recuerda mucho a Dios. [22] Y cuando los creyentes vieron a los coalicionistas, dijeron: «Esto es lo que Dios y su Mensajero nos habían prometido. ¡Dios y su Mensajero decían la verdad!». Esto no hizo sino aumentar su fe y su adhesión. [23] Hubo creyentes que se mantuvieron fieles a la alianza concertada con Dios. Algunos de ellos dieron ya su vida. Otros esperan aún, sin mudar su actitud. [24] Para que Dios retribuya a los sinceros por su sinceridad y castigue a los hipócritas, si quiere, o se vuelva a ellos. Dios es Indulgente, Misericordioso.

[25] Dios despidió a los incrédulos llenos de ira, sin que consiguieran triunfar. Dios evitó el combate a los creyentes. Dios es Fuerte, Poderoso. [26] Hizo bajar de sus fortalezas a los de la gente del Libro que habían apoyado a aquellos. Sembró el terror en sus corazones. A unos matasteis, a otros les hicisteis cautivos. [27] Os ha dado en herencia su tierra, sus casas, sus bienes y un territorio que nunca habíais pisado. Dios es Omnipotente.

[28] ¡Profeta! Di a tus esposas: «Si deseáis la vida del mundo

y su ornato, ¡venid, que os proveeré y os dejaré en libertad [divorciándoos] decorosamente! ²⁹ Pero, si buscáis a Dios, a Su Mensajero y la Morada Postrera, entonces, Dios ha preparado una recompensa magnífica para aquellas de vosotras que hagan el bien». ³⁰ ¡Mujeres del Profeta! A la que de vosotras sea culpable de deshonestidad manifiesta, se le doblará el castigo. Es cosa fácil para Dios.

³¹ Pero a la que de vosotras obedezca a Dios y a Su Mensajero y obre bien, le daremos doble remuneración y le prepararemos generoso sustento. ³² ¡Mujeres del Profeta! Vosotras no sois como otras mujeres cualesquiera. Si teméis a Dios, no seáis tan complacientes en vuestras palabras que llegue a anhelaros el enfermo de corazón. ¡Hablad, más bien, como se debe!

³³ ¡Quedaos en vuestras casas! ¡No os acicaléis como se acicalaban [inadecuadamente] las antiguas paganas! ¡Haced la oración! ¡Dad el zakat [azaque]! ¡Obedeced a Dios y a Su Mensajero! Dios solo quiere libraros de la mancha, ¡Oh gente de la casa! y purificaros por completo. ³⁴ Recordad lo que de los preceptos de Dios y de la Sabiduría se recita en vuestras casas. Dios es sutil, está bien informado.

³⁵ Dios ha preparado perdón y magnífica recompensa para los musulmanes y las musulmanas, los creyentes y las creyentes, los devotos y las devotas, los sinceros y las sinceras, los pacientes y las pacientes, los humildes y las humildes, los que y las que hacen caridades, los que y las que ayunan, los castos y las castas, los que y las que recuerdan mucho a Dios. ³⁶ Cuando Dios y Su Mensajero han decidido un asunto, ni el creyente ni la creyente tienen ya opción en ese asunto. Quien desobedece a Dios y a su Mensajero está evidentemente extraviado.

³⁷ Y cuando decías al que había sido objeto de una gracia de Dios y de una gracia tuya: «¡Conserva a tu esposa y teme a Dios!»,

y ocultabas en tu alma lo que Dios iba a revelar, y tenías miedo de los hombres, siendo así que Dios tiene más derecho a que Le tengas miedo. Cuando Zaid había terminado con ella, te la dimos por esposa para que no se pusiera reparo a los creyentes que se casan con las esposas de sus hijos adoptivos, cuando estos han terminado con ellas. ¡La orden de Dios se cumple! 38 Que no tenga reparos el Profeta por algo que le ha sido impuesto por Dios, conforme a la práctica de Dios para los que vivieron antes, la orden de Dios es un decreto decidido, 39 que transmitían los mensajes de Dios y Le temen, no teniendo miedo de nadie más que de Dios. ¡Basta Dios para ajustar cuentas! 40 Muhammad no es el padre de ninguno de vuestros varones, sino el Mensajero de Dios y el sello de los Profetas. Dios es Omnisciente.

41 ¡Creyentes! ¡Recordad mucho a Dios! 42 ¡Glorificadle mañana y tarde! 43 Él es Quien os bendice, y Sus Ángeles [ruegan el perdón por vosotros] para extraeros de las tinieblas a la luz, y Él es Misericordioso con los creyentes. 44 El día que Le encuentren, serán saludados con: «¡Paz!». Les habrá preparado una recompensa generosa.

45 ¡Profeta! Te hemos enviado como testigo, como nuncio de buenas nuevas, como monitor, 46 Exhortas [a los hombres a creer en] Dios con Su anuencia, y eres como una antorcha luminosa [que guía a quienes están en las tinieblas hacia la luz de la fe]. 47 Anuncia a los creyentes que recibirán un gran favor de Dios. 48 ¡No obedezcas a los incrédulos y a los hipócritas! ¡Haz caso omiso de sus ofensas y confía en Dios! ¡Dios basta como Protector!

49 ¡Creyentes! Si os casáis con mujeres creyentes y luego las repudiáis antes de haberlas tocado, no tenéis por qué exigirles un período de espera. ¡Proveedlas de lo necesario y dejadlas en libertad decorosamente!

50 ¡Profeta! Hemos declarado lícitas para ti a tus esposas, a las

que has dado dote, a las esclavas que Dios te ha dado como botín de guerra, a las hijas de tu tío y tías paternos y de tu tío y tías maternos que han emigrado contigo y a toda mujer creyente, si se ofrece al Profeta y el Profeta quiere casarse con ella. Es un privilegio tuyo, no de los otros creyentes, ya sabemos lo que hemos impuesto a estos últimos con respecto a sus esposas y esclavas, para que no tengas reparo. Dios es Indulgente, Misericordioso.

⁵¹ Puedes dejar para otra ocasión a la que de ellas quieras, o llamar a ti a la que quieras, o volver a llamar a una de las que habías separado. No haces mal. Esto contribuye a su alegría, a evitar que estén tristes y a que todas ellas estén contentas con lo que tú les des. Dios sabe lo que encierran vuestros corazones. Dios es Omnisciente, Benigno. ⁵² En adelante, no te será lícito tomar otras mujeres, ni cambiar de esposas, aunque te guste su belleza, a excepción de tus esclavas. Dios todo lo observa.

⁵³ ¡Creyentes! No entréis en las habitaciones del Profeta a menos que se os autorice a ello para una comida. No entréis hasta que sea hora. Cuando se os llame, entrad y, cuando hayáis comido, retiraos sin poneros a hablar como si fuerais de la familia. Esto molestaría al Profeta y, por vosotros, le daría vergüenza. Dios, en cambio, no Se avergüenza de la verdad. Cuando les pidáis un objeto hacedlo desde detrás de una cortina. Es más decoroso para vosotros y para ellas. No debéis molestar al Mensajero de Dios, ni casaros jamás con las que hayan sido sus esposas. Esto, para Dios, sería grave. ⁵⁴ Si mostráis algo o lo ocultáis,... Dios lo sabe todo.

⁵⁵ No pecan si se trata de sus padres, sus hijos, sus hermanos, los hijos de sus hermanos, los hijos de sus hermanas, sus mujeres o sus esclavas. ¡Temed a Dios! Dios es testigo de todo.

⁵⁶ Dios y sus ángeles bendicen al Profeta. ¡Creyentes! ¡Bendecidle vosotros también y saludadle como se debe! ⁵⁷ A los que ofenden a Dios y a Su Mensajero, Dios les ha maldecido en

esta vida y en la otra y les ha preparado un castigo humillante. [58] Los que molestan a los creyentes y a las creyentes, sin haberlo estos merecido, son culpables de infamia y de pecado manifiesto.

[59] ¡Profeta! Di a tus esposas, a tus hijas y a las mujeres de los creyentes que se cubran con el manto. Es lo mejor para que se las distinga y no sean molestadas. Dios es Indulgente, Misericordioso. [60] Si los hipócritas, los enfermos de corazón y los agitadores de la ciudad no cesan, te ordenaremos combatirles, y luego no permanecerán mucho junto a ti. [61] Malditos, serán capturados y muertos sin piedad donde quiera que se dé con ellos, [62] conforme a la práctica de Dios con los que vivieron antes. Y encontrarás la práctica de Dios irreemplazable.

[63] Los hombres te preguntan por la Hora. Di: «Solo Dios tiene conocimiento de ella». ¿Quién sabe? Quizá la Hora esté próxima... [64] Dios ha maldecido a los incrédulos y les ha preparado fuego del Infierno, [65] en el que estarán eternamente, para siempre. No encontrarán amigo ni auxiliar. [66] El día que, en el Fuego, se desencajen sus rostros de dolor, dirán: «¡Ojalá hubiéramos obedecido a Dios! ¡Ojalá hubiéramos obedecido al Mensajero!». [67] Y dirán: «¡Señor! ¡Hemos obedecido a nuestros señores y a nuestros grandes y nos han extraviado del Camino! [68] ¡Dóblales, Señor, el castigo y échales una gran maldición!».

[69] ¡Oh, creyentes! ¡No seáis como los que molestaron a Moisés! Dios le declaró inocente de lo que le habían acusado. Dios le tenía consideración. [70] ¡Oh, creyentes! Temed a Dios, y hablad solo con fundamento, [71] para que haga prosperar vuestras obras y os perdone vuestros pecados. Quien obedezca a Dios y a Su Mensajero tendrá un éxito grandioso.

[72] Propusimos el depósito a los cielos, a la tierra y a las montañas, pero se negaron a hacerse cargo de él, tuvieron miedo. El hombre, en cambio, se hizo cargo. Es, ciertamente, muy inicuo, muy ignorante.

⁷³ Para que Dios castigue a los hipócritas y a las hipócritas, a los asociadores y a las asociadoras, y para que Dios se vuelva a los creyentes y a las creyentes. Dios es Indulgente, Misericordioso.

SABA

¡En el nombre de Dios, el Compasivo, el Misericordioso!

¹ ¡Alabado sea Dios, a Quien pertenece lo que está en los cielos y en la Tierra! ¡Alabado sea también en la Otra Vida! Él es el Sabio, el Bien Informado. ² Sabe lo que penetra en la tierra y lo que de ella sale, lo que desciende del cielo y lo que a él asciende. Él es el Misericordioso, el Indulgente.

³ Los incrédulos dicen: «La Hora no nos llegará». Di: «¡Claro que sí! ¡Por mi Señor, el Conocedor de lo oculto, que ha de llegaros! no se Le escapa el conocimiento de [la existencia de] una pequeña partícula en los cielos o en la Tierra, ni existe nada menor ni mayor que no esté en un Libro evidente [la Tabla Protegida], ⁴ para retribuir a los que creyeron y obraron bien. Esos tales tendrán perdón y generoso sustento. ⁵ Quienes, en cambio, se hayan esforzado por dejar sin efecto Nuestros signos, tendrán el castigo de un suplicio doloroso». ⁶ Quienes han recibido la Ciencia ven que lo que tu Señor te ha revelado es la Verdad y dirige a la vía del Poderoso, del Digno de Alabanza.

⁷ Los incrédulos dicen: «¿Queréis que os indiquemos un hombre que os anuncie que, cuando estéis completamente descompuestos, de verdad se os creará de nuevo?». ⁸ ¿Ha inventado una mentira contra Dios o es un poseso? ¡No, no es así! Los que no creen en la otra vida están destinados al castigo y profundamente extraviados.

⁹ ¿Es que no ven lo que les rodea en los cielos y en la Tierra? Si quisiéramos, haríamos que la tierra se los tragara o que cayera sobre ellos parte del cielo. Ciertamente, hay en ello un signo para todo siervo arrepentido.

¹⁰ Dimos a David un favor Nuestro: «¡Montañas! ¡Resonad acompañándole, y vosotros también pájaros!». Por él, hicimos blando el hierro. ¹¹ «¡Fabrica cotas de malla y mide bien la malla!». ¡Obrad bien! Yo veo bien lo que hacéis.

¹² A Salomón el viento, que por la mañana hacía el camino de un mes y por la tarde de otro mes. Hicimos manar para él la fuente de bronce fundido. Y [también le sometimos] los genios que trabajaban para él por orden de su Señor. Al que hubiera desobedecido Nuestras órdenes, le habríamos hecho gustar el castigo del fuego del Infierno. ¹³ Hacían para él todo lo que él quería: templos, estatuas, cántaros grandes como estanques y enormes calderas. ¡Familiares de David, sed agradecidos! Pero pocos de Mis siervos son muy agradecidos.

¹⁴ Y cuando decretamos para él la muerte [quedó sentado en su trono, apoyado en su bastón, entonces los genios al pasar frente a él pensaban que aún estaba con vida y seguían trabajando], no les advirtió de su muerte sino un animal de la tierra [una termita], que se comió su bastón, y cuando [Salomón] se cayó, se evidenció que si los genios hubieran conocido lo oculto [como pretendían], no habrían permanecido en el castigo humillante [de seguir trabajando].

¹⁵ Los Saba tenían un signo en su territorio: dos jardines, uno a la derecha y otro a la izquierda. «¡Comed del sustento de vuestro Señor y dadle gracias! Tenéis un buen país y un Señor Indulgente». ¹⁶ Pero se desviaron y enviamos contra ellos la inundación de los diques. Y les cambiamos aquellos dos jardines por otros dos que producían frutos amargos, tamariscos y unos pocos azufaifos. ¹⁷ Así les retribuimos por su ingratitud. No castigamos sino al desagradecido.

¹⁸ Entre ellos y las ciudades que Nosotros hemos bendecido establecimos otras ciudades, cerca unas de otras, y determinamos el tránsito entre ellas: «¡Id de una a otra, de día o de noche, en seguridad!». ¹⁹ Pero dijeron: «¡Señor! ¡Alarga nuestros recorridos!». Y fueron injustos consigo mismos. Los hicimos legendarios y los dispersamos por todas partes. Ciertamente, hay en ello signos para todo aquel que tenga mucha paciencia, mucha gratitud.

²⁰ Iblis confirmó la opinión que se había formado de ellos. Le siguieron todos, menos un grupo de creyentes. ²¹ No tenía poder sobre ellos. Queríamos solo distinguir a los que creían en la Otra Vida de los que dudaban de ella. Tu Señor cuida de todo.

²² Di: «Invocad a los que, en lugar de Dios, pretendéis, pero sabed que ellos [los ídolos] no pueden beneficiar ni perjudicar, ni siquiera en el peso de una partícula, tanto en los cielos como en la Tierra, ni tienen participación alguna [en el poder divino], ni tampoco Él tiene ayudantes de entre ellos. ²³ Es inútil interceder por nadie ante Él, excepto por quien Él lo permita. Hasta que, cuando el terror haya desaparecido de sus corazones, digan: "¿Qué ha dicho vuestro Señor?" Dirán: "La verdad". Él es el Altísimo, el Grande».

²⁴ Di: «¿Quién os procura el sustento de los cielos y de la Tierra?». Di: «¡Dios! O nosotros o vosotros, unos siguen la buena dirección y otros están evidentemente extraviados». ²⁵ Di: «Ni vosotros tendréis que responder de nuestros delitos, ni nosotros de lo que hagáis». ²⁶ Di: «Nuestro Señor nos reunirá y fallará entre nosotros según justicia. Él es Quien juzga, el Omnisciente». ²⁷ Di: «Mostradme los que Le habéis agregado como asociados. Pero ¡no! Él es Dios, el Poderoso, el Sabio».

²⁸ No te hemos enviado sino como nuncio de buenas nuevas y como monitor a todo el género humano. Pero la mayoría de los hombres no saben. ²⁹ Dicen: «¿Cuándo se cumplirá esta amenaza,

si es verdad lo que decís?». ³⁰ Di: «Se os ha fijado ya un día que no podréis retrasar ni adelantar una hora».

³¹ Los incrédulos dicen: «No creemos en este Corán ni en sus precedentes». Si pudieras ver a los inicuos, de pie ante su Señor, recriminándose unos a otros. Los que fueron débiles dirán a los que fueron altivos: «Si no llega a ser por vosotros, habríamos creído». ³² Los que fueron altivos dirán a los que fueron débiles: «¿Somos, acaso, nosotros los que os desviaron de la Dirección cuando se os indicó esta? ¡En verdad, sois unos transgresores [que elegisteis libremente el descarrío]!». ³³ Los que fueron débiles dirán a los que fueron altivos: «¡No!, que fueron vuestras maquinaciones de noche y de día, cuando nos instabais a que no creyéramos en Dios y a que Le atribuyéramos iguales...». Y, cuando vean el castigo, disimularán su pena. Pondremos argollas al cuello de los que no hayan creído. ¿Serán retribuidos por otra cosa que por lo que hicieron?

³⁴ No hemos enviado monitor a una ciudad que no dijeran sus ricos: «No creemos en vuestro mensaje». ³⁵ Y que no dijeran: «Nosotros tenemos más hacienda e hijos. No se nos castigará». ³⁶ Di: «Mi Señor dispensa el sustento a quien Él quiere: a unos con largueza, a otros con mesura. Pero la mayoría de los hombres no saben». ³⁷ Ni vuestra hacienda ni vuestros hijos podrán acercaros bien a Nosotros. Solo quienes crean y obren bien recibirán una retribución doble por sus obras y morarán seguros en habitaciones elevadas [en el Paraíso]. ³⁸ En cambio, quienes se esfuercen por dejar sin efecto Nuestros signos, serán entregados al castigo. ³⁹ Di: «Mi Señor dispensa el sustento a quien Él quiere de Sus siervos: a unos con largueza, a otros con mesura. No dejará de restituiros ninguna limosna que deis. Él es el Mejor de los proveedores».

⁴⁰ El día que Él los congregue a todos, dirá a los ángeles: «¿Estos [idólatras] eran quienes os adoraban?». ⁴¹ Dirán: «¡Gloria a Ti! Tú eres nuestro Protector, y nosotros no les indujimos a ello;

pero [los idólatras, en realidad] adoraban [y obedecían] a los genios, y la mayoría de los hombres creían en ellos». [42] Ese día no podréis ya aprovecharos ni dañaros unos a otros. Y diremos a los inicuos: «¡Gustad el castigo del Fuego que desmentíais!».

[43] Y cuando se les recitan Nuestras aleyas como pruebas claras, dicen: «Este no es sino un hombre que quiere apartaros de lo que vuestros padres servían». Y dicen: «Esto no es sino una mentira inventada». Y de la Verdad, luego que ha venido esta a ellos, dicen los incrédulos: «¡Esto no es sino magia manifiesta!». [44] No les dimos ningunas Escrituras que estudiaran, ni les enviamos a ningún monitor antes de ti. [45] Ya desmintieron sus antecesores a Mis Mensajeros, y ¡qué terrible fue el castigo por ello! Y estos incrédulos [deberían recapacitar, pues] no recibieron ni una décima parte de lo que les concedimos a ellos.

[46] Di: «Solo os exhorto a una cosa: Poneos ante Dios de dos en dos, o solos, y reflexionad, pues vuestro compañero [el Profeta Muhammad] no es un loco, sino un amonestador para vosotros que os advierte de un severo castigo». [47] Di: «No os pido remuneración alguna, mi recompensa no compete sino a Dios, y Él es Testigo de todas las cosas».

[48] Di: «Ciertamente mi Señor rechaza lo falso con la Verdad; y Él bien conoce lo oculto». [49] Di: «Se os ha presentado la Verdad y se ha desvanecido lo falso, y este no retornará». [50] Di: «Si me extravío, me extravío, en realidad, en detrimento propio. Si sigo el camino recto, lo debo a lo que mi Señor me revela. Él lo oye todo, está cerca».

[51] Si pudieras ver cuando sobrecogidos de espanto, sin escape posible, sean arrebatados de un lugar próximo. [52] Dirán: «¡Creemos en Él!». Pero ¿cómo podrán alcanzar estando tan lejos [en la Otra Vida, cuando sea imposible hacerlo]? [53] Por cierto que fueron incrédulos antes [en la vida mundanal] y refutaban [el Mensaje] con

lo falso, desde un lugar lejano [a la Verdad]. [54] Se interpondrá una barrera entre ellos y el objeto de su deseo, como ocurrió antes con sus semejantes: estaban en duda grave.

....

CREADOR

¡En el nombre de Dios, el Compasivo, el Misericordioso!

[1] ¡Alabado sea Dios, Creador de los cielos y de la Tierra. Dispuso que los ángeles fuesen Sus enviados, algunos dotados de dos alas, tres o cuatro alas. Añade a la creación lo que Él quiere. Dios es Omnipotente. [2] No hay quien pueda retener la misericordia que Dios dispensa a los hombres, ni hay quien pueda soltar, fuera de Él, lo que Él retiene. Él es el Poderoso, el Sabio.

[3] ¡Hombres! Recordad la gracia que Dios os ha dispensado. ¿Hay algún otro creador distinto de Dios, que os provea del cielo y de la Tierra el sustento? No hay más dios que Él. ¿Cómo podéis, pues, ser tan desviados! [4] Si te desmienten, ya antes de ti fueron desmentidos Mensajeros. Pero todo será devuelto a Dios.

[5] ¡Hombres! ¡Lo que Dios promete es verdad! ¡Que la vida del mundo no os engañe! ¡Que el Engañador no os engañe acerca de Dios! [6] Ciertamente Satanás es para vosotros un enemigo, tomadlo pues, como un enemigo; él seduce a sus seguidores para que se cuenten entre los moradores del Infierno. [7] Los que no hayan creído tendrán un castigo severo. En cambio, los que hayan creído y obrado bien tendrán perdón y una gran recompensa.

[8] ¿Es que aquel cuya mala conducta ha sido engalanada y la ve como buena...? Dios extravía a quien Él quiere y dirige a quien Él

quiere. ¡No te consumas por ellos de pesar! Dios sabe bien lo que hacen.

⁹ Dios es Quien envía los vientos y estos levantan nubes, que Nosotros conducimos a un país árido. Con ellas vivificamos la tierra después de muerta. Así será la Resurrección. ¹⁰ Quien quiera el poder... El poder pertenece, en su totalidad, a Dios. Hacia Él se eleva la buena palabra y Él realza la obra buena. En cambio, quienes tramen males tendrán un castigo severo, y la trama de esos se malogrará. ¹¹ Dios os ha creado de tierra; luego, de una gota de esperma; luego, hizo de vosotros parejas. Ninguna hembra concibe o pare sin que Él lo sepa. Nadie muere a edad avanzada o prematura, sin que ello conste en un Libro [la Tabla Protegida]; en verdad, esto es fácil para Dios.

¹² No son iguales las dos grandes masas de agua: una potable, dulce, agradable de beber; otra salobre, amarga. Pero de cada una coméis una carne fresca y obtenéis adornos que os ponéis. Y ves que las naves las surcan. Para que busquéis Su favor. Quizás, así, seáis agradecidos. ¹³ Hace que la noche entre en el día y que el día entre en la noche. Ha sujetado el sol y la luna, prosiguiendo los dos su curso hacia un término fijo. Ese es Dios, vuestro Señor. Suyo es el dominio. Los que invocáis en lugar de invocarle a Él no pueden lo más mínimo. ¹⁴ Si les invocáis, no oyen vuestra súplica y aun si la oyeran, no os escucharían. El Día de la Resurrección, renegarán de que les hayáis asociado a Dios. Y no te informará nadie como Dios Quien está bien informado de todo.

¹⁵ ¡Hombres! Sois vosotros los necesitados de Dios, mientras que Dios es Quien Se basta a Sí mismo, el Digno de Alabanza. ¹⁶ Si Él quisiera, os haría desaparecer y os sustituiría por nuevas criaturas. ¹⁷ Y eso no sería difícil para Dios. ¹⁸ Nadie cargará con la carga ajena. Y si alguien, abrumado por su carga, pide ayuda a otro, no se le ayudará nada, aunque sea pariente. Tú solo debes advertir

a los que tienen miedo de su Señor en secreto y hacen la oración. Quien se purifica se purifica en realidad, en provecho propio. ¡Es Dios el fin de todo!

[19] No son iguales el ciego y el vidente, [20] las tinieblas y la luz, [21] la fresca sombra y el calor ardiente. [22] No son iguales los vivos y los muertos. Dios hace que oiga quien Él quiere. Tú no puedes hacer que quienes estén en las sepulturas oigan. [23] Tú no eres sino un monitor. [24] Te hemos enviado con la Verdad como nuncio de buenas nuevas y como monitor. No hay comunidad por la que no haya pasado un monitor. [25] Y si te desmienten, también sus antecesores desmintieron. Sus enviados vinieron a ellos con las pruebas claras, con las Escrituras y con el Libro luminoso. [26] Luego, sorprendí a los incrédulos y ¡cuál no fue Mi reprobación!

[27] ¿No ves cómo ha hecho Dios bajar agua del cielo, mediante la cual hemos sacado frutos de diferentes clases? En las montañas hay vetas de diferentes colores: blancas, rojas y de un negro intenso. [28] Los hombres, bestias y rebaños son también de diferentes clases. Solo tienen miedo de Dios aquellos de Sus siervos que saben. Dios es Poderoso, Indulgente.

[29] Quienes recitan el Libro de Dios, hacen la oración y dan limosna, en secreto o en público, de lo que les hemos proveído, pueden esperar una ganancia imperecedera, [30] para que Él les dé su recompensa y aún más de Su favor. Es indulgente, muy agradecido. [31] Lo que del Libro te hemos revelado es la Verdad, en confirmación de los mensajes anteriores. Sí, Dios está bien informado de Sus siervos, los ve bien.

[32] Luego, hemos dado en herencia el Libro a aquellos de Nuestros siervos que hemos elegido. Algunos de ellos son injustos consigo mismos; otros, siguen una vía media; otros, aventajan en el bien obrar, con permiso de Dios. Ese es el gran favor. [33] Entrarán en los Jardines del Edén. Allí se les ataviará con brazaletes de oro

y con perlas, allí vestirán de seda. ³⁴ Y dirán: «¡Alabado sea Dios, que ha retirado de nosotros la tristeza! En verdad, nuestro Señor es Indulgente, Agradecido. ³⁵ Nos ha instalado, por favor Suyo, en la Morada de la Estabilidad. No sufriremos en ella pena, no sufriremos cansancio».

³⁶ Los incrédulos, en cambio, sufrirán el fuego del Infierno. Agonizarán sin acabar de morir y no se les aliviará su castigo. Así retribuimos a todo desagradecido. ³⁷ Gritarán allí: «¡Señor! ¡Sácanos y obraremos bien, no como solíamos hacer!». «¿Es que no os dimos una vida suficientemente larga como para que se dejara amonestar quien quisiera? El monitor vino a vosotros... ¡Gustad, pues! Los inicuos no tendrán quien les auxilie».

³⁸ Dios es el Conocedor de lo oculto de los cielos y de la Tierra. Él sabe bien lo que encierran los pechos. ³⁹ Él es Quien os ha hecho sucesores en la Tierra. Quien no crea, sufrirá las consecuencias de su incredulidad. La incredulidad servirá solo para hacer a los incrédulos más aborrecibles ante su Señor. La incredulidad servirá solo para perder más a los incrédulos.

⁴⁰ Di: «¿Veis a vuestros asociados, a los que invocáis en lugar de invocar a Dios? Mostradme qué han creado de la Tierra o si tienen participación en los cielos. O ¿les hemos dado una Escritura, en cuya prueba clara puedan basarse?». ¡No! Las promesas que los inicuos se hacen mutuamente no son sino falacias. ⁴¹ Dios sostiene los cielos y la tierra para que no se desplomen. Si se desplomaran no habría nadie, fuera de Él, que pudiera sostenerlos. Es benigno, indulgente.

⁴² Juraron solemnemente por Dios que, si venía un monitor a ellos, iban a ser dirigidos mejor que ninguna otra comunidad. Y, cuando ha venido a ellos un monitor, esto no ha hecho sino acrecentar su repulsa, ⁴³ portándose altivamente en la Tierra y tramando maldad. Pero el tramar maldad no recae sino en sus

propios autores. ¿Es que esperan una suerte diferente de la que cupo a los antiguos? Pues encontrarás la práctica de Dios irreemplazable, y encontrarás la práctica de Dios inmutable. ⁴⁴ ¿No han ido por la Tierra y mirado cómo terminaron sus antecesores, aun siendo más poderosos? Nada, ni en los cielos ni en la Tierra, puede escapar a Él. Es Omnisciente, Omnipotente.

⁴⁵ Si Dios castigase a los hombres por sus pecados, no dejaría ninguna criatura sobre la faz de la Tierra; pero los difiere hasta un plazo fijado [el Día del Juicio]; y cuando llegue el plazo Dios [juzgará con equidad porque] está bien enterado de lo que hacen.

SURA 36 : YA SIN

. . . .

YA SIN

¡En el nombre de Dios, el Compasivo, el Misericordioso!

¹ *Ya Sin.*

² ¡Por el sabio Corán, ³ que en verdad tú [¡Oh, Muhammad!] eres uno de los Mensajeros ⁴ y estás en una vía recta. ⁵ Esta es una Revelación del Poderoso, del Misericordioso, ⁶ para que adviertas a un pueblo cuyos antepasados no fueron advertidos y que por eso no se preocupa.

⁷ Se ha cumplido la sentencia contra la mayoría: no creen. ⁸ Pusimos en sus cuellos argollas que llegarán a sus barbillas, y sus cabezas quedarán erguidas. ⁹ Les hemos puesto una barrera por delante y otra por detrás, cubriéndoles de tal modo que no pueden ver. ¹⁰ Les da lo mismo que les adviertas o no: no creerán. ¹¹ Pero tú solo tienes que advertir a quien sigue la Amonestación y tiene miedo del Compasivo en secreto. Anúnciale el perdón y una recompensa generosa.

^{12} Nosotros resucitamos a los muertos. Inscribimos todo lo que antes hicieron, así como las consecuencias de sus actos. Todo lo tenemos en cuenta en un Libro claro.

^{13} Y proponles [a quienes te desmienten] el ejemplo de los habitantes de una ciudad, cuando se presentaron ante ellos los Mensajeros. ^{14} Cuando les enviamos a dos y les desmintieron. Reforzamos con un tercero y dijeron: «Se nos ha enviado a vosotros». ^{15} Dijeron: «No sois sino unos mortales como nosotros. El Compasivo no ha revelado nada. No decís sino mentiras». ^{16} Dijeron: «Nuestro Señor sabe: en verdad, se nos ha enviado a vosotros, ^{17} y no nos incumbe sino transmitir el Mensaje evidente». ^{18} Dijeron: «No presagiamos de vosotros nada bueno. Si no desistís hemos de lapidaros y haceros sufrir un castigo doloroso». ^{19} Dijeron: «De vosotros depende vuestra suerte. Si os dejarais amonestar... Sí, sois gente inmoderada».

^{20} Entonces, de los arrabales, vino corriendo un hombre. Dijo: «¡Pueblo! ¡Seguid a los Mensajeros! ^{21} ¡Seguid a quienes no os piden salario y siguen la buena dirección!

^{22} ¿Por qué no voy a servir a Quien me ha creado y a Quien seréis devueltos? ^{23} ¿Voy a tomar, en lugar de tomarle a É^{1}, dioses cuya intercesión, si el Compasivo me desea una desgracia, de nada me aprovechará y tales que no podrán salvarme? ^{24} Si eso hiciera, estaría evidentemente extraviado. ^{25} ¡Creo en vuestro Señor! ¡Escuchadme!». ^{26} Se dijo: «¡Entra en el Jardín!». Dijo: «¡Ah! Si mi pueblo supiera ^{27} que mi Señor me ha perdonado y me ha colocado entre los honrados».

^{28} Y no enviamos, después de él, ningún ejército [de ángeles] contra su pueblo. ^{29} No hubo más que un solo Grito y fueron aniquilados. ^{30} ¡Pobres siervos! No vino a ellos Mensajero que no se burlaran de él. ^{31} ¿No ven cuántas generaciones antes de ellos hemos hecho perecer, que ya no volverán a ellos...? ³² ¡Y a todos, sin falta, se les hará comparecer ante Nosotros!

³³ Tienen un signo en la tierra muerta, que hemos hecho revivir y de la que hemos sacado el grano que les alimenta. ³⁴ Hemos plantado en ella palmerales y viñedos, hemos hecho brotar de ella manantiales, ³⁵ para que coman de sus frutos. No son obra de sus manos. ¿No darán, pues, gracias? ³⁶ ¡Glorificado sea Aquel que creó todas las especies que brotan de la tierra, a los humanos y otras que ellos no conocen!

³⁷ Y tienen un signo en la noche, de la que quitamos el día, quedando los hombres a oscuras. ³⁸ Y el sol corre a una parada suya por decreto del Poderoso, del Omnisciente. ³⁹ Hemos determinado para la luna fases, hasta que se pone como la palma seca. ⁴⁰ No le está bien al sol alcanzar a la luna, ni la noche adelanta al día. Cada uno navega en una órbita.

⁴¹ Tienen un signo en el hecho de que hayamos llevado a sus descendientes en la nave abarrotada. ⁴² Y creamos para ellos otras naves semejantes en las que se embarcan. ⁴³ Si quisiéramos, los anegaríamos. Nadie podría ayudarles y no se salvarían, ⁴⁴ a menos que mediara una misericordia venida de Nosotros y para disfrute por algún tiempo.

⁴⁵ Y cuando se les dice: «¡Temed el castigo en esta vida y en la otra! Quizás, así, se os tenga piedad»... ⁴⁶ No viene a ellos ninguno de los signos de su Señor que no se aparten de él. ⁴⁷ Y cuando se les dice: «¡Haced caridades de lo que Dios os ha proveído!», dicen los incrédulos a los creyentes: «¿Vamos a dar de comer a quien Dios, si Él quisiera, podría dar de comer? Estáis evidentemente extraviados».

⁴⁸ Dicen: «¿Cuándo se cumplirá esta amenaza, si es verdad lo que decís?» ⁴⁹ No esperarán más que un solo grito [cuando sea soplada la trompeta], que les sorprenderá en plena disputa, ⁵⁰ y no podrán

hacer testamento, ni volver a los suyos. ⁵¹ Se tocará la trompeta y se precipitarán de las sepulturas a su Señor. ⁵² Dirán: «¡Ay de nosotros! ¿Quién nos ha despertado de nuestro lecho? Esto es aquello con que el Compasivo nos había amenazado. Los Mensajeros decían la verdad». ⁵³ No habrá más que un solo grito y a todos se les hará comparecer ante Nosotros.

⁵⁴ Ese día, nadie será tratado injustamente en nada y no se os retribuirá sino conforme a vuestras obras. ⁵⁵ Ese día, los moradores del Jardín tendrán una ocupación feliz. ⁵⁶ Ellos y sus esposas estarán a la sombra, reclinados en sofás. ⁵⁷ Tendrán allí fruta y lo que deseen. ⁵⁸ Les dirán de parte de un Señor misericordioso: «¡Paz!».

⁵⁹ En cambio: «¡Pecadores! ¡Apartaos hoy! ⁶⁰ ¿No he concertado una alianza con vosotros, hijos de Adán: que no ibais a adorar a Satanás, que es para vosotros un enemigo declarado, ⁶¹ sino que ibais a servirme a Mí? Esto es una vía recta. ⁶² He aquí que muchos de vosotros se desviaron. ¿Por qué no reflexionasteis? ⁶³ este es el Infierno con que se os había amenazado. ⁶⁴ ¡Arded hoy en ella por no haber creído!». ⁶⁵ Ese día sellaremos sus bocas, pero sus manos Nos hablarán y sus pies atestiguarán lo que han cometido».

⁶⁶ Y si quisiéramos les cegaríamos y se precipitarían al sendero [por encima del Infierno y que conduce al Paraíso]. ¿Y entonces cómo podrían ver? ⁶⁷ Si quisiéramos, les clavaríamos en su sitio de modo que no pudieran avanzar ni retroceder. ⁶⁸ A quien prolongamos la vida, le hacemos encorvarse. ¿Es que no comprenden? ⁶⁹ No le hemos enseñado la poesía, que no le está bien. Esto no es más que una amonestación y un Corán claro, ⁷⁰ para que advierta a todo vivo y se cumpla la sentencia contra los incrédulos.

⁷¹ ¿Acaso no recapacitan en que hemos creado para ellos [los hombres] los rebaños que poseen? ⁷² Los hemos hecho dóciles a ellos: unos les sirven de montura, otros de alimento. ⁷³ Obtienen provecho de ellos y bebidas. ¿No darán, pues, las gracias?

[74] Pero tomaron falsas divinidades en vez de Dios, creyendo que les auxiliarían. [75] Estas no podrán socorrerse a sí mismas, y todos formarán un ejército que será castigado. [76] ¡Que no te entristezca lo que digan! Nosotros sabemos tanto lo que ocultan como lo que manifiestan.

[77] ¿No ve el hombre que le hemos creado de una gota de esperma? Pues ¡ahí le tienes, discutidor declarado! [78] Y [este incrédulo] nos propone ejemplos olvidando cómo ha sido creado y dice: «¿Quién dará vida a los huesos cuando estén ya carcomidos?». [79] Di: «Les dará vida Quien los creó una vez primera, Él conoce bien toda creación, [80] Él es Quien hace que podáis encender fuego del árbol verde [y también puede resucitaros fácilmente]». [81] ¿Es que Quien ha creado los cielos y la Tierra no será capaz de crear semejantes a ellos? ¡Claro que sí! Él es el Creador de todo, el Omnisciente. [82] Su orden, cuando quiere algo, le dice tan solo: «¡Sé!» y es. [83] Glorificado sea, pues, Aquel en Cuya mano está la soberanía de todas las cosas, y ante Él compareceréis.

SURA 37 : AS SAFFÁT

LOS QUE SE PONEN EN FILAS

¡En el nombre de Dios, el Compasivo, el Misericordioso!

[1] ¡Por los que se ponen en fila. [2] e impulsan en una dirección [3] y recitan el Corán! [4] En verdad, vuestro Dios es Uno: [5] Señor de los cielos, de la Tierra y de lo que entre ellos está, Señor de los Orientes.

[6] Hemos engalanado el cielo más bajo con estrellas, [7] como protección contra todo demonio rebelde. [8] Así, los demonios no pueden oír al Consejo Supremo, porque por todas partes se ven hostigados, [9] repelidos. Y por cierto que estos [demonios, en la otra

vida] recibirán un castigo eterno. ¹⁰ Y a aquellos que alcancen a oír algo de los ángeles furtivamente a ese tal le perseguirá una llama de penetrante luz.

¹¹ Pregúntales [¡Oh, Muhammad! a quienes desmienten la Resurrección]: «¿Acaso creéis que vuestra creación fue más difícil que la del resto [del Universo]?». Por cierto que Nosotros les creamos [a partir] de barro pegajoso. ¹² No te asombres [¡Oh, Muhammad! de que rechacen la Resurrección y] de que la tomen como una broma. ¹³ Pues cuando son exhortados no reflexionan. ¹⁴ Y, si ven un signo, lo ponen en ridículo, ¹⁵ y dicen: «¡Esto no es sino magia manifiesta! ¹⁶ Cuando muramos y seamos tierra y huesos, ¿se nos resucitará acaso? ¹⁷ ¿Y también a nuestros antepasados?». ¹⁸ Di: «¡Sí, y vosotros os humillaréis!».

¹⁹ Solo bastará que se sople una vez [la trompeta y resucitarán], y entonces ellos verán... ²⁰ Dirán: «¡Ay de nosotros! ¡Este es el Día del Juicio!». ²¹ [Se les dirá:] «Este es el Día del Fallo, que vosotros desmentíais». ²² [Y se ordenará a los ángeles diciéndoles:] «¡Congregad a quienes fueron [idólatras e] inicuos junto con sus pares [en la incredulidad] y a los [ídolos] que adoraban, ²³ en lugar de adorar a Dios, luego arriadlos por el camino que les conducirá al Infierno! ²⁴ ¡Y detenedles [antes de arrojarles al Infierno] que serán interrogados!». ²⁵ «¿Por qué no os auxiliáis ahora mutuamente?». ²⁶ Pero ¡no! Ese día querrán hacer acto de sumisión.

²⁷ Y se volverán unos a otros para preguntarse. ²⁸ Dirán [a sus ídolos]: «Ciertamente vosotros, con vuestro poder, nos forzasteis a seguiros». ²⁹ Y [los ídolos] responderán: «¡No, simplemente no erais creyentes! ³⁰ Y no teníamos ningún poder sobre vosotros. ¡No! Erais un pueblo rebelde. ³¹ La sentencia de nuestro Señor se ha cumplido contra nosotros, y sufriremos el castigo... ³² Os descarriamos. ¡Nosotros mismos estábamos descarriados!». ³³ Ese día compartirán el castigo. ³⁴ Así haremos con los pecadores.

[35] Cuando se les decía: «¡No hay más dios que Dios!» se mostraban altivos, [36] y decían: «¿Vamos a dejar a nuestros dioses por un poeta poseso?». [37] Pero ¡no! Él ha traído la Verdad y ha confirmado a los Mensajeros. [38] ¡Vais, sí, a gustar el castigo doloroso! [39] No se os retribuirá, empero, sino por las obras que hicisteis.

[40] En cambio, los siervos escogidos de Dios [41] tendrán un sustento conocido: [42] fruta. Y serán honrados [43] en los Jardines del Deleite, [44] en lechos, unos enfrente de otros, [45] a su alrededor se harán circular copas de un vino de manantial, [46] blanco y dulce, delicia de los bebedores, [47] y no les provocará jaqueca ni embriaguez. [48] Tendrán a las de recatado mirar, de grandes ojos, [49] como si fuesen perlas escondidas.

[50] Y se volverán unos a otros para preguntarse. [51] Uno de ellos dirá: «Yo tenía un compañero [incrédulo] [52] que decía: "¿Acaso eres de los que confirman? [53] Cuando muramos y seamos tierra y huesos, ¿se nos juzgará acaso?"». [54] Dirá: «¿Veis algo desde ahí arriba?». [55] Mirará abajo y le verá en medio del fuego del Infierno. [56] Y dirá: «¡Por Dios, que casi me pierdes! [57] Si no llega a ser por la gracia de mi Señor, habría figurado yo entre los réprobos. [58] ¿Cómo iba a ser que muriéramos [59] y todo se redujera a la muerte sin más y no fuéramos castigados? [60] ¡Sí, este es el éxito grandioso!». [61] ¡Vale la pena trabajar por conseguir algo semejante!

[62] ¿Qué es mejor, esta morada o el árbol de Zaqqûm? [63] En verdad, [al árbol de Zaqqûm] lo pusimos para castigar a los inicuos. [64] Es un árbol que crece en el fondo del fuego del Infierno, [65] de frutos parecidos a cabezas de demonios. [66] De él comerán y llenarán el vientre. [67] Luego, beberán además una mezcla de agua hirviente [68] y volverán, luego, al fuego del Infierno. [69] Encontraron a sus padres extraviados. [70] Pero aun así corrieron tras sus huellas [siguiéndoles en su extravío]. [71] Y ciertamente la mayoría de los pueblos que le precedieron también se habían extraviado, [72] aunque les habíamos

enviado quienes advirtieran. [73] ¡Y mira cómo terminaron aquellos que habían sido advertidos! [74] No, en cambio, los siervos escogidos de Dios.

[75] Noé Nos había invocado. ¡Qué buenos fuimos escuchándole! [76] Les salvamos, a él y a su familia, del grave apuro. [77] Hicimos que sus descendientes sobrevivieran [78] y perpetuamos su recuerdo en la posteridad. [79] ¡Paz sobre Noé, entre todas las criaturas! [80] Así retribuimos a quienes hacen el bien. [81] Es uno de Nuestros siervos creyentes. [82] Luego, ahogamos a los otros. [83] Abraham era, sí, de los suyos. [84] Cuando vino a su Señor con corazón sano. [85] Cuando dijo a su padre y a su pueblo: «¿Qué adoráis? [86] ¿Preferís la mentira de los dioses en lugar de a Dios? [87] ¿Qué opináis, pues, del Señor del Universo?».

[88] Dirigió una mirada a los astros [89] y dijo: «Voy a encontrarme indispuesto». [90] Y dieron media vuelta, apartándose de él. [91] Entonces, se volvió hacia sus dioses y dijo: «¿No coméis? [92] ¿Por qué no habláis?». [93] Y se precipitó contra ellos golpeándolos con la diestra. [94] [cuando] Se abalanzaron sobre él. [95] Dijo: «¿Acaso adoráis lo que vosotros mismos talláis, [96] mientras que Dios os ha creado, a vosotros y lo que hacéis?». [97] Dijeron: «¡Hacedle un horno y arrojadle al fuego llameante!». [98] Y tramaron contra él, pero Dios [desbarató sus planes y] les humilló. [99] Dijo: «¡Emigraré a donde mi Señor me ordene! [100] ¡Oh, Señor mío! ¡Regálame un hijo justo!». [101] Entonces, le dimos la buena nueva de un muchacho que habría de tener buen juicio.

[102] Y, cuando tuvo bastante edad como para ir con su padre, dijo: «¡Hijito! Ciertamente he visto en el sueño que te sacrificaba; dime pues, qué opinas». Dijo: «¡Padre! ¡Haz lo que se te ordena! Encontrarás, si Dios quiere, que soy de los pacientes». [103] Cuando ya se habían sometido los dos y lo echó sobre la frente [para sacrificarlo], [104] Le llamamos: «¡Abraham! [105] Has realizado tu

visión. Y por cierto que así retribuimos a los benefactores ». [106] En verdad, esta es una verdadera prueba. [107] Le rescatamos poniendo en su lugar una magnífica recompensa [108] y perpetuamos su recuerdo en la posteridad. [109] ¡Paz sobre Abraham! [110] Así retribuimos a quienes hacen el bien. [111] Es uno de Nuestros siervos creyentes. [112] Y le anunciamos el nacimiento de Isaac, Profeta, de los justos. [113] Les bendijimos, a él y a Isaac. Y entre sus descendientes unos hicieron el bien, pero otros fueron claramente injustos consigo mismos.

[114] Y por cierto que agraciamos a Moisés y a Aarón. [115] Les salvamos a ellos y a su pueblo de un grave apuro. [116] Les auxiliamos y fueron los vencedores. [117] Les dimos el Libro claro. [118] Y les guiamos por el sendero recto [119] y perpetuamos su recuerdo en la posteridad. [120] ¡Paz sobre Moisés y Aarón! [121] Así retribuimos a quienes hacen el bien. [122] Fueron dos de Nuestros siervos creyentes.

[123] Ciertamente, Elías fue uno de los Mensajeros. [124] Cuando dijo a su pueblo: «¿Es que no vais a temer a Dios? [125] ¿Vais a invocar a Baal [nombre que le atribuían al ídolo que adoraban], dejando al Mejor de los creadores: [126] a Dios, Señor vuestro y Señor de vuestros antepasados?». [127] Le desmintieron, y ciertamente se les hará comparecer; [128] no es así, sin embargo, con los siervos sinceros de Dios. [129] Y perpetuamos su recuerdo en la posteridad. [130] ¡Paz sobre Elías! [131] Así retribuimos a quienes hacen el bien. [132] Fue uno de Nuestros siervos creyentes.

[133] Y por cierto que Lot también se contó entre Nuestros Mensajeros. [134] Cuando les salvamos a él y a todos los de su familia [135] salvo a su mujer, pues se contaba entre los que se rezagaron. [136] Luego, aniquilamos a los demás. [137] Pasáis, sí, sobre ellos, mañana [138] y tarde. ¿Es que no comprendéis?

[139] Ciertamente, Jonás fue uno de los Mensajeros. [140] Cuando escapó en el barco abarrotado [para huir, sin el permiso de Dios, del pueblo al que había sido enviado, porque se negaron a creer].

[141] [Quienes estaban embarcados, por temor a que se hunda,] Echaron la suerte [para saber quién debía ser arrojado al mar], y él fue el perdedor. [142] El pez se lo tragó y fue así reprendido. [143] Si no hubiera sido de los que glorifican a Dios, [144] habría permanecido en su vientre hasta el Día de la Resurrección. [145] Le arrojamos a una costa desolada, maltrecho [y su piel estaba tan débil] [146] e hicimos crecer sobre él una planta de calabaza [para que con su sombra y frescor su piel se curase rápidamente]. [147] Y le enviamos a [un pueblo de] cien mil o más. [148] Creyeron y les permitimos gozar por algún tiempo.

[149] Pregúntales [¡Oh, Muhammad! a los idólatras de tu pueblo] si acaso creen que es como pretenden de que a tu Señor Le pertenecen las hijas mujeres y a ellos solo los hijos varones. [150] ¿Acaso fueron testigos cuando creamos a los ángeles, como para decir que son de sexo femenino? [151] Mienten tanto que llegan a decir: [152] «Dios ha engendrado». ¡Y por cierto que son mentirosos! [153] ¿Es que ha escogido tener hijas a tener hijos? [154] ¿Qué os pasa? ¿Qué manera de juzgar es esa? [155] ¿Es que no os dejaréis amonestar? [156] ¿O acaso tenéis un fundamento válido [de lo que decís]? [157] ¡Traed entonces el libro [revelado donde se encuentra vuestro fundamento], si sois veraces!

[158] También inventaron un parentesco entre Él y los genios, pero los genios saben bien que comparecerán [ante Dios y serán juzgados por sus obras]. [159] ¡Glorificado sea Dios! Él está por encima de lo que Le atribuyen. [160] [Todos estos serán castigados] Excepto los siervos que Dios preservó del pecado. [161] Ciertamente vosotros [¡Oh, idólatras!] y lo que adoráis en vez de Dios, [162] no podréis desviar a nadie sino [163] a quien vaya a arder en el fuego del Infierno. [164] [Y los ángeles dicen:] «No hay nadie entre nosotros que no tenga un lugar señalado. [165] Y ciertamente estamos ordenados en

filas [para adorar a nuestro Señor]. [166] Sí, somos nosotros los que glorifican».

[167] [Los idólatras, antes de que tú ¡Oh, Muhammad! fueras enviado a ellos] solían decir: [168] «Si nos llegase el Mensaje como les llegó a nuestros predecesores, [169] seríamos siervos sinceros de Dios». [170] Y sin embargo se han negado a creer en él [el Corán] ¡Van a ver...! [171] Ha precedido ya Nuestra palabra a Nuestros siervos, los Mensajeros: [172] son ellos los que serán, ciertamente, auxiliados, [173] y es Nuestro ejército el que, ciertamente, vencerá. [174] ¡Apártate pues de ellos [los incrédulos], por algún tiempo, [175] y obsérvales, que ya verán!

[176] ¿Quieren, entonces, adelantar Nuestro castigo? [177] Cuando descargue sobre ellos, mal despertar tendrán los que ya habían sido advertidos. [178] ¡Apártate pues de ellos, por algún tiempo, [179] y obsérvales, que ya verán! [180] ¡Glorificado sea tu Señor, Señor del poder! Él está por encima de lo que Le atribuyen. [181] Y ¡paz sobre los Mensajeros! [182] ¡Alabado sea Dios, Señor del Universo!

SURA 38 : SÁD

....

SÁD

¡En el nombre de Dios, el Compasivo, el Misericordioso!

[1] *Sâd.*

¡Por el Corán, que contiene la Amonestación...! [2] Que los incrédulos están llenos de orgullo y en oposición. [3] ¡A cuántas generaciones, antes de ellos, hemos hecho perecer! Invocaron cuando ya no había tiempo para salvarse.

[4] Se asombran de que uno salido de ellos haya venido a advertirles. Y dicen los incrédulos: «¡Este es un mago mentiroso!

⁵ ¡Quiere reducir los dioses a un Dios Uno? ¡Es algo, ciertamente, insólito!». ⁶ Sus dignatarios se fueron: «¡Id y manteneos fieles a vuestros dioses! Pues en todo esto se persigue algo contra vosotros. ⁷ No oímos que ocurriera tal cosa en la última religión. Esto no es más que una invención. ⁸ ¿Se le ha revelado la Amonestación a él, de entre nosotros?». ¡Sí! ¡Dudan de Mi Amonestación! ¡No, aún no han gustado Mi castigo!

⁹ ¿Acaso [los incrédulos] poseen las llaves de la misericordia de tu Señor, Poderoso, Dador? ¹⁰ ¿O poseen el dominio de los cielos; de la Tierra y de lo que entre ellos hay? Pues que suban por los accesos [al cielo]. ¹¹ Todo un ejército de coalicionistas será aquí mismo derrotado. ¹² Antes de ellos, otros desmintieron: el pueblo de Noé, los 'Ad y Faraón, el de las estacas, ¹³ los Zamud, el pueblo de Lot, los habitantes de la Espesura. Esos eran los coalicionistas. ¹⁴ No hicieron todos sino desmentir a los enviados y se cumplió Mi castigo. ¹⁵ No esperarán estos más que un solo grito [el toque de la trompeta el Día de la Resurrección], que no se repetirá. ¹⁶ Dicen: «¡Señor! ¡Anticípanos nuestra parte antes del Día de la Cuenta!».

¹⁷ Ten paciencia con lo que dicen y recuerda a Nuestro siervo David, quien fue dotado con una gran fuerza [física y firmeza en la fe]. Su arrepentimiento era sincero. ¹⁸ Nosotros le sometimos las montañas, para que junto con él glorificasen [a Dios] al anochecer y al amanecer,. ¹⁹ Y [con el mismo fin] también le sometimos a las aves en bandadas. Todos obedientes a él. ²⁰ Consolidamos su dominio y le dimos la sabiduría y la facultad de arbitrar.

²¹ ¿Te has enterado de la historia de los litigantes? Cuando subieron a palacio. ²² Cuando entraron adonde estaba David y este se asustó al verles. Dijeron: «¡No tengas miedo! Somos dos partes litigantes, una de las cuales ha ofendido a la otra. Decide, pues, entre nosotros según justicia, imparcialmente, y dirígenos a la vía recta.

²³ Este es mi hermano. Tiene noventa y nueve ovejas y yo una oveja. Dijo: «Déjala para que yo me haga cargo de ella, y me convenció con sus argumentos elocuentes». ²⁴ Dijo: «[apresurado en juzgar y sin escuchar el argumento del otro litigante]: Él [es culpable porque] ha cometido una injusticia contigo al persuadirte para que le entregues tu oveja y se sume a las de él; ciertamente que muchos socios se perjudican unos a otros, excepto los que creen y obran rectamente, que, en realidad, son muy pocos». David comprendió que quisimos ponerlo a prueba [mediante este juicio], y pidió perdón a su Señor, se prosternó y arrepintió. ²⁵ Se lo perdonamos y tiene un sitio junto a Nosotros y un bello lugar de retorno.

²⁶ ¡David! Te hemos hecho sucesor en la Tierra. ¡Decide, pues, entre los hombres según justicia! ¡No sigas la pasión! Si no, te extraviará del camino de Dios. Quienes se extravíen del camino de Dios tendrán un severo castigo. Por haber olvidado el Día de la Cuenta.

²⁷ No hemos creado en vano el cielo, la Tierra y lo que entre ellos está. Así piensan los incrédulos. Y ¡ay de los incrédulos, por el Fuego...! ²⁸ ¿Trataremos a quienes creen y obran bien igual que a quienes corrompen en la Tierra, a los temerosos de Dios igual que a los pecadores? ²⁹ Este es el Libro bendito [el Sagrado Corán] que te revelamos [¡Oh, Muhammad!] para que mediten sobre sus preceptos, y recapaciten los dotados de intelecto.

³⁰ Y por cierto que agraciamos a David con [su hijo] Salomón. ¡Qué siervo tan agradable! Su arrepentimiento era sincero. ³¹ Cuando un anochecer le presentaron unos corceles de raza. ³² [Y luego de permanecer toda la tarde observando su belleza y descuidar la oración, Salomón] Exclamó: «¡Por amor a los bienes he descuidado el recuerdo de mi Señor hasta que el sol se ha escondido tras el

velo! ³³ ¡Traédmelos!». Y se puso a desjarretarlos y degollarlos [repartiendo su carne a los pobres].

³⁴ Por cierto que probamos a Salomón [despojándolo de su reino] cuando pusimos en su trono un demonio con figura de hombre [que disponía de su reino como quería]. Entonces, [Salomón] se volvió a su Señor. ³⁵Dijo: «¡Oh, Señor mío! ¡Perdóname y concédeme un reino tan poderoso, que nadie pueda tener. Tú eres el Dador». ³⁶ Sujetamos a su servicio el viento, que soplaba suavemente allí donde él quería, a una orden suya. ³⁷ Y a los demonios, algunos para la construcción, otros como buzos [que extraían para él perlas], ³⁸ Y otros [los demonios rebeldes] que estaban encadenados unos con otros. ³⁹ «¡Esto es don Nuestro! ¡Haz uso de él concediendo o denegando sin ninguna limitación!». ⁴⁰ Tiene un sitio junto a Nosotros y un bello lugar de retorno.

⁴¹ ¡Y recuerda a nuestro siervo Job! Cuando invocó a su Señor. «Por cierto que Satanás me mortifica con una gran dolencia [mi enfermedad] y un terrible tormento [la pérdida de mi familia y mis bienes]». ⁴² «¡Golpea con el pie! Ahí tienes agua fresca para lavarte y para beber [y así recuperarás la salud]». ⁴³ Le regalamos su familia y otro tanto, como misericordia venida de Nosotros y como amonestación para los dotados de intelecto. ⁴⁴ Y: «¡Toma en tu mano un haz de hierba y golpea simbólicamente con él a tu esposa, para que no perjures [pues cuando se encontraba enfermo, en un momento de enfado, había jurado que le pagaría cien azotes]. Y por cierto que Job fue paciente [ante todas las adversidades]!». ¡Qué siervo tan agradable! Su arrepentimiento era sincero.

⁴⁵ Y recuerda a Nuestros siervos Abraham, Isaac y Jacob, todos ellos dotados de perseverancia [en la adoración] y conocimiento [de los preceptos divinos]. ⁴⁶ Les hicimos objeto de distinción al recordarles la Morada. ⁴⁷ Y ciertamente ellos se cuentan entre los

virtuosos que Nosotros hemos elegido. ⁴⁸ Y recuerda a Ismael, Eliseo y Dhul kifl, todos ellos de los mejores.

⁴⁹ Esto es una amonestación. Los que teman a Dios tendrán, ciertamente, un bello lugar de retorno: ⁵⁰ los Jardines del Edén, cuyas puertas estarán abiertas para ellos, ⁵¹ y en los que, reclinados, pedirán fruta abundante y bebida. ⁵² Junto a ellos estarán las de recatado mirar, de una misma edad. ⁵³ Esto es lo que se os promete para el Día de la Cuenta. ⁵⁴ En verdad, este será Nuestro sustento, sin fin.

⁵⁵ Así será. Los rebeldes, en cambio, tendrán un mal lugar de retorno: ⁵⁶ el Infierno, en el que arderán. ¡Qué mal lecho...! ⁵⁷ ¡Esto será así! Sufrirán, y allí solo beberán agua hirviendo y las secreciones de las heridas. ⁵⁸ Y otras muchas cosas por el estilo. ⁵⁹ «He ahí a otra muchedumbre que se precipita con vosotros. No hay bienvenida para ellos. Arderán en el Fuego». ⁶⁰ Dirán: «¡No! ¡No hay bienvenida para vosotros! ¡Sois vosotros los que nos habéis preparado esto! ¡Qué mala morada...!». ⁶¹ Dirán: «¡Señor! A los que nos han preparado esto ¡dóblales el castigo en el Fuego!». ⁶² Dirán: «¿Cómo es que no vemos aquí a hombres que teníamos por malvados, ⁶³ de los que nos burlábamos? ¿O es que se desvían de ellos las miradas?». ⁶⁴ Sí, esto es verdad: la discusión entre los moradores del Fuego.

⁶⁵ Di: «Yo no soy más que uno que advierte. No hay ningún otro dios que Dios, el Uno, el Invicto, ⁶⁶ el Señor de los cielos, de la Tierra y de lo que entre ellos está, el Poderoso, el Indulgente». ⁶⁷ Y diles también: «Por cierto que lo que os he transmitido es un Mensaje sublime, ⁶⁸ de la cual os apartáis. ⁶⁹ Yo no tenía conocimiento del Consejo Supremo [de Ángeles], cuando discutían unos con otros. ⁷⁰ Lo único que se me ha revelado es que soy un monitor que habla claro».

⁷¹ Cuando tu Señor dijo a los ángeles: «Voy a crear un hombre

de barro [72] y cuando lo haya formado armoniosamente e infundido en él de Mi Espíritu, ¡caed prosternados ante él!», [73] todos los ángeles se prosternaron. [74] No así Iblis, que se mostró altivo y fue de los incrédulos. [75] Dijo: «¡Iblis! ¿Qué es lo que te ha impedido prosternarte ante lo que con Mis manos he creado? ¿Por qué te ensoberbeces y te comportas arrogantemente?». [76] Dijo: «Yo soy mejor que él. A mí me creaste de fuego, mientras que a él le creaste de barro». [77] Dijo: «¡Sal de aquí [del Paraíso], pues Te maldigo! [78] ¡Mi maldición te perseguirá hasta el Día del Juicio!».

[79] Dijo: «¡Señor, déjame esperar hasta el Día de la Resurrección!». [80] Dijo: «Entonces, serás de aquellos a quienes se ha concedido una prórroga [81] hasta el día del tiempo señalado». [82] Dijo: «¡Por Tu poder, que he de descarriarles a todos, [83] salvo a aquellos que sean siervos Tuyos sinceros!». [84] Dijo: «La verdad es, digo verdad, [85] que he de llenar el Infierno contigo y con todos aquellos que te hayan seguido».

[86] Diles [¡Oh, Muhammad!]: «Yo no os pido ninguna remuneración a cambio [de transmitiros el Mensaje], y no soy de los que inventan mentiras [acerca de Dios]. [87] Ello no es más que una amonestación dirigida a todo el mundo. [88] Y os enteraréis, ciertamente, de lo que anuncia dentro de algún tiempo».

SURA 39. AZ ZUMAR

LOS GRUPOS

¡En el nombre de Dios, el Compasivo, el Misericordioso!

[1] La revelación del Libro procede de Dios, el Poderoso, el Sabio. [2] Te hemos revelado el Libro con la verdad. ¡Adora a Dios, rindiéndole culto sincero! [3] El culto puro ¿no se debe a Dios? Los

que han tomado amigos en lugar de tomarle a Él. «Solo les servimos para que nos acerquen bien a Dios». Dios decidirá entre ellos sobre aquello en que discrepaban. Dios no guía al que miente, al infiel pertinaz.

⁴ Si Dios hubiera hubiese querido tomar a alguien como hijo, hubiera elegido a quién quisiere de entre Su creación [dándole el grado de hijo, sin necesidad de compañera alguna para engendrarlo]. ¡Glorificado sea! Él es Dios, Único, Victorioso. ⁵ Ha creado con un fin los cielos y la Tierra. Hace que la noche suceda al día y el día a la noche. Ha sujetado el sol y la luna, prosiguiendo cada uno su curso hacia un término fijo. ¿No es Él el Poderoso, el Indulgente?

⁶ Os ha creado de una sola persona, de la que ha sacado a su cónyuge. Os ha dado, de los rebaños, cuatro parejas. Os ha creado en el seno de vuestras madres, creación tras creación, en triple oscuridad. Tal es Dios, vuestro Señor. Él posee la soberanía [real, en esta vida y en la otra]. No hay más dios que Él. ¡Cómo, podéis pues, ser tan desviados!

⁷ Si sois ingratos,... Dios puede prescindir de vosotros. No acepta la ingratitud de Sus siervos. En cambio, si sois agradecidos, os lo aceptará complacido. Nadie cargará con la carga ajena. Al final, volveréis a vuestro Señor y ya os informará Él de lo que hacíais. Él sabe bien lo que los pechos encierran.

⁸ Cuando sufre el hombre una desgracia, invoca a su Señor, volviéndose a Él arrepentido. Luego, cuando Él le ha dispensado una gracia Suya, se olvida del objeto de su invocación anterior y atribuye iguales a Dios para extraviar a otros de Su camino. Di: «¡Goza un poco de tu incredulidad! Serás de los moradores del Fuego». ⁹ ¿Acaso [tal incrédulo] es como quien se prosterna e inclina [en la oración] consagrándose [a ella] en la noche, está precavido de [lo que le aguarda en] la Otra Vida y anhela la misericordia de su

Señor...? Di: «¿Son iguales los que saben y los que no saben?». Solo se dejan amonestar los dotados de intelecto.

^{10} Di: «¡Siervos Míos que creéis! ¡Temed a vuestro Señor! Quienes obren bien tendrán en esta vida una bella recompensa. La Tierra de Dios es vasta. Los pacientes recibirán una recompensa ilimitada».

^{11} Di: «He recibido la orden de servir a Dios, rindiéndole culto sincero. ^{12} He recibido la orden de ser el primero en someterse a Él». ^{13} Di: «Temo, si desobedezco a mi Señor, el castigo de un día terrible». ^{14} Di: «A Dios adoro, rindiéndole culto sincero. ^{15} Adorad pues [¡Oh, incrédulos!] lo que queráis en lugar de Él. Por cierto que los desdichados serán quienes se pierdan a sí mismos con sus familias el Día de la Resurrección [ingresando al Infierno]. ¿Acaso no es esta la mayor perdición? ^{16} Por encima y por debajo, tendrán pabellones de fuego. Así atemoriza Dios Sus siervos. «¡Temedme, pues, siervos!».

^{17} ¡Buena nueva para quienes hayan evitado a los taguts [Satanás y los ídolos], rehusando adorarles, y se hayan vuelto arrepentidos a Dios! ¡Y anuncia la buena nueva a Mis siervos, ^{18} que escuchan la Palabra y siguen lo mejor de ella! ¡Esos son los que Dios ha guiado! ¡Esos son los dotados de intelecto!

^{19} Aquel contra quien se cumpla la sentencia del castigo... ¿Podrás salvar tú a quien está en el Fuego? ^{20} Quienes teman a su Señor, morarán en la Otra Vida en habitaciones elevadas, y sobre ellos habrá otras habitaciones [donde estarán quienes hayan alcanzado grados más elevados]; [en jardines] donde correrán los ríos. ¡Promesa de Dios! Dios no falta a Su promesa.

^{21} ¿No ves cómo hace Dios bajar agua del cielo y Él la conduce a manantiales en la tierra? Mediante ella saca cereales de clases diversas, que, más tarde, se marchitan y ves que amarillean. Luego, hace de ellos paja seca. Hay en ello, sí, una amonestación para los dotados de intelecto. [22] ¿Es que aquel cuyo pecho Dios ha abierto al islam y camina así a la luz de su Señor... [se puede equiparar con quien no cree]? ¡Ay de los que tienen un corazón insensible a la amonestación de Dios! Están evidentemente extraviados.

[23] Dios ha revelado el más bello relato [el Corán], un Libro armonioso que reitera las exhortaciones [y las historias]. Al oírla, se estremecen quienes tienen miedo de su Señor; luego, se calman en cuerpo y en espíritu al recuerdo de Dios. Esa es la dirección de Dios, por la que guía a quien Él quiere. En cambio, aquel a quien Dios extravía no podrá encontrar quien le guíe.

[24] ¿Es que quien trata de protegerse con su propia persona contra el mal castigo del Día de la Resurrección... [se equipara con quien no sigue la guía]? Se dirá a los inicuos: «¡Gustad lo que habéis merecido!». [25] Sus predecesores desmintieron y el castigo les vino de donde no lo presentían. [26] Dios les hizo gustar la ignominia en esta vida, pero, ciertamente, el castigo de la otra vida es mayor. Si supieran...

[27] En este Corán hemos dado a los hombres toda clase de ejemplos. Quizás, así, se dejen amonestar. [28] Es un Corán árabe, y sin contradicciones para que [puedan entenderle y así] teman a Dios. [29] Dios propone el símil de un hombre que pertenece a socios que no están de acuerdo y el hombre que pertenece exclusivamente a uno. ¿Son ambos similares? ¡Alabado sea Dios! Pero la mayoría no saben. [30] Por cierto que tú fallecerás [¡Oh, Muhammad!] y ellos también fallecerán [pues nadie es inmortal]. [31] Luego, el día de la Resurrección, disputaréis junto a vuestro Señor.

[32] ¿Hay alguien que sea más inicuo que quien miente contra Dios y que, cuando viene a él la Verdad, la desmiente? ¿No hay en el Infierno una morada para los incrédulos? [33] Quienes traen la Verdad y la confirman, esos son los temerosos de Dios. [34] Tendrán junto a su Señor lo que desean, esa será la retribución de quienes

hacen el bien: [35] que Dios borre sus peores obras y les retribuya con arreglo a sus mejores obras.

[36] ¿No basta Dios a Su siervo? Quieren intimidarte con otros fuera de Él. Pero aquel a quien Dios extravía no podrá encontrar quien le guíe. [37] Y a aquel a quien Dios guíe nadie podrá extraviar. ¿Acaso no es Dios Poderoso, y se venga [de quienes Le desobedecen]?

[38] Si les preguntas: «¿Quién ha creado los cielos y la Tierra?», seguro que dicen: «¡Dios!». Di: «Y ¿qué os parece? Si Dios me deseara una desgracia, las que invocáis en lugar de invocarle a Él ¿podrían impedirlo? Y si Él quisiera hacerme objeto de una misericordia, podrían ellas evitarlo?». Di: «¡Dios me basta! Quienes confían, confían en Él[1]». [39] Di: «¡Pueblo! ¡Obrad según vuestra situación! Yo también obraré... Y pronto veréis [40] quién recibirá un castigo humillante y sobre quién recaerá un castigo permanente». [41] Te hemos revelado el Libro destinada a los hombres con la Verdad. Quien sigue la vía recta, la sigue en provecho propio y quien se extravía se extravía, en realidad, en detrimento propio. Tú no eres su protector.

[42] Dios llama a las almas cuando mueren y cuando, sin haber muerto, duermen. Retiene aquellas cuya muerte ha decretado y remite las otras a un plazo fijo. Ciertamente, hay en ello signos para gente que reflexiona.

[43] ¿Tomarán los incrédulos a otros intercesores en lugar de tomar a Dios? Di: «Y ¿si no pudieran nada ni razonaran?». [44] Di: «Toda intercesión proviene de Dios. Suyo es el dominio de los cielos y de la Tierra. Al fin, a Él seréis devueltos». [45] Cuando Dios Solo es mencionado, se oprime el corazón de quienes no creen en la otra vida, pero cuando se mencionan otros fuera de Él, he aquí que se regocijan. [46] Di: «¡Dios, creador de los cielos y de la Tierra! ¡El Conocedor de lo oculto y de lo patente! Tú decidirás entre Tus siervos sobre aquello en que discrepaban». [47] Si los

inicuos poseyeran todo cuanto hay en la Tierra y aun otro tanto, lo ofrecerían como rescate el Día de la Resurrección para librarse del mal castigo. Dios les manifestará aquello con que no contaban. [48] Se les mostrará el mal que cometieron y se verán cercados por aquello de que se burlaban.

[49] Cuando el hombre sufre una desgracia, Nos invoca. Luego, cuando le dispensamos una gracia Nuestra, dice: «¡Lo que se me ha dado lo debo solo al conocimiento!». ¡No! Es una prueba, pero la mayoría no saben. [50] Lo mismo decían los que fueron antes de ellos y sus posesiones no les sirvieron de nada. [51] Y les azotó el castigo por lo que cometieron; y los inicuos de entre estos serán castigados por sus malas obras, y no lo podrán evitar. [52] ¿No saben que Dios dispensa el sustento a quien Él quiere: a unos con largueza, a otros con mesura? Ciertamente, hay en ello signos para gente que cree. [53] Di: «¡Siervos, vosotros que os habéis excedido [cometiendo pecados]en detrimento propio! ¡No desesperéis de la misericordia de Dios! Dios perdona todos los pecados. Él es el Indulgente, el Misericordioso» [54] ¡Volveos a vuestro Señor arrepentidos! ¡Someteos a Él antes de que os alcance el castigo, porque luego no seréis auxiliados!

[55] ¡Seguid lo mejor que vuestro Señor os ha revelado, antes de que os venga el castigo de repente, sin presentirlo! [56] No sea que alguien diga; «¡Ay de mí! Ahora estoy perdido por haber desobedecido las órdenes de Dios ¡Yo era de los que se burlaban!», [57] o diga: «¡Si Dios me hubiera guiado, habría sido de los que Le temen!», [58] o diga, al ver el castigo: «¡Si pudiera regresar, sería de quienes hacen el bien!». [59] [Pero Dios dirá:] «Ya se os presentaron Mis signos evidentes [en el Corán] pero los desmentisteis, os ensoberbecisteis, y fuisteis incrédulos». [60] El Día de la Resurrección verás que los rostros de quienes desmintieron a Dios estarán ensombrecidos. ¿Acaso no es el Infierno la morada para los soberbios? [61] Dios

salvará a quienes Le hayan temido, librándoles del castigo: no sufrirán mal ni estarán tristes.

⁶² Dios es Creador de todo y vela por todo. ⁶³ Suyas son las llaves de los cielos y de la Tierra. Los que no crean en los signos de Dios, esos serán los que pierdan. ⁶⁴ Di: «¿Es que me ordenáis que adore a otro diferente de Dios? ¡Ignorantes!». ⁶⁵ A ti y a los que te precedieron se os ha revelado: «Si asocias a Dios otros dioses, tus obras serán vanas y serás, sí, de los que pierdan. ⁶⁶ Antes bien, ¡a Dios adora y sé de los agradecidos!».

⁶⁷ No han valorado a Dios debidamente. El Día de la Resurrección, contendrá toda la Tierra en Su puño, los cielos estarán plegados en Su diestra. ¡Gloria a É¹! ¡Está por encima de lo que Le asocian! ⁶⁸ Se tocará la trompeta y los que estén en los cielos y en la Tierra caerán fulminados, excepto los que Dios quiera. Se tocará la trompeta otra vez y he aquí que se pondrán en pie, mirando. ⁶⁹ La Tierra brillará con la luz de su Señor. Se sacará el Libro. Se hará venir a los Profetas y a los testigos. Se decidirá entre ellos según justicia y no serán tratados injustamente. ⁷⁰ Cada uno recibirá conforme a sus obras. Él sabe bien lo que hacen.

⁷¹ Los incrédulos serán conducidos en grupos al Infierno. Hasta que, llegados a él, se abrirán las puertas y sus guardianes les dirán: «¿No vinieron a vosotros Mensajeros, salidos de vosotros, para recitaros los preceptos de vuestro Señor y preveniros contra el encuentro de este vuestro día?». Dirán: «¡Claro que sí!». Pero se cumplirá la sentencia del castigo contra los incrédulos. ⁷² Se dirá: «¡Entrad por las puertas del Infierno, para estar en ella eternamente!». ¡Qué mala es la morada de los soberbios!

⁷³ Pero los que hayan temido a su Señor, serán conducidos en grupos al Paraíso, y cuando lleguen a él, se abrirán sus puertas y sus guardianes les dirán: «¡Paz sobre vosotros! Fuisteis buenos. ¡Entrad, pues, en él, por toda la eternidad!». ⁷⁴ Y dirán: «¡Alabado

sea Dios, Que nos ha cumplido Su promesa y nos ha dado la tierra del Paraíso en herencia. Podemos establecernos en el Jardín donde queramos». ¡Qué grata es la recompensa de los que obran bien! [75] Verás a los ángeles, yendo alrededor del Trono, celebrando las alabanzas de su Señor. Se decidirá entre ellos según justicia y se dirá: «¡Alabado sea Dios, Señor del Universo!».

SURA 40 : GÁFIR

EL PERDONADOR

¡En el nombre de Dios, el Compasivo, el Misericordioso!

[1] *Ha. Mim.*

[2] La revelación del Libro procede de Dios, el Poderoso, el Omnisciente. [3] Que perdona el pecado, acepta el arrepentimiento, es severo en castigar y lleno de poder. No hay más dios que Él. ¡Él es el fin de todo!

[4] No discuten sobre los signos de Dios sino los incrédulos. ¡Que sus idas y venidas por el país no te turben! [5] Antes de ellos, ya el pueblo de Noé había desmentido. Luego, también los coalicionistas [incrédulos que se unieron para combatir la Verdad]. Los miembros de cada comunidad habían planeado apoderarse del Mensajero que se les había mandado. Y discutieron con argucias para, así, derribar la Verdad. Y entonces les castigué. ¡Qué terrible fue Mi castigo! [6] Así se cumplió la sentencia de tu Señor contra los incrédulos: que serían los moradores del Fuego.

[7] Los que llevan el Trono y los que están a su alrededor celebran las alabanzas de su Señor, creen en Él y Le piden que perdone a los creyentes: «¡Señor! Tú lo abarcas todo en Tu misericordia y sabiduría. ¡Perdona, pues, a los que se arrepienten y siguen Tu

camino! ¡Líbrales del castigo del fuego del Infierno! [8] ¡Señor! ¡Introdúceles en los Jardines del Edén que les prometiste, junto con aquellos de sus padres, esposas y descendientes que fueron buenos! Tú eres el Poderoso, el Sabio. [9] ¡Líbrales de mal! Ese día, aquel a quien hayas librado de mal será objeto de Tu misericordia. ¡Ese es el éxito grandioso!».

[10] A los que no hayan creído se les gritará: «El aborrecimiento que Dios os tiene es mayor que el aborrecimiento que os tenéis a vosotros mismos, por cuanto, invitados a creer, no creísteis». [11] Dirán: «¡Señor! Nos has hecho morir dos veces [la primera es simbólica, y se refiere al estado embrionario previo a recibir el espíritu y la segunda es la real] y vivir otras dos [al recibir el espíritu y al resucitarnos]. Confesamos, pues, nuestros pecados. ¿Hay modo de salir?». [12] Esto os pasa porque cuando se invocaba a Dios Único, no creíais. Mientras que si se Le asociaban otros dioses, creíais. La decisión, pues, pertenece a Dios, el Altísimo, el Grande.

[13] Él es Quien os muestra Sus signos, Quien os hace bajar del cielo sustento. Pero no se deja amonestar sino quien vuelve a Él arrepentido. [14] Invocad, pues, a Dios, rindiéndole culto sincero, a despecho de los incrédulos. [15] De elevada dignidad y Señor del Trono. Concede la revelación con Su Mensaje a quien Él quiere de Sus siervos, para que advierta sobre el día de la comparecencia. [16] Ese día surgirán, sin que nada de ellos pueda ocultarse a Dios. Ese día, ¿de quién será el dominio? ¡De Dios, el Uno, el Invicto! [17] Ese día cada uno será retribuido según sus méritos. ¡Nada de injusticias ese día! Dios es rápido en ajustar cuentas.

[18] Prevenles contra el Día Inminente, cuando, angustiados, se les haga un nudo en la garganta. No tendrán los inicuos ningún amigo ferviente ni intercesor que sea escuchado. [19] Conoce la perfidia de los ojos y lo que ocultan los pechos. [20] Dios decide según justicia.

En cambio, los otros que ellos invocan en lugar de invocarle a Él no pueden decidir nada. Dios es Quien todo lo oye, Quien todo lo ve.

²¹ Pues, ¡qué! ¿No han ido por la Tierra y mirado cómo terminaron sus antecesores? Eran más poderosos y dejaron más huellas en la Tierra. Entonces, Dios les sorprendió por sus pecados y no hubo quien pudiera protegerles contra Dios. ²² Es que cuando los Mensajeros vinieron a ellos con las pruebas claras, no creyeron y Dios les sorprendió. Es fuerte y castiga severamente.

²³ Enviamos a Moisés con Nuestros signos y con una autoridad manifiesta ²⁴ a Faraón, a Hamán y a Qarún. Ellos dijeron: «Un mago mentiroso». ²⁵ Cuando les trajo la verdad de Nosotros, dijeron: «¡Matad a los hijos varones de los que creen como él y dejad con vida a sus mujeres!». Pero la artimaña de los incrédulos fue inútil.

²⁶ Faraón dijo: «¡Dejadme que mate a Moisés, y que invoque él a su Señor! Temo que cambie vuestra religión, o que haga aparecer la corrupción en el país». ²⁷ Moisés dijo: «Me refugio en mi Señor y Señor vuestro contra todo soberbio que no cree en el Día de la Cuenta».

²⁸ Un hombre creyente de la familia de Faraón, que ocultaba su fe, dijo: «¿Vais a matar a un hombre por el mero hecho de decir "Mi Señor es Dios", siendo así que os ha traído las pruebas claras de vuestro Señor? Si miente, su mentira recaerá sobre él. Pero, si dice verdad, os alcanzará algo de aquello con que os amenaza. Dios no dirige al inmoderado, al mentiroso. ²⁹ ¡Pueblo! Habiendo vencido en la Tierra, vuestro es el dominio hoy. Pero, cuando nos alcance el rigor de Dios, ¿quién nos librará de él?». Faraón dijo: «Yo no os hago ver sino lo que yo veo y no os dirijo sino por el camino recto».

³⁰ El que creía dijo: «¡Pueblo! Temo por vosotros un día como el de los coalicionistas, ³¹ como ocurrió al pueblo de Noé, a los 'Ad, a los Zamud y a los que vinieron después de ellos. Dios no quiere la injusticia para Sus siervos. ³² ¡Pueblo! Temo que viváis el día de la

Llamada Mutua, [33] el día en que volveréis la espalda y no tendréis a nadie que os proteja de Dios. Aquel a quien Dios extravía no tendrá quien le guie.

[34] Ya antes había venido José a vosotros con las pruebas claras y siempre dudasteis de lo que os trajo. Hasta que, cuando pereció dijisteis: "Dios no mandará a ningún Mensajero después de él". Así extravía Dios al inmoderados al escéptico». [35] Quienes discuten sobre los signos de Dios sin haber recibido autoridad... Es muy aborrecible para Dios y para los creyentes. Así sella Dios el corazón de todo soberbio, de todo tirano.

[36] Faraón dijo: «¡Hamán! ¡Constrúyeme una torre! Quizás, así, alcance las vías, [37] Las vías que conducen al cielo, y suba al Dios de Moisés. Sí, creo que este miente». Así se engalanó a Faraón la maldad de su acto y fue apartado del Camino. Pero se malograron sus artimañas.

[38] Y dijo el [hombre] creyente [de la familia del Faraón]: «¡Oh, pueblo mío! Seguidme, que os guiaré por el camino recto. [39] ¡Oh, pueblo mío! En verdad, en esta vida mundanal hay solo placeres transitorios, en cambio en la otra, [los placeres] serán eternos. [40] Quien obre mal no será retribuido sino con una pena similar. En cambio, los creyentes, varones o hembras, que obren bien entrarán en el Jardín y serán proveídos en él sin medida. [41] ¡Oh, pueblo mío! ¿Cómo es que yo os llamo a la salvación, mientras que vosotros me llamáis al Fuego? [42] Me llamáis a que sea infiel a Dios y a que Le asocie algo de lo que no tengo conocimiento, mientras que yo os llamo al Poderoso, al Indulgente. [43] ¡En verdad, aquello a lo que me llamáis no merece ser invocado, ni en esta vida ni en la otra! Sí, volveremos a Dios y los inmoderados serán los moradores del Fuego. [44] Entonces, os acordaréis de lo que os digo. En cuanto a mí, me pongo en manos de Dios. Dios ve bien a Sus siervos».

[45] Dios le preservó de los males que habían tramado y sobre la

gente de Faraón se abatió el mal castigo: ⁴⁶ el Fuego, al que se verán expuestos mañana y tarde. El día que llegue la Hora: «¡Haced que la gente de Faraón reciba el castigo más severo!».

⁴⁷ Cuando discutan, ya en el Fuego, los que fueron débiles dirán a los que fueron altivos: «Os hemos seguido. ¿Vais a librarnos de parte del Fuego?». ⁴⁸ Los altivos dirán: «Estamos todos en él. Dios ha decidido entre Sus siervos». ⁴⁹ Los que estén en el Fuego dirán a los guardianes del Infierno: «¡Rogad a vuestro Señor que nos abrevie un día del castigo!». ⁵⁰ Dirán: «¡Cómo! ¿No vinieron a vosotros vuestros Mensajeros con las pruebas claras?». Dirán: «¡Claro que sí!». Dirán: «Entonces, ¡invocad vosotros!». Pero la invocación de los incrédulos será inútil.

⁵¹ Sí, a Nuestros Mensajeros y a los que crean les auxiliaremos en esta vida y el día que depongan los testigos, ⁵² el día que ya no sirvan de nada a los inicuos sus excusas, sino que sean malditos y tengan la Morada Mala. ⁵³ Por cierto que concedimos a Moisés la guía y dimos en herencia el Libro a los Hijos de Israel, ⁵⁴ como dirección y amonestación para los dotados de intelecto, ⁵⁵ ¡Ten paciencia! ¡Lo que Dios promete es verdad! Pide perdón por tu pecado y celebra al anochecer y al alba las alabanzas de tu Señor.

⁵⁶ Quienes discuten de los signos de Dios sin haber recibido autoridad, no piensan sino en grandezas, que no alcanzarán. ¡Busca, pues, refugio en Dios! Él es Quien todo lo oye, Quien todo lo ve. ⁵⁷ Por cierto que la creación de los cielos y la Tierra es más grandiosa que la creación de los hombres; pero la mayoría de ellos lo ignoran. ⁵⁸ No son iguales el ciego y el vidente. Ni los que han creído y obrado bien y los que han obrado mal. ¡Qué poco os dejáis amonestar! ⁵⁹ Sí, la Hora llega, no hay duda de ella, pero la mayoría de los hombres no creen.

⁶⁰ Vuestro Señor ha dicho: «¡Invocadme y os escucharé! Los que llevados de su altivez no Me adoren, entrarán humillados en el

Infierno». ⁶¹ Dios es quien ha dispuesto para vosotros la noche para que descanséis en ella, y el día para que podáis ver claro. Sí, Dios dispensa Su favor a los hombres, pero la mayoría de los hombres no agradecen. ⁶² Ese es Dios, vuestro Señor, creador de todo. ¡No hay más dios que Él! ¡Cómo podéis ser tan desviados! ⁶³ Del mismo modo fueron desviados quienes rechazaron los signos de Dios.

⁶⁴ Dios es Quien os ha estabilizado la Tierra y hecho del cielo un edificio, os ha formado armoniosamente y os ha proveído de cosas buenas. Ese es Dios, vuestro Señor. ¡Bendito sea Dios, Señor del Universo! ⁶⁵ Él es el Vivo. No hay más dios que É¹. ¡Invocadle rindiéndole culto sincero! ¡Alabado sea Dios, Señor del Universo!

⁶⁶ Di: «Cuando he recibido de mi Señor las pruebas claras, se me ha prohibido que adore a aquellos que invocáis en lugar de invocar a Dios. He recibido la orden de someterme al Señor del Universo». ⁶⁷ Él es Quien os ha creado de tierra [a vuestro padre Adán]; luego [a todos vosotros] de una gota de esperma; luego, de un coágulo de sangre. Luego, os hace salir como criaturas para alcanzar más tarde, la madurez, luego la vejez -aunque algunos de vosotros mueren prematuramente- y llegar a un término fijo. Quizás, así, razonéis. ⁶⁸ Él es Quien da la vida y da la muerte. Y cuando decide algo, dice tan solo: «¡Sé!» y es.

⁶⁹ ¿No has visto a quienes discuten de los signos de Dios? ¡Cómo pueden ser tan desviados! ⁷⁰ Que han desmentido el Libro y el mensaje confiado a Nuestros Mensajeros. ¡Van a ver..., ⁷¹ cuando se les coloquen argollas en sus cuellos, y sean arriados con cadenas ⁷² al agua hirviendo, luego ardan en el Fuego! ⁷³ Luego, se les dirá: «¿Dónde está lo que asociabais ⁷⁴ en lugar de Dios?». Dirán: «¡Nos han abandonado! Mejor dicho, antes no invocábamos nada». Así extravía Dios a los incrédulos. ⁷⁵ «Eso es por haberos regocijado en la Tierra sin razón y por haberos conducido insolentemente.

[76] ¡Entrad por las puertas del Infierno, para estar en ella eternamente! ¡Qué mala es la morada de los soberbios!».

[77] ¡Ten, pues, paciencia! ¡Lo que Dios promete es verdad! Lo mismo si te hacemos ver algo de aquello con que les amenazamos, que si te llamamos, serán devueltos a Nosotros. [78] Ya mandamos a otros Mensajeros antes de ti. De algunos de ellos ya te hemos contado, de otros no. Ningún Mensajero pudo traer signo alguno, sino con permiso de Dios. Cuando llegue la orden de Dios, se decidirá según justicia y entonces los falsarios estarán perdidos.

[79] Dios es Quien ha puesto para vosotros los rebaños, para que montéis en unos y de otros os alimentéis, [80] -tenéis en ellos provecho-, y para que, por ellos, consigáis vuestros propósitos. Ellos y las naves os sirven de medios de transporte. [81] Él os hace ver Sus signos. ¿Cuál, pues, de los signos de Dios negaréis?

[82] ¿No han ido por la Tierra y mirado cómo terminaron sus antecesores? Fueron más numerosos que ellos, más poderosos, dejaron más huellas en la tierra, pero sus posesiones no les sirvieron de nada. [83] Cuando sus Mensajeros vinieron a ellos con las pruebas claras, se alegraron del conocimiento que poseían, pero se vieron cercados por aquello de que se burlaban. [84] Y, cuando vieron Nuestro rigor, dijeron: «¡Creemos en Dios Solo y renegamos de lo que Le asociábamos!». [85] Pero de nada les sirvió creer cuando vieron Nuestro castigo. Así es el designio de Dios [de que ya no beneficiará la fe cuando se desencadene Su castigo], que alcanzó a quienes os precedieron. Y perdieron los incrédulos [al ser destruidos].

SURA 41 : FUSSILAT
....

HAN SIDO EXPLICADAS
DETALLADAMENTE

¡En el nombre de Dios, el Compasivo, el Misericordioso!

[1] *Ḥa. Mim.*

[2] Revelación procedente del Compasivo, del Misericordioso. [3] Es un Libro cuyos preceptos fueron detallados precisamente; [fue revelado] el Corán en idioma árabe para que lo entiendan. [4] Como nuncio de buenas nuevas y como monitor. La mayoría, empero, se desvían y no oyen. [5] Y dicen [los incrédulos]: «Una envoltura oculta a nuestros corazones aquello a que nos llamas, nuestros oídos padecen sordera, un velo nos separa de ti. ¡Haz, pues, lo que juzgues oportuno, que nosotros haremos también lo que juzguemos oportuno!».

[6] Di: «Yo soy solo un mortal como vosotros, a quien se ha revelado que vuestro Dios es un Dios Uno. ¡Id, pues, derechos a Él y pedidle perdón! ¡Ay de los asociadores, [7] que no dan el zakat [azaque] y niegan la otra vida! [8] Quienes crean y obren bien, recibirán una recompensa ininterrumpida».

[9] Di: «¿No vais a creer en Quien ha creado la Tierra en dos días y Le atribuís iguales? ¡Este es el Señor del Universo!». [10] Dispuso en ella [la Tierra] firmes montañas y la bendijo [con abundantes cultivos y ríos] y determinó el sustento para sus habitantes en cuatro días; [esto en respuesta clara] para quienes pregunten [acerca de la creación]. [11] Luego, se dirigió al cielo, que era humo, y dijo a este y a la Tierra: «¡Venid, queráis o no!». Dijeron: «¡Venimos de buen grado!». [12] «Decretó que fueran siete cielos, en dos días, e inspiró a cada cielo su cometido, embelleció el cielo de este mundo con

estrellas luminosas que son una protección. Tal es la decisión del Poderoso, del Omnisciente».

[13] Si se desvían, di: «Os prevengo contra un castigo como el de los 'Ad y los Zamud». [14] Cuando vinieron a ellos los Mensajeros antes y despué diciendo: «¡No adoréis sino a Dios!». Dijeron: «Si nuestro Señor hubiera querido, habría enviado de lo alto a ángeles. No creemos en vuestro mensaje».

[15] En cuanto a los 'Ad, sin razón, se condujeron en el país altivamente y dijeron: «¿Hay alguien más fuerte que nosotros?». ¿No veían que Dios, que les había creado, era más fuerte que ellos? Pero negaron Nuestros signos. [16] Y les enviamos un fuerte viento frío, en días terribles para ellos, para hacerles sufrir el castigo humillante en la vida mundanal; pero el castigo de la otra vida será más humillante aún, y no serán socorridos. [17] Y en cuanto a los Zamud, les dirigimos, pero prefirieron la ceguera a la guía, y les azotó un castigo humillante por el mal que habían cometido. [18] Y salvamos a los que creían y temían a Dios.

[19] El día que los enemigos de Dios sean congregados hacia el Fuego, seran divididos en grupos. [20] Hasta que, llegados a él, sus oídos, sus ojos y su piel atestiguarán contra ellos de sus obras. [21] Dirán a su piel: «¿Por qué has atestiguado contra nosotros?». Y ella dirá: «Dios, Que ha concedido a todos la facultad de hablar, nos la ha concedido a nosotros. Os ha creado una vez primera y a Él seréis devueltos. [22] No podíais esconderos tan bien que no pudieran luego atestiguar contra vosotros vuestros oídos, vuestros ojos y vuestra piel. Creíais que Dios no sabía mucho de lo que hacíais. [23] Lo que vosotros pensabais de vuestro Señor os ha arruinado y ahora sois de los que han perdido». [24] Aunque tengan paciencia, el Fuego será su morada. Y aunque pidan gracia, no se les concederá.

[25] Les hemos asignado compañeros, que han engalanado su estado actual y su estado futuro. Se ha cumplido en ellos la sentencia

que también alcanzó a otras comunidades de genios y de mortales que les precedieron. Han perdido.

²⁶ Los incrédulos dicen: «¡No hagáis caso de este Corán! ¡Parlotead cuando lo lean! ¡Quizás, así, os salgáis con la vuestra!». ²⁷ Les haremos sufrir a los incrédulos un severo castigo por el mal que cometieron. ²⁸ Esa es la retribución de los enemigos de Dios: el Fuego, en el que tendrán la Morada de la Eternidad, como retribución de haber negado Nuestros signos.

²⁹ Los incrédulos dirán: «¡Señor! ¡Muéstranos a los genios y a los mortales que nos han extraviado y los pondremos bajo nuestros pies para que estén en lo más profundo!». ³⁰ A los que hayan dicho: «¡Nuestro Señor es Dios!», y se hayan portado correctamente, descenderán los ángeles: «¡No temáis ni estéis tristes! ¡Regocijaos, más bien, por el Jardín que se os había prometido! ³¹ Somos vuestros amigos en esta vida y en la otra. Tendréis allí todo cuanto vuestras almas deseen, todo cuanto pidáis, ³² como alojamiento venido de Uno Que es Indulgente, Misericordioso».

³³ ¿Quién hay, pues, que hable mejor que quien llama a Dios, obra bien y dice: «Soy de los que se someten a Dios»? ³⁴ No es igual obrar bien y obrar mal. ¡Repele con lo que sea mejor y he aquí que aquel de quien te separe la enemistad se convertirá en amigo ferviente! ³⁵ Esto solo lo consiguen los pacientes, solo lo consigue el de suerte extraordinaria. ³⁶ Si Satanás te incita al mal, busca refugio en Dios. Él es Quien todo lo oye, Quien todo lo sabe.

³⁷ Entre Sus signos figuran la noche el día, el sol y la luna. ¡No os prosternéis ante el sol ni ante la luna! ¡Prosternaos ante Dios, Que los ha creado! Si es a Él a Quien adoráis. ³⁸ Pero si se ensoberbecen [y rechazan adorar a Dios] sabed que los [ángeles] que están próximos a su Señor Le glorifican por la noche y el día, y no se cansan de ello.

³⁹ Ves entre Sus signos que la tierra está seca. Luego, se reanima

y reverdece cuando hacemos llover sobre ella. En verdad, Quien la vivifica puede también, vivificar a los muertos. Es Omnipotente. ⁴⁰ Los que niegan Nuestros signos no pueden ocultarse a Nosotros. Qué es mejor: ¿ser arrojado al Fuego o venir en seguridad: el Día de la Resurrección? ¡Haced lo que queráis! Él ve bien lo que hacéis.

⁴¹ Los que no creen en la Amonestación [el Corán] cuando esta viene a ellos... Y eso que es un Libro sin igual, ⁴² completamente inaccesible a lo falso, revelación procedente de uno Que es sabio, digno de alabanza. ⁴³ No se te dice sino lo que ya se dijo a los Mensajeros que te precedieron: que tu Señor está dispuesto a perdonar, pero también a castigar dolorosamente.

⁴⁴ Si hubiéramos hecho de ella un Corán no árabe, habrían dicho: «¿Por qué no se han explicado detalladamente sus preceptos [pues así no los entendemos]? ¿No es árabe siendo él árabe?». Di: «Es dirección y curación para quienes creen. Quienes, en cambio, no creen son duros de oído y ante él padecen ceguera. Es como si se les llamara desde lejos».

⁴⁵ Ya dimos a Moisés el Libro [la Torá], y discreparon acerca de ella. Y si no llega a ser por una palabra previa de tu Señor, se habría decidido entre ellos. Dudan seriamente de ella. ⁴⁶ Quien obra bien, lo hace en su propio provecho. Y quien obra mal, lo hace en detrimento propio. Tu Señor no es injusto con Sus siervos.

⁴⁷ A Él se le remite el conocimiento de la Hora. Ningún fruto deja su cubierta, ninguna hembra concibe o pare sin que Él lo sepa. Cuando Él les llame: «¿Dónde están Mis asociados?». Dirán: «Te aseguramos que ninguno de nosotros los ha visto». ⁴⁸ Lo que antes invocaban les abandonará. Creerán no tener escape.

⁴⁹ No se cansa el hombre de pedir el bien, pero, si sufre un mal, se desanima, se desespera. ⁵⁰ Si le hacemos gustar una misericordia venida de Nosotros, luego de haber sufrido una desgracia, dirá de seguro: «Esto es algo que se me debe. Y no creo que ocurra la Hora.

Pero, si se me devolviera a mi Señor, tendría junto a Él lo mejor».
Ya informaremos a los incrédulos, sí, de lo que hacían y les haremos
gustar un duro castigo.

⁵¹ Cuando agraciamos al hombre, este se desvía y se aleja. Pero,
si sufre un mal, no para de invocar. ⁵² Di: «¿Qué os parece? Si
procede de Dios y vosotros, luego, no creéis en él, ¿hay alguien que
esté más extraviado que quien se opone tan marcadamente?».

⁵³ Les mostraremos Nuestros signos fuera y dentro de sí mismos
hasta que vean claramente que es la Verdad. ¿Es que no basta que tu
Señor sea testigo de todo? ⁵⁴ Ellos [los incrédulos] siguen dudando
de la comparecencia ante su Señor. Y por cierto que Él abarca todas
las cosas con Su conocimiento y poder.

SURA 42 : ASH SHÚRA
....

LA CONSULTA

¡En el nombre de Dios, el Compasivo, el Misericordioso!

¹ *Ĥa. Mim.* ² *'Ain. Sin. Qaf.*

³ Así es como Dios, el Poderoso, el Sabio, hace una revelación, a ti
y a quienes fueron antes de ti. ⁴ Suyo es lo que está en los cielos y
en la Tierra. Él es el Altísimo, el Grandioso. ⁵ Casi se hienden los
cielos allí arriba al celebrar los ángeles las alabanzas de su Señor y
pedir Su perdón en favor de los que están en la Tierra. ¿No es Dios
el Indulgente, el Misericordioso? ⁶ A los que han tomado amigos en
lugar de tomarle a Él, Dios les vigila. Tú no eres su protector.

⁷ Así es como te revelamos un Corán árabe, para que adviertas
a la metrópoli y a los que viven en sus alrededores y para que
prevengas contra el día indubitable de la Reunión. Unos estarán en
el Jardín y otros en el fuego del Infierno.

⁸ Dios, si hubiera querido, habría hecho de ellos una sola comunidad. Pero introduce en Su misericordia a quien Él quiere. Los inicuos no tendrán amigo ni auxiliar. ⁹ ¿Han tomado amigos en lugar de tomarle a Él? Pues Dios es el Amigo. Él resucitará a los muertos, es Omnipotente. ¹⁰ Dios es Quien arbitra vuestras discrepancias, cualesquiera que sean. Tal es Dios, mi Señor. En Él confío y a Él me vuelvo arrepentido.

¹¹ Creador de los cielos y de la Tierra. Os ha dado esposas salidas de vosotros y parejas salidas de vuestros rebaños, diseminándoos así. No hay nada que se Le asemeje. Él es Quien todo lo oye, Quien todo lo ve. ¹² Suyas son las llaves de los cielos y de la Tierra. Dispensa el sustento a quien Él quiere: a unos con larguez, a otros con mesura. Es omnisciente.

¹³ Os ha prescrito en materia de religión lo que ya había ordenado a Noé, lo que Nosotros te hemos revelado y lo que ya habíamos ordenado a Abraham, a Moisés y a Jesús: «¡Que rindáis culto y que esto no os sirva de motivo de división!». A los asociadores les resulta difícil aquello a lo que tú les llamas. Dios elige para Sí a quien Él quiere y dirige a Él a quien se arrepiente.

¹⁴ No se dividieron, por rebeldía mutua, sino después de haber recibido el conocimiento, por envidia entre ellos. Y, si no llega a ser por una palabra previa de tu Señor, remitiendo a un término fijo, ya se habría decidido entre ellos. Quienes, después, heredaron el Libro dudan seriamente de ello.

¹⁵ Así, pues, llama. Sigue la vía recta, como se te ha ordenado, y no sigas sus pasiones. Y di: «Creo en toda Escritura que Dios ha revelado. Se me ha ordenado que haga justicia entre vosotros. ¡Dios es nuestro Señor y Señor vuestro! Nosotros responderemos de nuestros actos y vosotros de los vuestros. ¡Que no haya disputas entre nosotros y vosotros! Dios nos reunirá... ¡Es Él el fin de todo!». ¹⁶ Quienes disputan a propósito de Dios después de que se le ha

escuchado, esgrimen un argumento sin valor para su Señor. Incurren en ira y tendrán un castigo severo.

[17] Dios es quien ha hecho descender el Libro con la Verdad, y la Balanza. ¿Quién sabe? Quizá la Hora esté próxima... [18] Los que no creen en ella desearían que se adelantara, mientras que los que creen tiemblan solo de pensar en ella y saben que es un hecho. Los que disputan sobre la Hora ¿no están profundamente extraviados?

[19] Dios es bondadoso con Sus siervos. Provee a las necesidades de quien Él quiere. Él es el Fuerte, el Poderoso. [20] A quien desee labrar el campo de la Última Vida se lo acrecentaremos. A quien, en cambio, desee labrar el campo de esta vida, le daremos de ella, pero no tendrá ninguna parte en la Otra Vida.

[21] ¿Tienen asociados que les hayan prescrito en materia de religión lo que Dios no ha sancionado? Si no se hubiera ya pronunciado la sentencia decisiva, se habría decidido entre ellos. Los inicuos tendrán un castigo doloroso. [22] Verás a los inicuos temer por lo que han merecido, que recaerá en ellos, mientras que los que hayan creído y obrado bien estarán en los prados de los jardines y tendrán junto a su Señor lo que deseen. ¡Ese es el gran favor! [23] Esta es la buena nueva que Dios anuncia a Sus siervos, que creen y obran bien. Di: «No os pido [por transmitiros el Corán] ninguna remuneración, pero sí os exhorto a que seáis afectuosos con los parientes». A quien obre bien, le aumentaremos el valor de su obra. Dios es Indulgente, Agraciador.

[24] O dirán: «Se ha inventado una mentira contra Dios». Dios sellará, si quiere, tu corazón. Pero Dios disipa lo falso y hace triunfar la Verdad con Sus palabras. Él sabe bien lo que encierran los pechos. [25] Él es Quien acepta el arrepentimiento de Sus siervos y perdona las malas acciones. Y sabe lo que hacéis. [26] Escucha a quienes creen y obran bien y les da más de Su favor. Los incrédulos, en cambio, tendrán un castigo severo.

²⁷ Si Dios dispensara el sustento a Sus siervos con largueza, se insolentarían en la Tierra. Lo que hace, en cambio, es concederles con mesura lo que quiere. Está bien informado sobre Sus siervos, les ve bien. ²⁸ Él es Quien envía de lo alto la lluvia abundante, cuando ya han perdido toda esperanza, y difunde Su misericordia. Él es el Amigo, el Digno de Alabanza. ²⁹ Entre Sus signos figuran la creación de los cielos y de la Tierra, los seres vivos que en ellos ha diseminado y que, cuando quiere, puede reunir.

³⁰ Cualquier desgracia que os ocurre, es como castigo a vuestras obras, pero perdona mucho. ³¹ No podéis escapar en la Tierra y no tenéis, fuera de Dios, amigo ni auxiliar.

³² Y entre los signos [de Su misericordia] están las embarcaciones que navegan en el mar, grandes como montañas. ³³ Si quiere, calma el viento y se inmovilizan en su superficie. Ciertamente, hay en ello signos para todo aquel que tenga mucha paciencia, mucha gratitud. ³⁴ O bien les hace perecer, como castigo por lo que han merecido, pero perdona mucho. ³⁵ Para que sepan quienes discuten sobre Nuestros signos que no tendrán escape.

³⁶ Todo lo que habéis recibido es breve disfrute de la vida de este mundo. En cambio, lo que Dios tiene es mejor y más duradero para quienes creen y confían en su Señor, ³⁷ evitan cometer pecados graves y deshonestidades y cuando están airados, perdonan, ³⁸ escuchan a su Señor, hacen la oración, se consultan mutuamente, dan limosna de lo que les hemos proveído, ³⁹ se defienden cuando son víctimas de opresión. ⁴⁰ Una mala acción será retribuida con una pena igual, pero quien perdone y se reconcilie recibirá su recompensa de Dios. Él no ama a los inicuos. ⁴¹ Quienes, tratados injustamente, se defiendan, no incurrirán en reproche. ⁴² Solo incurren en él quienes son injustos con los hombres y se insolentan en la Tierra injustamente. Esos tales tendrán un castigo doloroso.

[43] Quien es paciente y perdona, eso sí que es dar muestras de resolución.

[44] Aquel a quien Dios extravía no tendrá, después de Él, ningún amigo. Cuando los inicuos vean el castigo, les verás que dicen: «¿Y no hay modo de regresar?». [45] Les verás expuestos a él, abatidos de humillación, mirando con disimulo, mientras que quienes hayan creído dirán: «Quienes de verdad pierden son los que el Día de la Resurrección se han perdido a sí mismos y han perdido a sus familias». ¿No tendrán los inicuos un castigo permanente? [46] Fuera de Dios, no tendrán ningunos amigos que les auxilien... Aquel a quien Dios extravía no podrá encaminarse.

[47] Escuchad a vuestro Señor antes de que llegue un día que Dios no evitará. Ese día no encontraréis refugio, ni podréis negar. [48] Si se apartan, no te hemos mandado para ser su custodio, sino solo para transmitir. Cuando hacemos gustar al hombre una misericordia venida de Nosotros, se regocija. Pero, si le sucede un mal como castigo a sus obras, entonces, el hombre es desagradecido.

[49] El dominio de los cielos y de la Tierra pertenece a Dios. Crea lo que quiere. Regala hijas a quien Él quiere y regala hijos a quien Él quiere. [50] O les concede hijos varones y mujeres, o les hace estériles; en verdad, Él es Omnisciente, Omnipotente. [51] A ningún mortal le es dado que Dios le hable si no es por inspiración, o desde detrás de una cortina, o mandándole un enviado que le inspire, con Su autorización, lo que Él quiere. Es altísimo, sabio. [52] Así es como te hemos inspirado un Espíritu que procede de Nuestra orden. Tú no sabías lo que eran el Libro y la Fe, pero hemos hecho de él luz con la que guiamos a quienes queremos de Nuestros siervos. Ciertamente, tú guías a los hombres a una vía recta, [53] la vía de Dios, a quien pertenece lo que está en los cielos y en la Tierra. ¿Acaso no retornan a Dios todos los asuntos?

LOS ADORNOS

¡En el nombre de Dios, el Compasivo, el Misericordioso!

¹ *Ḥa. Mim.*

² ¡Por el Libro claro! ³ Hemos hecho de ella un Corán árabe. Quizás, así, razonéis. ⁴ Está en el Libro Matriz que Nosotros tenemos, sublime, sabio.

⁵ ¿Es que, porque seáis gente inmoderada, vamos a privaros de la Amonestación? ⁶ ¡Cuántos Profetas hemos enviado a los antiguos...! ⁷ No vino a ellos Profeta que no se burlaran de él. ⁸ Por eso, hemos hecho perecer a otros más temibles que ellos. Ya ha precedido el ejemplo de los antiguos...

⁹ Si les preguntas: «¿Quién ha creado los cielos y la Tierra?», seguro que dicen: «¡Los ha creado el Poderoso, el Omnisciente!». ¹⁰ Quien os ha puesto la Tierra como cuna y os ha puesto en ella caminos. Quizás, así, seáis bien dirigidos. ¹¹ Quien ha hecho bajar agua del cielo con mesura para resucitar un país muerto. Del mismo modo se os sacará. ¹² Quien ha creado todas las parejas y os ha dado las naves y los rebaños en que montáis, ¹³ para que os instaléis en ellos y luego cuando lo hayáis hecho, recordéis la gracia de vuestro Señor y digáis: «¡Gloria a Quien ha sujetado esto a nuestro servicio! ¡Nosotros no lo hubiéramos logrado!». ¹⁴ ¡Sí, volveremos a nuestro Señor!

¹⁵ Han equiparado a algunos de Sus siervos con Él. Sí, el hombre es manifiestamente desagradecido. ¹⁶ ¿Iba Dios a tomar hijas de entre Sus criaturas, y a vosotros concederos hijos? ¹⁷ Cuando se anuncia a uno de ellos que ha tenido lo que él atribuye al Misericordioso [una hija], su semblante se ensombrece, y se angustia. ¹⁸ «¿O a

quien se cría con adornos y no es claro en la discusión?...». ¹⁹ Han considerado a los ángeles que son siervos del Compasivo, de sexo femenino. ¿Es que han sido testigos de la creación de Estos? Se hará constar su testimonio y tendrán que responder del mismo.

²⁰ Dicen: «Si el Misericordioso no hubiera querido no los adoraríamos [a los ángeles]. Ellos carecen de total conocimiento [sobre la voluntad divina y el libre albedrío], y no hacen más que mentir [para justificarse]». ²¹ ¿Es que les trajimos otra Escritura a la que atenerse antes de esta? ²² ¡Nada de eso! Dicen: «Encontramos a nuestros padres en una religión y siguiendo sus huellas, estamos bien dirigidos». ²³ Y así, no enviamos ningún monitor antes de ti a una ciudad que no dijeran los ricos: «Encontramos a nuestros padres en una religión e imitamos su ejemplo». ²⁴ Dijo: «¿Y si os trajera una dirección más recta que la que vuestros padres seguían?». Dijeron: «¡No creemos en vuestro mensaje!». ²⁵ Nos vengamos de ellos. ¡Y mira cómo terminaron los desmentidores!

²⁶ Y cuando Abraham dijo a su padre y a su gente: «Soy inocente de lo que adoráis. ²⁷ Yo no adoro sino a Quien me ha creado. Él me guiará». ²⁸ E hizo que esta palabra perdurara en su posteridad. Quizás, así, se convirtieran. ²⁹ No solo eso, sino que les permití gozar a ellos y a sus padres, hasta que viniera a ellos la Verdad y un Mensajero que hablara claro. ³⁰ Pero, cuando la Verdad vino a ellos, dijeron: «¡Esto es magia y no creemos en ello!».

³¹ Y dijeron: «¿Por qué no se ha revelado este Corán a un notable de una de las dos ciudades...» ³² ¿Son ellos los encargados de dispensar la misericordia de tu Señor? Nosotros les dispensamos las subsistencias en la vida de este mundo y elevamos la categoría de unos sobre otros para que estos sirvieran a aquellos. Pero la misericordia de tu Señor es mejor que lo que ellos amasan. ³³ Si no fuera porque los hombres terminarían siendo una sola nación [descarriada] habríamos concedido a quienes no creen en el

Misericordioso, residencias con techos y escaleras de plata por las que ascendiesen [a sus hermosas habitaciones]. ³⁴ Puertas y lechos en que reclinarse ³⁵ y lujo. Pero todo esto no es sino breve disfrute de la vida del mundo en tanto que la Otra Vida, junto a tu Señor, será para los que Le temen.

³⁶ A quien se aparte del recuerdo que el Misericordioso envió [el Corán] le asignaremos un demonio que será su compañero inseparable y le susurrará el mal. ³⁷ Les apartan, sí, del Camino, mientras creen ser bien encaminados. ³⁸ Hasta que, al comparecer ante Nosotros, diga: «¡Ojalá nos hubiera separado, a mí y a ti, la misma distancia que separa al Oriente del Occidente!». ¡Qué mal compañero...! ³⁹ Hoy no os aprovechará compartir el castigo por haber sido inicuos.

⁴⁰ ¿Es que puedes tú hacer que un sordo oiga, o dirigir a un ciego y al que se encuentra evidentemente extraviado? ⁴¹ O te hacemos morir y luego, Nos vengamos de ellos, ⁴² Y si te mostramos [el castigo] que les hemos prometido, ten por seguro que podemos hacer de ellos lo que queramos. ⁴³ ¡Atente a lo que se te ha revelado! Estás en una vía recta. ⁴⁴ Es, ciertamente, una amonestación para ti y para tu pueblo y tendréis que responder. ⁴⁵ Pregunta a los Mensajeros que mandamos antes de ti si hemos establecido dioses a quienes adorar en lugar de adorar al Compasivo.

⁴⁶ Ya enviamos Moisés con Nuestros signos a Faraón y a sus dignatarios. Y dijo: «Yo soy el Mensajero del Señor del Universo». ⁴⁷ Pero cuando les presentó Nuestros signos, he aquí que se rieron de ellos, ⁴⁸ a pesar de que cada signo que les mostrábamos superaba al precedente. Les sorprendimos con el castigo. Quizás, así, se convirtieran. ⁴⁹ Pero le dijeron [a Moisés]: ¡Oh, brujo! Invoca a tu Señor por el favor que te ha concedido, [que nos libere de este tormento y] así seguiremos la guía. ⁵⁰ Pero, cuando retiramos de ellos el castigo, he aquí que quebrantaron su promesa.

⁵¹ Faraón dirigió una proclama a su pueblo, diciendo: «¡Pueblo! ¿No es mío el dominio de Egipto, con estos ríos que fluyen a mis pies? ¿Es que no veis? ⁵² ¿No soy yo mejor que este, que es un vil y que apenas sabe expresarse? ⁵³ ¿Por qué no se le han puesto brazaletes de oro...? ¿Por qué no ha venido acompañado de ángeles...?». ⁵⁴ Extravió a su pueblo y este le obedeció: era un pueblo perverso. ⁵⁵ Cuando Nos hubieron irritados, Nos vengamos de ellos ahogándolos a todos, ⁵⁶ y sentamos con ellos un precedente, poniéndolos como ejemplo para la posteridad.

⁵⁷ Y cuando el hijo de María es puesto como ejemplo, he aquí que tu pueblo se aparta de él. ⁵⁸ Y dicen: «¿Son mejores nuestros dioses o él?». Si te lo ponen, no es sino por afán de discutir. Son, en efecto, gente contenciosa. ⁵⁹ Él no es sino un siervo a quien hemos agraciado y a quien hemos puesto como ejemplo a los Hijos de Israel. ⁶⁰ Si quisiéramos, haríamos de vosotros ángeles, que sucederían en la Tierra. ⁶¹ Será un medio de conocer la Hora. ¡No dudéis, pues, de ella y seguidme! ¡Esto es una vía recta! ⁶² ¡Que Satanás no os extravíe! Es para vosotros un enemigo declarado.

⁶³ Cuando Jesús vino con las pruebas claras, dijo: «He venido a vosotros con la Sabiduría y para aclararos algo de aquello en que discrepáis. ¡Temed, pues, a Dios y obedecedme! ⁶⁴ Dios es mi Señor y Señor vuestro. ¡Adoradle pues! ¡Esto es una vía recta!». ⁶⁵ Pero los grupos discreparon unos de otros. ¡Ay de los inicuos, por el castigo de un día doloroso...!

⁶⁶ No les queda más que esperar la Hora, que les vendrá de repente, sin presentirla. ⁶⁷ Ese día, los amigos serán enemigos unos de otros, excepto los temerosos de Dios. ⁶⁸ «¡Siervos míos! ¡No tenéis que temer hoy! ¡Y no estaréis tristes! ⁶⁹ Los que creísteis en Nuestros signos y os sometisteis a Dios. ⁷⁰ ¡Entrad en el Jardín junto con vuestras esposas, para ser regocijados!». ⁷¹ Se harán circular entre ellos platos de oro y copas, que contendrán todo lo que cada

uno desee, deleite de los ojos. «Estaréis allí eternamente. [72] Este es el Jardín que habéis heredado como premio a vuestras obras. [73] Tenéis en él fruta abundante, de la que comeréis».

[74] Los pecadores, en cambio, tendrán el Infierno como castigo, eternamente, [75] castigo que no se les remitirá, y serán presa de la desesperación. [76] No seremos Nosotros quienes hayan sido injustos con ellos, sino que ellos serán los que lo hayan sido. [77] Llamarán: «¡Oh Malik! ¡Que tu Señor acabe con nosotros!». Él dirá: «¡Os quedaréis ahí!». [78] «Os trajimos la Verdad, pero la mayoría sentisteis aversión a la Verdad». [79] ¿Han tramado algo? Pues Nosotros también. [80] ¿O creen que no Nos enteramos de sus secretos y confidencias? ¡Claro que Nos enteramos! Y Nuestros Mensajeros, junto a ellos, toman nota.

[81] Di: «Si el Compasivo tuviera un hijo, yo sería el primero en adorarle». [82] ¡Gloria al Señor de los cielos y de la Tierra! ¡Señor del Trono! ¡Está por encima de lo que Le atribuyen! [83] ¡Déjales que hablen en vano y jueguen hasta que les llegue el Día con que se les ha amenazado!

[84] ¡Él, solamente, es Quien tiene derecho a ser adorado en el cielo y en la Tierra! Es el Sabio, el Omnisciente. [85] ¡Bendito sea Quien posee la soberanía de los cielos, de la Tierra y de lo que entre ellos está! Él tiene conocimiento de la Hora y a Él seréis devueltos. [86] Los que ellos invocan en lugar de invocarle a Él no pueden interceder, salvo, aquellos que atestiguan la Verdad y saben. [87] Si les preguntas: «¿Quién os ha creado?», seguro que dicen: «¡Dios!». ¿Cómo entonces se descarrían? [88] [Dios bien sabe cuándo Le invocas] Y dices: «¡Oh, Señor! En verdad, este es un pueblo que no cree». [89] Aléjate, pues, de ellos y di: «¡Paz!». ¡Van a ver...!

EL HUMO

¡En el nombre de Dios, el Compasivo, el Misericordioso!

¹ *Ha. Mim.*

² ¡Por el Libro claro! ³ ¡La hemos revelado en una noche bendita! ¡Hemos advertido! ⁴ En ella se decide todo asunto sabiamente, ⁵ como cosa venida de Nosotros. Mandamos a Mensajeros ⁶ como misericordia venida de tu Señor. Él es Quien todo lo oye, Quien todo lo sabe, ⁷ Señor de los cielos, de la Tierra y de lo que entre ellos está. Si estuvierais convencidos... ⁸ No hay más dios que Él. Él da la vida y da la muerte. Vuestro Señor y Señor de vuestros antepasados. ⁹ Pero ¡no! Ellos dudan y no lo toman en serio. ¹⁰ ¡Espera, pues, el día que el cielo traiga un humo visible, ¹¹ que cubra a los hombres! Será un castigo doloroso. ¹² [Entonces exclamarán:] «¡Señor! ¡Aparta de nosotros el castigo! ¡Creemos!». ¹³ ¿De qué les servirá la amonestación, si ha venido a ellos un Mensajero que habla claro ¹⁴ y se han apartado de él y dicho: «¡Es uno a quien se ha instruido, un poseso!»? ¹⁵ «Vamos a apartar de vosotros el castigo por algún tiempo. Pero reincidiréis». ¹⁶ El día que hagamos uso del máximo rigor, Nos vengaremos.

¹⁷ Antes que a ellos, habíamos probado al pueblo de Faraón. Un Mensajero noble vino a ellos: ¹⁸ «¡Entregadme a los siervos de Dios! Tenéis en mí a un Mensajero digno de confianza. ¹⁹ ¡No os mostréis altivos con Dios! Vengo a vosotros con autoridad manifiesta. ²⁰ Me refugio en mi Señor y Señor vuestro contra vuestro intento de lapidarme. ²¹ Si no os fiais de mí, ¡dejadme!».

²² Entonces, invocó a su Señor. «¡Esta es gente pecadora!». ²³ «¡Sal de noche con Mis siervos! Os perseguirán. ²⁴ ¡Deja el mar

en calma! Son un ejército que será ahogado». ^{25} ¡Cuántos jardines y fuentes abandonaron, ^{26} cuántos campos cultivados, cuántas suntuosas residencias, ^{27} cuánto bienestar, en el que vivían felices! ^{28} Así fue y se lo dimos en herencia a otro pueblo. ^{29} Ni el cielo ni la Tierra les lloraron. No se les concedió prórroga.

^{30} Y salvamos a los Hijos de Israel del humillante castigo, ^{31} de Faraón. Era altivo, de los inmoderados. ^{32} Les elegimos conscientemente de entre todos los pueblos. ^{33} Les dimos signos con los que les pusimos claramente a prueba.

^{34} Estos dicen, sí: ^{35} «No moriremos más que una sola vez y no seremos resucitados. ^{36} ¡Haced, pues, volver a nuestros padres, si es verdad lo que decís!». ^{37} ¿Eran mejores ellos que el pueblo de Tubba y que sus antecesores? Les hicimos perecer, eran pecadores.

^{38} No hemos creado los cielos, la Tierra y lo que entre ellos está por puro juego. ^{39} No los creamos sino con un fin, pero la mayoría no saben. ^{40} Por cierto que el Día del Juicio está emplazado para todos. ^{41} Día en que nadie podrá proteger nada a nadie, nadie será auxiliado, ^{42} salvo aquel de quien Dios se apiade. Él es el Poderoso, el Misericordioso.

^{43} El árbol de Zaqqum ^{44} es el alimento del pecador. ^{45} Se asemejará al metal fundido que arderá en los vientres ^{46} como agua hirviente. ^{47} [Se le dirá a los ángeles:] «¡Tomadle y arrojadle en el medio del fuego del Infierno! ^{48} ¡Castigadle, luego, derramando en su cabeza agua muy caliente!». ^{49} «¡Sufre el castigo! [Pensaste que] Eras poderoso y noble». ^{50} ¡Esto es aquello de lo que dudabais!

^{51} Los que teman a Dios estarán, en cambio, en lugar seguro, ^{52} entre jardines y fuentes, ^{53} vestidos de satén y de brocado, unos enfrente de otros. ^{54} Así será. Y les daremos por esposas a huríes de grandes ojos. ^{55} Pedirán allí en seguridad, toda clase de frutas. ^{56} No sufrirán otra vez la muerte, salvo la que ya sufrieron [en la vida mundanal], y Él les preservará del castigo del Infierno, [57] como favor de tu Señor. ¡Ese es el éxito grandioso!

[58] En verdad, lo hemos hecho fácil en tu lengua. Quizás, así, se dejen amonestar. [59] ¡Observa, pues! Ellos observan....

SURA 45 : AL YAZIA

LA ARRODILLADA

¡En el nombre de Dios, el Compasivo, el Misericordioso!

[1] *Ha. Mim.*

[2] La revelación del Libro que procede de Dios, el Poderoso, el Sabio. [3] Hay, en verdad, en los cielos y en la Tierra signos para los creyentes. [4] También en vuestra creación y en la diseminación de los animales hay signos para quienes tienen certeza de su fe. [5] También en la sucesión de la noche y el día, en lo que como sustento Dios hace bajar del cielo, vivificando con ello la tierra después de muerta, y en la variación de los vientos hay signos para gente que comprende. [6] Estos son los preceptos de Dios, que te recitamos conforme a la verdad. ¿Y en qué otro Mensaje, creerán si no creen en Dios y en Sus signos?

[7] ¡Ay de todo aquel que sea mentiroso, pecador, [8] que, a pesar de oír los preceptos de Dios que se le recitan, se obstina en su altivez como si no las hubiera oído! ¡Anúnciale un castigo doloroso! [9] Los que, habiendo conocido algo de Nuestros signos, los hayan tomado a burla, tendrán un castigo humillante. [10] Les espera el Infierno y sus posesiones no les servirán de nada, tampoco los protectores que tomaron en lugar de Dios. Tendrán un castigo terrible. [11] Esta es la Guía [el Corán]. Los que no crean en los signos de su Señor tendrán el castigo de un suplicio doloroso.

¹² Dios es Quien ha sujetado el mar a vuestro servicio para que las naves lo surquen a una orden Suya para que busquéis Su favor. Y quizás, así, seáis agradecidos. ¹³ Y ha sujetado a vuestro servicio lo que está en los cielos y en la Tierra. Todo procede de Él. Ciertamente, hay en ello signos para gente que reflexiona.

¹⁴ Diles [¡Oh, Muhammad!] a los creyentes que [tengan paciencia ante las agresiones y] perdonen a quienes no creen en la comparecencia ante Dios, en la que serán juzgados según hayan obrado. ¹⁵ Quien obra bien, lo hace en su propio provecho. Y quien obra mal, lo hace en detrimento propio. Luego, seréis devueltos a vuestro Señor.

¹⁶ Dimos a los Hijos de Israel el Libro, el Juicio y la Profecía. Les proveímos de cosas buenas y les distinguimos entre todos los pueblos. ¹⁷ Y les concedimos pruebas claras del poderío divino, pero discreparon por soberbia a pesar de haberles llegado la revelación. Tu Señor decidirá entre ellos el Día de la Resurrección sobre aquello en que discrepaban. ¹⁸ Luego, te pusimos en una vía respecto a la Orden. Síguela, pues, y no sigas las pasiones de quienes no saben. ¹⁹ No te servirán de nada frente a Dios. Los inicuos se alían unos a otros, pero Dios es el Protector de los que Le temen. ²⁰ Esto es un conjunto de pruebas visibles para los hombres, guía y misericordia para gente que está convencida.

²¹ Quienes obran mal ¿creen que les trataremos igual que a quienes creen y obran bien, como si fueran iguales en vida y luego de muertos? ¡Qué mal juzgan! ²² Dios ha creado con un fin los cielos y la Tierra. Y para que cada cual sea retribuido según sus méritos. Nadie será tratado injustamente.

²³ Y ¿Acaso no reparas [¡Oh, Muhammad!] en aquel que sigue sus pasiones como si estas fueran una divinidad? Dios decretó por Su conocimiento divino que se extraviaría, y por ello selló sus oídos y su corazón, y puso un velo sobre sus ojos [y no pudo oír, ver ni

comprender la Verdad]. Nadie podrá guiarle después que Dios lo extravió. ¿Acaso no recapacitáis?

²⁴ Y dicen: «No hay más vida que esta nuestra de aquí. Morimos y vivimos, y nada sino la acción fatal del Tiempo nos hace perecer». Pero no tienen ningún conocimiento de eso, no hacen sino conjeturar. ²⁵ Y cuando se les recitan Nuestras aleyas como pruebas claras, lo único que arguyen es: «¡Resucitad a nuestros antepasados si sois veraces!». ²⁶ Di: «Dios os da la vida y después os hará morir. Luego, os reunirá para el Día indubitable de la Resurrección. Pero la mayoría de los hombres no saben».

²⁷ La soberanía de los cielos y de la Tierra pertenece a Dios. Cuando ocurra la Hora, ese día, los falsarios estarán perdidos. ²⁸ Verás a cada comunidad arrodillada. Cada una será llamada a su libro: «Hoy seréis juzgados acorde a vuestras obras. ²⁹ Y el libro que tenemos en Nuestro poder [donde están asentadas todas vuestras acciones] atestiguará a favor o en contra vuestra. Por cierto que registramos todas vuestras obras».

³⁰ A quienes creyeron y obraron bien, su Señor les introducirá en Su misericordia. ¡Ese es el éxito manifiesto! ³¹ En cuanto a quienes no creyeron: «¿Es que no se os recitaron Mis aleyas? Pero fuisteis altivos y gente pecadora». ³² Cuando se decía: «Lo que Dios promete es verdad y no hay duda respecto a la Hora», decíais: «No sabemos qué es eso de "la Hora". No podemos sino conjeturar. No estamos convencidos».

³³ Se les mostrará el mal que cometieron y les cercará aquello de que se burlaban. ³⁴ Se dirá: «Hoy os olvidamos Nosotros, como vosotros olvidasteis que os llegaría este día. Tendréis el Fuego por morada y no encontraréis quien os auxilie. ³⁵ Y esto es así porque tomasteis a burla los signos de Dios y la vida de acá os engañó». Ese día no serán sacados de él ni serán agraciados.

³⁶ ¡Alabado sea Dios, Señor de los cielos, Señor de la Tierra,

Señor del Universo! [37] ¡Suya es la majestad en los cielos y en la Tierra! Él es el Poderoso, el Sabio.

SURA 46: AL-AHQAF

LAS DUNAS

¡En el nombre de Dios, el Compasivo, el Misericordioso!

[1] *Ḥa. Mim.*

[2] La revelación del Libro que procede de Dios, el Poderoso, el Sabio.
[3] No hemos creado sino con un fin los cielos, la Tierra y lo que entre ellos está, y por un período determinado. Pero los incrédulos se desvían de las advertencias que se les han dirigido.

[4] Di: «¿Qué os parece lo que invocáis en lugar de invocar a Dios? ¡Mostradme qué han creado de la Tierra o si tienen participación en los cielos! Si es verdad lo que decís, presentadme algún Libro revelado antes de este [el Corán] u otra fuente de conocimiento [que provenga de los Mensajeros que corrobore la idolatría]». [5] ¿Hay alguien que esté más extraviado que quien, en lugar de invocar a Dios, invoca a quienes no van a escucharle hasta el Día de la Resurrección, indiferentes a sus invocaciones, [6] que, cuando los hombres sean congregados, serán sus enemigos y renegarán de que les hayan Adorado?

[7] Cuando se les recitan a los incrédulos Nuestros claros preceptos [aleyas] como pruebas claras, dicen de la Verdad que viene a ellos: «¡Esto es magia manifiesta!». [8] O dicen: «Él lo ha inventado». Di: «Si yo lo he inventado, no podéis hacer nada por mí contra Dios. Él sabe bien lo que divulgáis a este propósito. Basta Él como testigo entre yo y vosotros. Él es el Indulgente, el Misericordioso».

[9] Di: «Yo no soy el primero de los Mensajeros. Y no sé lo que

será de mí, ni lo que será de vosotros. No hago más que seguir lo que se me ha revelado. Yo no soy más que un monitor que habla claro». [10] Diles: «¿Por qué no creéis en el Corán que Dios reveló y os ensoberbecéis, siendo que un sabio de los Hijos de Israel ['Abdullah Ibn Salâm] atestiguó su veracidad debido a que en la Torá ya se anunciaba la llegada del Profeta Muhammad] y creyó en él? Ciertamente Dios no guía a los inicuos».

[11] Los incrédulos dicen de los creyentes: «Si hubiera sido algo bueno, no se nos habrían adelantado en ello». Y como no siguen su guía [la del Corán] exclaman: «¡Es una vieja mentira!».

[12] Antes de él, el Libro de Moisés servía de guía y de misericordia. Y esta es una Escritura que confirma, en lengua árabe, para advertir a los inicuos y anunciar la buena nueva a quienes hacen el bien. [13] Quienes dicen: «¡Nuestro Señor es Dios!» y se portan correctamente no tienen que temer y no estarán tristes. [14] Esos tales morarán en el Jardín eternamente, como retribución a sus obras.

[15] Y por cierto que ordenamos al hombre ser benevolente con sus padres. Su madre le llevó con esfuerzo y le ha dado a luz con dolor, y que el período del embarazo y la lactancia dura treinta meses. Que cuando alcance la madurez, al llegar a los cuarenta años, diga: «¡Oh, Señor mío! Permíteme que Te agradezca la gracia que nos has dispensado a mí y a mis padres, y que haga obras buenas que Te complazcan. ¡Dame una descendencia próspera! Me vuelvo a Ti. Soy de los que se someten a Ti». [16] Estos son aquellos de cuyas obras aceptaremos lo mejor y pasaremos por alto sus malas obras. Estarán entre los moradores del Jardín, promesa de verdad que se les hizo.

[17] En cambio, quien diga a sus padres, mientras estos imploran a Dios y dicen: «¡Ay de ti! ¡Cree! ¡Lo que Dios promete es verdad!»: «¡Uf! ¿Vais a prometerme que me sacarán, cuando han pasado tantas generaciones anteriores a mí?» y diga: «Estas no son sino

patrañas de los antiguos», [18] en esos será en quienes se cumpla la sentencia aplicada a las comunidades precedentes de genios y de mortales. Esos serán los que pierdan.

[19] Todos tendrán su propia categoría, según sus obras. Les retribuirá plenamente sus acciones y no serán tratados injustamente. [20] El día que los incrédulos sean expuestos al Fuego: «Disipasteis vuestros bienes en vuestra vida de aquí y gozasteis de ellos. Hoy se os va a retribuir con un castigo degradante por haberos conducido altivamente en la Tierra sin razón y por haber sido perversos».

[21] Y recuerda [a Hûd] al Profeta enviado a 'Ad , cuando advirtió a su pueblo en las dunas [donde habitaban]. Y por cierto que todos los Mensajeros que fueron enviados, antes y después de él [Hûd], decían a sus pueblos: «¡No adoréis sino a Dios! Temo por vosotros el castigo de un día terrible». [22] Dijeron: «¿Has venido a nosotros para desviarnos de nuestros dioses? ¡Tráenos, pues, aquello con que nos amenazas, si es verdad lo que dices!». [23] Dijo: «Solo Dios tiene conocimiento de ello. Yo os comunico el objeto de mi misión, pero veo que sois gente ignorante».

[24] Cuando lo vieron como una nube que se dirigía a sus valles, dijeron: «Es una nube que nos trae la lluvia». «¡No! Es más bien aquello cuya venida reclamabais, un viento que encierra un castigo doloroso, [25] que va a destruirlo todo a una orden de su Señor». A la mañana siguiente, no se veía más que sus viviendas. Así retribuimos a los transgresores.

[26] Les habíamos dado un poderío como no os hemos dado a vosotros. Les habíamos dado oído, vista, intelecto. Pero ni el oído, ni la vista, ni el intelecto les sirvieron de nada, pues negaron los signos de Dios. Y les cercó aquello de que se burlaban. [27] Hemos destruido las ciudades que había alrededor de vosotros, después de haberles enviado todo tipo de signos para que recapacitasen [y creyeran]. [28] Y aquellos ídolos que habían adoptado como divinidades en lugar

de Dios se desvanecieron y no les auxiliaron, pues solo era una falsedad que ellos habían inventado.

²⁹ Y cuando enviamos a un grupo de genios para que escuchasen la recitación [del Corán]. Al presentarse ante ti se dijeron: «¡Guardad silencio!». Y luego que culminaste [con la recitación], retornaron a su pueblo para advertirles [y exhortarles a creer]. ³⁰ Dijeron: «¡Oh, pueblo nuestro! Ciertamente hemos oído un Libro revelado después de Moisés que corrobora los Mensajes anteriores y guía hacia la Verdad y el sendero recto». ³¹ ¡Oh, pueblo nuestro! Aceptad al que llama a Dios y creed en Él, para que os perdone vuestros pecados y os preserve de un castigo doloroso. ³² Los que no acepten al [Mensajero de Dios] que llama a Dios no podrán escapar en la Tierra ni tendrán, fuera de Él, protector alguno. Esos tales están evidentemente extraviados.

³³ ¿No han visto que Dios, Que ha creado los cielos y la Tierra sin cansarse por ello, es capaz de devolver la vida a los muertos? Pues sí, es Omnipotente. ³⁴ El día que los incrédulos sean expuestos al Fuego: «¿No es esto la Verdad?». Dirán: «¡Claro que sí, por nuestro Señor!». Dirá: «¡Gustad, pues, el castigo debido a vuestra incredulidad!».

³⁵ Ten, pues, paciencia, como la tuvieron otros Mensajeros resueltos. Y no reclames para ellos el adelantamiento. El día que vean aquello con que se les amenaza, les parecerá no haber permanecido más de una hora de día. Y por cierto que este [Corán] es un Mensaje [para toda la humanidad]. Y ¿quién será destruido sino el pueblo perverso?

MUHAMMAD

¡En el nombre de Dios, el Compasivo, el Misericordioso!

[1] A quienes no crean y aparten a otros del camino de Dios, Él les invalidará sus obras. [2] Pero los que creen, llevan a cabo las acciones de bien y creen en lo que se le ha hecho descender a Muhammad, que es la verdad que viene de su Señor. Él les ocultará sus las malas acciones y mejorará lo que surja en sus corazones. [3] Y esto es así porque los incrédulos siguen lo falso, mientras que los creyentes siguen la Verdad venida de su Señor. Así es como Dios los pone como ejemplo a los hombres.

[4] Cuando tengan que enfrentarse [en combate] con los incrédulos, golpeadlos en la nuca; y una vez los hayáis dejado fuera de combate, atadlos fuertemente. Luego, devolvedles la libertad con benevolencia o pedid un rescate, hasta que cese la guerra. Es así como debéis hacer. Si Dios hubiera querido, Él mismo los hubiera derrotado quisiera, pero quiere probaros a unos por medio de otros. No dejará que se pierdan las obras de los que hayan caído por Dios. [5] Él les guiará, mejorará su condición [6] y les introducirá en el Jardín, que Él les habrá dado ya a conocer.

[7] ¡Creyentes! Si auxiliáis a Dios, Él os auxiliará y afirmará vuestros pasos. [8] ¡Ay de aquellos, en cambio, que no hayan creído! Invalidará sus obras. [9] Y esto es así porque han aborrecido la revelación de Dios. E hizo vanas sus obras. [10] ¿No han ido por la Tierra y mirado cómo terminaron sus antecesores? Dios los destruyó. Y los incrédulos tendrán un fin semejante. [11] Y esto es así porque Dios es el Protector de los creyentes, mientras que los incrédulos no tienen protector.

[12] Dios introducirá a quienes hayan creído y obrado bien en

jardines por donde corren los ríos. Quienes, en cambio, hayan sido incrédulos, gozarán brevemente y comerán como comen los rebaños. Tendrán el Fuego por morada. ¹³ ¡Cuántas ciudades hemos hecho perecer, más fuertes que tu ciudad que te ha expulsado, sin que hubiera quien les auxiliara!

¹⁴ ¿Es que quien se basa en una prueba clara venida de su Señor es comparable a aquellos cuya mala conducta ha sido engalanada y que siguen sus pasiones? ¹⁵ Esta es la semblanza del Jardín prometido a quienes temen a Dios: Ríos de agua de inalterable olor, ríos de leche siempre del mismo sabor, ríos de vino, delicia de los bebedores, y ríos de miel pura. Tendrán en él toda clase de frutas y perdón de su Señor. ¿Acaso es lo mismo que quienes serán inmortales en el Fuego, y se les dará de beber agua hirviendo que les destrozará los intestinos?

¹⁶ Hay algunos de ellos que te escuchan, pero que apenas salidos de tu casa, dicen a quienes han recibido el conocimiento: «¿Qué es lo que acaba de decir?». Estos son aquellos cuyo corazón Dios ha sellado y que siguen sus pasiones. ¹⁷ A quienes siguen la Guía, Él les aumenta en guía y les hará que Le teman.

¹⁸ ¿Qué pueden esperar, sino que les llegue la Hora de repente? Ya se han manifestado sus indicios. Pero ¿de qué les servirá que se les amoneste cuando ella les llegue? ¹⁹ Sabe, pues, que no hay más dios que Dios y pide perdón por tus faltas, así como por los creyentes y las creyentes. Dios conoce vuestras idas y venidas y dónde moráis.

²⁰ Los creyentes dicen: «¿Por qué no se revela una sura?». Pero cuando se revela una sura, unívoca, en la que se menciona el combate, ves a los que tienen una enfermedad en el corazón mirarte como mira uno a quien ronda la muerte. Más les valdría ²¹ obedecer y hablar como es debido. Y una vez tomada una decisión, lo mejor para ellos sería que fuesen sinceros con Dios. ²² Si volvéis

la espalda, os exponéis a corromper en la Tierra y a cortar vuestros lazos de sangre. ²³ A estos es a quienes Dios maldice, volviéndoles sordos y ciegos.

²⁴ ¿Acaso no meditan en el Corán o es que sus corazones están cerrados con candado? ²⁵ Quienes han vuelto sobre sus pasos, después de haberse manifestado a ellos la Guía claramente, han sido seducidos por Satanás y les ha dado una falsa esperanza. ²⁶ Esto es así porque dicen a quienes les repugna lo que Dios ha revelado: «En algunas cosas os obedeceremos». Dios, empero, sabe lo que ocultan. ²⁷ ¡Qué pasará cuando los ángeles les llamen, golpeándoles en el rostro y en la espalda? ²⁸ Esto es así porque van en pos de algo que irrita a Dios, y en cambio, les repugna lo que Le satisface. Por eso, hace vanas sus obras.

²⁹ ¿Es que creen los que tienen una enfermedad en el corazón que Dios no hará que afloren sus resentimientos? ³⁰ Si quisiéramos te los mostraríamos y los reconocerías por sus signos: Y de hecho les reconocerás por el sentido de sus palabras. Dios sabe lo que hacéis.

³¹ Hemos de probaros para saber quiénes de vosotros luchan y perseveran, así como para comprobar lo que se cuenta de vosotros. ³² Los incrédulos que hayan desviado a otros del camino de Dios y se hayan separado del Mensajero, después de habérseles manifestado claramente la Dirección, no causarán ningún daño a Dios. Y hará vanas sus obras.

³³ ¡Creyentes! ¡Obedeced a Dios y obedeced al Mensajero! ¡No hagáis vanas vuestras obras! ³⁴ Dios no perdonará a los incrédulos que hayan desviado a otros del camino de Dios y mueran siendo incrédulos. ³⁵ ¡No flaqueéis, invitándolo a un acuerdo [por cobardía], ya que seréis vosotros los que ganen! Dios está con vosotros y no dejará de premiar vuestras obras.

³⁶ La vida del mundo es solo juego y distracción. Pero, si creéis

y teméis a Dios, Él os recompensará sin reclamaros vuestros bienes.
³⁷ Si os los reclamara con insistencia, os mostraríais avaros y descubriría vuestro odio. ³⁸ He aquí que sois vosotros los invitados a gastar por la causa de Dios, pero hay entre vosotros algunos avaros. Y quien es avaro lo es, en realidad, en detrimento propio. Dios es Quien Se basta a Sí mismo, mientras que sois vosotros los necesitados. Y si volvéis la espalda, hará que otro pueblo os sustituya, que no será como vosotros.

SURA 48 : AL FATH
....

LA VICTORIA

¡En el nombre de Dios, el Compasivo, el Misericordioso!

¹ Te hemos concedido un claro éxito. ² Para que Dios te perdonara las faltas que cometiste y las que pudieses cometer, completará Su gracia sobre ti, te afianzará en el sendero recto. ³ Y te socorrerá grandiosamente.

⁴ Él es Quien ha hecho descender el sosiego en los corazones de los creyentes para incrementar su fe. Las legiones de los cielos y de la Tierra son de Dios. Dios es Omnisciente, Sabio. ⁵ Para introducir a los creyentes y a las creyentes en jardines por donde corren los ríos, en los que estarán eternamente, y les perdonará sus pecados. Esto es una recompensa grandiosa que Dios os concede. ⁶ Para castigar a los hipócritas y a las hipócritas, a los idólatras y las idólatras que piensan mal de Dios. Sobre ellos se cernirá el mal. Dios se ha enojado con ellos, los ha maldecido y les ha preparado el Infierno. ¡Mal fin...! ⁷ Las legiones de los cielos y de la Tierra son de Dios. Dios es Poderoso, Sabio.

⁸ Te hemos enviado como testigo, como nuncio de buenas nuevas

y como amonestador, [9] para que los hombres crean en Dios y en Su Mensajero, para que le ayuden y honren, para que Le glorifiquen mañana y tarde. [10] Los que te juran fidelidad, la juran, en realidad, a Dios. La mano de Dios está sobre sus manos. Si uno quebranta una promesa la quebranta, en realidad, en detrimento propio. Si, en cambio, es fiel a la alianza concertada con Dios, Él le dará una magnífica recompensa.

[11] Los beduinos dejados atrás te dirán: «Nuestros bienes y familias nos han retenido. ¡Pide que nos perdone!». Dicen de palabra lo que no tienen en el corazón. Di: «¿Y quién podría impedir que Dios os hiciera mal o bien, si Él lo deseara?». ¡No! ¡Dios está bien informado de lo que hacéis! [12] ¡No! Creíais que el Mensajero y los creyentes no iban a regresar nunca a los suyos y la idea os halagó. Pensasteis mal... Sois gente perdida... [13] Quien no cree en Dios y en su Mensajero... Hemos preparado para los incrédulos el fuego del Infierno. [14] El dominio de los cielos y de la Tierra pertenece a Dios. Perdona a quien Él quiere y castiga a quien Él quiere. Dios es Indulgente, Misericordioso.

[15] Cuando os pongáis en marcha para apoderaros de botín, los dejados atrás dirán: «¡Dejad que os sigamos!». Quisieran cambiar la Palabra de Dios. Di: «¡No nos seguiréis! ¡Así lo ha dicho Dios antes!». Ellos dirán: «¡No! ¡Es que tenéis celos de nosotros!». ¡No! En realidad poco es lo que comprenden.

[16] Di a los beduinos dejados atrás: «Se os llamará contra un pueblo dotado de gran valor, contra el que tendréis que combatir a menos que se rinda. Si obedecéis, Dios os dará una bella recompensa. Pero, si volvéis la espalda, como ya hicisteis en otra ocasión, os infligirá un castigo doloroso». [17] «No hay por qué reprochar al ciego, al cojo o al enfermo. Y a quien obedezca a Dios y a Su Mensajero, Él le introducirá en jardines por donde corren los ríos. A quien, en cambio, vuelta la espalda, Él le infligirá un castigo doloroso».

¹⁸ Dios ha estado satisfecho de los creyentes cuando estos te han jurado fidelidad al pie del árbol. Él sabía lo que sus corazones encerraban e hizo descender sobre ellos el sosiego, prometiéndoles, como recompensa, un éxito cercano ¹⁹ y mucho botín, del que se apoderarán. Dios es Poderoso, Sabio. ²⁰ Dios os ha prometido muchos botines, y por eso os adelantó este [en Jaibar], y que os ha socorrido de vuestros enemigos para que seáis un signo para los creyentes [de la veracidad de Su promesa]; y por cierto que os guiará por el sendero recto. ²¹ Y otro cuyo logro no está en vuestras manos pero sí en las de Dios. Dios es Omnipotente.

²² Si los incrédulos hubieran combatido contra vosotros [en Hudaibiiah], habrían huido vencidos, pues no hubiesen tenido quien les proteja ni les defienda. ²³ Tal es la práctica de Dios, que ya se había aplicado antes. Y encontrarás la práctica de Dios irreemplazable. ²⁴ Él es Quien, en el valle de la Meca, retiró de vosotros sus manos y de ellos las vuestras, luego de haberos dado la victoria sobre ellos. Dios ve bien lo que hacéis.

²⁵ Ellos son los incrédulos que no os dejaron llegar a la Mezquita Sagrada, impidiendo que los animales [que llevabais para sacrificarlos como ofrenda en la Meca] no llegasen a su destino. Y de no haber sido porque había hombres y mujeres creyentes que no conocíais, habríais atacado y entonces sin saberlo, habríais incurrido en delito a causa de ellos. Para que Dios introduzca en Su misericordia a quien Él quiere. Pero si hubieras estado aparte de ellos, habríamos infligido un doloroso castigo a los incrédulos.

²⁶ Cuando, dejados llevar los incrédulos de su fanatismo, el fanatismo propio del paganismo, Dios hizo descender Su sosiego sobre Su Mensajero y sobre los creyentes, y les impuso la palabra del temor de Dios. Tenían pleno derecho a ella y la merecían. Dios es Omnisciente.

²⁷ Dios ha realizado, ciertamente, el sueño de su Mensajero: «En

verdad, que habéis de entrar en la Mezquita Sagrada, si Dios quiere, en seguridad, con la cabeza afeitada y el pelo corto, sin temor». Él sabía lo que vosotros no sabíais. Además, ha dispuesto un éxito cercano.

[28] Él es Quien os envió a Su Mensajero con la guía y la religión verdadera, para que prevalezca sobre todas las demás religiones; y Dios es suficiente como testigo.

[29] Muhammad es el Mensajero de Dios. Quienes están con él son severos con los incrédulos, pero misericordiosos entre ellos. Los verás [¡Oh, Muhammad! rezando] inclinados y prosternados, procurando la misericordia de Dios y Su complacencia. Se les nota en el rostro que se prosternan, así están descritos en la Torá. Y en el Inyil se les compara con la semilla que, habiendo germinado, fortifica su brote y este crece y se yergue en el tallo, constituyendo la alegría del sembrador, para terminar irritando a los incrédulos por su medio. A quienes de ellos crean y obren bien, Dios les ha prometido perdón y una magnífica recompensa.

SURA 49 : AL HUYURAT

LAS HABITACIONES PRIVADAS

¡En el nombre de Dios, el Compasivo, el Misericordioso!

[1] ¡Oh, creyentes! ¡No os adelantéis a Dios y a su Mensajero y temed a Dios! Dios todo lo oye, todo lo sabe.

[2] ¡Oh, creyentes! ¡No elevéis vuestra voz por encima de la del Profeta! ¡No le habléis en voz alta, como hacéis entre vosotros! Os expondríais a hacer vanas vuestras obras sin daros cuenta. [3] Quienes en presencia del Mensajero de Dios bajan la voz son aquellos cuyos corazones ha probado Dios para disponerlos a Su temor. Obtendrán

perdón y magnífica recompensa. ⁴ La mayoría de los que te llaman desde fuera de las habitaciones privadas no tienen entendimiento. ⁵ Más les valdría esperar a que tú salieras adonde ellos están. Dios es Indulgente, Misericordioso.

⁶ ¡Oh, creyentes! Si un malvado os trae una noticia, examinadla bien, no sea que perjudiquéis a alguien por ignorancia y tengáis que arrepentiros de lo que habéis hecho. ⁷ Sabed que está entre vosotros el Mensajero de Dios. En muchos casos, si os obedeciera, sin duda cometeríais grandes errores. Pero Dios os ha hecho amar la fe, engalanándola a vuestros corazones. En cambio, os ha hecho aborrecer la incredulidad, el vicio y la desobediencia. Estos son los bien guiados, ⁸ por favor y gracia de Dios. Dios es Omnisciente, Sabio.

⁹ Si dos grupos de creyentes combaten unos contra otros, ¡reconciliadles! Y si uno de ellos oprime al otro, ¡combatid contra el opresor hasta reducirle a la obediencia de Dios! Y cuando sea reducido, ¡reconciliadles de acuerdo con la justicia y sed equitativos! Dios ama a los que observan la equidad. ¹⁰ Los creyentes son, en verdad, hermanos. ¡Reconciliad, pues, a vuestros hermanos y temed a Dios! Quizás así, se os tenga piedad.

¹¹ ¡Oh, creyentes! ¡No os burléis unos de otros! Podría ser que los burlados fueran mejores que los que se burlan. Ni las mujeres unas de otras. Podría ser que las burladas fueran mejores que las que se burlan. ¡No os critiquéis ni os llaméis con motes ofensivos! ¡Mala cosa es ser llamado "perverso" después de haber recibido la fe! Los que no se arrepienten, esos son los inicuos.

¹² ¡Oh, creyentes! ¡Evitad conjeturar demasiado! Algunas conjeturas son un pecado. ¡No espiéis! ¡No calumniéis! ¿Os gustaría comer la carne de un hermano muerto? Os causaría horror... ¡Temed a Dios! Dios es Indulgente, Misericordioso.

¹³ ¡Oh, hombres! Os hemos creado de un varón y de una hembra

y hemos hecho de vosotros pueblos y tribus, para que os conozcáis unos a otros. Para Dios, el más noble de entre vosotros es el que más Le teme. Dios es Omnisciente, está bien informado.

¹⁴ Los beduinos dicen: «¡Creemos!». Di: «¡Todavía no sois verdaderos creyentes! ¡Decid más bien: "Hemos abrazado el islam"! La fe no ha ingresado completamente en vuestros corazones. Pero, si obedecéis a Dios y a Su Mensajero, no menoscabará nada vuestras obras. Dios es Indulgente, Misericordioso». ¹⁵ Son creyentes únicamente los que creen en Dios y en Su Mensajero, sin abrigar ninguna duda, y combaten por Dios con su hacienda y sus personas. ¡Esos son los veraces!

¹⁶ Di: «¿Vais a enseñar a Dios en qué consiste vuestra religión, siendo así que Dios conoce lo que está en los cielos y en la Tierra?». Dios es Omnisciente. ¹⁷ Te recuerdan su conversión al islam como si, con ello, te hubieran agraciado. Di: «¡No me recordéis vuestra conversión al islam como si me hubierais agraciado! ¡Al contrario! Es Dios quien os ha agraciado dirigiéndoos hacia la fe. Si es verdad lo que decís». ¹⁸ Dios conoce lo oculto de los cielos y de la Tierra. Dios ve bien lo que hacéis.

SURA 50 : QAF

QAF

¡En el nombre de Dios, el Compasivo, el Misericordioso!

¹ *Qaf.*

¡Por el glorioso Corán! ² Se asombran que haya surgido un amonestador de entre ellos. Y dicen los incrédulos [idólatras de Quraish]: «¡Esto es algo asombroso! ³ ¿Acaso cuando muramos y seamos tierra... [seremos resucitados]? ¡Esto es algo imposible!».

⁴ Ya sabemos lo que la tierra consumirá de ellos. Todo lo tenemos registrado en un libro protegido [la Tabla Protegida]. ⁵ Pero han desmentido la Verdad [el Corán] cuando ha venido a ellos y se encuentran en un estado de confusión.

⁶ ¿No ven el cielo que tienen encima, cómo lo hemos edificado y embellecido, sin que haya en él ninguna grieta? ⁷ Hemos extendido la tierra, fijado en ella firmes montañas y hecho crecer en ella toda clase de vegetación hermosa, ⁸ como evidencia y recuerdo para todo siervo arrepentido. ⁹ Hacemos descender del cielo agua bendita, mediante la cual hacemos que broten jardines y el grano de la cosecha, ¹⁰ esbeltas palmeras de apretados racimos, ¹¹ como sustento para los siervos. Y con ella devolvemos la vida a una tierra muerta. Así será la Resurrección.

¹² Antes de ellos, ya habían desmentido [a sus Profetas] el pueblo de Noé, los habitantes de Rass [gente del pozo, un pueblo que arrojó a su Profeta al pozo, obstruyéndolo después] y los Zamud [tamudeos], ¹³ los habitantes de 'Ad, Faraón, los hermanos [pueblo] de Lot, ¹⁴ y también los habitantes de la Espesura [el pueblo de Shu'aib] y el pueblo de Tubba [Rey del Yemen]. Todos ellos desmintieron a sus Mensajeros. Y se cumplió Mi amenaza. ¹⁵ ¿Acaso no ven que Nos fue fácil crearlos por primera vez? Pero a pesar de eso, ellos dudan de una nueva creación [La Resurrección].

¹⁶ Sí, hemos creado al hombre y sabemos lo que su alma le sugiere. Estamos más cerca de él que su propia vena yugular. ¹⁷ Y dos ángeles escribas registran sus obras, sentados el uno a la derecha y el otro a la izquierda, ¹⁸ no pronuncia palabra alguna que no tenga siempre a su lado a un [ángel] observador que la registre.

¹⁹ Y os llegará la agonía de la muerte con la verdad: «¡Ahí tienes lo que huías!». ²⁰ Se tocará la trompeta. Ese es el día que se había prometido [el Día del Juicio]. ²¹ Cada uno vendrá acompañado de uno [ángel] que lo conducirá y de un testigo. ²² [Y se le dirá

a quién desmentía:] «Estas cosas te traían sin cuidado y ahora te hemos quitado el velo de manera que tu vista, hoy, es aguda [23] Su acompañante [el ángel] dirá: «Esto es lo que tengo registrado». [24] «¡Arrojad al Infierno a todo incrédulo rebelde, [25] aquel que se negó a obrar el bien, transgresor, escéptico, [26] que ponía, junto a Dios, a otro dios! ¡Arrojadlo al castigo severo!». [27] Su compañero dirá: «¡Señor! No soy yo quien lo desvió, sino que él estaba ya profundamente extraviado». [28] Dirá [Allah]: «¡No discutáis ante Mí! Ya os había advertido de esto anteriormente. [29] Mi sentencia es irrevocable. Yo no soy injusto con Mis siervos».

[30] El día que digamos al Infierno: «¿Estás ya lleno?», y este responda: «¿Aún hay más?». [31] Y el Jardín será acercado a quienes hayan temido a Dios, bien cerca: [32] «Esto es lo que se os había prometido, para quienes se arrepintieran con sinceridad y cumplan [con los preceptos de Dios], [33] que temiera al Clemente a pesar de no verle y se presentara con corazón contrito. [34] «¡Entrad en él en paz! ¡Este es el Día de la Eternidad!». [35] Tendrán allí cuanto deseen y aún dispondremos de más.

[36] A cuántas generaciones hemos hecho antes perecer, más poderosas que ellos y recorrieron el país intentando huir. ¿Pero acaso se puede escapar? [37] Realmente en esto hay un recuerdo para quien tiene entendimiento, para quien presta oído atentamente.

[38] Creamos los cielos, la Tierra y todo lo que existe entre ellos en seis días, y no Nos agotamos en lo más mínimo. [39] ¡Ten paciencia, pues, con lo que dicen y glorifica con alabanzas a tu Señor antes de la salida del sol y antes del ocaso! [40] ¡Glorifícale por la noche y después de cada oración!

[41] Ten presente el día en que el pregonero llame desde un lugar cercano. [42] El día que se oiga el Grito con la verdad. Ese será el día de la Resurrección. [43] Somos Nosotros Quienes damos la vida y damos la muerte, y a Nosotros es el retorno. [44] El día que la tierra

se abra y [los hombres] surjan presurosos [de sus tumbas para ser
juzgados]. Será fácil para Nosotros reunirlos.

⁴⁵ Sabemos bien lo que dicen... ¡No debes coaccionarles, solo
exhórtales con el Corán, a quien tema Mi amenaza!

SURA 51 :ADH DHÁRIAT

LOS QUE LEVANTAN UN TORBELLINO

¡En el nombre de Dios, el Compasivo, el Misericordioso!

¹ ¡Por los [vientos] que levantan un torbellino! ² ¡Por las [nubes]
que llevan una carga [la lluvia]! ³ ¡Por las [naves] que se deslizan
con facilidad! ⁴ ¡Por los [ángeles] que distribuyen las órdenes de
Dios! ⁵ ¡Ciertamente, aquello que se os ha prometido es verdad! ⁶ Y
el Juicio, sí, tendrá lugar. ⁷ ¡Por el cielo colmado de órbitas! ⁸ Que
vosotros estáis en desacuerdo. ⁹ Será apartado [de la verdad] quien
haya sido apartado.

¹⁰ ¡Malditos sean los que siempre están conjeturando, ¹¹ que
están sumidos en la ignorancia, ¹² que preguntan: «¿Cuándo
llegará el Día del Juicio?»! ¹³ Y ese Día serán atormentados en el
Fuego. ¹⁴ [Y se les dirá:] «¡Gustad vuestra prueba! Esto es lo que
estabais impacientes por conocer». ¹⁵ Los que temen a Dios estarán
entre jardines y manantiales, ¹⁶ recibiendo lo que su Señor les dé.
Hicieron el bien en el pasado; ¹⁷ de noche dormían poco; ¹⁸ antes
del alba, pedían perdón a Dios, ¹⁹ y daban al mendigo y al indigente
parte de sus bienes en caridad.

²⁰ En la Tierra hay signos para quienes creen con certeza, ²¹ y
en vosotros mismos también. ¿Es que no veis? ²² Y en el cielo está
[decretado] vuestro sustento y lo que se os ha prometido. ²³ ¡Por el

Señor del cielo y de la Tierra, que todo esto es tan cierto como que habláis!

[24] ¿Te has enterado de la historia de los honorables [ángeles] huéspedes de Abraham? [25] Cuando se presentaron ante él dijeron: «¡Paz!». Y [Abraham] respondió: «¡Paz! gente desconocida». [26] Se fue discretamente a los suyos y trajo un ternero cebado, [27] que les ofreció. [Al ver que no comían,] Les dijo: «¿Es que no coméis?». [28] Y sintió temor de ellos. Le dijeron: «¡No temas!». Y le dieron la buena nueva de un hijo lleno de ciencia. [29] Su mujer, entonces, se presentó gritando y dándose palmadas en el rostro y dijo: «Pero ¡si soy una vieja estéril!». [30] Dijeron: «Así lo ha decretado tu Señor. Es Él el Sabio, el Omnisciente».

[31] Dijo: «¿Cuál es vuestra misión? ¡Oh enviados!». [32] Dijeron: «Se nos ha enviado a un pueblo pecador [33] para enviar contra ellos piedras de barro cocido, [34] marcadas junto a tu Señor [como castigo] para los trasgresores». [35] Y sacamos a los creyentes que en ella había, [36] pero solo encontramos en ella una casa de gente sometida a Dios. [37] Y dejamos en ella un signo para los que temen el castigo doloroso.

[38] Y en [la historia de] Moisés también hay una prueba. Cuando le enviamos a Faraón con una autoridad manifiesta. [39] Pero él y su ejército lo rechazaron y le dijeron: «¡Es un mago o un poseso!». [40] Entonces lo agarramos a él y a sus tropas, y los arrojamos al mar. Había incurrido en censura. [41] Y también en el pueblo de 'Âd. Cuando enviamos contra ellos el viento devastador, [42] que pulverizaba todo cuanto encontraba a su paso. [43] Y en el pueblo de Zamûd cuando se les dijo: «¡Gozad aún por algún tiempo!». [44] Pero cuando desobedecieron a su Señor, fueron fulminados por un estrépito mientras lo veían venir. [45] No pudieron levantarse, ni defenderse. [46] Y antes, el pueblo de Noé [también fue castigado]. Fue un pueblo perverso.

⁴⁷ Y el universo lo construimos con nuestro poder. Y ciertamente, lo expandimos. ⁴⁸ Y la Tierra, la extendimos. ¡Qué bien que la preparamos! ⁴⁹ Todo lo creamos por parejas para que tal vez reflexionarais. ⁵⁰ [Diles ¡Oh, Muhammad!:] «¡Refugiaos, pues, en Dios! Soy para vosotros, de Su parte, un claro amonestador. ⁵¹ ¡No pongáis a otro dios junto con Dios! Soy para vosotros, de Su parte, un claro amonestador ».

⁵² Asimismo, no se presentó anteriormente ningún Mensajero sin que dijeran: «¡Es un mago o un poseso!». ⁵³ ¿Es que se han legado eso unos a otros? ¡No! ¡Son gente que va más allá de los límites! ⁵⁴ ¡Apártate de ellos, [y sabe que] tú no serás reprochado! ⁵⁵ ¡Y exhorta, que la exhortación beneficia a los creyentes!

⁵⁶ No he creado a los genios y a los hombres sino para que Me adoren. ⁵⁷ No pretendo de ellos ningún sustento, ni quiero que Me alimenten. ⁵⁸ Dios es el Sustentador de todo, el Fuerte, el Firme. ⁵⁹ Los inicuos correrán la misma suerte que corrieron sus antepasados. ¡Que no Me apresuren [a castigarlos]! ⁶⁰ ¡Ay de los que se niegan a creer, cuando llegue el Día [del juicio] que se les ha prometido!

SURA 52 : AT TÚR

EL MONTE

¡En el nombre de Dios, el Compasivo, el Misericordioso!

¹ ¡Por el Monte [Sinaí]! ² ¡Por el Libro escrito ³ en un pergamino desenrollado [el Corán]! ⁴ ¡Por la Casa frecuentada! ⁵ ¡Por la bóveda elevada! ⁶ ¡Por el mar rebosante! ⁷ ¡Sí, el castigo de tu Señor tendrá lugar, ⁸ nadie podrá impedirlo! ⁹ El día que el cielo se agite intensamente, ¹⁰ y se pongan las montañas en marcha. ¹¹ Ese día ¡Ay

de los desmentidores! [12] Aquellos que se divertían con sus burlas.
[13] El día que sean arrojados violentamente, al Fuego del Infierno,
[14] [Se les dirá:] «¡Este es el fuego que desmentíais! [15] ¿Es, pues, esto
magia? ¿O es que no veis? [16] ¡Entrad en él! Debe daros lo mismo
que lo aguantéis o no. Solo se os retribuye por vuestras obras».

[17] Quienes temieron a Dios, en cambio, estarán en jardines
y deleite, [18] disfrutando de lo que su Señor les dé. Su Señor les
habrá preservado del castigo del Fuego del Infierno. [19] [Se les
dirá:] «¡Comed y bebed con placer por lo que habéis obrado!».
[20] Reclinados en lechos distribuidos en líneas. Y les daremos por
esposas a huríes de grandes ojos.

[21] Reuniremos con los creyentes a sus descendientes que les
siguieron en la fe. No les menoscabaremos sus obras en nada. Cada
uno será responsable de sus propias acciones. [22] Les proveeremos
de la fruta y de la carne que apetezcan. [23] Allí se pasarán unos
a otros una copa cuyo contenido no incitará a vaniloquio ni a
pecado. [24] Circularán a su alrededor [sirvientes] mancebos como
perlas ocultas. [25] Y se volverán unos a otros haciéndose preguntas.
[26] Dirán: «Antes, cuando estábamos viviendo junto a nuestra
familia, teníamos temor [del castigo divino]. [27] Dios nos agració
y preservó del tormento del viento abrasador del Infierno. [28] Ya Le
invocábamos antes. Es el Bueno, el Misericordioso».

[29] ¡Exhorta, pues, porque, por la gracia de tu Señor, no eres
adivino ni poseso! [30] O dicen: «¡Un poeta...! ¡Esperaremos hasta
que le llegue su hora!». [31] Diles: «¡Esperad! Yo también espero con
vosotros». [32] ¿Sus pensamientos les conducen a [decir] esto o es que
solo son gente que transgrede los límites? [33] O dicen: «¡Él se lo ha
inventado [al Corán]!». ¡Pero no, es que no creen! [34] ¡Que traigan
un libro semejante [al Corán]!, si es verdad lo que dicen.

[35] ¿Acaso surgieron de la nada [sin Creador] o son ellos sus
propios creadores? [36] ¿O han creado los cielos y la Tierra? No, no

tienen fe. [37] ¿Acaso poseen los tesoros de tu Señor o tienen autoridad absoluta? [38] ¿O tienen una escalera que les permita escuchar? El que de ellos lo consiga que traiga una prueba clara. [39] ¿Acaso a Dios Le pertenecen las hijas mujeres y a ellos los hijos varones?

[40] ¿O es que les pides [por trasmitirles el Mensaje] una retribución y tal los tiene abrumados? [41] ¿O es que tienen el conocimiento de lo oculto y toman nota? [42] ¿O quieren urdir una estratagema? Porque son los que se niegan a creer los que habrán caído en la estratagema. [43] ¿O tienen una divinidad fuera de Dios? ¡Gloria a Dios, que está por encima de lo que Le asocian!

[44] Y aun si vieran caer parte del cielo, dirían: «Son nubes que se han acumulado». [45] Déjales hasta que les llegue su día, cuando sean fulminados, [46] el día en que su maquinación no les sirva de nada ni tengan quien les auxilie. [47] Los inicuos sufrirán, además, otro castigo, pero la mayoría no saben.

[48] ¡Espera paciente la decisión de tu Señor porque te encuentras bajo Nuestra observancia! Y ¡Glorifica las alabanzas de tu Señor cuando te levantes [de vuestro dormir]! [49] ¡Glorifícale por la noche y al ocultarse las estrellas!

SURA 53 : AN NAYM
....

LA ESTRELLA

¡En el nombre de Dios, el Compasivo, el Misericordioso!

[1] ¡Por la estrella, cuando desaparece [al amanecer]! [2] Que vuestro compañero [el Profeta Muhammad] no se ha extraviado, ni está en un error. [3] No habla por propio impulso. [4] No es sino una revelación que se ha hecho descender. [5] Que le enseñó alguien [el ángel Gabriel] de gran poder, [6] y fortaleza; quien se le presentó en su

verdadera forma. [7] En lo más alto del horizonte. [8] Luego, descendió y se acercó a él, [9] estaba a una distancia de dos arcos o menos aún. [10] Reveló a Su siervo lo que reveló. [11] No ha mentido el corazón en lo que vio. [12] ¿Disputaréis, pues, con él sobre lo que vio? [13] Ya le había visto descender en otra ocasión, [14] junto al Loto que demarca el límite [de los siete cielos], [15] que se encuentra en la residencia eterna [el Paraíso]. [16] Cuando al Loto lo cubrió lo que lo cubrió. [17] No se desvió su mirada [de lo que debía mirar], ni tampoco se extralimitó. [18] Vio, ciertamente, algunos de los signos más grandes de su Señor.

[19] Y ¿qué opinión os merecen al-Lat, al-Uzza [20] y la otra, Manat, la tercera [nombres de tres ídolos de los árabes paganos]? [21] ¿[Preferís] Para vosotros los hijos varones y atribuís a Dios hijas mujeres [los idólatras creían que los ángeles eran hijas de Dios]? [22] Ciertamente ello es una pretensión injusta. [23] [Estos tres ídolos] No son sino nombres que habéis puesto, vosotros y vuestros padres, a los que Dios no ha conferido ninguna autoridad. No siguen sino conjeturas y la concupiscencia de sus almas, siendo así que ya les ha venido de su Señor la guía. [24] ¿Acaso cree el hombre que obtendrá cuanto desea? [25] Pero la Otra Vida y esta vida pertenecen a Dios.

[26] ¡Cuántos ángeles hay en los cielos, cuya intercesión no servirá de nada, salvo que Dios lo permita a favor de quien Él quiera y Le plazca! [27] Por cierto que quienes no creen en la otra vida ponen a los ángeles nombres femeninos. [28] No tienen ningún conocimiento de ello. No siguen más que conjeturas, y estas, frente a la Verdad, no sirven de nada. [29] Apártate de quien vuelve la espalda a Nuestra mensaje y no desea sino la vida de este mundo. [30] Ese es todo el conocimiento que pueden alcanzar. Dios conoce bien a quien se extravía de Su camino y conoce bien a quien sigue la buena guía.

[31] De Dios es lo que está en los cielos y en la Tierra, para retribuir a los que obren mal por lo que hagan y retribuir a los que obren

bien con una hermosa recompensa. ³² Quienes evitan los pecados graves y las obscenidades, y no cometen más que faltas leves... Ciertamente tu Señor es inmensamente indulgente. Os conocía bien cuando os creó de la tierra y cuando erais un embrión en el seno de vuestra madre. ¡No os jactéis, pues, de puros! Él conoce bien a los piadosos.

³³ Y, ¿[¡Oh, Muhammad!] qué te parece el que vuelve la espalda, ³⁴ que da poco, y es tacaño? ³⁵ ¿Acaso tiene conocimiento de lo oculto, que le permita ver? ³⁶ ¿No se le ha informado del contenido de las páginas de Moisés ³⁷ y de Abraham, el fiel cumplidor? ³⁸ [En ellas se prescribe:] que nadie cargará con la carga ajena, ³⁹ que el hombre solo obtendrá aquello por lo que se esfuerce, ⁴⁰ que se verá el resultado de su esfuerzo, ⁴¹ que será, luego, retribuido equitativamente; ⁴² que el destino final de todo es hacia tu Señor; ⁴³ que es Él Quien hace reír y hace llorar, ⁴⁴ que es Él Quien da la muerte y da la vida; ⁴⁵ y que Él ha creado a la pareja: varón y mujer [macho y hembra], ⁴⁶ de una gota de esperma eyaculada; ⁴⁷ que Él es Quien os creará por segunda vez [os resucitará]; ⁴⁸ que es Él Quien da riquezas y posesiones; ⁴⁹ que es Él el Señor de Sirio [estrella que adoraban algunos árabes],

⁵⁰ y que Él destruyó a los antiguos Ád ⁵¹ y a los Zamud, aniquilándolos completamente, ⁵² y, antes, al pueblo de Noé, pues ellos fueron más injustos y transgresores; ⁵³ y aniquiló a las ciudades [al pueblo de Lot] volteando sus hogares de arriba abajo. ⁵⁴ A las que cubrió lo que las cubrió ⁵⁵ ¿Cuál, pues, de las mercedes de tu Señor pondrás en duda?

⁵⁶ Este es un advertidor [referido al Profeta Muhammad o al Corán] del mismo género que los primeros advertidores. ⁵⁷ La llegada [del Día del Juicio] es Inminente. ⁵⁸ Nadie, fuera de Dios, puede revelarlo. ⁵⁹ ¿Os asombráis, pues, de este Mensaje? ⁶⁰ ¿Y reís,

en lugar de llorar, [61] permaneciendo indiferentes? [62] ¡Prosternaos, pues, ante Dios y adoradle!

LA LUNA

¡En el nombre de Dios, el Compasivo, el Misericordioso!

[1] La Hora se acerca y la luna se partió en dos [cuando los incrédulos de la Meca le pidieron al Profeta Muhammad un milagro]. [2] Pero cuando ven un signo, se apartan y dicen: «¡Es una magia persistente!». [3] Desmienten y siguen sus pasiones. Pero todo está decretado. [4] Ya han recibido noticias disuasivas, [5] una sabiduría sublime [de Dios]. Pero las advertencias han sido en vano. [6] ¡Apártate, pues, de ellos! [Que ya les llegará] El día que el Pregonero les convoque para algo horrible, [7] con la mirada abatida, saldrán de las sepulturas como si fueran langostas dispersas. [8] Acudiendo presurosos hacia el Pregonero. Dirán los incrédulos: «¡Este es un día difícil!».

[9] Antes de ello, ya el pueblo de Noé había negado la verdad. Desmintieron a Nuestro siervo y dijeron: «¡Es un poseso!», y fue rechazado [con hostigamiento]. [10] Entonces, invocó a su Señor. «¡Me han vencido, auxíliame!». [11] Abrimos las puertas del cielo con una lluvia torrencial [12] y en la tierra hicimos manar manantiales y se encontraron las aguas según una orden decretada. [13] Le embarcamos en aquello [un arca] hecho de tablas y de clavos, [14] que navegó bajo Nuestra mirada como retribución de aquel que había sido negado. [15] La hemos dejado como signo. Pero ¿habrá alguien que se deje amonestar? [16] Y ¡Qué terrible fue Mi castigo y Mi amenaza! [17] Hemos hecho el Corán fácil de entender para que pueda servir de amonestación. Pero ¿hay alguien que se deje amonestar?

¹⁸ El pueblo de 'Ad desmintió [a su Profeta], y ¡qué terrible fue Mi castigo y Mi amenaza! ¹⁹ En un día nefasto e interminable enviamos contra ellos un viento glacial [y tempestuoso], ²⁰ que levantaba a la gente como si hubieran sido troncos de palmeras arrancadas. ²¹ ¡Qué terrible fue Mi castigo y Mi amenaza! ²² Hemos hecho el Corán fácil de entender para que pueda servir de amonestación. Pero ¿hay alguien que se deje amonestar?

²³ El pueblo de Zamud también desmintió las advertencias ²⁴ y dijeron: «¿Acaso hemos de seguir a un ser humano, uno de nosotros? ¡Estaríamos extraviados y sería una locura! ²⁵ ¿Cómo es que de entre nosotros ha sido precisamente a él al que se le ha confiado el Mensaje? ¡No, sino que es un mentiroso arrogante!». ²⁶ ¡Mañana sabrán quién es el mentiroso arrogante! ²⁷ Les enviamos la camella como una prueba, [y le dijimos al Profeta Sâlih:] ¡Obsérvales y ten paciencia! ²⁸ Infórmales de que el agua debe compartirse entre ellos [un día ellos y otro la camella], y de que beberán por turnos. ²⁹ Pero ellos llamaron a uno de sus compañeros que se hizo cargo y la desjarretó. ³⁰ ¡Y qué terrible fue Mi castigo y Mi amenaza! ³¹ Enviamos contra ellos un solo Grito y quedaron como hierba seca amontonada. ³² Hemos hecho el Corán fácil de entender para que pueda servir de amonestación. Pero ¿hay alguien que se deje amonestar?

³³ El pueblo de Lot desmintió las advertencias. ³⁴ Enviamos contra ellos una tormenta de piedras, salvo a la familia de Lot, a la que salvamos al rayar el alba, ³⁵ en virtud de una gracia venida de Nosotros. Así retribuimos al agradecido. ³⁶ Ya [Lot] les había advertido de Nuestra severidad, pero pusieron en duda las advertencias. ³⁷ E intentaron seducir a sus huéspedes [los ángeles que Dios había enviado a Lot para anunciarle el castigo de su pueblo], y entonces cegamos sus ojos [y les dijimos:] «¡Gustad Mi castigo y Mis advertencias!». ³⁸ A la mañana siguiente, temprano,

les sorprendió un castigo ineludible. ³⁹ «¡Gustad Mi castigo y Mis advertencias!». ⁴⁰ Hemos hecho el Corán fácil de entender para que pueda servir de amonestación. Pero ¿hay alguien que se deje amonestar?

⁴¹ Y, ciertamente, la gente de Faraón fue advertida. ⁴² Desmintieron todos Nuestros signos y les sorprendimos con un severo castigo, como solo puede hacerlo el Poderoso, Omnipotente.

⁴³ ¿Son vuestros incrédulos mejores que aquellos? ¿O hay en las Escrituras algo que os inmunice? ⁴⁴ ¿O dicen: «Somos un grupo invencible»? ⁴⁵ Todos serán derrotados y huirán. ⁴⁶ Pero la Hora es el tiempo que se les ha fijado y la Última Hora será más terrible y amarga aún. ⁴⁷ Los pecadores están extraviados y enceguecidos en su locura. ⁴⁸ El día que sean arrojados de cara al Fuego [se les dirá:]: «¡Gustad el contacto del Saqar [otro nombre del Infierno]!».

⁴⁹ Todo lo hemos creado en su justa medida. ⁵⁰ Nuestra orden no consiste sino en una sola palabra, y ejecutada en un abrir y cerrar de ojos. ⁵¹ Ciertamente destruimos a vuestros semejantes. Pero ¿hay alguien que se deje amonestar? ⁵² Todo lo que han hecho se encuentra registrado en el libro de sus obras. ⁵³ Todo, grande o pequeño, está registrado. ⁵⁴ Los temerosos de Dios estarán entre jardines y ríos. ⁵⁵ En un lugar honorable [el Paraíso], junto al Soberano Todopoderoso.

SURA 55 : AR RAHMÁN

EL COMPASIVO

¡En el nombre de Dios, el Compasivo, el Misericordioso!

¹ El Compasivo ² ha enseñado el Corán. ³ Ha creado al hombre, ⁴ le ha enseñado a hablar. ⁵ El sol y la luna siguen sus órbitas precisas.

⁶ Las hierbas y los árboles se prosternan [ante Dios]. ⁷ Ha elevado el cielo y ha establecido la balanza ⁸ para que no faltéis al peso, ⁹ sino que deis el peso con equidad, sin defraudar en el peso.

¹⁰ La Tierra la ha puesto para las criaturas. ¹¹ Hay en ella frutas y palmeras de fruto recubierto [de dátiles], ¹² granos de vaina y plantas aromáticas. ¹³ ¿Cuál, pues, de los beneficios de vuestro Señor negaréis? ¹⁴ Creó al hombre de arcilla, como la cerámica; ¹⁵ y creó a los genios de puro fuego. ¹⁶ ¿Cuál, pues, de los beneficios de vuestro Señor negaréis? ¹⁷ Señor de los dos nacientes y Señor de los dos ponientes. ¹⁸ ¿Cuál, pues, de los beneficios de vuestro Señor negaréis? ¹⁹ Hizo que las dos grandes masas de agua se encuentran. ²⁰ Pero dispuso entre ambas una barrera que no rebasan. ²¹ ¿Cuál, pues, de los beneficios de vuestro Señor negaréis? ²² De ambas provienen la perla y el coral. ²³ ¿Cuál, pues, de los beneficios de vuestro Señor negaréis? ²⁴ Suyas son las embarcaciones, que sobresalen en el mar como montañas. ²⁵ ¿Cuál, pues, de los beneficios de vuestro Señor negaréis?

²⁶ Todo cuanto hay en la Tierra es perecedero. ²⁷ Pero permanecerá tu Señor, el Majestuoso y Honorable. ²⁸ ¿Cuál, pues, de los beneficios de vuestro Señor negaréis? ²⁹ Los que están en los cielos y en la Tierra Le imploran. Cada día, Él está en algún asunto. ³⁰ ¿Cuál, pues, de los beneficios de vuestro Señor negaréis?

³¹ Nos ocuparemos detenidamente de vosotros, los dos que tenéis la responsabilidad [los dos que tienen libre albedrío son los hombres y los genios]. ³² ¿Cuál, pues, de los beneficios de vuestro Señor negaréis? ³³ ¡Oh genios y hombres! ¡Atravesad, si podéis, los confines del cielo y la Tierra! Pero no podréis atravesarlas sino es con autorización [de Dios]. ³⁴ ¿Cuál, pues, de los beneficios de vuestro Señor negaréis? ³⁵ [Si lo intentaran] serían lanzadas contra vosotros llamaradas de fuego y cobre fundido, y no podríais defenderos. ³⁶ ¿Cuál, pues, de los beneficios de vuestro Señor negaréis?

³⁷ Cuando el cielo se hienda y se tiña de rojo vivo como la lava, ³⁸ ¿Cuál, pues, de los beneficios de vuestro Señor negaréis? ³⁹ Ese día, ni a los hombres ni a los genios habrá que preguntarles por sus pecados. ⁴⁰ ¿Cuál, pues, de los beneficios de vuestro Señor negaréis? ⁴¹ Los pecadores serán reconocidos por sus marcas y se los tomará por el copete y por los pies. ⁴² ¿Cuál, pues, de los beneficios de vuestro Señor negaréis? ⁴³ ¡Ese es el Infierno que los pecadores desmentían! ⁴⁴ No pararán de ir y venir entre el fuego y un agua hirviendo. ⁴⁵ ¿Cuál, pues, de los beneficios de vuestro Señor negaréis?

⁴⁶ Para quien, en cambio, haya temido comparecer ante su Señor, habrá dos jardines ⁴⁷ ¿Cuál, pues, de los beneficios de vuestro Señor negaréis? ⁴⁸ Frondosos. ⁴⁹ ¿Cuál, pues, de los beneficios de vuestro Señor negaréis? ⁵⁰ En ambos habrá dos fuentes surtiendo. ⁵¹ ¿Cuál, pues, de los beneficios de vuestro Señor negaréis? ⁵² En ellos habrá dos especies de cada fruta. ⁵³ ¿Cuál, pues, de los beneficios de vuestro Señor negaréis? ⁵⁴ Estarán reclinados en divanes tapizados de brocado. La fruta de los dos jardines estará al alcance de la mano. ⁵⁵ ¿Cuál, pues, de los beneficios de vuestro Señor negaréis? ⁵⁶ Estarán en ellos las de recatado mirar que no fueron tocadas antes por ningún hombre ni genio, ⁵⁷ ¿Cuál, pues, de los beneficios de vuestro Señor negaréis? ⁵⁸ [ellas serán] de una belleza cual rubí y coral. ⁵⁹ ¿Cuál, pues, de los beneficios de vuestro Señor negaréis? ⁶⁰ ¿Acaso la recompensa del bien no es otra que el mismo bien? ⁶¹ ¿Cuál, pues, de los beneficios de vuestro Señor negaréis?

⁶² Además de esos dos, habrá otros dos jardines, ⁶³ ¿Cuál, pues, de los beneficios de vuestro Señor negaréis? ⁶⁴ ambos [jardines] verdinegros, ⁶⁵ ¿Cuál, pues, de los beneficios de vuestro Señor negaréis? ⁶⁶ en ellos habrá dos fuentes manando. ⁶⁷ ¿Cuál, pues, de los beneficios de vuestro Señor negaréis? ⁶⁸ En ambos habrá fruta, palmeras y granados, ⁶⁹ ¿Cuál, pues, de los beneficios de vuestro

Señor negaréis? [70] en ellos habrá virtuosas y hermosas [mujeres]. [71] ¿Cuál, pues, de los beneficios de vuestro Señor negaréis? [72] Huríes [de ojos hermosísimos], retiradas en bellas moradas, [73] ¿Cuál, pues, de los beneficios de vuestro Señor negaréis? [74] Que no fueron tocadas antes por ningún hombre ni genio. [75] ¿Cuál, pues, de los beneficios de vuestro Señor negaréis? [76] Reclinados en cojines verdes y alfombras hermosas. [77] ¿Cuál, pues, de los beneficios de vuestro Señor negaréis? [78] ¡Bendito sea el nombre de tu Señor, el Majestuoso y Honorable!

SURA 56 : AL WAQI'A

EL ACONTECIMIENTO

¡En el nombre de Dios, el Compasivo, el Misericordioso!

[1] Cuando suceda el Acontecimiento [el Día del Juicio], [2] nadie podrá negar su acontecer [evitarlo], [3] ¡Rebajará a unos [humillados en el Infierno] y elevará a otros [honrados en el Paraíso]! [4] Cuando la tierra se sacuda violentamente, [5] y las montañas caigan desmoronadas, [6] convirtiéndose en fino polvo disperso, [7] y seáis divididos en tres grupos...

[8] Los de la derecha -¡Qué afortunados son los de la derecha!- [9] Los de la izquierda - ¡Qué desafortunados son los de la izquierda!- [10] Y los aventajados, ¡Estos serán los primeros [en entrar al Paraíso]! [11] Estos serán los [que morarán] más próximos [a Dios], [12] en los jardines del Deleite. [13] Habrá muchos de los primeros [generaciones] [14] y pocos de los últimos. [15] En lechos entretejidos de oro y piedras preciosas, [16] reclinados en ellos, unos enfrente de otros. [17] Circularán entre ellos sirvientes eternamente jóvenes [18] con vasos, jarros y una copa de vino extraída de un manantial,

[19] que no les dará dolor de cabeza ni embriagará. [20] Les traerán las frutas que elijan, [21] y la carne de ave que les apetezca. [22] Habrá huríes de grandes y hermosos ojos, [23] semejantes a perlas ocultas, [24] Esta será la recompensa que recibirán por sus obras. [25] No oirán allí vaniloquio ni incitación al pecado, [26] tan solo la palabra: «¡Paz! ¡Paz!».

[27] ¡Y qué afortunados son los compañeros de la derecha! [28] estarán entre azufaifos sin espinas [29] y bananos de frutos abundantes, [30] bajo una extensa sombra. [31] Donde habrá agua de permanente fluir, [32] y abundantes frutas, [33] Que nunca se agotarán ni serán inaccesibles, [34] [Y reposarán] en lechos elevados. [35] Nosotros las hemos creado de manera especial [36] y hecho vírgenes, [37] afectuosas [con sus maridos], de una misma edad, [38] para los compañeros de la derecha. [39] Habrá muchos de los primeros [40] y muchos de los últimos.

[41] ¡Y qué desafortunados son los compañeros de la izquierda! [42] Estarán [siendo atormentados] en un viento abrasador y agua hirviendo, [43] bajo la sombra de un humo negro, [44] ni fresca ni agradable. [45] Antes, estuvieron inmersos en el placer [en la vida mundanal], [46] persistieron en el enorme pecado [la incredulidad y la idolatría]. [47] Decían: «Cuando muramos y seamos tierra y huesos, ¿se nos resucitará acaso? [48] ¿Y también a nuestros antepasados?». [49] Di: «¡En verdad, los primeros y los últimos [50] serán reunidos en el momento fijado de un día determinado [el Día del Juicio]!». [51] Luego, vosotros, extraviados y desmentidores, [52] comeréis del árbol del Zaqqum [un árbol del Infierno], [53] de cuyos frutos llenaréis el vientre. [54] Y sobre ello beberéis agua hirviendo [55] como beben los camellos sedientos [que nunca se sacian]. [56] Ese será su morada el Día del Juicio.

[57] Nosotros os creamos. ¿Por qué, pues, no aceptáis la verdad? [58] Y ¿Acaso no reparáis en lo que eyaculáis? [59] ¿Lo habéis creado

vosotros o somos Nosotros los creadores? ^{60} Nosotros hemos decretado cuando morirá cada uno de vosotros y nadie podrá impedirlo, ^{61} para que otros seres semejantes os sucedan y crearos nuevamente en una forma que no conocéis. ^{62} Ya habéis conocido una primera creación. ¿Por qué, pues, no os dejáis amonestar? ^{63} Y ¿qué os parece vuestra siembra? ^{64} ¿Sois vosotros quienes los hacéis germinar o somos Nosotros los germinadores? ^{65} Si quisiéramos, de vuestro campo haríamos paja seca e iríais lamentándoos: ^{66} [Y diríais:] «Hemos sido castigados, ^{67} más aún, hemos quedado en la ruina.». ^{68} Y ¿qué os parece el agua que bebéis? ^{69} ¿La hacéis bajar de las nubes vosotros o somos Nosotros Quienes la hacen bajar? ^{70} Si hubiéramos querido, la habríamos hecho salobre. ¿Por qué, pues, no dais las gracias? ^{71} Y ¿qué os parece el fuego que encendéis? ^{72} ¿Acaso vosotros habéis creado el árbol con el que lo encendéis o somos Nosotros los creadores? ^{73} Nosotros hemos hecho eso como recuerdo y beneficio para los viajeros. ^{74} ¡Glorifica, pues, el nombre de tu Señor, el Grandioso!

^{75} ¡Pues no! ¡Juro por el ocaso de las estrellas! ^{76} Y por cierto que es un juramento grandioso. ¡Si lo supierais! ^{77} ¡Es, en verdad, un Corán noble, ^{78} preservado en un Libro custodiado [la Tabla Protegida], ^{79} que solo los purificados tocan, ^{80} una revelación que procede del Señor del universo! ^{81} Vosotros [¡Oh, incrédulos!] desdeñáis este Mensaje ^{82} ¿Y agradecéis negando la verdad?

^{83} ¿Por qué, pues, cuando el alma [de quien está agonizando] se sube a la garganta, ^{84} y vosotros estáis observando en ese momento [sin poder hacer nada para salvarlo] ^{85} Nosotros estamos más cerca que vosotros de él, aunque no lo veáis? ^{86} ¿Por qué entonces, si no vais a ser juzgados ^{87} no le devolvéis el alma, si es verdad lo que decís? ^{88} Sabed que si [el agonizante] es uno de los aventajados, ^{89} tendrá descanso, plenitud y el Jardín del Deleite. ^{90} Si es de los de la derecha: ^{91} [será saludado] «¡Paz a ti, que eres de los de la derecha!». [92] Pero, si es de los extraviados desmentidores [los de la izquierda], [93] será atormentado con un líquido hirviendo [94] y arderá en el Fuego del Infierno. [95] ¡Ciertamente esta es la Verdad indubitable! [96] ¡Glorifica, pues, el nombre de tu Señor, el Grandioso!

SURA 57 : AL HADID
....

EL HIERRO

¡En el nombre de Dios, el Compasivo, el Misericordioso!

[1] Todo cuanto hay en los cielos y en la Tierra glorifica a Dios. Él es el Poderoso, el Sabio. [2] Suyo es la soberanía de los cielos y de la Tierra. Él da la vida y da la muerte. Y es omnipotente. [3] Él es el Principio y el Fin, el Visible y el Escondido, y tiene poder sobre todas las cosas. [4] Él es Quien creó los cielos y la Tierra en seis días. Luego, se instaló en el Trono. Sabe lo que ingresa en la tierra y lo que de ella sale, lo que desciende del cielo y lo que a él asciende. Está con vosotros dondequiera que os encontréis. Dios ve bien lo que hacéis. [5] Suyo es la soberanía de los cielos y de la Tierra. ¡Y a Dios retornan todos los asuntos! [6] Hace que la noche entre en el día y que el día entre en la noche. Y Él sabe bien lo que encierran los corazones.

[7] ¡Creed en Dios y en Su Mensajero! Haced caridad de los bienes que Él os agració. Aquellos de vosotros que hayan creído y hecho caridades tendrán una gran recompensa. [8] Y ¿qué os sucede que no creéis en Dios, siendo así que el Mensajero os invita a creer en vuestro Señor y que ya había concertado un pacto con vosotros? Si es que sois creyentes... [9] Él es Quien revela a Su siervo signos evidentes para sacaros de las tinieblas a la luz. En verdad, Dios es Compasivo, misericordioso con vosotros. [10] Y ¿qué os sucede

que no aportáis por la causa de Dios, siendo así que la herencia de los cielos y de la Tierra pertenece a Dios? No son iguales los que de vosotros han gastado y combatido antes de la conquista [de la Meca], pues estos tendrán una categoría más elevada que otros que han gastado y combatido después de ella. A todos, sin embargo, ha prometido Dios una hermosa recompensa. Dios está bien informado de lo que hacéis.

[11] ¿Quién le hará a Dios un hermoso préstamo para que Él se lo multiplique y recompense generosamente? [12] El día que veas la luz de los creyentes y de las creyentes irradiar delante de ellos y a su derecha [según sus obras, y se les dirá]: «¡Hoy vuestras buenas nuevas son jardines por donde corren los ríos, en los que estaréis por toda la eternidad! ¡Ese es el triunfo grandioso!». [13] El día que los hipócritas y las hipócritas digan a los que creyeron: «¡Esperad para que nos podamos iluminar con vuestra luz!». Se les dirá: «¡Retroceded y procuraos alguna luz si podéis!». Entre ellos se levantará una muralla con una puerta. Detrás estará la Misericordia y fuera, ante ella, Su Castigo. [14] Les llamarán [los hipócritas a los creyentes]: «¿No estábamos con vosotros?». Dirán [los creyentes]: «¡Sí! Pero sucumbisteis a la tentación, estabais vacilantes y dudasteis [del Mensaje]. Vuestras falsas expectativas [de ser perdonados] os engañaron hasta que vino la orden de Dios [la muerte]. Y el Seductor os engañó acerca de Dios. [15] Hoy no se aceptará ningún rescate por parte vuestra ni por parte de los que no creyeron. Vuestra morada será el Fuego, porque es lo que os merecéis». ¡Qué mal fin...!

[16] ¿No es hora ya de que se humillen los corazones de los creyentes al recuerdo de Dios y a la Verdad revelada y de que no sean como quienes, habiendo recibido antes el Libro, dejaron pasar tanto tiempo que se endureció su corazón? Muchos de ellos eran corruptos. [17] ¡Sabed que Dios vivifica la tierra después de muerta.

Os hemos explicado los signos. Quizás, así, comprendáis. [18] A quienes den caridad, ellos y ellas, haciendo un hermoso préstamo [ed. aportaron con sus bienes por la causa de Dios] a Dios, les será multiplicado y les recompensará generosamente. [19] Los que crean en Dios y en Sus Mensajeros son los veraces y los que dan testimonio ante su Señor. Recibirán su recompensa y su luz. Pero quienes no crean y desmientan Nuestros signos morarán en el fuego del Infierno.

[20] ¡Sabed que la vida mundanal es juego, distracción, así como apariencia, ostentación entre vosotros y rivalidad en riqueza e hijos! Es como una lluvia que genera plantas que alegran a los sembradores, pero luego se secan y ves que amarillean hasta convertirse en paja seca. En la otra vida habrá castigo severo o el perdón y complacencia de Dios, mientras que la vida del mundo no es más que falaz disfrute. [21] ¡Apresuraos en alcanzar el perdón de vuestro Señor y de un Jardín tan vasto como el cielo y la Tierra, preparado para los que crean en Dios y en Sus Mensajeros! Ese es el favor de Dios, que da a quien Él quiere. Dios es el Dueño del favor inmenso.

[22] No ocurre ninguna desgracia en la Tierra ni en vosotros mismos, que no esté registrada en un libro [la Tabla Protegida] antes de que acaezca. Es cosa fácil para Dios. [23] Para que no desesperéis por lo que no habéis conseguido y para que no os regocijéis por lo que se os ha concedido. Dios no ama a nadie que sea presumido, jactancioso, [24] a los avaros que ordenan avaricia a los hombres. Pero quien vuelve la espalda..., [sepa que] Dios es Quien Se basta a Sí mismo, el Digno de Alabanza.

[25] Ya hemos mandado a Nuestros Mensajeros con las pruebas claras. Y hemos hecho descender con ellos el Libro y la Balanza de la Justicia, para que los hombres observen la equidad. Hemos hecho descender el hierro, que encierra una gran fuerza y beneficio para los

hombres. Dios sabrá quiénes, sin verlo, se esfuercen sinceramente por Su causa, y la de Sus Mensajeros. Dios es Fuerte, Poderoso.

²⁶ Ya hemos enviado a Noé y a Abraham y agraciamos a su descendencia con la profecía y el Libro. Entre sus descendientes hubo quienes siguieron la guía, pero muchos de ellos fueron los que se desviaron. ²⁷ Después de ellos, mandamos a Nuestros otros Mensajeros. A Jesús, hijo de María, a quien dimos el Inyil [Evangelio], e infundimos en los corazones de quienes le siguieron la compasión y la misericordia. Ellos establecieron el monacato sin que se lo hubiéramos prescrito, solo por deseo de satisfacer a Dios, pero aun así no lo observaron como pretendían. Remuneramos a quienes de ellos creyeron, pero muchos de ellos fueron desobedientes.

²⁸ ¡Creyentes! ¡Temed a Dios y creed en Su Mensajero! Os dará, así, participación doble en Su misericordia, os agraciará con una luz [Su guía] que ilumine vuestra marcha y os perdonará. Dios es Indulgente, Misericordioso. ²⁹ ¡Que la gente del Libro sepa que no tienen ningún poder sobre el favor de Dios, que el favor está en la mano de Dios, que da a quien Él quiere! ¡Dios es el Dueño del favor inmenso!

LA DISCUSIÓN

¡En el nombre de Dios, el Compasivo, el Misericordioso!

¹ Dios ha oído las palabras de quien recurrió a ti [¡Oh, Muhammad!] a propósito de su esposo y se quejaba por su aflicción ante Dios. Dios oye vuestro diálogo. Dios todo lo oye, todo lo ve.

² Aquellos de vosotros que repudian a sus mujeres diciendo:

«¡Eres para mí como la espalda de mi madre!». Ellas no son vuestras madres. Solo son sus madres las que les han dado a luz. Dicen, ciertamente, algo reprobable y erróneo. Pero Dios es Perdonador, Indulgente. [3] Quienes repudian a sus mujeres diciendo: «¡Eres para mí como la espalda de mi madre!» y luego se retracten, deben, antes de cohabitar de nuevo, liberar a un esclavo [como expiación]. Se os exhorta a ello. Dios está bien informado de lo que hacéis. [4] Quien no pueda hacerlo, deberá ayunar durante dos meses consecutivos antes de cohabitar de nuevo. Quien no pueda, deberá alimentar a sesenta pobres. Esto es para afianzar vuestra fe en Dios y en Su Mensajero. Estos son los límites establecidos por Dios. Los incrédulos tendrán un castigo doloroso.

[5] Quienes se oponen a Dios y a su Mensajero serán derrotados como lo fueron quienes les precedieron. Hemos revelado signos evidentes. Los incrédulos tendrán un castigo humillante. [6] El día que Dios les resucite a todos, ya les informará de lo que hicieron. Dios les tomaba cuenta de todo, mientras que ellos las olvidaron. Dios es testigo de todo.

[7] ¿No ves que Dios conoce lo que está en los cielos y en la Tierra? No hay confidencia de tres personas en que no sea Él el cuarto, ni entre cinco personas en que no sea Él el sexto. Lo mismo si son menos que si son más, Él siempre está presente, dondequiera que se encuentren. Luego, el Día de la Resurrección, ya les informará de lo que hicieron. Dios es Omnisciente. [8] ¿Acaso no ves a quienes se les había prohibido hablar en secreto, que se obstinan en lo prohibido, hablando en confidencia con maldad, enemistad y desobediencia al Mensajero? Cuando vienen a ti, no te saludan como Dios ha ordenado que lo hagan [sino que te insultan] y dicen para sí: «¿Cómo es que Dios no nos castiga por lo que decimos?». Les bastará con el Infierno, en el que arderán. ¡Qué mal fin...!

[9] ¡Creyentes! Cuando habléis en secreto no lo hagáis con ánimo

de pecar, enemistad o desobediencia al Mensajero, sino hablad sobre la benevolencia y la piedad. ¡Y temed a Dios, hacia Quien seréis congregados! [10] Las confabulaciones son obras de Satanás, para entristecer a los que creen. Pero no podrán hacerles ningún daño, a menos que Dios lo permita. ¡Que los creyentes confíen en Dios!

[11] ¡Creyentes! Cuando se os dice: «¡Haced sitio [para vuestros hermanos] en las reuniones!», hacedlo así para que Dios os haga también sitio [en el Paraíso]. Y si se os dice: «¡Levantaos!», hacedlo así para que Dios también eleve la categoría de aquellos de vosotros que crean y agracie con el conocimiento. Dios está informado de lo que hacéis.

[12] ¡Creyentes! Cuando queráis hacer una consulta en privado al Mensajero, haced una caridad previamente. Es mejor para vosotros y os purifica [de vuestros pecados]. Si no podéis, Dios es Indulgente, Misericordioso. [13] ¿Acaso os incomoda hacer una caridad antes de vuestra consulta en privado? Si no lo hacéis, Dios siempre se vuelve a vosotros con Su perdón, pero ¡haced la oración prescrita, pagad el Zakat [azaque] y obedeced a Dios y a Su Mensajero! Dios está bien informado de lo que hacéis.

[14] ¿No has visto a aquellos [hipócritas] que han tomado como protectores a gente que ha incurrido en la ira de Dios? No son ni de los vuestros ni de los suyos y juran en falso deliberadamente. [15] Dios ha preparado para ellos un castigo severo. Lo que han hecho está mal. [16] Se han escudado en sus juramentos y han desviado a otros del camino de Dios. Tendrán un castigo humillante.

[17] Ni su hacienda ni sus hijos le servirán de nada frente a Dios. Esos morarán en el Fuego eternamente. [18] El día que Dios les resucite a todos, Le jurarán a Él como os juraban a vosotros, creyendo apoyarse en algo sólido [que les servirá de algo]. ¿No son ellos los que mienten? [19] Satanás se ha apoderado de ellos y les ha

hecho olvidarse del recuerdo de Dios. Estos son los partidarios de Satanás. Y ¿no son los partidarios de Satanás los que pierden? [20] Los que se oponen a Dios y a Su Mensajero estarán entre los más viles. [21] Dios ha escrito: «¡Venceré, en verdad! ¡Yo y Mis Mensajeros!». Dios es Fuerte, Poderoso.

[22] No encontrarás a gente que crea en Dios y en el Último Día que sienta afecto por quienes se oponen [combaten] a Dios y a Su Mensajero, aunque estos sean sus propios padres, sus hijos, sus hermanos o parientes. A ellos [Dios] les ha grabado la fe en sus corazones, les ha fortalecido con Su luz y les introducirá en jardines por donde corren ríos, en los que estarán eternamente. Dios está satisfecho de ellos y ellos lo están de Él. Estos son los aliados de Dios. ¿Acaso no son los aliados de Dios los triunfadores?

SURA 59 : AL HASHR

LA REUNIÓN

¡En el nombre de Dios, el Compasivo, el Misericordioso!

[1] Todo lo que está en los cielos y en la Tierra glorifica a Dios. Él es el Poderoso, el Sabio. [2] Él es Quien hizo que los incrédulos de la Gente del Libro [la tribu judía Banu Nadir] abandonaran sus hogares la primera vez que fueron expulsados. No creíais que iban a salir y ellos creían que sus fortalezas iban a protegerles de Dios. Pero Dios les sorprendió por donde menos lo esperaban. Sembró el terror en sus corazones a tal punto que demolieron sus casas con sus propias manos y con la ayuda de los creyentes. Vosotros que tenéis visión ¡sacad pues una lección de ello!

[3] Si Dios no hubiera decretado su destierro, les habría castigado en la vida de este mundo. En la otra vida, no obstante, sufrirán el

castigo del Fuego, [4] por haberse opuesto a Dios y Su Mensajero. Quien se opone a Dios... Dios castiga severamente. [5] Cuando cortasteis algunas palmeras o las dejasteis en pie sobre sus raíces, lo hacíais con permiso de Dios y para humillar a los perversos.

[6] No tuvisteis necesidad de emplear caballos ni camellos para contribuir a lo que, de ellos, ha concedido Dios a Su Mensajero. Dios, empero, concede a Sus Mensajeros predominio sobre quien Él quiere. Dios tiene poder sobre todas las cosas. [7] Lo que Dios ha concedido a Su Mensajero de los habitantes de las aldeas, pertenece a Dios, al Mensajero, a sus parientes, a los huérfanos, a los pobres y al viajero insolvente, para que no vaya a parar a los que de vosotros ya son ricos. Pero, si el Mensajero os da algo, aceptadlo. Y, si os prohíbe algo, absteneos. Y ¡temed a Dios! Dios castiga severamente. [8] Y también para los emigrados pobres, que fueron expulsados de sus hogares y despojados de sus bienes cuando buscaban la gracia de Dios y Su complacencia, y lucharon por la causa de Allah y Su Mensajero. Esos son los veraces.

[9] Quienes estaban establecidos en la morada [Medina] y aceptaron la fe antes de su llegada, aman a los que han emigrado a ellos, no codician lo que se les ha dado y les prefieren a sí mismos, aun estando en extrema necesidad. Los que se guarden de su propia codicia, esos son quienes prosperarán. [10] Quienes vinieron después de ellos, dicen: «¡Señor nuestro! ¡Perdónanos, a nosotros y a nuestros hermanos que nos han precedido en la fe! ¡Haz que no abriguen nuestros corazones rencor hacia los que creen! ¡Señor nuestro! Tú eres Compasivo, Misericordioso».

[11] ¿No has visto a los hipócritas, que dicen a sus hermanos incrédulos de los de la Gente del Libro: «Si os expulsan, nos iremos, ciertamente, con vosotros, y nunca obedeceremos a nadie que nos mande algo contra vosotros. Y si os atacan, ciertamente, os auxiliaremos»? Y Dios es testigo de que mienten. [12] Si son

expulsados, no se irán con ellos. Si son atacados, no les auxiliarán. Y aun suponiendo que les auxiliaran, seguro que darían la espalda [huirían]. Luego, no serían auxiliados.

¹³ Infundís en sus pechos más terror que Dios. Ello porque son gente que no comprende. ¹⁴ No combatirán unidos contra vosotros, salvo en aldeas fortificadas o detrás de murallas. Entre ellos hay una fuerte hostilidad. Les creéis unidos, pero sus corazones están divididos. Ello porque son gente que no razona.

¹⁵ Son como quienes les precedieron que gustaron la gravedad de su conducta y tendrán un castigo doloroso [en la otra vida]. ¹⁶ Como Satanás cuando le dice al hombre: «¡No creas!». Y cuando este ya no cree, le dice: «Yo me desentiendo de ti. Yo temo a Dios, Señor del Universo». ¹⁷ Su fin será el Fuego, eternamente. Esa es la retribución de los transgresores.

¹⁸ ¡Creyentes! ¡Temed a Dios! ¡Que cada uno considere cuánto ha realizado para [el Juicio de] mañana! ¡Temed a Dios! Dios está bien informado de lo que hacéis. ¹⁹ No seáis como quienes, habiendo olvidado a Dios, Él hizo que se olviden de sí mismos. Esos tales son los descarriados. ²⁰ No son iguales los moradores del Infierno y los moradores del Paraíso. Los moradores del Paraíso son los que triunfan.

²¹ Si hubiéramos hecho descender este Corán a una montaña, la habrías visto temblar y derrumbarse por miedo a Dios. Así exponemos a los hombres los ejemplos para que reflexionen. ²² Él es Dios, no hay más dios que Él, el Conocedor de lo oculto y de lo manifiesto. Es el Compasivo, el Misericordioso. ²³ Él es Dios, no hay más dios que Él, el Rey, el Santísimo, el Pacificador, Quien da Seguridad, el Custodio, el Poderoso, el Fuerte, el Compulsivo y el Soberbio [es un atributo de majestad que carece de la connotación negativa que tiene cuando se aplica al hombre]. ¡Gloria a Dios! ¡Él está por encima de lo que Le asocian! ²⁴ Él es Dios, el Creador,

el Originador, el Formador. Posee los nombres [y atributos] más sublimes. Todo lo que está en los cielos y en la Tierra Le glorifica. Es el Poderoso, el Sabio.

LA EXAMINADA

¡En el nombre de Dios, el Compasivo, el Misericordioso!

[1] ¡Oh, creyentes! ¡No toméis como aliados a los enemigos Míos y vuestros, demostrándoles afecto, siendo así que no creen en la Verdad venida a vosotros! Han expulsado al Mensajero y os han expulsado a vosotros porque creéis en Dios vuestro Señor. Si habéis salido para luchar por Mi causa y buscando Mi beneplácito, ¿les tendréis un afecto secreto? Yo sé bien lo que ocultáis y lo que manifestáis. Quien de vosotros obre así, se habrá extraviado del camino recto. [2] Si dan con vosotros, serán vuestros enemigos y os maltratarán de obra y de palabra, pues pretenden que no creáis igual que ellos.... [3] El Día de la Resurrección en nada os beneficiarán vuestros parientes ni vuestros hijos. Él juzgará entre vosotros. Dios ve bien lo que hacéis.

[4] Tenéis un hermoso ejemplo en Abraham y en los [creyentes] que con él estaban. Cuando dijeron a su pueblo: «No somos responsables de vosotros ni de lo que adoráis en vez de Dios. ¡Renegamos de vosotros! ¡Ha aparecido, entre nosotros y vosotros, hostilidad y odio para siempre mientras no creáis en Dios solamente!». Sin embargo [¡Oh, creyentes! no hagáis lo que hizo] Abraham, cuando dijo a su padre: «He de pedir perdón por ti [a Mi Señor], aunque [si decide castigarte] no pueda hacer nada por ti ante Dios. [Solo pidió perdón por su padre porque se lo había prometido, pero luego

de evidenciársele que era un enemigo de Dios se desentendió de él]» y dijo: «¡Oh, Señor nuestro! A Ti nos encomendamos, a Ti pedimos perdón y ante Ti compareceremos. [5] ¡Señor nuestro! No permitas que los que se niegan a creer nos venzan [y así duden acerca de quién está en el camino verdadero]. ¡Perdónanos, Señor nuestro! Eres Tú el Poderoso, el Sabio». [6] Tenéis en ellos un bello modelo para quien cuenta con Dios y con el Último Día. Pero quien vuelve la espalda,... Dios es Quien Se basta a Sí mismo, el Digno de Alabanza. [7] Puede ser que Dios ponga afecto entre vosotros y los que de ellos hayáis tenido como enemigos. Dios es Poderoso, Dios es Indulgente, Misericordioso.

[8] Dios no os prohíbe que seáis buenos y equitativos con quienes no han combatido contra vosotros por causa de la religión, ni os han expulsado de vuestros hogares. Dios ama a los justos. [9] Lo que sí os prohíbe Dios es que toméis como aliados a los que han combatido contra vosotros por causa de la religión y os han expulsado de vuestros hogares o han contribuido a vuestra expulsión. Quienes les tomen como aliados, esos son los inicuos.

[10] ¡Oh, Creyentes! Cuando vengan a vosotros mujeres creyentes que hayan emigrado, ¡examinadlas! [para que se os evidencie su sinceridad], Dios conoce bien su fe. Si corroboráis que de verdad son creyentes, no las devolváis a los incrédulos: ellas no son lícitas para ellos ni ellos lo son para ellas. Dadles a ellos lo que hayan gastado, y no tenéis nada que reprocharos si os casáis con ellas, con tal que les entreguéis su dote, y no sigáis casados con las incrédulas [las idólatras]. Pedid lo que hayáis gastado, y que ellos también pidan lo que hayan gastado. Esa es la decisión de Dios. Él decide entre vosotros. Dios es Omnisciente, Sabio. [11] A aquellos cuyas esposas se hayan ido con los incrédulos, y luego, os toca a vosotros vencer, dad a aquellos cuyas esposas hayan huido otro tanto de lo que habían gastado [en sus dotes]. ¡Temed a Dios, en Quien creéis!

¹² ¡Profeta! Cuando las creyentes vengan a ti a prestarte juramento de fidelidad, de que no asociarán nada a Dios, que no robarán, que no cometerán fornicación [ni adulterio], que no matarán a sus hijos, que no dirán calumnia [atribuyendo a sus maridos hijos que no sean de ellos] y que no te desobedecerán en lo que se juzgue razonable, acepta su juramento y pide a Dios que les perdone. Dios es Indulgente, Misericordioso.

¹³ ¡Oh, creyentes! ¡No toméis como aliados a gente que ha incurrido en la ira de Dios! Desesperan de la otra vida, como los incrédulos [de la resurrección] de quienes están en las tumbas.

SURA 61 : AS SAFF
....

LA FILA

¡En el nombre de Dios, el Compasivo, el Misericordioso!

¹ Todo lo que está en los cielos y en la Tierra glorifica a Dios. Él es el Poderoso, el Sabio. ² ¡Oh, creyentes! ¿Por qué decís lo que no hacéis? ³ Dios aborrece mucho que digáis lo que no hacéis. ⁴ Ciertamente Dios ama a los que luchan en fila por Su causa, como si fueran una edificación sólida.

⁵ Y [recuerda ¡Oh, Muhammad!] cuando Moisés dijo a su pueblo: «¡Oh, pueblo mío! ¿Por qué me maltratáis sabiendo que soy el que Dios os ha enviado?». Y, cuando se alejaron [de la Verdad], Dios desvió sus corazones. Ciertamente Dios no guía a la gente descarriada.

⁶ Y cuando Jesús, hijo de María, dijo: «¡Hijos de Israel! Yo soy el Mensajero de Dios, enviado a vosotros para confirmar la Torá anterior a mí, y como nuncio de un Mensajero que vendrá después de mí, llamado Ahmad [Este era uno de los nombres del Profeta

Muhammad]». Pero, cuando vino a ellos con las pruebas claras, dijeron: «¡Esto es pura magia!». [7] ¿Hay alguien más inicuo que quien inventa mentiras acerca de Dios cuando es invitado al islam? Ciertamente Dios no guía a los inicuos. [8] Pretenden extinguir la luz de Dios [el Mensaje] con lo que sale de sus bocas [palabras sin fundamentos], pero Dios hará que Su luz resplandezca, a despecho de los incrédulos. [9] Él es Quien ha mandado a Su Mensajero con la Guía y con la religión verdadera para que prevalezca sobre todas las religiones, a despecho de los asociadores.

[10] ¡Oh Creyentes! ¿Queréis que os indique un negocio que os salvará de un castigo doloroso? [11] ¡Creed en Dios y en Su Mensajero y combatid por la causa de Dios con vuestra hacienda y vuestras personas! Es mejor para vosotros. ¡Si supierais! [12] Así, os perdonará vuestros pecados y os introducirá en jardines por donde corren los ríos y habitaréis en hermosas moradas en los jardines del Edén. ¡Ese es el éxito grandioso! [13] Y [os dará también] otra cosa que amaréis: el auxilio de Dios y una victoria cercana. ¡Y anuncia la buena nueva a los creyentes!

[14] ¡Oh, creyentes! Sed los auxiliares de [la religión de] Dios; como lo fueron los discípulos de Jesús, hijo de María, que cuando les dijo: «¿Quiénes me ayudarán en la causa de Dios?». Los discípulos dijeron: «Nosotros seremos los auxiliares de [la religión de] Dios». Un grupo de los Hijos de Israel creyó [en Jesús] y otro no. Fortalecimos contra sus enemigos a los que creyeron y salieron vencedores.

EL VIERNES

¡En el nombre de Dios, el Compasivo, el Misericordioso!

¹ Todo lo que está en los cielos y en la Tierra glorifica a Dios, el Rey, el Purísimo, el Poderoso, el Sabio. ² Él es Quien eligió de entre los que no sabían leer ni escribir [los árabes] un Mensajero salido de ellos, que les recita Sus preceptos, les purifica y les enseña el Libro y la sabiduría. Antes estaban en un claro extravío. ³ Y para otros que aún no han venido. Él es el Poderoso, el Sabio. ⁴ Este es el favor de Dios, que concede a quien Él quiere. Dios es el Dueño del favor inmenso.

⁵ Aquellos a quienes les fue confiado la Torá pero no la pusieron en práctica se asemejan a un asno que lleva una gran carga de libros. ¡Qué pésimo es el ejemplo de la gente que desmiente los signos de Dios! Ciertamente Dios no guía a los inicuos. ⁶ [¡Oh, Muhammad!] Diles: «¡Judíos! Si pretendéis que sois los amigos exclusivos [los elegidos] de Dios, con exclusión del resto de los hombres, entonces ¡desead la muerte, si sois sinceros!». ⁷ Pero nunca la desearán por lo que sus manos han cometido. Dios conoce bien a los inicuos. ⁸ Diles: «La muerte, de la que huis, os alcanzará de igual forma. Luego, se os devolverá [compareceréis] al Conocedor del No-visto y de lo manifiesto y ya os informará Él de lo que hacíais».

⁹ ¡Oh, creyentes! Cuando se llame el viernes a la oración, ¡acudid al recuerdo de Dios y dejad el comercio! Es mejor para vosotros. ¡Si supierais! ¹⁰ Y cuando haya culminado la oración dispersaos por la Tierra y buscad el favor de Dios. Recordad mucho a Dios que así triunfaréis. ¹¹ Cuando ven un negocio o una distracción corren hacia ello y te dejan plantado. Di: «Lo que hay junto a Dios es mejor que la distracción y el negocio. Dios es el Mejor de los proveedores».

LOS HIPÓCRITAS

¡En el nombre de Dios, el Compasivo, el Misericordioso!

[1] Cuando los hipócritas vienen a ti, dicen: «Atestiguamos que tú eres, en verdad, el Mensajero de Dios». Dios sabe que tú eres el Mensajero. Pero Dios atestigua que los hipócritas son mentirosos. [2] Se escudan en sus juramentos y así desvían a otros del camino de Dios. ¡Qué malo es lo que hacen! [3] Eso es porque creyeron y luego renegaron [de su fe]. Sus corazones han sido sellados, así que no entienden.

[4] Cuando los ves, su aspecto te agrada y si dicen algo, sus palabras captan tu atención. [Pero en realidad] son como maderos apoyados [sin ningún beneficio]. Creen que todo grito va dirigido contra ellos. Son ellos el enemigo. ¡Ten, pues, cuidado de ellos! ¡Que Dios les maldiga! ¡Cómo se desvían! [5] Cuando se les dice: «¡Venid, que el Mensajero de Dios pedirá perdón por vosotros!», vuelven la cabeza y les ves alejarse con soberbia. [6] Da lo mismo que pidas o no que se les perdone. Dios no les perdonará. Dios no guía a la gente descarriada.

[7] Son ellos los que dicen: «No gastéis nada en favor de los que están con el Mensajero de Dios hasta que le abandonen». Los tesoros de los cielos y de la Tierra pertenecen a Dios, pero los hipócritas no comprenden. [8] Dicen: «Si volvemos a Medina, los más poderosos, sin duda, expulsarán de ella a los más débiles». Pero el [verdadero] poder le pertenece a Dios, a Su Mensajero y a los creyentes. Los hipócritas, empero, no saben.

[9] ¡Creyentes! Que ni vuestra hacienda ni vuestros hijos os distraigan del recuerdo de Dios. Quienes eso hacen, serán los que pierdan. [10] Gastad de lo que os hemos proveído, antes de que la

muerte venga a uno de vosotros y este diga: «¡Señor mío! Si me
dierais algo más de tiempo, para que dé limosna y sea de los justos».
[11] Cuando le vence a uno su plazo, Dios no le concede prórroga.
Dios está bien informado de lo que hacéis.

SURA 64 : AT TAGÁBUN

EL DESENGAÑO

¡En el nombre de Dios, el Compasivo, el Misericordioso!

[1] Todo lo que está en los cielos y en la Tierra glorifica a Dios. Suyo
es la soberanía y Suyas son las alabanzas. Él tiene poder sobre
todas las cosas. [2] Él es Quien os ha creado. Entre vosotros, unos son
incrédulos y otros son creyentes. Dios ve bien lo que hacéis. [3] Ha
creado con un fin los cielos y la Tierra, y a vosotros os ha formado
con la mejor conformación. ¡A Él se ha de retornar! [4] Conoce lo
que está en los cielos y en la Tierra, conoce lo que ocultáis y lo que
manifestáis. Y Dios conoce bien lo que encierran los corazones.

[5] ¿Acaso no os fue relatado de lo que pasó a los incrédulos que os
precedieron? Sufrieron las consecuencias de su conducta. Tendrán
un castigo doloroso. [6] Porque vinieron a ellos sus Mensajeros
con las pruebas claras y dijeron: «¿Es que van a guiarnos unos
mortales?". Y así se negaron a creer, y volvieron la espalda. Pero
Dios no necesita de ellos. Dios Se basta a Sí mismo, es digno de
alabanza.

[7] Los incrédulos pretenden que no van a ser resucitados. Diles:
«¡[Juro] Por mi Señor que así será!, que habéis de ser resucitados,
y luego habéis de ser informados de cuanto hicisteis. Eso es fácil
para Dios». [8] ¡Creed, pues, en Dios, en Su Mensajero y en la Luz
que Nosotros hemos revelado [el Corán]! Dios está bien informado

de lo que hacéis. [9] El día que Él os reúna para el Día de la Reunión, ese será el Día del Desengaño. Entonces, a quienes crean en Dios y obren bien, Él les perdonará sus malas obras y les introducirá en jardines por donde corren los ríos, en los que estarán eternamente. ¡Ese es el triunfo grandioso! [10] Pero quienes no crean y desmientan Nuestros signos, esos morarán en el Fuego eternamente. ¡Qué pésimo destino!

[11] Todas las desgracias acontecen con la anuencia de Dios. Quien crea en Dios, Él guiará su corazón [comprenderá y sabrá que es el decreto de Dios]. Dios tiene conocimiento de todas las cosas. [12] ¡Obedeced a Dios y obedeced al Mensajero! Si volvéis la espalda,... A Nuestro Mensajero le incumbe solo transmitir [el Mensaje] con claridad. [13] ¡Dios! ¡No hay más dios que Él! ¡Que los creyentes confíen en Dios!

[14] ¡Oh, Creyentes! En algunas de vuestras esposas y en algunos de vuestros hijos tenéis un enemigo. ¡Guardaos de ellos! Pero si sois indulgentes, dejáis pasar por alto [sus errores] y perdonáis... En verdad, Dios es Indulgente, Misericordioso. [15] Por cierto que vuestros bienes y vuestros hijos no son más que una prueba, mientras que Dios tiene junto a Sí una magnífica recompensa. [16] ¡Temed cuanto podáis a Dios! ¡Escuchad! ¡Obedeced! ¡Dad con sinceridad [en caridad]! Es en vuestro propio beneficio. Los que se guardan [luchen en contra] de su propia avaricia, esos son los que prosperarán. [17] Si hacéis un préstamo generoso a Dios, Él os devolverá el doble y os perdonará. Dios es Agradecido, Benévolo. [18] Dios es el Conocedor del No-visto y de lo manifiesto, el Poderoso, el Sabio.

SURA 65 : AT TALAAQ

EL DIVORCIO

¡En el nombre de Dios, el Compasivo, el Misericordioso!

[1] ¡Oh, Profeta! Cuando divorciéis a las mujeres, ¡hacedlo al terminar su período de espera! ¡Calculad bien los días de ese período y temed a Dios, vuestro Señor! ¡No las expulséis de sus casas ni ellas salgan [durante el período de espera], a menos que sean culpables de deshonestidad [indecencia] evidente! Esas son las leyes de Dios. Y quien viola las leyes de Dios es injusto consigo mismo. Tú no sabes si Dios, entre tanto, suscite algún imprevisto... [2] Cuando estén por finalizar su período de espera, reconciliaos con ellas en buenos términos o separaos de ellas de buena manera. Y requerid el testimonio de dos personas justas de los vuestros y atestiguad ante Dios. A esto se exhorta a quien cree en Dios y en el Último Día. Y quien teme a Dios, Él le da una salida [3] Y le sustentará de donde menos lo espera. A quien confía en Dios, Él le basta. Dios siempre hace que se ejecuten Sus órdenes. Dios ha establecido una medida para cada cosa.

[4] Para aquellas de vuestras mujeres que ya no esperan tener la menstruación, si tenéis dudas, su período de espera será de tres meses; lo mismo para las que aún no menstrúan. Para las embarazadas, su período de espera terminará cuando den a luz. Y quien teme a Dios, Él le facilita sus cosas. [5] Esta es la orden que Dios os ha revelado. Dios le perdonará sus malas obras a quien Le tema y le concederá una grandiosa recompensa.

[6] ¡Alojadlas donde habitéis, según vuestros medios! ¡No les hagáis daño con ánimo de molestarlas! Si están embarazadas, proveedles de lo necesario hasta que den a luz, y si amamantan a vuestros hijos retribuidles con lo que corresponde y llegad a un

acuerdo de buena manera. Si encontráis alguna dificultad, entonces, pero si discrepáis, entonces que otra mujer los amamante. [7] ¡Que el acomodado gaste según sus medios! Quien disponga de medios limitados ¡que gaste según lo que Dios le haya proveído! Dios no exige a nadie por encima de sus posibilidades. Y ciertamente luego de toda dificultad Dios os enviará facilidad.

[8] ¡A cuántas ciudades que desobedecieron la orden de su Señor y de Sus Mensajeros, les hicimos rendir cuentas en forma severa y les azotamos con un castigo terrible! [9] Gustaron las malas consecuencias de su conducta, y su fin fue la perdición. [10] Dios ha preparado para ellos un castigo severo. ¡Temed, pues, a Dios, Oh dotados de intelecto que habéis creído! Dios ha hecho descender para vosotros un Recuerdo [el Corán], [11] un Mensajero que os recita los preceptos y los signos evidentes de Dios, para sacar de las tinieblas a la luz a quienes creen y obran bien. A quien crea en Dios y obre bien, Él le introducirá en jardines por donde corren los ríos, en los que vivirán eternamente, para siempre. Dios le ha reservado un bello sustento.

[12] Dios es Quien ha creado siete cielos y otras tantas tierras. La orden [Su designio] desciende gradualmente entre ellos para que sepáis que Dios tiene poder sobre todas las cosas y que Dios todo lo abarca con Su conocimiento.

SURA 66 : AT TAHRIM

LA PROHIBICIÓN

¡En el nombre de Dios, el Compasivo, el Misericordioso!

[1] ¡Profeta! ¿Por qué te prohíbes lo que Dios ha hecho lícito para ti, pretendiendo con ello complacer a tus esposas? Pero Dios es

Indulgente, Misericordioso. ² Dios os ha prescrito cómo expiar los juramentos [que no vais a cumplir]. Dios es vuestro Protector. Él es el Omnisciente, el Sabio.

³ Y cuando el Profeta confió un secreto a una de sus esposas y ella lo contó. Dios le reveló [al Profeta] lo ocurrido y él después le refirió una parte y evitó [mencionar] otra. Y cuando se lo hizo saber, esta le preguntó: «¿Quién te ha informado de esto?». Él dijo: «Me lo ha revelado el Omnisciente, el Bien Informado». ⁴ Si os volvéis ambas, arrepentidas, a Dios, ya que vuestros corazones se habían apartado [del comportamiento correcto con el Profeta, y Dios os perdonará]. Si, al contrario, os confabuláis [por celos] contra él… [Sabed que] Dios es su Protector, y le ayudarán el ángel Gabriel, los buenos creyentes y todos los demás ángeles. ⁵ Si él os divorcia, su Señor le dará a cambio esposas mejores que vosotras, sometidas a Dios, creyentes, obedientes, arrepentidas, que adoren a Dios y ayunen, casadas de antes o vírgenes.

⁶ ¡Creyentes! Guardaos a vosotros y a vuestras familias de un Fuego cuyo combustible serán los hombres y las piedras, y sobre el que habrá ángeles violentos y severos, que no desobedecen a Dios en lo que les ordena, sino que harán lo que se les ordena. ⁷ ¡Incrédulos! ¡No os excuséis hoy! Se os retribuirá tan solo según vuestras obras.

⁸ ¡Creyentes! ¡Volveos a Dios con sincero arrepentimiento! Puede que así vuestro Señor borre vuestras malas obras y os introduzca en jardines del Paraíso por donde corren los ríos. Ese día Dios no avergonzará al Profeta ni a los que con él creyeron… La luz se extenderá ante ellos y a su derecha. Dirán: «¡Señor nuestro! ¡Perfecciona nuestra luz y perdónanos! Tú tienes poder sobre todas las cosas».

⁹ ¡Profeta! ¡Combate contra los incrédulos y los hipócritas! ¡Y sé duro con ellos! Estos tendrán el Infierno por morada. ¡Qué mal

fin...! [10] Dios pone como ejemplo para los incrédulos a la mujer de Noé y a la mujer de Lot. Ambas estaban casadas con dos de Nuestros siervos justos, pero les traicionaron [en la fe], pero no les sirvió de nada frente a Dios. Y se les dirá: «¡Entrad ambas en el Fuego junto con los demás que entran!».

[11] Y Dios pone como ejemplo para los creyentes a la mujer de Faraón. Cuando dijo: «¡Oh, Señor mío! ¡Constrúyeme, junto a Ti, una morada en el Paraíso y sálvame de Faraón y de sus obras! ¡Sálvame del pueblo impío!». [12] Y a María, hija de Imran, quien preservó su castidad; y en la que infundimos [a través del ángel Gabriel] de Nuestro Espíritu. Ella creyó en la veracidad de las Palabras de su Señor y en Su Libro, y fue de las devotas.

SURA 67 : AL MULK

LA SOBERANÍA

¡En el nombre de Dios, el Compasivo, el Misericordioso!

[1] ¡Bendito sea Aquel en Cuya mano está la soberanía! y tiene poder sobre todas las cosas. [2] Es Quien ha creado la muerte y la vida para probaros, y distinguir quién de vosotros obra mejor. Es el Poderoso, el Indulgente. [3] Él es Quien ha creado siete cielos superpuestos. No verás ninguna imperfección en la creación del Compasivo. ¡Mira otra vez! ¿Acaso ves alguna falla? [4] Luego, vuelve a mirar una y otra vez, tu mirada volverá a ti derrotada y cansada [no encontrará falla alguna].

[5] Hemos adornado el cielo más bajo con luceros, de los que hemos hecho proyectiles contra los demonios [que pretendan escuchar las órdenes que se revelan a los ángeles] y hemos preparado para ellos el castigo del Fuego del Infierno. [6] Quienes

no hayan creído en su Señor tendrán el castigo del Infierno. ¡Qué mal fin...! ⁷ Cuando sean arrojados en él, oirán su fragor, en plena ebullición, ⁸ a punto de estallar de ira. Cada vez que un grupo sea arrojado en él, sus guardianes [ángeles] les preguntarán: «¿Es que no vino a vosotros un amonestador?». ⁹ «¡Claro que sí!» dirán: «Vino a nosotros un amonestador, pero desmentimos, y dijimos: "Dios no ha revelado nada. No estáis sino muy extraviados"». ¹⁰ Y dirán: «Si hubiéramos oído o comprendido, no estaríamos ahora en el Fuego del Infierno». ¹¹ Entonces reconocerán su pecado. ¡Qué lejos están de la misericordia de Allah los condenados al Fuego!

¹² Quienes temieron a su Señor en secreto tendrán perdón y una gran recompensa. ¹³ Da lo mismo que mantengáis ocultas vuestras palabras o que las divulguéis. Él conoce bien lo que encierran los pechos. ¹⁴ ¿Acaso no lo va a saber Aquel que todo lo creó, Él, Que es el Sutil, el Bien Informado?

¹⁵ Él es Quien os ha hecho dócil la tierra. Recorredla, pues, por sus confines y comed de Su sustento. La Resurrección se hará hacia Él. ¹⁶ ¿Es que os sentís a salvo de que Quien está en el cielo no os haga tragar por la tierra cuando esta tiembla? ¹⁷ ¿O estáis a salvo de que Quien está en el cielo no envíe contra vosotros una tempestad de arena? Entonces veréis cómo es Mi advertencia... ¹⁸ Ya habían negado la verdad quienes os precedieron ¡Y cómo fue Mi reprobación!

¹⁹ ¿Es que no han visto las aves encima de ellos, desplegando y recogiendo las alas? Solo el Compasivo las sostiene. Realmente Él todo lo ve. ²⁰ O ¿quién es el que podría auxiliaros cual legión, fuera del Compasivo? Los incrédulos son presa de una ilusión. ²¹ O ¿quién es el que os proveería de sustento si Él retiene vuestro sustento? Sin embargo persisten en su insolencia y aversión.

²² ¿Acaso quien camina cabizbajo y tropezando está mejor encaminado que quien anda erguido por el sendero recto? ²³ Diles:

«Él es Quien os ha creado, Quien os ha dado el oído, la vista y el intelecto. ¡Qué poco agradecidos sois!». ²⁴ Di: «Él es Quien os ha diseminado por la Tierra. Y hacia Él seréis congregados».

²⁵ Y dicen: «¿Cuándo se cumplirá esta amenaza, si es verdad lo que decís?». ²⁶ Di: «Solo Dios lo sabe. Yo soy solamente un amonestador que habla claro». ²⁷ Pero, en cuanto vean su inminencia, se afligirán los rostros de los incrédulos. Y se les dirá: «Aquí tenéis lo que reclamabais». ²⁸ Diles: «Qué os parece: Y si Dios me destruyera a mí y a los [creyentes] que están conmigo, o si se apiadara de nosotros, ¿quién librará a los incrédulos de un castigo doloroso?». ²⁹ Diles: «¡Él es el Compasivo! ¡Creemos en Él y confiamos en Él! Ya veréis quién es el que está en un error evidente». ³⁰ Di: «¿Qué harías si vuestra agua se quedara en la profundidad de la tierra [dejara de surgir], ¿quién [otro que Dios] haría manar agua para vosotros?».

SURA 68 : AL QALAM

EL CÁLAMO

¡En el nombre de Dios, el Compasivo, el Misericordioso!

¹ *Nun.*

¡Por el cálamo y lo que escriben! ² Que tú [¡Oh, Muhammad!], por la gracia de tu Señor, no eres un poseso. ³ Tendrás [en la otra vida], ciertamente, una recompensa ininterrumpida. ⁴ Eres, sí, de eminente carácter. ⁵ Tú verás y ellos verán ⁶ quién de vosotros es el insensato [y descarriado]. ⁷ Tu Señor sabe mejor que nadie quiénes se extravían de Su camino y quiénes son los que siguen la guía.

⁸ ¡No obedezcas, pues, a los desmentidores! ⁹ Desearían que fueras condescendiente [con sus creencias], para serlo ellos también

[con la tuya]. ¹⁰ ¡No obedezcas al vil que jura permanentemente, ¹¹ al pertinaz difamador, que va sembrando la discordia, ¹² a quien impide el bien, al malvado transgresor, ¹³ al arrogante y además falso simulador, ¹⁴ so pretexto de poseer riqueza e hijos! ¹⁵ Cuando se le recitan Nuestros preceptos, dice: «¡Patrañas de los antiguos!». ¹⁶ ¡Le marcaremos en la nariz [como castigo]!

¹⁷ Les hemos puesto a prueba, como probamos a los dueños del huerto, cuando juraron que recogerían sus frutos por la mañana, ¹⁸ sin hacer salvedad [sin decir: ¡Si Dios quiere!] ¹⁹ Mientras dormían, cayó sobre él [el huerto] un castigo enviado por tu Señor ²⁰ y amaneció como si hubiera sido arrasado, [un campo devastado]. ²¹ Por la mañana, se llamaron unos a otros ²² [Dijeron]: «¡Vayamos temprano a nuestro campo, si queremos recoger los frutos!». ²³ Y se pusieron en camino, diciéndose unos a otros en voz baja: ²⁴ «¡Ciertamente, hoy no admitiremos a ningún pobre!». ²⁵ Marcharon, pues, temprano, convencidos de que serían capaces de llevar a cabo su propósito. ²⁶ Cuando lo vieron [completamente devastado], dijeron: «¡Seguro que nos hemos extraviado! ²⁷ [Pero al darse cuenta que era su huerto dijeron:] ¡Estamos arruinados!». ²⁸ El más sensato de ellos dijo: «¿No os había dicho que glorificarais [a Dios]?». ²⁹ Dijeron: «¡Glorificado sea nuestro Señor! ¡Hemos obrado impíamente!». ³⁰ Y comenzaron a recriminarse unos a otros. ³¹ Dijeron: «¡Ay de nosotros! Hemos sido transgresores. ³² Quizás nuestro Señor nos dé en su lugar algo mejor que este; a nuestro Señor suplicamos». ³³ Así es el castigo [en la vida de este mundo]. Pero el castigo de la otra vida es mayor aún. Si supieran...

³⁴ Los que temen a Dios tendrán, junto a su Señor, los jardines del Deleite. ³⁵ ¿Acaso vamos a tratar por igual a los que se someten a Dios y a los pecadores? ³⁶ ¿Qué os pasa? ¿Qué manera de juzgar es esa? ³⁷ ¿O es que disponéis de un libro que os dice [en el que leéis] ³⁸ que tendréis lo que elijáis? ³⁹ ¿O es que tenéis un pacto con

Nosotros que nos obliga hasta el Día de la Resurrección, de que tendréis lo que suponéis? [40] Pregúntales quién puede garantizarlo. [41] ¿O es que tienen asociados? Pues, ¡que traigan a sus asociados, si es verdad lo que dicen!

[42] El día que se ponga de manifiesto la gravedad de la situación, se les llamará a prosternarse pero no podrán. [43] Bajarán la mirada cubiertos de humillación porque se les llamó a que se prosternaran cuando aún gozaban de bienestar... [44] ¡Déjame con quienes desmienten este Mensaje! Les conduciremos paso a paso a su ruina, sin que sepan cómo. [45] Y seréis puesto al descubierto los dejaré un tiempo. ¡Mi plan es sólido!

[46] ¿O es que les reclamas [¡Oh, Muhammad!] una retribución tal [a cambio de transmitirles el Mensaje] que se sienten agobiados por ello? [47] ¿O es que conocen lo oculto y lo registran? [48] Ten, pues, paciencia ante el designio de tu Señor y no seas como el del pez [el Profeta Jonás], cuando clamó en medio de la angustia. [49] Si no hubiera sido por la gracia de su Señor, habría sido arrojado a una costa desierta, reprobado. [50] Pero su Señor le escogió y le hizo de los justos. [51] Poco les faltó a los incrédulos, cuando oyeron la Amonestación [el Corán], para que te derribasen con sus miradas. Y dijeron: «¡Sí, es un poseso!». [52] Pero no es sino una amonestación dirigida a todo el mundo.

SURA 69 : AL HAQQA
....

LA VERDAD INEVITABLE

¡En el nombre de Dios, el Compasivo, el Misericordioso!

[1] La verdad Inevitable. [2] ¿Qué es la verdad Inevitable? [3] Y ¿cómo sabrás qué es la verdad Inevitable? [4] [Los pueblos de] Zamud y

'Ad desmintieron la veracidad de lo que ha de causar conmoción. ⁵ Los Zamud fueron aniquilados por un estrépito. ⁶ Los 'Ad fueron aniquilados por un viento glacial y tempestuoso, ⁷ que se desencadenó contra ellos [para devastarlo todo] durante siete noches y ocho días. Se veía a la gente caída como troncos de palmeras derribadas. ⁸ ¿Puedes tú ver algún rastro de ellos? ⁹ El Faraón, los que hubo antes de él y las ciudades puestas al revés [el pueblo del Profeta Lot] cometieron transgresiones. ¹⁰ Desobedecieron al Mensajero de su Señor y Él les sorprendió con un castigo severo. ¹¹ Cuando las aguas lo inundaron todo, os llevamos en la embarcación, ¹² para hacer de ella un recuerdo para vosotros, para que el oído atento lo retuviera.

¹³ Cuando se toque la trompeta una vez, ¹⁴ y la tierra y las montañas sean alzadas en el aire y pulverizadas de una sola vez, ¹⁵ ese día sucederá el Acontecimiento. ¹⁶ El cielo se rajará, pues ese día estará frágil. ¹⁷ Los ángeles estarán en sus confines y ese día ocho de ellos serán los que portarán el Trono de tu Señor. ¹⁸ Ese día compareceréis [ante Dios]: nada vuestro quedará oculto.

¹⁹ Al que se le dé el libro de sus obras en la derecha, dirá: «¡Tomad! ¡Leed mi libro! ²⁰ ¡Ciertamente yo supe con certeza que habría de hallar mi cuenta!». ²¹ Gozará de una vida placentera ²² en un Jardín elevado, ²³ cuyos frutos estarán al alcance de la mano. ²⁴ «¡Comed y bebed en paz por el bien que hicisteis en días pasados!». ²⁵ En cambio, a quien se le dé su libro en la siniestra, dirá: «¡Ojalá no se me hubiera entregado mi libro ²⁶ y no hubiera conocido el resultado de mi juicio! ²⁷ ¡Ojalá hubiera sido definitiva [mi muerte].! ²⁸ De nada me ha servido mis bienes. ²⁹ Mi poder se ha desvanecido». ³⁰ «[Entonces Dios les dirá a los Ángeles:] ¡Tomadlo y ponedle una argolla al cuello! ³¹ Y haced que entre en el fuego del Infierno. ³² ¡Sujetadle, luego, con una cadena [del Infierno] de setenta codos!». ³³ No creía en Dios, el Grandioso, ³⁴ Ni exhortaba a alimentar al

pobre. [35] Hoy no tiene aquí amigo [que pueda interceder por él]. [36] no tendrá más comida que pus, [37] que solo los pecadores comerán.

[38] ¡Pues no! ¡Juro por lo que veis [39] y por lo que no veis, [40] que es, ciertamente, la palabra de un Mensajero noble! [41] No es la palabra de un poeta. ¡Qué poco creéis! [42] Ni la palabra de un adivino. ¡Qué poco reflexionáis! [43] Es una revelación que procede del Señor del Universo. [44] Y si [el Profeta] hubiera inventado algunas mentiras sobre Nosotros, [45] le habríamos tomado fuertemente; [46] luego le habríamos cortado la yugular, [47] y ninguno de vosotros habría podido impedirlo. [48] Es, sí, un Recuerdo para los temerosos de Dios. [49] Y bien sabemos que hay entre vosotros desmentidores. [50] Es cierto que [el Corán] es un motivo de pesar para los incrédulos. [51] Por cierto que es la verdad indubitable. [52] ¡Glorifica, pues, el nombre de tu Señor, el Grandioso!

SURA 70 : AL MA'ARIY

LAS GRADAS

¡En el nombre de Dios, el Compasivo, el Misericordioso!

[1] Alguien ha pedido que se desencadene un castigo inmediato. [Se refiere a An Nadr Ibn Al Hâriz quien de forma desafiante y soberbia, rogó por esto] [2] Que caiga sobre los incrédulos, [cuando ocurra] nadie podrá impedirlo, [3] procedente de Dios, Señor de las gradas. [4] Los ángeles y el espíritu ascienden a Él en un día que equivale a cincuenta mil años [el Día del Juicio]. [5] ¡Ten, pues, digna paciencia! [6] Ellos lo ven [al Día del Juicio] lejano, [7] pero Nosotros vemos que está cerca. [8] El día que el cielo parezca metal fundido, [9] y las montañas copos de lana [cardada], [10] y nadie pregunte por su amigo ferviente. [11] A pesar de verles. El pecador querrá librarse del castigo

de ese día ofreciendo como rescate a sus hijos varones, 12 a su esposa, a su hermano, 13 y a su tribu que lo cobijó, 14 Y a todos los habitantes de la Tierra con tal de salvarse.

15 ¡Pero no! Será el fuego del Infierno, 16 que arrancará la piel de la cabeza 17 y llamará a quien dio la espalda y se apartó, 18 y acumuló bienes con avaricia. 19 Ciertamente el hombre fue creado impaciente. 20 Se desespera cuando sufre un mal, 21 y se torna mezquino cuando la fortuna le favorece. 22 Salvo los que rezan 23 perseverando en su oración, 24 y de sus riquezas dan un derecho correspondiente 25 para el mendigo y el indigente, 26 que creen en el Día del Juicio, 27 que temen el castigo de su Señor, 28 Y por cierto que nadie está a salvo del castigo de su Señor, 29 aquellos que preservan sus partes privadas [no cometen adulterio o fornicación], 30 excepto con sus esposas o aquellas que sus diestras poseen, en cuyo caso no incurren en reproche, 31 mientras que quien busque algo que esté más allá de esto… esos son los transgresores, 32 que respetan [cumplen] los depósitos que se les confían y las promesas que hacen, 33 que dicen la verdad en sus testimonios, 34 y que realizan las oraciones prescritas. 35 Estos serán honrados en jardines [en el Paraíso].

36 ¿Qué les pasa a los incrédulos que vienen hacia ti presurosos, 37 en grupos, por la derecha y por la izquierda? 38 ¿Es que cada uno de ellos anhela ser introducido en un jardín de Deleite? 39 ¡No! Por cierto que los hemos creado de lo que ya saben.

40 ¡Pues no! ¡Juro por el Señor de los Orientes y de los Occidentes, que tenemos poder 41 para sustituirles por otros mejores que ellos, sin que nadie pueda impedírnoslo! 42 ¡Déjales que discutan y jueguen hasta que les llegue el día con que se les ha amenazado, 43 el día que salgan de las sepulturas, rápidos como si corrieran hacia una meta, 44 bajarán la mirada, cubiertos de humillación! Este es el día del que se les había advertido.

NOÉ

¡En el nombre de Dios, el Compasivo, el Misericordioso!

[1] Enviamos a Noé a su pueblo: «¡Advierte a tu pueblo antes de que le azote un castigo doloroso!». [2] Dijo: «¡Oh, pueblo mío! Soy para vosotros un amonestador que habla claro. [3] ¡Adorad a Dios y temedle! ¡Y obedecedme! [4] Así, [Dios] os perdonará vuestros pecados y os dejará hasta un plazo fijado. Pero, cuando venza el plazo fijado por Dios, no podrá ya ser retrasado. Si supierais...». [5] Dijo: ¡Oh, Señor mío! He llamado a mi pueblo noche y día. [6] Mi llamamiento no ha hecho sino aumentarles su rechazo. [7] Cada vez que les he llamado para que Tú les perdones, se han puesto los dedos en los oídos, se han cubierto con la ropa, se obstinaron y se ensoberbecieron. [8] Además, les he llamado abiertamente [9] y les he exhortado en público y en privado. [10] Y les dije: "¡Pedid perdón a vuestro Señor, que es Indulgente, [11] y enviará sobre vosotros del cielo una lluvia abundante! [12] Os dará mucha riqueza e hijos varones; así como jardines y ríos. [13] ¿Qué os pasa, que negáis la grandeza de Dios? [14] Él os creó en fases sucesivas, [15] ¿No habéis visto cómo Dios ha creado siete cielos superpuestos [16] y ha puesto en ellos la luna como luz y el sol como lámpara? [17] Dios os originó a partir de la tierra, cual plantas. [18] Después, os hará volver a ella [al morir], y os hará salir de nuevo [el Día de la Resurrección]. [19] Dios os ha extendido la Tierra [20] para que recorráis en ella amplios caminos.

[21] Noé dijo: «¡Oh, Señor mío! Ciertamente ellos me han desobedecido y han seguido a aquellos cuyos bienes e hijos no hacen sino perderles más. [22] Han perpetrado una enorme intriga. [23] Y [sus líderes] dijeron: "¡No abandonéis a nuestros dioses!

¡No abandonéis a Wadd, a Suwaa, a Iaguz, a Iaʻuq, ni a Nasr!"».
²⁴ [Dijo Noé:] «Ellos han extraviado a muchos. ¡No acrecientes a
los inicuos sino en extravío!». ²⁵ Por sus pecados, fueron ahogados
e introducidos en un Fuego [uso del tiempo pasado en el Corán para
referirse a lo que ha de ocurrir con toda certeza]. No encontraron
quien, fuera de Dios, les auxiliara.

²⁶ Noé dijo: «¡Oh, Señor mío! ¡No dejes en la tierra a ningún
incrédulo con vida! ²⁷ Si les dejas, extraviarán a Tus siervos y no
engendrarán sino a pecadores e incrédulos pertinaces. ²⁸ ¡Oh, Señor
mío! ¡Perdóname y perdona a mis padres, a todo aquel creyente
que entre en mi casa, así como a todos los creyentes y a todas las
creyentes! ¡Y no acrecientes a los inicuos sino en destrucción!».

SURA 72 : AL YINN
·····························

LOS GENIOS

¡En el nombre de Dios, el Compasivo, el Misericordioso!

¹ Diles: «Me ha sido revelado que un grupo de genios dijeron al
escuchar [la recitación del Corán]: "Hemos oído una Recitación
maravillosa, ² que conduce a la vía recta. Hemos creído en ella y
no asociaremos copartícipes a nuestro Señor ³ Y por cierto: Nuestro
Señor, ¡exaltada sea Su grandeza!, no ha tomado compañera ni hijo.
⁴ Sino que nuestro necio [Iblis, el padre de los genios] decía contra
Dios una enorme mentira. ⁵ Cuando pensamos que ni los humanos
ni los genios eran capaces de proferir mentiras contra Dios. ⁶ Y había
hombres que se refugiaban en los genios con lo cual no hacían sino
aumentarles su osadía en el mal. ⁷ Y ciertamente ellos pensaban,
como vosotros, que Dios no levantaría a nadie. ⁸ Y quisimos acceder
al cielo pero lo encontramos lleno de guardianes severos y estrellas

fugaces [dispuestas para castigar a los genios que quisiesen acceder a las revelaciones que Dios hace a los ángeles]. [9] Y solíamos tomar posiciones en él para escuchar. Pero todo aquel que intenta escuchar, al punto encuentra una estrella fugaz que le acecha. [10] Y no sabemos si se ha destinado algún mal para los que están en la Tierra o si su Señor quiere guiarles. [11] Y entre nosotros hay unos que son justos y otros que no. Seguimos caminos diferentes. [12] Y sabemos que nunca podremos escapar de Dios en la Tierra, ni huir de Él. [13] Y cuando oímos la guía, creímos en ella. Quien cree en su Señor no teme daño alguno ni injusticia. [14] Entre nosotros [los genios] los hay que se someten a Dios y los hay injustos. Los que se someten a Dios siguen la verdadera guía. [15] Pero los injustos, en cambio, serán leña para el Fuego.

[16] Y si hubieran seguido el camino recto, les habríamos dado de beber agua abundante [17] para probarles. A quien se aparte del recuerdo de su Señor, Él le conducirá a un duro castigo. [18] Las mezquitas son de Dios [para adorar solo a Dios]. ¡No invoquéis a nadie junto con Dios! [19] Y cuando el siervo de Dios [el Profeta Muhammad] se levantó para invocarle, a punto estaban [los genios] de venírsele encima [se agolparon a su alrededor para oír la recitación del Corán]». [20] Diles [¡Oh, Muhammad!]: «Invoco solo a mi Señor y no Le asocio ningún copartícipe». [21] Diles: «No tengo poder para dañaros ni guiaros». [22] Diles: «Nadie puede protegerme de Dios y no encontraré refugio alguno fuera de Él. [23] Solo debo difundir lo que Dios me ha encargado transmitir y Sus mensajes». A quien desobedezca a Dios y a Su Mensajero, sepa que le espera el fuego del Infierno donde será inmortal, para siempre.

[24] Hasta que llegue el momento en que vean aquello con que se les había prometido sabrán quién es el que recibe más débil auxilio y quién estaba en inferioridad de número. [25] Di: «No sé si está cerca aquello con que se os ha amenazado o si mi Señor lo retardará aún

más. ^{26} Él es Quien conoce lo oculto. No descubre a nadie lo que tiene oculto, ^{27} Salvo aquel a quien Él designa como Mensajero. Entonces, hace que lo escolten [los ángeles] por delante y por detrás, ^{28} para saber si ha transmitido los mensajes de su Señor. Abarca todo lo concerniente a ellos y lleva cuenta exacta de todo».

SURA 73 : AL MUDDAZ-ZIR

EL ENVUELTO EN UN MANTO

¡En el nombre de Dios, el Compasivo, el Misericordioso!

^{1} ¡Tú, el envuelto en un manto! ^{2} ¡Levántate en la noche y ora gran parte de ella, ^{3} la mitad, o un poco menos, ^{4} o un poco más, y recita el Corán lenta y claramente! ^{5} En verdad, te transmitiremos una palabra de gran peso [el Corán].

^{6} Por cierto que si te levantas [a orar] avanzada la noche encontrarás mayor quietud y la dicción es más correcta. ^{7} Durante el día llevas a cabo una larga actividad. ^{8} ¡Y recuerda el nombre de tu Señor y conságrate totalmente a Él! ^{9} Él es el Señor del Oriente y del Occidente. No hay más dios que Él. ¡Tómale, pues, como protector! ^{10} ¡Ten paciencia con lo que dicen y apártate de ellos discretamente! ^{11} ¡Deja que Yo me encargaré de los desmentidores, que gozan de los placeres de la vida [mundana]! ¡Concédeles aún una breve prórroga! ^{12} Disponemos de cadenas y del fuego del Infierno, ^{13} de alimento que [por su repugnancia] se atraganta y de un castigo doloroso. ^{14} El día que tiemblen la tierra y las montañas, y se conviertan las montañas en montones de arena dispersa.

^{15} Os hemos enviado un Mensajero [Muhammad], testigo sobre vosotros, como antes habíamos enviado un Mensajero al Faraón. ^{16} Faraón desobedeció al Mensajero y le castigamos duramente.

[17] Si no creéis, ¿cómo vais a libraros de un Día que hará encanecer hasta a los niños? [18] El cielo se partirá y se cumplirá Su promesa. [19] Realmente esto es un Recuerdo. El que quiera ¡que emprenda un camino hacia su Señor!

[20] Tu Señor sabe que pasas en oración casi dos tercios de la noche, otras la mitad o un tercio de la misma, y lo mismo algunos de los [creyentes] que te siguen. Dios bien sabe cuánto dura la noche y el día. Sabe que no podéis determinarlo con exactitud y os perdona. ¡Recitad, pues, lo que buenamente podáis del Corán! Sabe que entre vosotros habrá unos enfermos, otros de viaje por la Tierra procurando el favor [sustento] de Dios, otros combatiendo por la causa de Dios. ¡Recitad, pues, lo que buenamente podáis de él [del Corán]! ¡Haced la oración! ¡Dad el zakat [azaque]! ¡Haced un préstamo generoso a Dios [ed. Haced caridad por la causa de Dios]! El bien que hagáis como anticipo será en vuestro favor, volveréis a encontrarlo junto a Dios como bien mejor y Dios os recompensará enormemente por ello. ¡Y pedid el perdón de Dios! Dios es Indulgente, Misericordioso.

SURA 74 : AL MUZZAMMIL

EL ARROPADO

¡En el nombre de Dios, el Compasivo, el Misericordioso!

[1] ¡Oh, tú [Muhammad] que estás arropado! [2] ¡Levántate y advierte! [3] ¡Proclama la grandeza de tu Señor! [4] Purifica tus vestimentas. [5] De lo abominable aléjate. [6] ¡No des esperando recibir más! [7] La decisión de tu Señor, ¡espérala paciente!

[8] Cuando se sople la trompeta, [9] ese será, entonces, un día difícil, [10] nada fácil para los incrédulos. [11] ¡Deja que Yo me encargaré de

aquel que he creado, solo [Alusión a Al Walid Ibn Al Mugira, uno de los peores enemigos del Profeta Muhammad], ¹² a quien he dado abundantes riquezas, ¹³ e hijos varones que estuvieron a su lado! ¹⁴ Todo se lo he facilitado, ¹⁵ pero aún anhela que le dé más. ¹⁶ ¡No! Se ha mostrado hostil a Mis signos. ¹⁷ Le haré subir por una cuesta [del Infierno].

¹⁸ Ha reflexionado y tomado una decisión. ¹⁹ Y fue maldecido por lo que decidió. ²⁰ Sí, ¡fue maldecido por lo que decidió! ²¹ Luego meditó [qué decir para desacreditar el Corán]. ²² Y después [al no poder encontrar ningún argumento] frunció el ceño y cambió su rostro. ²³ Luego, ha vuelto la espalda y se ha llenado de soberbia. ²⁴ Y ha dicho: «¡Esto no es sino magia aprendida [y no la Palabra de Dios]! ²⁵ ¡No es sino la palabra de un mortal!».

²⁶ ¡Lo arrojaré al ardor del Saqar [nombre del sexto nivel del Infierno]! ²⁷ Y ¿cómo sabrá qué es el Saqar? ²⁸ [Es un fuego que] no deja nada sin quemar, ni cesa jamás. ²⁹ Abrasa la piel. ³⁰ Hay diecinueve [ángeles severos] que lo custodian. ³¹ No hemos puesto sino a ángeles como guardianes del Fuego y no los hemos puesto en ese número sino como una tribulación para los que se niegan a creer, para que los que han recibido el Libro tengan certeza, y para que los creyentes fortifiquen con esto su fe, para que no duden ni los que han recibido el Libro ni los creyentes, y también para que los que tienen una enfermedad en el corazón y los incrédulos digan: «¿Qué es lo que se propone Dios con este ejemplo?». Así es como Dios extravía a quien Él quiere y guía a quien Él quiere. Nadie sino Él conoce Sus ejércitos. Esto [el Infierno] es un recuerdo [motivo de reflexión] para los hombres.

³² ¡No! ¡Por la luna! ³³ ¡Por la noche cuando desaparece! ³⁴ ¡Por la mañana cuando resplandece! ³⁵ Que ciertamente [el Infierno] será una de las mayores aflicciones. ³⁶ Advertencia para los hombres, ³⁷ para aquellos de vosotros que quieran adelantar

[obrar bien] o retrasar [obrar mal]. [38] Cada uno será rehén de lo que haya cometido. [39] Pero no así los compañeros de la derecha, [40] [estos estarán] en jardines, se preguntarán unos a otros [41] acerca de [la situación] los pecadores. [42] [Entonces, Dios hará que puedan verlos y les preguntarán:] «¿Qué es lo que os ha conducido al Saqar [Infierno]?». [43] Dirán: «No éramos de los que oraban, [44] no dábamos de comer al pobre, [45] discutíamos vanamente con los charlatanes, [46] y desmentíamos el Día del Juicio, [47] hasta que nos llegó la certeza [la muerte]». [48] A estos no les beneficiará intercesión alguna.

[49] ¿Por qué han tenido que apartarse del Recuerdo [Corán], [50] como asnos espantados [51] que huyen de un león? [52] Todos ellos quisieran que se les trajeran hojas desplegadas [del cielo para entonces creer]. [53] Pero ¡no! No temen la Otra Vida. [54] Por cierto que [el Corán] es un Recuerdo [una exhortación], [55] que recordará [reflexionará] quien quiera. [56] Pero no lo tendrán en cuenta, a menos que Dios quiera. Él es el Digno de ser temido y Quien realmente perdona.

SURA 75 : AL QIAMA
....

LA RESURRECCIÓN

¡En el nombre de Dios, el Compasivo, el Misericordioso!

[1] ¡Juro por el Día de la Resurrección! [2] ¡Y juro por el alma que se reprocha a sí misma [sus faltas]! [3] ¿Acaso piensa el hombre que no volveremos a juntar sus huesos? [4] ¡Claro que sí! Somos capaces incluso de recomponer sus dedos. [5] Pero el hombre quiere negar lo que tiene delante. [6] Pregunta [burlándose]: «¿Cuándo será el Día de la Resurrección?». [7] Pero cuando la vista se quede aturdida, [8] se eclipse la luna, [9] y se reúnan el sol y la luna, [10] ese día, el hombre

dirá: «¿Y por dónde se puede escapar?». [11] ¡Pero no! ¡No habrá forma de escapar! [12] Ese día, todos comparecerán ante tu Señor. [13] Ese día, ya se le informará al hombre de lo que adelantó [hizo de bien] y de lo que atrasó [hizo de mal]. [14] ¡Más aún! El hombre testificará contra sí mismo, [15] aun cuando presente sus excusas [no le serán aceptadas].

[16] No muevas la lengua al recitarlo para precipitarla [17] ¡Somos Nosotros los encargados de reunirlo y que sea recitado! [18] Y, cuando te lo recitemos [a través del ángel Gabriel] ¡sigue la recitación! [19] Luego, a Nosotros nos corresponde explicarlo.

[20] [¡Oh, hombres!] Pero ¡no! En lugar de eso, amáis la vida fugaz [21] y descuidáis la otra vida. [22] Ese día, habrá rostros resplandecientes, [23] contemplando a su Señor. [24] Y ese día habrá rostros ensombrecidos, [25] pues tendrán la certeza que serán castigados. [26] Cuando [el alma en el momento de la muerte] suba hasta las clavículas, [27] y se diga: «¿Ahora, hay algún hechicero [que pueda salvarle]?», [28] y el agonizante sabrá que ha llegado el momento de partir [de este mundo], [29] y se junte una pierna con la otra, [30] ese día la marcha será hacia tu Señor.

[31] No creyó, ni rezó, [32] antes bien, desmintió y se apartó [de la Verdad]. [33] Luego, se volvió a los suyos con andar altanero. [34] ¡Ay de ti! ¡Ay! [35] ¡Sí! ¡Ay de ti! ¡Ay! [36] ¿Cree el hombre que no van a ocuparse de él? [37] ¿No fue una gota de esperma eyaculada [38] y luego un coágulo de sangre? Él lo creó y le dio forma armoniosa. [39] E hizo a partir de él una pareja: varón y hembra. [40] ¿Acaso [Quien tiene poder sobre todas las cosas] no será capaz de devolver la vida a los muertos?

....

EL HOMBRE

¡En el nombre de Dios, el Compasivo, el Misericordioso!

[1] ¿Acaso no hubo un período de tiempo para el hombre en el que no fue nada y ni siquiera era mencionado? [2] Hemos creado al hombre de una gota de esperma eyaculada, para ponerle a prueba. Y le agraciamos con el oído y la vista. [3] Agradecido o desagradecido, le hemos guiado al Camino [le evidenciamos la guía].

[4] Para los incrédulos hemos preparado cadenas, argollas y el fuego del Infierno. [5] En cambio, los justos creyentes beberán de copas de una mezcla que será kafur [agua de una fuente del Paraíso]. [6] De una fuente de la que beberán los siervos de Dios y que harán manar en abundancia [cuando y donde quieran]. [7] Fueron fieles a sus promesas y temieron un día cuya devastación arrasará todo. [8] Por mucho amor que tuvieran al alimento, se lo daban al pobre, al huérfano y al cautivo: [9] «Os damos de comer solo porque anhelamos la faz de Dios [y Su complacencia]. No queremos de vosotros retribución ni gratitud. [10] Realmente tememos, de nuestro Señor, un día terrible y calamitoso». [11] Dios les preservará del mal de ese día y les llenará de esplendor y alegría. [12] Les retribuirá, por haber tenido paciencia, con un Jardín y con vestiduras de seda. [13] Reclinados sobre lechos, estarán resguardados allí del calor y del frío excesivo. [14] Cerca de ellos, les cubrirán sus sombras [los árboles del Paraíso]; y sus frutos podrán ser cogidos muy fácilmente. [15] Se harán circular entre ellos vasijas de plata y copas cristalinas, [16] de un cristal de plata, cuyas proporciones habrán medido con exactitud. [17] Allí se les servirá una copa que contendrá una mezcla de jengibre. [18] Extraído de una fuente del Paraíso llamada Salsabil [que significa la dulce y fácil bebida]. [19] Y rondarán entre ellos sirvientes de eterna

juventud [con bebidas y alimentos]. Viéndoles, se les creería perlas desparramadas. 20 Cuando se mira allá [el Paraíso], no se ve sino delicia y un gran reino. 21 [Quienes lo habiten] vestirán de verde satén y de brocado y llevarán brazaletes de plata. Su Señor les dará de beber una bebida pura. 22 «Esto se os ha dado como retribución. Vuestro esfuerzo ha sido reconocido».

23 Por cierto [¡Oh, Muhammad!] que te hemos revelado el Corán gradualmente. 24 Espera pues, paciente, la decisión de tu Señor y no obedezcas a quien de ellos sea pecador o desagradecido. 25 ¡Y recuerda a tu Señor mañana y tarde! 26 ¡Por la noche, prostérnate ante Él! ¡Glorifícale largamente por la noche! 27 Estos [los incrédulos] aman la vida fugaz la vida [de este mundo] y descuidan un día grave. 28 Nosotros los hemos creado y hemos fortalecido su constitución física. Si quisiéramos, podríamos sustituirlos por otros semejantes. 29 Esto es un Recuerdo. El que quiera ¡que emprenda camino hacia su Señor! 30 Pero vosotros no lo querréis a menos que Dios quiera. Dios es Omnisciente, Sabio. 31 Introduce en Su misericordia a quien Él quiere. Pero a los inicuos les ha preparado un castigo doloroso.

SURA 77 : AL MURSALAT

LOS ENVIADOS

¡En el nombre de Dios, el Compasivo, el Misericordioso!

1 ¡Por los que son enviados sucesivamente! 2 ¡Por los que soplan violentamente! 3 ¡Por los que diseminan en todos los sentidos! 4 ¡Por [ángeles] que distinguen claramente [la verdad de la falsedad]! 5 ¡Por los [ángeles] que transmiten el Mensaje 6 para advertiros y

para que nadie pueda entonces excusarse! ⁷ ¡Ciertamente, aquello con que se os amenaza se cumplirá!

⁸ Cuando las estrellas pierdan su luz, ⁹ cuando el cielo se raje, ¹⁰ cuando las montañas sean reducidas a polvo, ¹¹ y los Mensajeros sean emplazados. ¹² «¿Para qué día se les emplazará?». ¹³ «¡Para el Día de la Distinción!». ¹⁴ ¿Y qué te hará comprender qué es el Día de la Distinción? ¹⁵ Ese día, ¡ay de los desmentidores! ¹⁶ ¿Acaso no destruimos a los primeros hombres [los incrédulos] que os precedieron, ¹⁷ luego les siguieran los últimos? ¹⁸ Esto es lo que hacemos con los pecadores. ¹⁹ Ese día, ¡ay de los desmentidores!

²⁰ ¿No os hemos creado de un líquido vil [el esperma], ²¹ que hemos depositado en un receptáculo seguro [el útero]. ²² hasta un tiempo determinado? ²³ Así lo hemos decretado y ¡qué excelentes decretadores! ²⁴ Ese día ¡ay de los desmentidores! ²⁵ ¿No hemos hecho de la Tierra una morada ²⁶ para los vivos y los muertos, ²⁷ y puesto en ella elevadas montañas? ¿No os hemos dado de beber agua dulce? ²⁸ Ese día, ¡ay de los desmentidores!

²⁹ «¡Id a lo que desmentíais [el Infierno]! ³⁰ ¡Id a la sombra ramificada en tres, ³¹ que no dará sombra ni protegerá de las llamas!». ³² Arroja chispas grandes como palacios, ³³ chispas que semejan camellos pardos. ³⁴ Ese día, ¡ay de los desmentidores! ³⁵ Ese día no hablarán ³⁶ ni se les permitirá excusarse. ³⁷ Ese día, ¡ay de los desmentidores! ³⁸ «Este es el día de la Distinción. Os hemos reunido, a vosotros y a vuestros ancestros. ³⁹ Si disponéis de alguna estratagema, ¡empleadla contra Mí!». ⁴⁰ Ese día, ¡ay de los desmentidores!

⁴¹ Los temerosos de Dios estarán en una sombra fresca y entre fuentes, ⁴² y tendrán la fruta que deseen. ⁴³ [Se les dirá:] «¡Comed y bebed con satisfacción en recompensa por lo que obrasteis!». ⁴⁴ Así recompensamos a quienes hacen el bien. ⁴⁵ Ese día, ¡ay de los desmentidores! ⁴⁶ «¡Comed y disfrutad aún un poco, ciertamente

sois unos pecadores!». ⁴⁷ Ese día, ¡ay de los desmentidores! ⁴⁸ Cuando se les dice [en oración]: «¡Inclinaos!», no se inclinan. ⁴⁹ Ese día, ¡ay de los desmentidores! ⁵⁰ ¿En qué otro Mensaje, después de este, van a creer?

LA NOTICIA

¡En el nombre de Dios, el Compasivo, el Misericordioso!

¹ ¿Sobre qué se preguntan? ² Sobre la gran noticia [el Mensaje] ³ acerca de la cual discrepan. ⁴ ¡Pero no! ¡Ya verán...! ⁵ ¡Indudablemente ya verán de verdad! ⁶ ¿No hemos hecho de la Tierra un lecho ⁷ y de las montañas estacas [para que no tiemble la Tierra]? ⁸ Y os hemos creado en parejas [hombre y mujer], ⁹ hemos hecho de vuestro sueño descanso, ¹⁰ de la noche vestidura [que os cubriera], ¹¹ del día un medio para procurar el sustento. ¹² Y hemos edificado encima de vosotros siete cielos firmes, ¹³ y colocado una lámpara [el Sol] resplandeciente. ¹⁴ Y hemos hecho descender de las nubes agua abundante ¹⁵ con la cual hacemos brotar granos y plantas ¹⁶ y jardines de espesa vegetación. ¹⁷ El día de la Distinción está ya determinado.

¹⁸ Día en que se soplará la trompeta y acudiréis en grupos. ¹⁹ El cielo se abrirá, y será todo puertas; ²⁰ las montañas desaparecerán como si hubieran sido un espejismo. ²¹ Ciertamente el Infierno está acechando, ²² será la morada de los transgresores, ²³ permanecerán en él eternamente, ²⁴ y donde no probarán ni frescor ni bebida, ²⁵ tan solo agua hirviendo y fluido hediondo [pus y secreciones de heridas], ²⁶ retribución adecuada. ²⁷ Ellos no esperaban tener que rendir cuentas ²⁸ y desmintieron rotundamente Nuestros signos,

²⁹ Pero Nosotros lo registramos todo en un libro. ³⁰ [Se les dirá: ¡Oh, desmentidores!] «¡Gustad, pues! ¡No haremos sino aumentaros el castigo!». ³¹ En cambio, los temerosos de Dios obtendrán el triunfo verdadero [el Paraíso]. ³² Donde habrá vergeles y viñedos, ³³ esposas de una misma edad, ³⁴ y copas desbordantes ³⁵ No oirán allí banalidades, ni falsedad. ³⁶ Es una recompensa abundante, un regalo, de tu Señor. ³⁷ Señor de los cielos, de la Tierra y de lo que hay entre ellos, el Compasivo, a Quien no podrán dirigir la palabra [salvo aquellos a quienes Dios autorice]. ³⁸ Día en que el Espíritu [el ángel Gabriel] y los ángeles se pongan en fila, sin hablar, excepto aquel a quien el Compasivo se lo permita y diga algo oportuno. ³⁹ Ese será el día de la Verdad. Quien quiera, que tome refugio en su Señor. ⁴⁰ Os hemos prevenido de un castigo cercano, el día que el hombre medite en sus obras pasadas y diga el incrédulo: «¡Ojalá fuera yo tierra!».

SURA 79 : AN NAZI'AT
··

LOS QUE ARRANCAN

¡En el nombre de Dios, el Compasivo, el Misericordioso!

¹ ¡Por los que arrancan violentamente! [Los ángeles al llevarse las almas de los incrédulos] ² ¡Por los que toman con suavidad! [Los ángeles al llevarse las almas de los creyentes] ³ ¡Por los [ángeles] que ascienden y descienden [del cielo]! ⁴ ¡Por los [ángeles] que se apresuran! ⁵ ¡Por los [ángeles] que llevan un asunto! ⁶ Que sea tocada la trompeta por primera vez y ocurra el temblor [todo perezca], ⁷ sucedido por el siguiente, ⁸ ese día, todos los corazones se estremecerán, ⁹ se humillarán las miradas. ¹⁰ Dicen: «¿Acaso seremos resucitados y retornaremos otra vez a la vida, ¹¹ aun

después de convertirnos en pútridos huesos?». ^{12} Dicen: «¡Sería un retorno pernicioso!». ^{13} No habrá más que un toque [en la trompeta] ^{14} y ¡aparecerán en la superficie de la Tierra!

^{15} ¿Te has enterado de la historia de Moisés? ^{16} Cuando su Señor le llamó en el valle sagrado de Tuwa: ^{17} «Ve a Faraón. Se ha excedido. ^{18} Y dile: "¿Te llamo a purificarte ^{19} y a que te dejes guiar hacia tu Señor y tengas temor de Él?"». ^{20} Le mostró el mayor de los signos. ^{21} Pero él [Faraón] desmintió y desobedeció. ^{22} Luego, volvió la espalda bruscamente. ^{23} Y convocó y proclamó. ^{24} [Dijo]: «Soy yo vuestro señor supremo». ^{25} Entonces, Dios le infligió el castigo de la otra vida y de esta. ^{26} Hay en ello, sí, motivo de reflexión para quien tenga temor de Dios.

^{27} ¿Sois vosotros más difíciles de crear que el cielo que Él ha edificado? ^{28} Alzó su bóveda y le dio forma armoniosa. ^{29} Hizo que la noche fuese oscura y que le sucediera la claridad de la mañana. ^{30} Extendió, luego, la tierra, ^{31} sacó de ella el agua y los pastos, ^{32} fijó las montañas. ^{33} Todo para vuestro beneficio y el de vuestros rebaños.

^{34} El día que suceda la gran calamidad [el Día del Juicio]; ^{35} el hombre recordará cuánto haya obrado ^{36} y el fuego del Infierno será expuesto para que todos lo vean, ^{37} quien se haya mostrado rebelde ^{38} y preferido la vida mundanal ^{39} tendrá por morada el fuego del Infierno. ^{40} Mientras que quien haya temido comparecer ante su Señor y preservado su alma de seguir sus pasiones ^{41} tendrá el Jardín por morada. ^{42} Te preguntan por la Hora: «¿Cuándo sucederá?». ^{43} ¡No te ocupes tú de eso! ^{44} A tu Señor Le toca fijarla. ^{45} ¡Tú solo tienes que advertir a quien tiene miedo de ella! ^{46} El día que la vivan, les parecerá no haber permanecido más de una tarde o de una mañana.

FRUNCIÓ EL CEÑO

¡En el nombre de Dios, el Compasivo, el Misericordioso!

¹ Frunció el ceño y volvió la espalda, ² porque el ciego vino a él [Se refiere a cuando 'Abdullah Ibn Umm Maktûm, que era ciego, interrumpió su prédica a los nobles de Quraish]. ³ ¿Quién sabe? Quizá quería purificarse, ⁴ o dejarse amonestar y que la amonestación le aprovechara. ⁵ En cambio al que era rico y soberbio ⁶ le dedicaste tu empeño ⁷ cuando no es responsabilidad tuya que se purifique. ⁸ En cambio aquel que se presentó ante ti con afán, ⁹ con miedo de Dios, ¹⁰ te despreocupas. ¹¹ ¡No! Es un Recuerdo [el Corán], ¹² que recordará quien quiera. ¹³ Contenido en hojas veneradas, ¹⁴ sublimes, purificadas, ¹⁵ en manos de [ángeles] encargados de ejecutar las órdenes de Dios, ¹⁶ nobles y obedientes. ¹⁷ ¡Maldito sea el hombre! ¡Qué desagradecido es! ¹⁸ ¿Acaso no sabe de qué ha sido creado? ¹⁹ De una gota de esperma lo ha creado y determinado; ²⁰ luego, le ha facilitado el camino [y lo puso a prueba]; ²¹ luego, le ha hecho morir y ser sepultado; ²² luego, cuando Él quiera, le resucitará. ²³ ¡No! No ha cumplido aun lo que Él le ha ordenado. ²⁴ ¡Que mire el hombre su alimento! ²⁵ Nosotros hicimos descender el agua en abundancia. ²⁶ Luego hendimos la tierra [para que brotase la vegetación]. ²⁷ Hicimos surgir de ella granos, ²⁸ vides, hortalizas, ²⁹ olivos, palmeras, ³⁰ frondosos jardines, ³¹ frutas, pastos, ³² para disfrute vuestro y de vuestros rebaños.

³³ Pero el día que llegue el terrible Estruendo, ³⁴ el hombre huirá de su propio hermano, ³⁵ de su madre y de su padre, ³⁶ de su compañera y de sus hijos, ³⁷ ese día, cada cual tendrá bastante consigo mismo. ³⁸ Ese día, unos rostros estarán radiantes, ³⁹ risueños,

alegres, ⁴⁰ mientras que otros, ese día, tendrán polvo encima, ⁴¹ apesadumbrados, ⁴² esos serán los incrédulos, los pecadores.

SURA 81 : AT TAKWIR
....

EL ARROLLAMIENTO

¡En el nombre de Dios, el Compasivo, el Misericordioso!

¹ Cuando el sol, como un rollo, se pliegue. ² Cuando las estrellas pierdan su luz. ³ Cuando las montañas sean puestas en marcha. ⁴ Cuando las camellas preñadas sean desatendidas. ⁵ Cuando las bestias salvajes sean agrupadas. ⁶ Cuando los mares se enciendan [y se desborden]. ⁷ Cuando las almas vuelvan a emparejarse [con sus cuerpos y luego sean agrupados]. ⁸ Cuando se pregunte a la niña enterrada viva ⁹ qué crimen cometió para que la mataran. ¹⁰ Cuando las hojas sean desplegadas. ¹¹ Cuando el cielo sea arrancado. ¹² Cuando el fuego del Infierno sea avivado. ¹³ Cuando el Paraíso sea acercado, ¹⁴ cada cual sabrá lo que presenta.

¹⁵ ¡Pues no! ¡Juro por los astros ¹⁶ que pasan y desaparecen! ¹⁷ ¡Por la noche cuando se extiende! ¹⁸ ¡Por la mañana cuando respira! ¹⁹ Que ciertamente [el Corán] es la palabra [de Dios] transmitida por un emisario noble [el ángel Gabriel]. ²⁰ Que dispone de poder [para ejecutar las órdenes], y tiene un rango distinguido ante el Señor del Trono. ²¹ Es obedecido [por otros ángeles] allí y digno de confianza. ²² ¡[Sabed que] Vuestro compañero [el Profeta Muhammad] no es un poseso! ²³ Y por cierto que le ha visto en el claro horizonte [al ángel Gabriel]. ²⁴ Y no oculta nada de lo que le ha sido revelado. ²⁵ No es la palabra de un demonio maldito. ²⁶ ¿A dónde iréis [con este argumento]? ²⁷ No es sino una amonestación dirigida a todo el mundo, ²⁸ para aquellos de vosotros que quieran

seguir la vía recta. ²⁹ Pero vosotros no lo querréis, a menos que quiera Dios, Señor del Universo.

SURA 82 : AL INFĪTAR
....

LA HENDIDURA

¡En el nombre de Dios, el Compasivo, el Misericordioso!
¹ Cuando el cielo se hienda. ² Cuando las estrellas se precipiten. ³ Cuando los mares se mezclen. ⁴ Cuando las sepulturas sean revueltas. ⁵ Sabrá cada cual lo que hizo de bien y lo que dejó de hacer. ⁶ ¡Hombre! ¿Qué es lo que te ha engañado apartándote de vuestro Señor, el Generoso? ⁷ Que te ha creado, dado forma y disposición armoniosas. ⁸ Que te ha formado del modo que ha querido. ⁹ ¡Pero no! aun así desmentís el Día del Juicio, ¹⁰ cuando tenéis dos guardianes pendientes de vosotros [que registran vuestras obras]. ¹¹ Nobles, escribas, ¹² que saben lo que hacéis. ¹³ Sí, los creyentes sinceros estarán en deleite, ¹⁴ mientras que los pecadores estarán en el fuego del Infierno, ¹⁵ al que ingresarán el Día del Juicio ¹⁶ y no se ausentarán de él. ¹⁷ Y ¿cómo sabrás qué es el Día del Juicio? ¹⁸ Sí, ¿cómo sabrás qué es el Día del Juicio? ¹⁹ El día que nadie pueda hacer nada en favor de nadie. Y será Dios Quien, ese día, decida.

LOS DEFRAUDADORES

¡En el nombre de Dios, el Compasivo, el Misericordioso!

¹ ¡Ay de los defraudadores, ² que cuando piden a otros la medida, la exigen exacta, ³ pero que cuando ellos miden o pesan para otros, dan menos de lo debido! ⁴ ¿No cuentan con ser resucitados ⁵ un día terrible, ⁶ el día que comparezcan los hombres ante el Señor del Universo? ⁷ Y por cierto que el registro de los pecadores está en un libro llamado Siyyín. ⁸ Y ¿cómo sabrás qué es el Siyyín? ⁹ Es un libro marcado. ¹⁰ Ese día, ¡ay de los desmentidores! ¹¹ que desmienten el Día del Juicio ¹² Y solo lo desmienten los transgresores pecadores, ¹³ que, al serle recitadas Nuestros preceptos, dicen: «¡Patrañas de los antiguos!». ¹⁴ Pero ¡no! Lo que han cometido ha cubierto de herrumbre sus corazones. ¹⁵ ¡No! Ese día serán separados de su Señor por un velo [y no podrán contemplarlo jamás]. ¹⁶ Luego, arderán, sí, en el fuego del Infierno. ¹⁷ Luego, se dirá: «¡He aquí lo que desmentíais!».

¹⁸ Y por cierto que el registro de los justos está en un libro llamado Il-liiun. ¹⁹ Y ¿cómo sabrás qué es Il-liiun? ²⁰ Es un libro marcado. ²¹ Darán testimonio de él los de proximidad. ²² Sí, los justos estarán en Deleite. ²³ Recostados sobre lechos, contemplando [los placeres que Dios les tenía reservado]. ²⁴ Se reconocerá en sus rostros el resplandor de la dicha. ²⁵ Se les dará de beber un néctar perfumado, ²⁶ con el aroma del almizcle, ¡que en ello pongan su anhelo los que anhelan! ²⁷ Mezclado con agua de Tasnim. ²⁸ Que es una fuente de la que beberán los allegados. ²⁹ Los pecadores se reían de los creyentes. ³⁰ Cuando pasaban junto a ellos, se hacían guiños entre ellos [desdeñándolos], ³¹ cuando regresaban a los suyos, regresaban burlándose, ³² cuando les veían, decían: «¡Por cierto que

estáis extraviados!». ³³ Pero no han sido enviados para velar por ellos. ³⁴ Ese día, los creyentes se reirán de los incrédulos. ³⁵ Estarán reclinados sobre lechos, observando... ³⁶ ¿No han sido retribuidos los incrédulos según sus obras?

SURA 84 : AL INSHIQAQ

·······································

EL RESQUEBRAJAMIENTO

¡En el nombre de Dios, el Compasivo, el Misericordioso!

¹ Cuando el cielo se resquebraje ² y escuche a su Señor y tenga que obedecer, ³ cuando la Tierra sea allanada, ⁴ y expulse lo que hay en sus entrañas [a los muertos y tesoros], vaciándose, ⁵ y escuche a su Señor y tenga que obedecer. ⁶ ¡Hombre! Te diriges inevitablemente hacia tu Señor, llevando tus obras, y Le encontrarás. ⁷ Aquel que reciba su libro [el registro de sus obras] en la diestra ⁸ será juzgado benignamente ⁹ y regresará, alegre, a los suyos [en el Paraíso]. ¹⁰ Pero aquel que reciba su libro detrás de la espalda, ¹¹ pedirá ser destruido [por la vergüenza que sentirá ese día], ¹² y será ingresado al castigo del fuego del Infierno. ¹³ Vivía alegre con los suyos, ¹⁴ creyendo que no iba a volver [para comparecer ante Dios]. ¹⁵ Pero al contrario, su Señor le veía bien. ¹⁶ ¡Juro por el crepúsculo! ¹⁷ ¡por la noche y lo que encierra!, ¹⁸ ¡por la luna cuando se hace llena!, ¹⁹ que habéis de pasar de uno a otro estado. ²⁰ Pero ¿qué les pasa que no creen? ²¹ Cuando se les recita el Corán, no se prosternan. ²² Los incrédulos desmienten; ²³ pero Dios conoce bien lo que ocultan. ²⁴ Anúnciales, pues, un castigo doloroso. ²⁵ Quienes, en cambio, crean y obren bien, recibirán una recompensa ininterrumpida.

LAS CONSTELACIONES

¡En el nombre de Dios, el Compasivo, el Misericordioso!

¹ ¡Por el cielo y sus constelaciones! ² Por el día prometido [el Día del Juicio]. ³ ¡Por el testigo y lo atestiguado! ⁴ ¡Malditos sean los hombres del Foso [Se refiere a la historia de un rey incrédulo que hizo cavar un foso en el que hizo encender fuego y donde arrojó a los creyentes que no querían renegar de su fe]. ⁵ El fuego bien alimentado, ⁶ y se sentaron a su alrededor, ⁷ Para observar como padecían los creyentes; ⁸ resentidos con ellos solo porque creyeron en Dios, el Poderoso, el Digno de Alabanza, ⁹ a Quien pertenece el dominio de los cielos y de la Tierra. Dios es testigo de todo. ¹⁰ Quienes sometan a los creyentes y a las creyentes a una prueba con tormento y no se arrepientan luego, tendrán el castigo del Infierno, el castigo de su fuego. ¹¹ Quienes, en cambio, hayan creído y obrado bien tendrán jardines por donde corren los ríos. ¡Ese es el triunfo grandioso! ¹² ¡Sí, es duro el rigor de tu Señor! ¹³ Él da origen a todo y lo repite de nuevo. ¹⁴ Él es el Indulgente, Afectuoso, ¹⁵ el Señor del Trono Majestuoso, ¹⁶ Él hace lo que quiere. ¹⁷ ¿Te has enterado de la historia de los ejércitos, ¹⁸ del Faraón y de Zamûd? ¹⁹ Los incrédulos, no obstante, persisten en desmentir, ²⁰ pero Dios les tiene a Su merced. ²¹ ¡Y por cierto que este es un Corán glorioso, ²² en una Tabla protegida!

SURA 86 : AT TÁRIQ

EL ASTRO NOCTURNO

¡En el nombre de Dios, el Compasivo, el Misericordioso!

[1] ¡Por el cielo y el astro nocturno! [2] Y ¿cómo sabrás qué es el astro nocturno? [3] Es la estrella fulgurante. [4] No hay nadie que no tenga un guardián [ángeles que registran sus obras]. [5] ¡Que el hombre observe de qué fue creado! [6] Fue creado de un líquido eyaculado, [7] que proviene de entre la espina dorsal y las costillas. [8] En verdad, Él tiene el poder para hacerlo volver, [9] el día que se pongan al descubierto los secretos, [10] y nadie tenga fuerzas [para defenderse], ni auxiliador alguno. [11] ¡Por el cielo con sus ciclos de lluvia! [12] ¡Por la tierra que se abre para que broten los cultivos! [13] Que ciertamente el Corán es una palabra decisiva, [14] y no son palabras vanas. [15] Por cierto que ellos traman [para combatir la Verdad], [16] pero Yo también tramo. [17] ¡Deja que les llegue su momento a los incrédulos, dales un poco más de prórroga!

SURA 87 : AL A'LA

EL ALTÍSIMO

¡En el nombre de Dios, el Compasivo, el Misericordioso!

[1] ¡Glorifica el nombre de tu Señor, el Altísimo, [2] que ha creado y dado forma armoniosa, [3] que ha decretado y encaminado, [4] y que hace crecer el pasto verde [5] y luego lo convierte en obscuro heno! [6] Haremos que recites y no olvidarás, [7] salvo lo que Dios quiera [al abrogar algún precepto]. Él conoce lo manifiesto y lo oculto. [8] Te haremos propicia la facilidad. [9] ¡No dejes de exhortar, pues

ello es beneficioso! ¹⁰ Quien tema a Allah recapacitará [con tu exhortación] ¹¹ y la evitará el infame, ¹² que arderá en el mayor de los Fuegos. ¹³ Donde no podrá morir ni vivir. ¹⁴ ¡Bienaventurado, en cambio, quien se purifique, ¹⁵ recuerde a su Señor y haga la oración prescrita! ¹⁶ Pero vosotros [¡Oh, hombres!] preferís la vida mundanal, ¹⁷ siendo así que la otra es mejor y más duradera. ¹⁸ Esto se encuentra mencionado en las primeras revelaciones, ¹⁹ las Hojas de Abraham y de Moisés.

SURA 88 : AL GASHIA

EL DÍA ABRUMADOR

¡En el nombre de Dios, el Compasivo, el Misericordioso!

¹ ¿Te has enterado acerca del día abrumador [el Día del Juicio]? ² Ese día los rostros [de los condenados al Fuego] se verán humillados, ³ abrumados, cansados, ⁴ arderán en un fuego abrasador. ⁵ Se les dará de beber de una fuente de agua hirviendo. ⁶ No tendrán más alimento que un espino ponzoñoso, ⁷ que no nutre, ni sacia. ⁸ En cambio, ese día los rostros [de los bienaventurados] estarán alegres, ⁹ satisfechos de su esfuerzo, ¹⁰ en un Jardín elevado, ¹¹ en el que no se oirá vaniloquio. ¹² Donde habrá un manantial fluyendo, ¹³ lechos elevados, ¹⁴ copas servidas a disposición, ¹⁵ cojines alineados ¹⁶ y alfombras extendidas. ¹⁷ ¿Es que no consideran [los incrédulos] cómo han sido creados los camellos? ¹⁸ ¿Y en el cielo y cómo ha sido elevado? ¹⁹ ¿Y en las montañas, cómo han sido erigidas? ²⁰ ¿Y en la Tierra, cómo ha sido extendida? ²¹ ¡Amonesta, pues! Tú eres solo un advertidor, ²² no tienes autoridad sobre ellos. ²³ Sin embargo, a quien se desvíe y no crea, ²⁴ Dios le infligirá el peor

castigo. ²⁵ Por cierto que compareceréis ante Nosotros. ²⁶ Luego, nos tocará a Nosotros pedirles cuentas.

EL ALBA

¡En el nombre de Dios, el Compasivo, el Misericordioso!

¹ ¡Por el alba! ² ¡Por diez noches! ³ ¡Por el par y el impar! ⁴ ¡Por la noche cuando transcurre! ⁵ ¿No es esto un juramento para el dotado de intelecto? ⁶ ¿No has visto cómo ha obrado tu Señor con los de A? ⁷ Y al de Iram [pueblo del Yemen], el de las [construcciones con fuertes] columnas, ⁸ al que no se le asemejó pueblo alguno. ⁹ Y al de Zamûd, [cuyos habitantes] labraron sus viviendas en las rocas del valle. ¹⁰ Y al pueblo del Faraón, el del poderoso ejército, ¹¹ que cometieron abusos en la Tierra ¹² y sembraron en ella la corrupción. ¹³ Tu Señor descargó sobre ellos el azote de un castigo. ¹⁴ es cierto que tu Señor está vigilante. ¹⁵ El hombre, cuando su Señor le prueba honrándolo y concediéndole gracias, dice: «¡Mi Señor me ha honrado!». ¹⁶ En cambio, cuando le prueba restringiéndole su sustento, dice: «¡Mi Señor me ha despreciado!». ¹⁷ ¡Pero no! Sois vosotros, más bien, los que no honráis al huérfano, ¹⁸ ni os exhortáis mutuamente a alimentar al pobre, ¹⁹ sino que devoráis vorazmente la herencia y ²⁰ amáis la hacienda en demasía. ²¹ ¡No! Cuando la Tierra sea reducida a polvo fino ²² y venga tu Señor con los ángeles en filas, ²³ ese día se traerá el Infierno, ese día el hombre se dejará amonestar y ¿de qué le servirá entonces la amonestación? ²⁴ Y dirá [lamentándose]: «¡Ojalá y hubiera adelantado algo [realizando buenas obras] en favor de mi vida!». ²⁵ Ese día nadie castigará como Él, ²⁶ y nadie prenderá con Su firmeza. ²⁷ «¡Oh, alma sosegada!

²⁸ ¡Vuelve a tu Señor, complacida y satisfecha! ²⁹ ¡Y entra con Mis siervos, ³⁰ entra en Mi Jardín!».

SURA 90 : AL BALAD
....

LA CIUDAD

¡En el nombre de Dios, el Compasivo, el Misericordioso!

¹ ¡Juro por esta ciudad [la Meca], ² en la que tú [¡Oh, Muhammad!] habitas! ³ ¡Por el padre y lo que ha engendrado! ⁴ Que por cierto creamos al hombre en aflicción [deberá soportar las adversidades en esta vida y en la otra]. ⁵ ¿Cree que nadie podrá contra él? ⁶ Dice: «He derrochado una hacienda considerable». ⁷ ¿Cree que nadie le ha visto? ⁸ ¿No le hemos dado dos ojos, ⁹ una lengua y dos labios? ¹⁰ ¿No le hemos mostrado las dos vías [el del bien y el del mal]? ¹¹ Sin embargo no ha emprendido la cuesta. ¹² Y ¿cómo sabrás qué es la cuesta? ¹³ Es liberar a un esclavo. ¹⁴ Alimentar en tiempo de hambre ¹⁵ a un pariente huérfano, ¹⁶ a un pobre en la miseria. ¹⁷ Es también formar parte de los que creen, de los que se recomiendan mutuamente la paciencia y la misericordia. ¹⁸ Esos son los de la Derecha. ¹⁹ En cambio, los que no creen en Nuestros signos, esos son los de la izquierda. ²⁰ Se cerrará un fuego sobre ellos.

EL SOL

¡En el nombre de Dios, el Compasivo, el Misericordioso!

¹ ¡Por el sol y su claridad! ² ¡Por la luna cuando le sigue [le sucede en la noche]! ³ ¡Por el día cuando lo muestra brillante! ⁴ ¡Por la noche cuando lo cubre! ⁵ ¡Por el cielo y Quien lo ha edificado! ⁶ ¡Por la Tierra y Quien la ha extendido! ⁷ ¡Por el alma y Quien la modeló ⁸ instruyéndole sobre su propensión al pecado y su temor de Dios! ⁹ ¡Bienaventurado quien la purifique! ¹⁰ ¡Y estará perdido quien la corrompa! ¹¹ El pueblo de Zamud desmintió [a su Mensajero] por soberbia. ¹² Cuando el más miserable de entre ellos tuvo la osadía. ¹³ El Mensajero de Dios [Salih] les dijo: «¡No matéis la camella [enviada como un milagro] de Dios y que beba!». ¹⁴ Pero le desmintieron y la desjarretaron. Su Señor, entonces, les aniquiló por su atrocidad a todos por igual, ¹⁵ sin temer las consecuencias de ello.

LA NOCHE

¡En el nombre de Dios, el Compasivo, el Misericordioso!

¹ ¡Por la noche cuando cubre [con su oscuridad]! ² ¡Por el día cuando resplandece! ³ ¡Por Quien ha creado al varón y a la mujer! ⁴ Vuestro esfuerzo, en verdad, da resultados diversos. ⁵ Así pues, al que dé con sinceridad, tema a Dios, ⁶ y crea en lo más sublime, ⁷ le facilitaremos el camino del bien. ⁸ En cambio, a quien es avaro, cree bastarse a sí mismo ⁹ y desmiente lo más sublime, ¹⁰ le facilitaremos

el acceso a la mayor adversidad, [11] y de nada le servirá su hacienda cuando sea precipitado. [12] Es cierto que a Nosotros nos corresponde la guía. [13] Y a Nosotros nos pertenece esta vida y la otra. [14] Os he prevenido contra un fuego llameante, [15] en el cual solo arderá el infame, [16] que desmiente y se desvía, [17] Y será librado de él quien de veras teme a Dios, [18] aquel que da parte de su riqueza con el anhelo de purificarse, [19] que, cuando hace un favor, no lo hace con ánimo de ser retribuido, [20] sino anhelando la faz de su Señor el Altísimo [y Su complacencia]. [21] ¡Sí, ese quedará satisfecho!

SURA 93 : AD DUHA

LA MAÑANA

¡En el nombre de Dios, el Compasivo, el Misericordioso!

[1] ¡Por la mañana! [2] ¡Por la noche cuando están en calma! [3] Que tu Señor no te ha abandonado ni aborrecido [Esto es en respuesta a lo que decían los idólatras, cuando durante un período el Profeta no recibió la revelación, de que su Señor lo había abandonado y lo aborrecía]. [4] Sí, la otra vida será mejor para ti que esta. [5] Tu Señor te dará y quedarás satisfecho. [6] ¿Acaso no te encontró huérfano y te amparó? [7] ¿Y te encontró sin tener conocimiento [acerca de este Mensaje] y te guio? [8] ¿No te encontró pobre y te enriqueció? [9] En cuanto al huérfano, ¡no le oprimas! [10] Y en cuanto al mendigo, ¡no le rechaces! [11] Y divulga las gracias de tu Señor.

SURA 94 : ASH SHARH
....

LA ABERTURA DEL PECHO

¡En el nombre de Dios, el Compasivo, el Misericordioso!

¹ ¿Acaso no te hemos abierto el pecho? [Disponiéndolo para que pueda recibir la profecía]. ² ¿Y liberado de la carga ³ que agobiaba tu espalda, ⁴ y hemos puesto tu mención en un lugar elevado? ⁵ ¡Luego de toda dificultad viene la facilidad! ⁶ ¡Y ciertamente que luego de toda dificultad viene la facilidad! ⁷ Cuando estés libre [de ocupaciones], ¡mantente diligente [en la adoración a Dios]! ⁸ Y a tu Señor anhela con devoción.

SURA 95 : AT TÍN
....

LA HIGUERA

¡En el nombre de Dios, el Compasivo, el Misericordioso!

¹ ¡Por la higuera y el olivo! ² ¡Por el monte Sinaí! ³ ¡Por esta ciudad segura [la Meca]! ⁴ Que en verdad hemos creado al hombre con la mejor conformación. ⁵ Luego lo convertimos en unos de los más bajos. ⁶ Excepto quienes crean y obren bien, porque ellos tendrán una recompensa ininterrumpida. ⁷ [¡Oh, incrédulo!] ¿Cómo puedes aún desmentir el Día del Juicio? ⁸ ¿Acaso no es Dios el más Justo de los jueces?

EL COÁGULO

¡En el nombre de Dios, el Compasivo, el Misericordioso!

¹ ¡Lee! [¡Oh, Muhammad!] En el nombre de tu Señor, que ha creado, ² ha creado al hombre de un coágulo. ³ ¡Lee! Que tu Señor es el más Generoso, ⁴ que ha enseñado el uso del cálamo, ⁵ ha enseñado al hombre lo que no sabía. ⁶ Por cierto que el hombre se rebela ⁷ al verse enriquecer. ⁸ Pero la comparecencia será ante tu Señor. ⁹ ¿Has visto a quien impide ¹⁰ a un siervo [Muhammad] orar? [Alude a Abu Yahl] ¹¹ ¿Te parece que sigue la guía ¹² o que ordena el temor de Dios? ¹³ ¿No ves [¡Oh, Muhammad!] cómo desmiente y se aparta? ¹⁴ ¿No sabe que Dios ve? ¹⁵ Si no deja de hacerlo, lo agarraremos por el copete de su frente, ¹⁶ de su frente mentirosa y transgresora. ¹⁷ Y ¡que llame a sus secuaces, ¹⁸ que Nosotros llamaremos a los [ángeles] guardianes! ¹⁹ ¡No! ¡No le obedezcas [¡Oh, Muhammad!], sino prostérnate [ante Dios] y acércate a Él!

EL DESTINO

¡En el nombre de Dios, el Compasivo, el Misericordioso!

¹ Por cierto que lo hemos revelado en la noche del Destino. ² Y ¿cómo hacerte saber qué es la noche del Destino? ³ La noche del Destino es mejor que mil meses. ⁴ Los ángeles y el espíritu [el ángel Gabriel] descienden en ella, con permiso de su Señor, para cada asunto. ⁵ ¡En ella hay paz hasta el rayar del alba!

LA PRUEBA CLARA

¡En el nombre de Dios, el Compasivo, el Misericordioso!

[1] Los que no creen, tanto de entre la gente del Libro como asociadores, no han desistido hasta que no les ha llegado la prueba clara: [2] Un Mensajero de Dios, que recita hojas purificadas, [3] que contiene preceptos de rectitud. [4] Y quienes recibieron el Libro [judíos y cristianos] no se dividieron sino después de venir a ellos la prueba clara. [5] A pesar de que no se les había ordenado sino que adorasen a Dios, rindiéndole culto sincero como hanifes [sincero monoteísmo puro], que hicieran la oración y dieran el zakat [azaque]. Esa es la religión verdadera. [6] Los que no crean, tanto gente del Libro como asociadores, estarán eternamente en el fuego del Infierno. Esos son lo peor de la creación. [7] En cambio, los que crean y obren bien, esos son lo mejor de la creación. [8] Estos recibirán la recompensa de su Señor en los Jardines del Edén por donde corren los ríos y en los que estarán eternamente. Dios está satisfecho de ellos y ellos lo están de Él. Esto es solo para quien tema a su Señor.

EL TERREMOTO

¡En el nombre de Dios, el Compasivo, el Misericordioso!

[1] Cuando sea sacudida la tierra por su terremoto, [2] y expulse la Tierra su carga [3] y el hombre se pregunte: «¿Qué es lo que le pasa?», [4] ese día contará lo que sabe, [5] porque tu Señor le inspirará. [6] Ese día los hombres acudirán en grupos, para que se les muestren sus obras.

⁷ Quien haya hecho el peso de un átomo de bien, lo verá. ⁸ Y quien haya hecho el peso de un átomo de mal, lo verá.

SURA 100 : AL 'ADIAT
....

LOS CORCELES

¡En el nombre de Dios, el Compasivo, el Misericordioso!

¹ ¡Por los corceles jadeantes, ² que hacen saltar chispas!, ³ ¡Por lo que salen de algarada al alba, ⁴ levantando una nube de polvo ⁵ e irrumpiendo en las filas [del enemigo]! ⁶ El hombre, en verdad, es muy desagradecido con su Señor, ⁷ y él [mismo] es testigo de ello. ⁸ Y por cierto que ama ardientemente los bienes terrenales. ⁹ ¿Acaso no sabe que cuando se haga surgir a quienes están en las sepulturas ¹⁰ y se haga público lo que hay en los pechos, ¹¹ ese día, su Señor estará bien informado de ellos?

SURA 101 :AL QAREA
....

LA CONMOCIÓN

¡En el nombre de Dios, el Compasivo, el Misericordioso!

¹ ¡La conmoción! ² ¿Y qué es la conmoción? ³ Y ¿cómo hacerte saber qué es la conmoción? ⁴ Es el día en que los hombres parezcan mariposas dispersas ⁵ y las montañas copos de lana cardada, ⁶ entonces, aquel cuyas obras buenas tengan más peso [que las malas] en la balanza, ⁷ gozará de una vida placentera [en el Paraíso]. ⁸ En cambio, aquel cuyas obras buenas sean más livianas en la

balanza, [9] su morada estará en el abismo [del Infierno]. [10] Y ¿qué te hará entender lo que es eso? [11] ¡Es un fuego abrasador!

EL AFÁN DE LUCRO

¡En el nombre de Dios, el Compasivo, el Misericordioso!

[1] El afán de lucro os distrae [2] hasta que [muráis y] conozcáis [la oscuridad] de la tumba. [3] ¡Pero no! ¡Ya sabréis! [4] Sí, luego sabréis. [5] Si supierais a ciencia cierta. [6] Tened por seguro que veréis el fuego del Infierno. [7] ¡Sí, lo veréis con ojos de certeza! [8] Luego, ese día, se os preguntará por los momentos de dicha que hayáis tenido.

LA TARDE

¡En el nombre de Dios, el Compasivo, el Misericordioso!

[1] ¡Por la tarde! [2] Que es cierto que el hombre está en pérdida. [3] Excepto quienes creen, llevan a cabo las acciones de bien, se recomienden mutuamente la verdad y se recomienden mutuamente la paciencia.

EL DIFAMADOR

¡En el nombre de Dios, el Compasivo, el Misericordioso!

¹ ¡Ay de todo aquel que difame, que critique, ² que amase hacienda y la cuente una y otra vez, ³ creyendo que su hacienda le hará inmortal! ⁴ ¡Pero no! ¡Será arrojado, ciertamente, en al-hutama [es un nombre del fuego del Infierno]! ⁵ Y ¿cómo sabrás qué es al-hutama? ⁶ Es el fuego de Dios encendido. ⁷ Que llega hasta el fondo del corazón. ⁸ Se cerrará sobre ellos ⁹ en elevadas columnas.

EL ELEFANTE

¡En el nombre de Dios, el Compasivo, el Misericordioso!

¹ ¿No has visto lo que hizo tu Señor con los del elefante? ² ¿Acaso no hizo que su estratagema [de destruir la Ka'bah] fracasara ³ y envió contra ellos bandadas de aves, ⁴ que les arrojaron piedras de arcilla dura, ⁵ dejándolos como paja carcomida?

QURAISH

¡En el nombre de Dios, el Compasivo, el Misericordioso!

¹ Por el pacto de los Quraish. ² Pacto relativo a la caravana de invierno y la de verano, ³ ¡que adoren, pues, al Señor de esta Casa

SURA 112 : AL IJLAS

LA FE PURA

¡En el nombre de Dios, el Compasivo, el Misericordioso!

[1] Di: «¡Él es Dios, Uno, [2] Dios, el Absoluto [de Quien todos necesitan, y Él no necesita de nadie]. [3] No ha engendrado, ni ha sido engendrado. [4] No hay nada ni nadie que se asemeje a Él».

SURA 113 : AL FALAQ

EL ALBA

¡En el nombre de Dios, el Compasivo, el Misericordioso!

[1] Di: «Me refugio en el Señor del alba [2] del mal de lo que ha creado, [3] y del mal de la oscuridad de la noche cuando se extiende, [4] y del mal de las que soplan en los nudos, [5] y del mal envidioso cuando envidia».

SURA 114 : AN NÁS

LOS HOMBRES

¡En el nombre de Dios, el Compasivo, el Misericordioso!

[1] Di: «Me refugio en el Señor de los hombres, [2] el Rey de los hombres, [3] el Dios de los hombres, [4] del mal del susurro, del que se escabulle, [5] que susurra en los pechos de los hombres, [6] y existe entre los genios y los hombres».

Aplicaciones
El Corán y ¿Qué es el Islam?

Para obtener más información por favor visite:

www.goodwordbooks.com
www.cpsglobal.org
www.thequranicwisdom.com
www.spiritofislam.co.in